A E
& I

Yo, Julia

Autores Españoles e Iberoamericanos

Esta novela obtuvo el Premio Planeta 2018,
concedido por el siguiente jurado: Alberto Blecua,
Fernando Delgado, Juan Eslava Galán, Pere Gimferrer,
Carmen Posadas, Rosa Regàs y Belén López Celada.

Santiago Posteguillo

Yo, Julia

Premio Planeta
2018

© Santiago Posteguillo, 2018
© Editorial Planeta, S. A., 2018
Diagonal, 662-664, 08034 Barcelona
www.editorial.planeta.es
www.planetadelibros.com

Diseño de la colección: © Compañía

Mapa del interior: © GradualMap
Ilustraciones de las monedas: © Leo Flores

Primera edición: noviembre de 2018
Depósito legal: B. 25.399-2018
ISBN: 978-84-08-19740-9
Composición: Planeta Realización
Impresión y encuadernación: Cayfosa (Impresia Ibérica)
Printed in Spain - Impreso en España

El papel utilizado para la impresión de este libro es cien por cien libre de cloro y está
calificado como **papel ecológico**

Para Lisa y Elsa, por todo

She speaks always in her own voice
Even to strangers; but those other women
Exercise their borrowed, or false, voices
Even on sons and daughters.

She can walk invisibly at noon
Along the high road; but those other women
Gleam phosphorescent —broad hips and gross fingers—
Down every lampless alley.

She is wild and innocent, pledged to love
Through all disaster; but those other women
Decry her for a witch or a common drab
And glare back when she greets them.

Here is her portrait, gazing sidelong at me,
The hair in disarray, the young eyes pleading:
'And you, love? As unlike those other men
As I those other women?'

The Portrait, ROBERT GRAVES

Ella siempre habla con su propia voz
incluso a los extraños; pero esas otras mujeres
ejercitan sus voces prestadas, o falsas,
incluso con sus hijos e hijas.

Ella puede andar de forma invisible en el mediodía
por la calle principal; pero esas otras mujeres
brillan fosforescentes, caderas anchas y dedos burdos,
por cualquier callejón sin luces.

Ella es salvaje e inocente, comprometida en el amor
más allá de toda catástrofe; pero esas otras mujeres
la acusan de ser una bruja o una ordinaria
y la miran con furia cuando ella las saluda.

Aquí está su retrato, mirándome de reojo,
el pelo despeinado, mientras sus jóvenes ojos preguntan:
«¿Y tú, amor? ¿Eres tan diferente de los otros hombres
como yo de las otras mujeres?».

AGRADECIMIENTOS

—

Una novela como *Yo, Julia* precisa de un entorno de colaboración, amistad y apoyo familiar para su creación. Estoy muy agradecido al doctor Jordi Piqué por su paciencia en la lectura de un primer borrador de esta obra, por sus consejos y sugerencias y también al restaurante El Celler i l'Aglà de Valencia, por acogernos durante nuestras largas conversaciones sobre la novela. Del mismo modo, agradezco a mi hermano Javier y a su esposa Pilar por haberle dedicado tiempo también a leer y comentar conmigo una de las primeras versiones de esta narración.

Gracias a la catedrática Julita Grau de Valencia, por un lado, y al catedrático Jesús Bermúdez y al profesor Rubén Montañés de la Universidad Jaume I de Castellón, por otro, por atenderme con dedicación en mis dudas relacionadas con diferentes textos y citas en latín y griego. Cualquier error será solo achacable a mi persona.

Gracias también a la doctora María Noriega y al Sidney Sussex College por invitarme como *Visiting Scholar* a la Universidad de Cambridge, lo que me dio acceso a la sección de libros raros (así se denomina, en efecto) de dicha universidad. Esto me permitió consultar y leer un ejemplar original de 1903 de la única obra literaria que al parecer existe sobre Julia Domna escrita con anterioridad a esta novela.

Gracias a todo el equipo de la Agencia Literaria Carmen Balcells, en particular a Ramón Conesa, por su constante apoyo y orientación en cada uno de mis diferentes proyectos literarios.

Gracias a todo el equipo también de la editorial Planeta por su minucioso trabajo en la edición final de la obra.

Y, por fin, un agradecimiento muy especial, que nunca será lo suficientemente grande, a mi esposa Lisa y a mi hija Elsa, a quienes tanto tiempo les quito de mi vida para dedicarlo a escribir e investigar sin casi límite racional.

INFORMACIÓN IMPORTANTE PARA EL LECTOR

—

Nota histórica y apéndices

La novela *Yo, Julia* tiene una nota histórica y unos apéndices al final del volumen. En la nota se refiere con detalle todo el alto contenido histórico de la novela explicitando las fuentes empleadas durante su redacción, así como otras investigaciones complementarias llevadas a cabo por el autor durante tres años de trabajo dedicados a esta narración. No obstante, se recomienda no leer la nota histórica hasta haber concluido la novela para no anticiparse a giros relevantes en la trama.

Lo que sí puede consultar el lector a conveniencia son los apéndices que se incorporan en este volumen. En ellos encontrará diferentes mapas, árboles genealógicos, un glosario de términos latinos y una bibliografía. El mapa del Imperio romano completo con la ubicación de las legiones resultará muy útil en diversos momentos del relato.

Nota previa sobre los títulos de *augusto* y *césar*

Hoy día el término *césar* ha quedado por atribución popular como la forma habitual en la que nos podemos referir a un emperador de Roma, pero el uso de este término y del vocablo *augusto* en la época de Julia Domna, esto es, durante el Alto Imperio romano, difería relativamente.

En el siglo II d. C. se había establecido la tradición de que, dentro de la familia imperial de Roma, el emperador recibía el título de augusto. De manera ocasional, no siempre, la dignidad de augusto podía extenderse a algún otro miembro de la familia del emperador, por ejemplo, su esposa o alguna hermana.

El título de césar se empleaba ya en esta época para referirse de forma específica al heredero, al sucesor del emperador.

La utilización de estos dos títulos, augusto para el emperador y césar para el sucesor, era esencial en la organización de una dinastía imperial. Para dar a conocer al pueblo de Roma y a todos los habitantes del Imperio quién ostentaba cada título en cada periodo, se acuñaban monedas que certificaban la dignidad de cada persona de la familia imperial. Todo augusto tenía monedas con su efigie alrededor de la cual se grababan con letras mayúsculas todos los títulos del emperador. Con frecuencia, la acumulación de títulos hacía necesario el uso de abreviaturas en estas inscripciones numismáticas.

Aunque lo prototípico es que hubiera un único emperador con rango de augusto y un único sucesor con rango de césar, en algunas ocasiones de la historia imperial de Roma hubo más de un augusto o más de un césar al mismo tiempo. En estas circunstancias, hubo momentos en que dos augustos, es decir, dos coemperadores, gobernaron de forma coordinada y en paz. También hubo momentos en que un emperador con rango de augusto nombró a dos césares a la vez para asegurar la sucesión en caso de que uno de los dos césares falleciera.

No obstante, la naturaleza humana hizo que, con frecuencia en la historia del Imperio romano, cuando coincidían en el poder más de un augusto o cuando se había designado más de un césar, la coexistencia fuera cualquier cosa menos pacífica.

Dentro del sistema, aunque una mujer pudiera ostentar el rango de augusta si el emperador se lo concedía, esto era solo a título honorífico. Las esposas de los emperadores de Roma nunca tenían poder real ni sobre las legiones ni sobre las grandes decisiones de gobierno. Es decir, esto era lo que los hombres de Roma pensaban y lo que está escrito en muchos manuales de historia.

Ahora veamos la realidad.

La familia de Julia
Julia Domna, esposa de Septimio Severo
Septimio Severo, gobernador de Panonia Superior
Basiano, hijo mayor de Julia y Severo
Geta, hijo menor de Julia y Severo
Julia Maesa, hermana de Julia
Alexiano, esposo de Maesa
Sohemias, hija mayor de Maesa y Alexiano
Avita Mamea, hija menor de Maesa y Alexiano

Enemigos de Julia
Cómodo, emperador de Roma
Pértinax, senador
Juliano, senador
Pescenio Nigro, gobernador de Siria
Clodio Albino, gobernador de Britania

Mujeres de Roma
Marcia, amante de Cómodo
Titiana, esposa del senador Pértinax
Scantila, esposa del senador Juliano
Didia Clara, hija del senador Juliano
Mérula, esposa del gobernador Pescenio Nigro
Salinátrix, esposa del gobernador Clodio Albino

Pretorianos

Quinto Emilio, jefe del pretorio con Cómodo y Pértinax
Marcelo, centurión de la guardia con Cómodo
Tulio Crispino, jefe del pretorio con Juliano
Flavio Genial, jefe del pretorio con Juliano
Tausio, pretoriano tungrio
Flavio Juvenal, jefe del pretorio con Septimio Severo
Veturio Macrino, jefe del pretorio con Septimio Severo

Senadores y altos cargos del Imperio

Eclecto, chambelán de Cómodo
Dion Casio, senador
Sulpiciano, senador
Tito Sulpiciano, senador, hijo del anterior
Helvio Pértinax, senador, hijo de Pértinax
Claudio Pompeyano, senador
Aurelio Pompeyano, senador, hijo del anterior
Léntulo, *legatus*
Emiliano, *legatus*
Virio Lupo, gobernador de Germania Inferior
Novio Rufo, gobernador en Hispania

Hombres de confianza de Septimio Severo

Plauciano, amigo de la infancia de Severo
Fabio Cilón, *legatus*
Julio Leto, *legatus*
Cándido, *legatus*
Anulino, *legatus*
Valeriano, jefe de la caballería de Mesia
Quinto Mecio, tribuno

Aristócratas partos

Vologases V, rey de reyes de Partia
Vologases VI, primogénito de Vologases V
Artabano V, segundo hijo de Vologases V
Osroes, tercer hijo de Vologases V

Otros personajes
Galeno, médico griego de la familia imperial
Philistión, bibliotecario en Pérgamo
Opelio, oficial en la frontera
Calidio, esclavo *atriense* de la familia Severa
Lucia, hija de colonos de la frontera
Narciso, atleta
Turditano, traficante de esclavos
Aquilio Félix, jefe de los *frumentarii*, la policía secreta de Roma

PROOEMIUM

—

Diario secreto de Galeno
Anotaciones sobre la emperatriz Julia
y sobre la naturaleza secreta de estas páginas

Roma, 950 *ab urbe condita*[1]

Mi nombre es Elio Galeno, educado en Pérgamo y Alejandría. He sido el médico de la familia imperial de Roma durante años y he asistido como testigo a numerosos acontecimientos notables en mi larga vida. Así, a modo de ejemplo, puedo mencionar que he presenciado la caída de una estirpe de emperadores y el ascenso de otra. También he acompañado a las legiones de Roma a varias campañas contra los bárbaros, ya fuera en el norte, más allá del Rin o el Danubio, o en las remotas tierras de Oriente. He visto dos cruentas guerras civiles, mucha sangre derramada en combates en los anfiteatros de medio mundo y en infinidad de campos de batalla. Por fin, seguramente la más terrible de mis experiencias, he asistido a los devastadores efectos de la peste. Muchos son, pues, los sucesos de renombre que he presenciado en mi existencia. Entiendo que los historiadores oficiales del Imperio y otros que se ocupan del recuerdo de lo que acontece en la existencia de los hombres tomarán debida cuenta de cada uno de estos eventos, quedando, de ese modo, todos ellos convenientemente reflejados por escrito para la posteridad. Pero siempre me asalta una duda: ¿y Julia? ¿Se acordará alguien de su historia? En solo diez años pasó de ser

1. Año 950 desde la fundación de Roma, esto es, 197 d. C.

una desconocida adolescente de la ciudad de Emesa[2] en su Siria natal a la augusta emperatriz de Roma en lo que supone un deslumbrante *cursus honorum* sin parangón.

En mi caso, por gratitud y por justicia, me he asignado un cometido inaudito en mi persona: he decidido contar su historia desde el principio, al menos, desde el momento en el que Julia Domna llegó a Roma. Pero en mí no habita ni el sentimiento ni la pericia de las palabras de un poeta ni de un autor de teatro popular y, aunque he escrito mucho, siempre han sido tratados de medicina, de plantas y pócimas, de anatomía, de enfermedades y tratamientos. Huelga decir que esta circunstancia me situaba ante un problema nunca antes considerado por mi intelecto: ¿cómo se cuenta la historia de una persona? ¿En qué orden? ¿En una sucesión cronológica de acontecimientos u organizando estos según temáticas afines?

Esto es algo nuevo para mí y confieso que me he sentido perdido durante meses en este punto.

Es complejo decidir cómo se va a contar una historia. Esto es, si se quiere hacer bien, tal y como se deben acometer todos los empeños en los que uno se embarca. Lo que implica, en el caso que nos ocupa, evitar ser uno de esos que se aventuran al relato sin antes considerar bien cómo organizar las ideas. Si uno va a ser proclive a semejante desatino entonces es mejor que ni tan siquiera empiece la empresa. Por eso he dedicado tiempo, esfuerzo e ingenio a pensar sobre esta cuestión: ¿cómo contar la historia de Julia Domna, la emperatriz más poderosa de Roma?

Estuve ponderando acerca de qué elementos o rasgos definen a una persona: unos dicen que su carácter, que tan relacionado está con los humores y su salud, pero estas características técnicas son las que nos interesan a los médicos. Yo no escribo ahora esta historia para otros cirujanos. A ellos les dejo mis manuales y tratados del arte de Asclepio, detallados y extensos. Limitados también. Solo yo sé cuánto me duele eso, mas empiezo a dispersarme. Luego volveré sobre este punto, sobre las fronteras impuestas a mi medicina, sobre la ceguera de conocimiento en la que me han obligado a trabajar.

2. Actual Homs en Siria.

Pero volvamos a Julia.

¿Qué define a una persona además de su carácter y sus humores? Sus amigos, aquellos a quienes uno considera merecedores de ser depositarios de su confianza. A la luz de las amistades de las que alguien se rodea a lo largo de su vida se puede entrever con claridad qué tipo de persona es la que está en el centro de ese núcleo. Aristóteles ya hablaba de esto, pero también advertía de que las amistades que surgen del interés no son realmente tales, pues en esas circunstancias lo que promueve nuestro acercamiento a la otra persona es conseguir algo, por lo general un beneficio. De esta forma, en el caso de una emperatriz tan poderosa como la augusta Julia, si bien podemos encontrar alrededor de ella un círculo cercano de amistades, en el que yo mismo me incluyo, cabe también preguntarse: ¿quién de nosotros se ha acercado a la emperatriz solo por auténtica amistad sin perseguir un privilegio, un regalo, una ayuda? Hasta yo mismo me aproximé a ella en un inicio para obtener cosas que anhelaba. Luego aprendí a respetarla e incluso a sentir admiración, pero ¿es esa una relación de amistad?

Emperatriz y poder. Eso me dio finalmente la clave para poner en marcha mi narración y articular mi discurso de forma coherente: es muy complejo discernir los amigos auténticos de alguien poderoso, pero es mucho más sencillo, y me atrevo a decir que hasta más objetivo, determinar quiénes fueron sus enemigos. Resulta, por cierto, indiscutible que la emperatriz Julia Domna tuvo enemigos formidables, oponentes mortíferos, y comprender quiénes fueron puede hacernos entender con precisión quién, en verdad, fue la persona a la que tanto mal intentaron hacer estos. En consecuencia, ante la incapacidad de definir bien a los amigos reales de la emperatriz, he decidido narrar su historia organizándola en cinco secciones, en cinco libros de acuerdo con los cinco grandes enemigos a los que se ha enfrentado la augusta Julia hasta ahora: nada más y nada menos que cinco emperadores de Roma. Es un listado imponente que creo que puede trasladar al lector de este relato la dimensión de la personalidad de Julia. La augusta nunca se arredró ante nadie.

Eso siempre me admiró de ella.

Pero vayamos al principio.

LIBER PRIMUS

Cómodo

M COMMODVS ANTONINVS PIVS FELIX AVG BRIT
Marcus Commodus Antoninus Pius
Felix Augustus Britannicus

I
—

DIARIO SECRETO DE GALENO

Anotaciones sobre los orígenes
de Julia y sobre la locura del emperador Cómodo

Julia se curtió en una constante lucha por la supervivencia desde el principio de su llegada a Roma, siendo su primer enemigo tan formidable como brutal. Prueba de lo que digo son los muchos que perecieron en los últimos años de gobierno del *Imperator Caesar Lucius Aelius Commodus Augustus Pius Felix Sarmaticus et caetera*, esto es, usando una parte de sus nombres oficiales y dejando de lado los exóticos que se fue añadiendo y autoasignando a lo largo de su gobierno; en todo caso, para abreviar y facilitar la narración, a partir de ahora, me referiré a él como Cómodo.

La capacidad de sobrevivir de Julia en medio del peor de los mundos se manifestó suprema ante los desatinos de Cómodo, el último de los emperadores de la dinastía Ulpio-Aelia o Antonina, según nos fijemos en los orígenes de esta estirpe con Nerva y Trajano o en su final con Antonino y Marco Aurelio.

Pero más allá de mi organización temática por enemigos de nuestra protagonista, hagamos un poco de cronología para ubicar al lector en el momento preciso del comienzo de nuestro relato: nacida en Emesa, en la provincia oriental de Siria, hija de un rey-sacerdote del culto al dios del sol El-Gabal, Julia se casaría con Septimio Severo, un prometedor legado del Imperio. Para consumar el matrimonio, la joven muchacha se trasladó a Lugdunum,[3] donde Septimio ejercía como gobernador de la Galia Lugdunense. Ella era muy joven, apenas dieciséis o die-

---

3. Actual Lyon.

cisiete años; él, un maduro viudo de unos cuarenta años, sin hijos. Los esposos se llevaban bien: Julia era muy hermosa y de una inteligencia sobresaliente, aunque nadie reparase en ello. Supo ocultar esta destreza suya tras la deslumbrante belleza de su rostro y de su pequeño cuerpo, del que Septimio Severo quedó prendado de inmediato, al parecer en un encuentro previo que tuvieron ambos cuando Severo ejerció como legado en Oriente años antes, cuando ella aún era solo una adolescente. Más adelante daré cumplida cuenta de ese primer encuentro entre ambos.

Pero avancemos.

Tras contraer matrimonio con Septimio Severo, Julia se quedó embarazada apenas nueve meses después de la boda, lo que certifica la pasión de su esposo por ella, así como la fertilidad de la augusta. Nació en Lugdunum entonces el primogénito de la pareja, a quien pusieron el nombre de Basiano, como el padre de Julia, un detalle que mostraba algo que muchos no supieron ver: Septimio quería agradar a su esposa, pues estaba enamorado de ella. Algo comprensible desde un punto de vista puramente físico y desde la perspectiva de un varón adulto y en razonable plenitud aún. En mi caso es diferente, pues conocí a la que sería emperatriz Julia cuando yo ya tenía más de sesenta años. Aun así recuerdo que su belleza hizo revivir en mí deseos carnales que creía no ya dormidos sino muertos y enterrados. No lo digo porque la emperatriz cayera en la frivolidad del flirteo o provocara con sus ademanes ni con su vestido. Siempre fue prudente en su forma de conducirse, ya fuera en la residencia de su esposo o en público. No seré yo quien la acuse de llevar una vida lujuriosa como han hecho tantos de sus enemigos hasta crear de ella una imagen tan falsa como extendida en muchos lugares del Imperio. ¿Será esa la idea que perviva de ella, la de los rumores y la maledicencia?

Sin embargo, su capacidad de hechizar a los hombres no era fruto ni de frivolidad en su conducta ni de erotismo fatuo. Era simplemente que hay mujeres de tal hermosura que, no importa cómo se aderecen ni qué ropa luzcan, irradian algo que obnubila. Julia siempre supo utilizar esa baza con su esposo, incluso cuando aquello pudo suponer una guerra civil, descarnada y sin límites. Quizá tampoco ella tuvo alternativa. Siempre se adelantaba a los acontecimientos, y para Julia atacar primero era la mejor opción y, cuando lo hacía, no solía errar en sus objetivos. Yo creo que actuó siempre en defensa propia, pero vuelvo a adelantar acontecimientos. Ciertamente es más difícil contar una historia como esta que redactar uno de mis manuales de anatomía. El lector habrá de tener paciencia conmigo.

Explico mi aseveración anterior: en los círculos de poder de Roma, si no atacas tú primero, tus enemigos te aniquilan, en el sentido literal del término. Julia aprendió todo esto con rapidez. Los que la critican no han querido entender que ella tan solo fue una alumna aventajada de los usos brutales de la lucha por el poder en Roma y eso que durante años la consideraron una extranjera, mas ella lo solucionaría de forma definitiva. Pero volvamos a los últimos años de Cómodo para marcar el inicio propiamente dicho de nuestro relato: tras su buena gestión en la Galia Lugdunense, a Septimio Severo lo nombraron procónsul en Sicilia. Julia y el pequeño Basiano lo acompañaron y allí dio ella a luz al segundo niño de la pareja, al que llamaron Geta[4] en atención, esta vez, al hermano de Septimio. Ella también sabía cómo agradar a su esposo, y no solo en el lecho. Luego vendría el nombramiento clave para Septimio: gobernador de Panonia Superior con tres legiones a su mando.

Era un matrimonio feliz.

Sí, todo habría sido tranquilo si no hubiera existido Cómodo.

Los acontecimientos se precipitaron unos sobre otros y, en medio de la locura del emperador Cómodo, llegó el desastre. Ese día yo lo perdí todo. Pero no he de dispersarme. Esta no es mi historia, sino la historia de Julia.

4. Pronunciado «Gueta».

II
—

LA IMPULSIVA JULIA

Seis años antes
Residencia de la familia Severa, Roma
Finales de 191 d. C.

Julia levantó sus ojos negros y grandes del pergamino con poemas de Ovidio que estaba leyendo y miró a un lado y a otro. La acompañaba en el atrio su hermana Maesa, que permanecía tranquila, enfrascada también en la lectura de otro códice. Julia se alzó despacio al tiempo que inspiraba varias veces, rápidamente, por la nariz.

—¿Lo hueles? —preguntó.

Maesa dejó el pergamino a un lado del *triclinium* y la miró confundida.

—¿El qué?

Julia no parecía escucharla y, ya en pie, daba vueltas por el atrio inspirando y espirando cada vez más deprisa, al tiempo que escudriñaba el cielo.

—No se ven las estrellas.

—Se habrá nublado —contestó Maesa a modo de explicación.

Su hermana negó con la cabeza y se volvió hacia ella con las facciones tensas en su hermoso rostro procedente de Oriente, un rostro que había enamorado a todo un legado de Roma, a todo un gobernador.

—¿No lo hueles de verdad? —insistió Julia, y al ver que su hermana se encogía de hombros, alzó la voz y llamó al *atriense*, el veterano esclavo jefe de la familia Severa—. ¡Calidio, Calidio!

Un sirviente alto y musculado de unos treinta años apareció veloz en el atrio.

—Sí, mi señora.

—Sal, rápido, y da una vuelta por la ciudad, ve hacia... —Julia miró al cielo e hizo sus cálculos—. Ve hacia el foro del divino Trajano y luego hacia el palacio imperial y regresa raudo. Dime si ves algo extraño.

Calidio asintió y, sin rechistar, dio media vuelta, llamó a otros esclavos a los que dio instrucciones para que cogieran palos, cuchillos y tres antorchas, y salió de inmediato obedeciendo a la señora de la casa sin protestar ni preguntar por qué se le pedía aquello. La obediencia ciega le había hecho llegar lejos en su puesto.

—¿Tan peligrosa es la noche romana que han de coger todo eso? —preguntó Maesa.

Pero a Julia la violencia nocturna de la capital del Imperio no le preocupaba en ese instante.

—Huelo humo, hermana —dijo—. Creo que hay un incendio. Lo que no sé es cómo de grande es este desastre.

Palacio imperial, Roma

Las llamas avanzaban imparables por las dependencias del palacio. Quinto Emilio, jefe del pretorio del emperador Cómodo, daba órdenes a la guardia.

—¡Conducid al augusto a la explanada del circo! ¡Rápido, rápido!

Lo primero era salvaguardar la vida del emperador. Todo lo demás podía esperar. En ese momento, alguien se atrevió a tocarle por la espalda. Quinto Emilio se dio la vuelta con aire de fastidio y llevándose la mano a la empuñadora de la espada. Vio entonces a aquel viejo médico mirándolo con los ojos casi fuera de las órbitas.

—Has de darme hombres —dijo Galeno.

Quinto Emilio escupió en el suelo.

—Te has olvidado de dirigirte a mí como *vir eminentissimus* —dijo Quinto Emilio por toda respuesta; le incomodaba los aires que se daba aquel médico en el que tanta confianza había puesto primero el emperador Marco Aurelio y luego su hijo

Cómodo—. Ahora no puedo prestarte hombres, viejo. Tengo cosas más importantes entre manos como asegurar la vida del emperador, de su amante, de sus esclavos...

—¡Está ardiendo la biblioteca del palacio! —insistió el médico a gritos.

—¡Y el palacio entero, y también el foro! —le espetó Quinto Emilio, pasando de sentirse molesto a mostrar despecho—. ¡Yo no tengo hombres para caprichos! ¡Pide ayuda a los *vigiles*! ¡Apagar los incendios es misión suya, no mía!

—¡Los *vigiles* están concentrados en intentar salvar el templo de Vesta y el templo de la Paz! ¡La biblioteca está en palacio y el palacio es cosa tuya!

Pero Quinto Emilio negó con la cabeza y dio media vuelta para seguir a los pretorianos que se alejaban del incendio custodiando la figura con toga púrpura del emperador de Roma, a quien habían tenido que despertar del sopor de una gran borrachera producto de los excesos del último de sus interminables banquetes.

Galeno se alejó entonces en dirección contraria.

Quinto Emilio miró un momento hacia atrás y se percató de que el médico, en su locura, en vez de huir se encaminaba directo hacia el corazón del incendio.

—¡Tú y tú! —exclamó el prefecto de la guardia, dirigiéndose a dos pretorianos—. ¡Seguidlo, prendedlo y traedlo al circo!

Aunque aquel viejo le resultara un fastidio, era el médico del augusto emperador, y el jefe del pretorio tenía claro que no era buena idea consentir que en su estupidez aquel anciano se dejara consumir por las llamas. Cómodo lo juzgaría responsable por no haberlo puesto a salvo como a su amante o a los esclavos, y Quinto Emilio no quería degustar el amargo sabor de su ira. Había visto al emperador colérico. No era agradable. Y no se sobrevivía si la rabia imperial apuntaba hacia uno.

Los dos pretorianos asintieron, saludaron militarmente a Quinto Emilio y fueron en busca del anciano que, para su sorpresa, andaba a una velocidad increíble.

—Va a la biblioteca —dijo uno de los pretorianos.

—Allí el incendio arrecia con más fuerza —completó el otro.

Galeno, ajeno a los movimientos de la guardia, llegó a la

puerta del archivo central del palacio. Quería entrar como fuera y salvar lo que pudiese. La puerta estaba cerrada y un humo oscuro salía por entre las rendijas de las dos hojas de bronce que daban acceso a la sala central de lectura. Dio una patada pero no consiguió nada. Fue en ese instante cuando lo cogieron desprevenido por la espalda.

—¡Dejadme, malditos, dejadme! —aulló Galeno con furia pugnando por zafarse del abrazo poderoso de los guardias imperiales, pero él era un hombre muy mayor, y ellos, guerreros recios del Rin incorporados a la guardia imperial por Marco Aurelio.

Los pretorianos lo alejaron casi a rastras de la biblioteca.

—¡Dejadme, liberadme, malditos...! —seguía gritando Galeno, y empezó a llorar mientras lo conducían hacia el pasadizo que conectaba el palacio imperial con el *pulvinar* del Circo Máximo—. Vosotros no lo entendéis. Allí están todos mis pergaminos, todos mis papiros, todos mis escritos de los últimos treinta años. Todo lo que sé, todo lo que he aprendido se está quemando... ¡Que Asclepio os abandone en la enfermedad y os confunda a todos!

De pronto una unidad de *vigiles* encargados de la extinción de incendios en Roma se cruzó con el médico y sus captores. Galeno los vio cargados con cubos de esparto, impermeabilizados con brea, que usaban para echar agua al fuego con más rapidez, pues estos pozales pesaban mucho menos que los de madera. Pero aun así, pese a aquel regimiento de militares entrenados para apagar incendios, las llamas crecían escupiendo brasas incandescentes y restos de papiros ardiendo que volaban hacia la oscuridad de un cielo impasible.

Residencia de la familia Severa, Roma

El *atriense* regresó con el resto de esclavos y entró sudando en el patio de la gran *domus* de Septimio Severo. Allí lo esperaban ansiosas Julia, en el centro, junto al *impluvium*, y Maesa, también en pie e inquieta, pues ya olía el humo que había detectado su hermana.

—¡Hay un enorme incendio, mi señora! —exclamó el *atriense*, inspirando en grandes bocanadas para recuperar el aliento.

—¡Por El-Gabal! —exclamó Maesa encomendándose a la protección del dios del sol de su ciudad de origen.

Julia, sin embargo, no tenía tiempo para religión en aquel momento. Fue directa al grano.

—¿Dónde? ¿Está muy extendido?

—No estoy seguro, mi señora. Pero no he podido ir más allá de la Columna de Trajano. A partir de allí todo es un tumulto. Se ven llamas cerca del Anfiteatro Flavio. El cielo es de color naranja...

Julia y Maesa alzaron la mirada. El resplandor de las llamas iluminaba todo con un tinte ocre, ominoso, temible. Julia se concentró en discernir un plan.

—Despertad a los niños —ordenó de inmediato la matrona de la casa Severa.

—¡Alexiano! —gritó entonces Maesa, al recordar que su esposo estaba fuera de la residencia familiar.

—Ha ido al puerto y eso está en dirección opuesta al incendio —la tranquilizó Julia. Ella no temía por su cuñado ni tampoco por su esposo: Septimio estaba muy lejos de allí, en la remota provincia de Panonia Superior, donde ejercía como gobernador. A ella le habría gustado acompañarlo, debería haberlo hecho, pero...

Sus pensamientos se quebraron ante los golpes en la puerta.

—¡Abrid! ¡Abrid de una vez!

—¡Es Alexiano! —exclamó Maesa.

Abrieron las puertas. El hombre entró veloz y su esposa se abrazó a él.

—¡Hay un incendio gigantesco! —dijo Alexiano a la vez que envolvía con los brazos a su mujer para sosegar su espíritu.

—Deberíamos irnos —propuso Julia, pero en voz baja, como un suspiro.

—¿Irnos adónde?

Julia lo miraba fijamente. Alexiano era un buen hombre. Se había mostrado como un buen marido de su hermana y un buen padre de la niña pequeña que tenían ambos, Sohemias, y, en ausencia de Septimio, ejercía de *pater familias* junto con el omnipresente Plauciano, amigo personal de su esposo.

—Esperemos a Plauciano —respondió Alexiano—. Estaba conmigo en el puerto y ha ido a averiguar si estamos en riesgo o no en esta parte de la ciudad. Ya sabes que salir de Roma...

Pero Julia lo interrumpió.

—Él no es miembro de esta familia —dijo, nuevamente en voz baja. Sabía que estaba moviéndose en terreno peligroso y no quería indisponerse con Alexiano.

—Pero Septimio confía en él. Y yo también —sentenció su cuñado.

Julia calló.

No había margen para discutir la autoridad que su ausente esposo había concedido a Plauciano.

Por el momento.

Circo Máximo, Roma

Por la larga explanada de arena del circo, justo por donde los días de competición transcurrían las carreras de cuadrigas, en medio de las ciclópeas gradas vacías, caminaba el emperador Cómodo recubierto por el *paludamentum* púrpura y rodeado por decenas de pretorianos armados.

Se detuvo y miró al cielo. Luego inspiró. Exhaló.

—El viento va hacia el sur.

—Sí, augusto —confirmó Quinto Emilio mirando también hacia lo alto.

El emperador siguió andando. Se le veía muy serio. Tenso.

—¿Qué se ha perdido? —preguntó.

—No estoy seguro aún, augusto —replicó el jefe del pretorio—, pero parece que el templo de la Paz está arrasado, y con él todos los archivos de Roma y parte del foro. El templo de Vesta también estaba en llamas.

—Es una señal. —Cómodo se detuvo en seco y miró fijamente a Quinto Emilio—. ¿Lo entiendes?

El prefecto se detuvo también, frente al emperador, y tragó saliva. No sabía bien qué decir. Empezó a sudar mientras el augusto lo miraba esperando respuesta.

—No, no lo entiendes —concluyó Cómodo ante el silencio

de su interlocutor y, para alivio del prefecto, sonrió—. No lo entiendes ni tú ni ningún otro excepto yo. Por eso yo soy el emperador y no los demás. Entendéis todos tan poco...

Y echó la cabeza para atrás mientras lanzaba una sonora carcajada que rebotaba en las inmensas gradas vacías. Por orden del emperador, las puertas del Circo Máximo permanecían cerradas. Ese era su refugio aquella noche. Que la plebe buscara otro lugar para sobrevivir a las llamas. El gigantesco edificio, recubierto de mármol por Trajano en el pasado, no ardería fácilmente. Y mientras el viento se llevara el humo hacia el sur, no había ningún problema. Esto es, para él. Eso era lo único esencial. Él.

—Sí, es una señal que me mandan los dioses —continuó Cómodo en voz alta, pero ahora sin mirar a nadie. Sus ojos se paseaban por las majestuosas gradas como si estuviera dando un discurso a un gentío fantasma, invisible para el resto—. Voy a refundar Roma. De las cenizas emergerá una nueva urbe, un nuevo imperio, un nuevo orden...

Pero calló. De pronto frunció el ceño y se volvió rápido hacia su jefe del pretorio.

—¿Has puesto vigilancia en todas las puertas? —preguntó.

—Sí, augusto. Nadie puede entrar en el Circo Máximo, na...

Quinto Emilio no pudo terminar la frase.

—¡Noooo, imbécil! ¡No me refiero a esas puertas! ¡Por Hércules, cuánta incompetencia, cuánta ceguera! Las que me preocupan son las puertas de la ciudad, las entradas y salidas de Roma. ¿Hay pretorianos en los accesos a la ciudad?

—No... el fuego... proteger la vida del emperador ha si-do mi prio-ridad... —se excusó Quinto Emilio, pero dudando, con palabras entrecortadas.

—Pues pon vigilancia, inútil, y más te vale que nadie salga, sobre todo ya sabes quién. Ninguna de esas mujeres debe abandonar Roma bajo ningún concepto.

Quinto Emilio comprendió entonces y se dio cuenta de que el emperador tenía motivo para preocuparse. Pese a su creciente locura, Cómodo exhibía momentos de clarividencia, de lucidez, y aquel era uno de ellos.

—Me ocuparé personalmente.

—Eso espero, por tu bien, pues te consideraré responsable si alguna escapa.

Quinto Emilio asintió con una frente perlada de sudor frío, dejó al emperador meditabundo, que continuaba mirando las inmensas gradas vacías del Circo Máximo, y partió en busca de los accesos de entrada y salida de Roma con la amenaza de Cómodo clavada en los oídos.

Era la primera vez que el emperador lo amenazaba directamente.

No le gustó nada.

Residencia de la familia Severa, Roma

El humo se intensificó. Todos discutían. Y les costaba respirar. Entre las voces nerviosas y los ataques de tos de unos y otros, Alexiano se hizo oír.

—De acuerdo. Haremos lo que Julia ha dicho. Dejaremos la *domus*.

Él mismo encabezó la larga comitiva junto con varios esclavos armados. Tras Alexiano iban la propia Julia, con los pequeños Basiano y Geta, de cuatro y tres años respectivamente, cogidos con fuerza cada uno de una mano de su madre, y Maesa, con la pequeña Sohemias, de apenas unos meses, en brazos. Otro grupo de esclavos armados, dirigidos por el *atriense* Calidio, cerraba la marcha.

Avanzaron entre el tumulto. Muchos huían a contracorriente. Todo era confusión y gritos. Se cruzaron con varias patrullas de *vigiles* que corrían en dirección norte pertrechados con todo tipo de cubos, escalas y hachas.

Caminaron veloces hacia el río y pronto llegaron a las proximidades de la Puerta Trigemina, que daba acceso al río y al puerto fluvial, en el entorno del viejo Foro Boario.

—¡Deteneos! —exclamó Alexiano.

Todo el grupo se frenó en seco. La pequeña Sohemias lloraba en brazos de Maesa, percibía la tensión en el pálpito acelerado del corazón de su madre. Basiano y Geta, por el contrario, guardaban el silencio frío del miedo. Julia miró hacia delante por encima de los hombros de los esclavos. Pudo ver a decenas de pretorianos, que habían dispuesto controles militares para salir de la ciudad.

Alexiano se giró y la miró directamente a los ojos. Estaban allí por ella, ella misma los había empujado a intentar salir de la ciudad.

Julia, por su parte, en pie, inmóvil pero muy firme, seguía pensando que salir, que escapar de aquella cárcel en la que se había convertido Roma, era la clave de todo, aunque no había contado con que los pretorianos establecieran controles en medio de aquel caos causado por el incendio. Sentía la mirada de Alexiano fija en ella.

—No debemos identificarnos —dijo Julia.

—Si no nos identificamos, no nos dejarán pasar en ningún caso —respondió él.

Ella asintió.

Era cierto. Pero si se identificaban, todo dependería de las instrucciones que aquellos pretorianos hubieran recibido de Quinto Emilio, y todo, a su vez, dependería de lo que el emperador en persona le hubiera ordenado al jefe del pretorio.

—¿Qué hacemos, madre? —preguntó el pequeño Basiano, que había sentido cómo la mano de Julia apretaba con más fuerza la suya propia. Geta callaba. Estaba a punto de llorar, pero como Basiano no lo hacía, él tampoco. Siempre competían en todo: en comer más rápido, en correr más veloces, en saltar más alto, en ser el más valiente.

—Nos retiramos —aceptó Julia, suspirando derrotada. Habían estado tan cerca de conseguirlo...

Alexiano se sintió aliviado. Odiaba enfrentarse a su cuñada. Julia era una persona afable, inteligente y hermosa y una hermana leal para Maesa. Pero a veces era demasiado impulsiva. Seguramente eso fue lo que el propio Septimio Severo vio en ella: una energía inagotable envuelta en aquel hermoso cuerpo. Maesa también era bella, pero de ánimo más sosegado. Alexiano se tranquilizó al ver que ya no tenía que contravenir su sentido de la intuición, que le decía que intentar cruzar aquel control de la Puerta Trigemina no traería nada bueno.

—El humo se disipa —dijo entonces Maesa—. Parece que los *vigiles* están haciendo bien su trabajo.

Alexiano cabeceó afirmativamente. Julia también. El aire era más limpio. Aunque el olor a humo seguía siendo intenso, se podía respirar mejor.

Ninguno del grupo, ya concentrados en retornar a la gran *domus* de la familia Severa, se percató de la mirada inquisitiva del centurión al mando del control militar de la Puerta Trigemina. El pretoriano se fijó en las ropas lujosas de aquella pequeña comitiva que había dado la vuelta a escasos metros del puesto de guardia. Muy serio, se dirigió a uno de sus hombres.

—Síguelos. A distancia y sin que te vean. Y vuelve aquí cuando sepas adónde han ido y quiénes son.

De regreso, Julia, Maesa, Alexiano y el resto, cabizbajos, evitaron las zonas donde había más humo y se encaminaron hacia las proximidades del puerto sin acercarse a ninguna otra puerta para esquivar los controles militares. En un incendio siempre estaba bien tener agua cerca, aunque solo fuera para mojar trapos o esponjas con los que cubrirse la cara y poder respirar filtrando, al menos, parte del humo.

Junto al Tíber, se vieron rodeados por decenas de *vigiles* que, siempre observados por otros tantos pretorianos, cargaban cubos de agua en grandes carros con los que la transportaban hacia el corazón del incendio. Allí encontraron a Plauciano, hablando a gritos con un centurión para que agilizara aquellos trabajos.

—¿Qué hacéis aquí? —les espetó sin ni siquiera saludarlos—. Deberíais estar en la *domus*, a resguardo, con los esclavos armados. La ciudad es un hervidero, una locura.

—El humo hacía el aire irrespirable —explicó Alexiano, pero Plauciano intuía que había algo más.

—Ha sido Julia, ¿verdad? —le preguntó en voz baja, con la mirada fija en la mujer de Septimio Severo, que envolvía con los brazos a los niños para transmitirles tranquilidad.

Alexiano no dijo nada, pero asintió.

—Eso ha sido una locura —continuó Plauciano aún entre susurros—. De ella no me sorprende, pero esperaba más sentido común en ti. Si Septimio se entera, no cuentes con que se lo tome bien.

—Sabes cómo es Julia... —argumentó Alexiano en su defensa.

Y Plauciano bien que lo sabía: lista, testaruda y guapa. Así la veía él. Lo de lista lo detectó solo meses después de la boda con su amigo, el ahora gobernador de Panonia Superior. Para la mayoría que no la conocía bien, Julia era solo la muy bella esposa extranjera del gobernador de la más importante provincia danubiana. Sin embargo, Plauciano había ido aprendiendo que Julia era mucho más que eso, pero ahora había cometido un error y eso a él le venía bien. Se fue directamente hacia ella.

—Si Septimio se entera de que has intentado salir de Roma sin el permiso del emperador, y con los niños...

—Hay un incendio, es una emergencia —se defendió ella sin arredrarse.

Plauciano no estaba acostumbrado a que nadie le impidiera terminar una frase y se perdió en lo que iba a decir a continuación. Julia aprovechó ese breve instante de duda para, a su manera, atacar.

—¿Acaso vas a decirle tú a mi marido lo que he intentado hacer hoy?

Plauciano se acercó a ella. El pequeño Basiano y su hermano Geta sintieron cómo las manos de su madre sudaban, sin soltarlos en ningún momento.

—Quizá Septimio Severo debería saber que su esposa no atiende a razones hasta el extremo de poner en peligro a sus hijos.

Basiano miraba a su madre y luego a Plauciano. Quería entender pero no podía. Eran cosas de adultos. Enfados por motivos que él no alcanzaba a imaginar. Para él, su madre solo los había alejado del fuego y eso al pequeño le parecía una buena idea.

—Mi esposo sabe muy bien con quién está casado. Me eligió, ¿recuerdas? —replicó ella, siempre sin retroceder un paso. Maesa, por su parte, se había alejado con Sohemias en brazos, que aún lloraba.

—Sabes bien que el emperador retiene en Roma a todas las esposas y los hijos de los gobernadores que tienen legiones a su mando como forma de garantizarse su lealtad absoluta —dijo al fin Plauciano, recordando lo que quería haber mencionado antes—. En particular te vigila a ti, esposa de Septimio Severo, gobernador de Panonia Superior; a Salinátrix, esposa de Clodio Albino, gobernador de Britania; y a Mérula, mujer de Pescenio Nigro, gobernador de Siria, porque cada uno de estos gobernadores dispone de tres legiones a su mando. Eres esposa de uno de los gobernadores más poderosos, y por eso mismo los ojos del emperador no dejan nunca de vigilarte a ti y a todos los que te rodean —continuó Plauciano, poniendo palabras a lo que Julia y Maesa y Alexiano y todos los patricios de Roma sabían, pero apenas nadie se atrevía a decir en voz alta—. Si esos pretorianos llegan a identificarte intentando escapar de la ciudad con tus hijos sin permiso del emperador, Septimio habría sido cesado como gobernador de Panonia en cuestión de horas y no sé qué sería ni de ti, ni de los niños, ni de todos nosotros, empezando por el propio Septimio. Tus impulsos sin control, una vez más, nos ponen a todos en peligro. Y un día nos costarán la vida.

Julia pensó en replicar. Sobre todo por lo de «una vez más», porque nunca antes ella había hecho nada que pudiera indisponer al emperador Cómodo contra su esposo. Ese «una vez más» era gratuito, surgido solo de las ansias de Plauciano, amigo íntimo de su esposo pero siempre en contra de ella, de desacreditarla ante todos los miembros de la familia. Plauciano había visto cómo su influencia sobre Septimio disminuía al tiempo que crecía el amor de este hacia Julia. De ahí el rencor que sentía hacia ella. Eso Julia lo había detectado bien. Arrugó la frente; ¿eran solo celos o había algo más oscuro en esa rabia de Plauciano hacia ella?

Pero Julia, al fin, calló porque era cierto que había cometido un error, aunque en su cabeza no le parecía nada grave porque no habían llegado a identificarlos en la Puerta Trigemina. Había albergado la esperanza de que quizá lograrían salir de la ciudad en medio de la confusión. Luego no habría ido al reencuentro de su esposo. No, eso sí habría sido su sentencia de muerte. La de ella y quizá la de todos, como decía Plauciano, pero el incendio rodeaba el palacio imperial. ¿Estaba el emperador a salvo? ¿Y si el propio Cómodo hubiera muerto esa noche? Si eso pasaba, si Cómodo desaparecía, en tal caso ella tenía meridianamente claro que correría sin parar hasta llegar junto a su marido. Y si el emperador se mostrara vivo y fuerte, ella habría vuelto en una nítida muestra de lealtad y sumisión. Ni estaba loca ni obraba a ciegas movida por impulsos ingenuos. Lo tenía todo mucho más pensado de lo que nadie pudiera imaginar. Pero ¿de qué serviría explicar todo eso a Plauciano?

Julia dio media vuelta y tiró de los niños en dirección a la *domus* de la familia Severa. Lo había intentado y no había salido bien. Nada se había perdido. Y volvería a intentarlo en la primera ocasión que se cruzase en su camino. No le gustaba ser rehén de nadie.

Varios carros cargados con centenares de cubos y algunas bombas de agua pasaron a su lado a toda velocidad.

La lucha contra el fuego continuaba.

Desde las temblorosas sombras de la calle, un pretoriano observó cómo Julia Domna y el resto de su familia entraban en la inconfundible residencia del gobernador de Panonia Superior. En cuanto las puertas de la *domus* se cerraron, giró sobre los talones y echó a caminar a paso veloz. Tenía que informar a sus superiores en el control militar de la Puerta Trigemina. Ya decidirían ellos qué hacer con esa información.

III
—

LAS CENIZAS DE ROMA

Teatro Marcelo, Roma
Principios de 192 d. C.

El senador Pértinax, acompañado por su hijo Helvio, entró junto con otros colegas en el gran Teatro Marcelo. El emperador los había convocado a todos en aquel magno edificio, lo que no era habitual. Pértinax buscó con la mirada al veterano Claudio Pompeyano, pero no lo encontró. Su hijo Aurelio Pompeyano asistía en su lugar y le confirmó que, una vez más, su padre había alegado su mala salud y su avanzada edad para no asistir a la reunión del Senado.

Tiempo atrás, Claudio Pompeyano había sido acusado de participar en una conjura contra Cómodo liderada por su esposa Lucila, hermana del propio emperador, pero al final fue absuelto. Cómodo aún recordaba que el viejo senador había rechazado la toga imperial cuando se la ofreció Marco Aurelio. Aquel gesto le valió que Cómodo, hijo de Marco Aurelio, aún confiara en él y aceptara su inocencia. Desde entonces, Pompeyano se mantenía alejado de la vida política y sus ausencias eran las únicas que Cómodo admitía cuando convocaba al Senado.

A quien sí vio Pértinax, además de al hijo de Pompeyano, fue a Tito Flavio Sulpiciano, su suegro, y a su hijo.

—¿Por qué nos habrá convocado aquí? —preguntó este último.

—Nos quiere a todos presentes —respondió Pértinax mientras caminaban por los pasadizos del teatro—, y en la curia del viejo foro no cabemos todos los senadores juntos. El teatro de Pompeyo no le gusta a Cómodo, como a ningún emperador, porque fue allí donde asesinaron a Julio César. Por eso recurre a este edificio. Y se nos va a quedar grande, pues somos setecientos senadores y las gradas del Teatro Marcelo dan para congregar a más de diez mil perso...

Pero Pértinax no terminó la frase. En cuanto emergieron en la *cavea* inferior del gran recinto se quedaron boquiabiertos: las gradas del Teatro Marcelo estaban, contrariamente a lo que había imaginado Pértinax, repletas de gente. La parte inferior, la *ima cavea*, estaba reservada para los *patres conscripti* y ya la ocupaban numerosos senadores, tan sorprendidos como ellos, pues la *media cavea*, en lugar de estar vacía, bullía con miles de soldados de la guardia pretoriana y, en lo alto, en la *summa cavea*, había también numerosas personas: magistrados locales, caballeros, comerciantes de renombre y alta posición... Todo el que era alguien en Roma estaba aquella mañana en el Teatro Marcelo junto con los miembros del Senado, todos, además, vigilados por la casi totalidad de la guardia pretoriana.

—Aurelio, tu padre se va a perder algo grande hoy —dijo Pértinax—, aunque no sé si quizá sea el más inteligente de todos nosotros. Y el más afortunado.

El joven Aurelio Pompeyano asintió con la boca aún entreabierta. Pértinax, su hijo Helvio, Tito Flavio Sulpiciano y su propio hijo se sentaron. A ellos se les unió el veterano Dion Casio.

El resto de senadores llegó al poco.

Unos instantes después de completado el aforo del recinto, se oyó a los *buccinatores* haciendo uso de sus trompetas a pleno pulmón para anunciar la llegada del emperador de Roma.

La guardia pretoriana de la *media cavea* se alzó y los senadores y el público de la parte superior imitaron a los soldados, por respeto, por prevención, por si acaso.

Cómodo entró a caballo, con la larga capa púrpura imperial colgando por los flancos de su montura. El emperador cabalgó por el semicírculo frente a la *ima cavea* y ascendió por una gran pasarela de madera instalada al efecto para que el animal, calzado con herraduras de oro que resplandecían a la luz del sol, pudiera acceder sin resbalar a la escena del teatro.

—Es uno de los caballos de la cuadriga imperial de los verdes, la que siempre gana en el Circo Máximo —comentó el joven Tito sin ocultar en su voz una confusa mezcla de miedo, admiración y desprecio ante aquella teatral entrada del emperador.

—Sí —dijo Pértinax, que estaba ya acostumbrado, como su hijo Helvio, como Sulpiciano, el padre de Tito, como el veterano Dion Casio, como todos, a las excentricidades de Cómodo.

Aun así, aquello resultaba tan exagerado que habría sido para reír si el puro terror no les atara un nudo en el estómago. ¿Qué tramaba el errático emperador para aquella estrafalaria reunión del Senado y del resto de magistrados y hombres relevantes de Roma en presencia de toda la guardia imperial? Eso, en efecto, era lo que más nervioso ponía a Pértinax: tener a su espalda a cinco mil pretorianos armados hasta los dientes. Se volvió hacia Dion Casio:

—¿Qué piensas de todo esto, amigo mío?

El otro respondió en voz baja.

—Pienso en que Calígula, tiempo atrás, ya dijo que le gustaría que el Senado tuviera un solo cuello para acabar con todos nosotros de un único tajo, o eso cuentan, y detrás tenemos a toda la guardia pretoriana armada. Tienen más espadas que nosotros cuellos. Eso pienso.

Pértinax cabeceó levemente en sentido afirmativo. Aquello confirmaba sus peores intuiciones.

Las trompetas sonaron una vez más mientras el emperador descabalgaba y se sentaba en un gran trono en medio del escenario. El augusto Cómodo hizo una señal con la palma de la mano hacia abajo, como invitando a los presentes a tomar asiento. Y, aunque la guardia pretoriana permaneció en pie, los senadores se acomodaron en las gradas. En la *summa cavea*, los asistentes también permanecieron en pie para poder ver bien lo que ocurría. Tampoco tenían claro que la seña del emperador fuera dirigida a ellos. Ante la duda, con Cómodo era mejor no hacer nada. Incluso contener la respiración era buena idea.

Lo habitual en una reunión del Senado era que los cónsules de aquel año se hubieran situado a ambos lados del emperador, pero resultaba difícil llevar la cuenta de quién era cónsul no ya aquel año sino aquel mes. Cómodo había usado la venta del cargo de cónsul como una forma más de obtener ingresos complementarios para sus arcas y así seguir costeándose sus suntuosos *ludi*, ya fueran en forma de luchas de gladiadores, cacerías extravagantes o espectaculares carreras de cuadrigas. Cuando la jefatura del pretorio estuvo en manos del malogrado Cleandro, Cómodo hizo que su prefecto de la guardia vendiera el puesto de cónsul hasta en veinticinco ocasiones.

Pero aquella mañana, sobre el escenario del Teatro Marcelo, junto al gran trono que acogía al augusto, solo había un hombre: el todopoderoso nuevo prefecto del pretorio: Quinto Emilio Leto.

Cómodo no se dirigió a los senadores ni al resto de asistentes. Se limitó a mirar a Quinto Emilio y a decirle una sola palabra.

—Procede.

Aquello sonó a sentencia y tanto Pértinax como su hijo Helvio, Dion Casio, Tito Flavio Sulpiciano y su hijo, y el joven Aurelio Pompeyano, así como muchos otros senadores, miraron hacia atrás con pánico. Sus ojos observaban la *media cavea* donde estaba toda la guardia pretoriana armada, pero ninguno de los soldados se movió ni hizo ademán de desenfundar su gladio. Los senadores miraron entonces de nuevo hacia el escenario. Quinto Emilio se adelantó unos pasos y desenrolló un papiro al que comenzó a dar lectura pública.

—El *Imperator Caesar Augustus Commodus* desea hacer un anuncio principal ante el Senado y ante los diferentes representantes del pueblo de Roma y ante la guardia imperial. En primer lugar, el *Imperator Caesar Augustus* manifiesta que el terrible incendio que asoló nuestra querida ciudad hace unas semanas no es una maldición sino una señal divina de los dioses para con su colega y representante aquí en Roma, el emperador Cómodo, reencarnación de Hércules entre nosotros, pobres mortales. Es una señal que nos indica el nuevo rumbo que ha de llevar ahora Roma, la nueva Roma que emergerá de las cenizas de este holocausto que marcará un antes y un después en nuestras vidas. El incendio en sí mismo ha sido un fuego purificador que ha servido para limpiar la urbe de su pasado mortal y encaminarla hacia un futuro en el Olimpo de los dioses. Pero para esta nueva situación, para este renacer, la ciudad de Roma ha de cambiar, ha de levantarse de forma diferente a como se mostró bajo el ardor de las llamas incandescentes.

»El primero de los anuncios es que la ciudad de Roma ya no será conocida en el mundo con ese nombre antiguo, sino con el nombre del gran líder divino que la gobierna en su renacer: de este modo la ciudad de Roma pasa a partir de ahora a denominarse para todos Colonia Comodiana.

Quinto Emilio paró un instante para tomar aire y recuperar el aliento. Se pasó el dorso de la mano izquierda por la barbilla. Aún tenía mucho que leer. El papiro era largo.

Los senadores querían hacer comentarios, pero nadie se atrevía a murmurar palabra alguna. El jefe del pretorio continuó:

—Asimismo, una nueva ciudad en una nueva época requiere de una nueva forma para contar el tiempo glorioso que transcurre en este renacer. De modo que a partir de ahora los meses ya no se denominarán como hasta ahora, sino que pasarán a denominarse según cada uno de los doce nombres de la forma abreviada del nombre completo de nuestro divino emperador: *Amazonius, Invictus, Felix, Pius, Lucius, Aelius, Aurelius, Commodus, Augustus, Herculeus, Romanus, Exsuperatorius.*

Aquí sí empezaron a oírse algunos murmullos. Pértinax se giró hacia Dion Casio.

—Es lo mismo que hizo Domiciano. El último de los Flavios también cambió el nombre de los meses.

—Pero solo se atrevió a cambiar el de unos pocos —respondió Dion Casio, siempre en voz baja—. Cómodo los ha cambiado todos menos el dedicado a Augusto y, por si no bastara, ha puesto un nuevo nombre a la ciudad.

Cierto era que Domiciano terminó asesinado por unos gladiadores. Dion Casio frunció el ceño: ¿sería ese el motivo por el que Cómodo se había dedicado a matar decenas, centenares de gladiadores los últimos años? A lo mejor no estaba tan loco como todos creían y aquella extravagancia de asesinar a luchadores no era sino un ataque preventivo.

Pero Quinto Emilio proseguía con más anuncios:

—Mañana mismo se decapitará la estatua del gran coloso de Nerón que se alza junto al Anfiteatro Flavio y en su lugar se pondrá la cabeza de nuestro querido y divino emperador Cómodo a quien tanto debemos todos. A los pies de la estatua se erigirá un león en recuerdo de que el divino Cómodo es un nuevo Hércules entre los romanos, un guía en nuestra confusión y un poderoso defensor en nuestra necesidad. De hecho, para que nadie olvide su fortaleza, en el pedestal se podrá leer a partir de ahora que nuestro emperador es el «único zurdo que ha conquistado a mil hombres en doce ocasiones».[5]

Con esto terminó la lectura. Inspiró profundamente por la nariz y exhaló una gran bocanada de aire por la boca. Enrolló de nuevo el largo papiro, retrocedió varios pasos y, una vez que se encontró en línea con la posición del emperador, añadió:

—¡Esta reunión ha terminado!

Y así fue. No hubo votación, no hubo turno de palabras ni debate alguno. Cómodo, muy sonriente, se levantó y se acercó al jefe del pretorio, que permanecía ahora firme en el centro del escenario.

—Has leído bien pero sin convicción, Quinto —le dijo en un susurro—. Quiero más emoción en tu voz cuando anuncies decisiones tan importantes, ¿me has entendido?

—Sí, augusto.

—No me defraudes —terminó Cómodo, con una mueca de desaprobación que parecía llevar consigo el mensaje velado de otra amenaza.

Quinto Emilio registró aquello. Era la segunda vez que el augusto se dirigía a él con ese tono de desprecio y condena. Aun así, no dijo nada. Se limitó a apretar los labios y a observar en silencio cómo el emperador montaba de nuevo sobre su majestuoso caballo. El lomo del animal quedó cubierto por el despliegue del largo *paludamentum* púrpura imperial que lucía el *Imperator Caesar Augustus* mientras salía cabalgando de la escena del Teatro Marcelo. Tras él fue un nutrido grupo de pretorianos, pero Quinto Emilio permaneció en el centro del escenario vacío como si tuviera el mandato de supervisar que todo el mundo saliera en orden y sin que nadie se atreviera a manifestar oposición alguna a lo allí expuesto.

5. Literal de Dion Casio, *Historia romana*, 73, 22-23.

En efecto, todos iban desalojando el teatro. Un grupo de senadores murmuraba.

—Hay que hablar con Quinto Emilio —se atrevió a decir Pértinax.

—No seré yo quien lo haga —respondió Dion Casio, siempre prudente en extremo y más aún en aquellos tiempos en que la locura de Cómodo era tan errática como imprevisible—, pero si quieres hacerlo, ahí lo tienes; nos vamos a cruzar con él antes de entrar en el pasadizo de salida. Lo que no sé es qué podrías decirle que lo haga recapacitar.

—Algo tengo en mente —replicó Pértinax. Le hizo un gesto a su hijo Helvio para que marchara con el resto mientras él echaba a andar en dirección al jefe del pretorio.

Quinto Emilio vio que uno de los senadores veteranos se acercaba a la escena. Lo conocía bien: sabía que aquel viejo Pértinax, hijo de un liberto, había llegado a senador a base de batirse en decenas de campos de batalla desde Britania hasta Siria, pasando por el Danubio, incluidas las duras campañas de Marco Aurelio contra los marcomanos. No era, pues, un cobarde ni un mero aristócrata rico el que quería hablar con él, sino un hombre que había forjado su destino con valor en la lucha. Eso Quinto Emilio lo respetaba y, como vio que Pértinax permanecía frente a él a la espera de que todo el mundo saliera, sin duda para poder hablar lejos de miradas y oídos indiscretos, el prefecto, en honor al respeto que tenía a aquel senador, aguardó también en silencio.

Se quedaron solos en la escena, justo a la entrada del pasadizo de salida del Teatro Marcelo.

—Entiendo que quieres decirme algo —dijo al fin Quinto Emilio—, pero mide tus palabras porque el emperador sospecha de todo y de todos y mi misión es advertirlo de cualquier posible intento de rebelión, ya sea por parte de los gobernadores de las fronteras o por parte de algún senador.

Pértinax asintió con la cabeza. Miró entonces a un lado y a otro. No había nadie.

—Te agradezco que me escuches y te agradezco la advertencia, pero creo que compartirás conmigo que el emperador toma cada día decisiones más..., cómo decirlo... —Pértinax buscaba una palabra que no pudiera considerarse acusatoria ni crítica—. Sí, el emperador toma cada día decisiones más inesperadas. Eso hace que nunca sepamos lo que puede pasar al día siguiente.

—Es cierto —admitió Quinto Emilio, al tiempo que también él miraba a un lado y a otro—, pero no sé adónde quieres llegar con esto, senador.

Pértinax inspiró profundamente antes de decir lo que iba a decir, pero en algún momento alguien tendría que hacer algo y Quinto Emilio era el que estaba en mejor posición para hacerlo. O para dejar que ese algo ocurriera.

—Tú, *vir eminentissimus* —continuó Pértinax, usando la fórmula de respeto propia cuando uno se dirigía al jefe del pretorio—, me has advertido y veo en ello buena intención y quiero corresponderte con la misma moneda. Me veo en la obligación de avisarte y hacerte ver lo que ha pasado.

—¿Qué ha pasado? ¿Que el emperador ha cambiado el nombre de la ciudad y de los meses del año? No veo demasiado problema en ello.

Pértinax negó con la cabeza.

—Lo de hoy no importa. Por mí que llame a Roma y los meses del año como quiera, pero hoy es esto y mañana otra cosa. Y, preocupados por estas naderías, no vemos lo esencial. Tú mismo no ves lo fundamental con respecto a tu posición.

—¿Y qué es lo esencial para mí? —preguntó Quinto Emilio.

—Rufo, Quarto, Régilo, Motileno, Grato, Perenne, Aebutiano, Cleandro... —Pértinax comenzó una enumeración de antiguos jefes del pretorio que habían precedido en el cargo al propio Quinto en los años previos de gobierno de Cómodo—. Disculpa si no los cito por orden, pero tú mismo convendrás conmigo en que es difícil recordar los nombres de tantos prefectos caídos en desgracia. Todos están desaparecidos de la vida pública o, directamente, muertos, ejecutados por orden del emperador. ¿He de decirte más?

Pértinax calló entonces, dio media vuelta y empezó a andar.

—Lo que has dicho... lo que me sugieres es traición —le espetó Quinto Emilio.

El senador se detuvo. Se giró.

—Tengo sesenta y seis años, Quinto, y estoy al final de mis días, pero tú aún eres joven. Tú mismo.

Y el veterano senador reemprendió la marcha dejando al prefecto del pretorio meditabundo y cabizbajo en medio de la escena de un inmenso teatro vacío.

IV

EL ANFITEATRO DEL MUNDO

Anfiteatro Flavio, Roma
Verano de 192 d. C.

Pasaron junto al gran Coloso que se alzaba al lado del Anfiteatro Flavio. La nueva inscripción ya estaba en el pedestal y la cabeza de Cómodo, gigantesca, lucía imponente en lo alto del de la ciclópea estatua. Julia, en medio del gentío, avanzaba junto a los pequeños Basiano y Geta, rodeada por un grupo de fornidos esclavos que se afanaban en despejarle el camino. Llegaron a una de las más de setenta entradas que daban acceso al interior del enorme edificio ovalado. Calidio, el *atriense*, mostró la tablilla con los pases que indicaban el lugar que la mujer del gobernador de Panonia Superior y los niños tenían asignado para asistir al espectáculo. Los libertos que controlaban el acceso asintieron y, cruzando por un pasillo de pretorianos armados, el pequeño grupo entró en el anfiteatro. Empezó entonces el largo y lento ascenso por los *vomitoria*, la red de túneles que distribuía a los cincuenta mil espectadores por los diferentes niveles de las gradas del mastodóntico complejo de piedra, ladrillo y mármol.

Si bien estaba casada con un senador y estos tenían reservado para ellos todo el primer piso de gradas, la *cavea* más próxima a la arena, Julia, como mujer, debía seguir ascendiendo. Solo las mujeres de la familia imperial podían acceder a un lugar tan cercano al espectáculo al sentarse junto al emperador mismo en el *pulvinar*, el majestuoso palco imperial. O las vestales, que también tenían reservado un puesto de privilegio junto a la arena además de un acceso al recinto solo para ellas. El resto de mujeres —esposas de senadores, funcionarios, caballeros o ricos comerciantes, todas ellas— debían seguir ascendiendo por las escaleras.

En el segundo nivel, Julia y su comitiva se cruzaron con numerosos *equites*, la clase social que seguía a los patricios y senadores, que se habían hecho con toda esta planta para ellos junto con importantes funcionarios del Estado. Luego venían el tercer y el cuarto nivel, donde diferentes ciudadanos, siempre ordenados por su importancia económica y política, iban acomodándose en sus respectivas ubicaciones marcadas con líneas y numeradas sobre el mármol que recubría todas las gradas.

Y pretorianos, centenares de ellos, por todas partes.

Cómodo quería tenerlo todo perfectamente controlado y el Anfiteatro Flavio estaba completamente militarizado. No podías doblar una esquina de aquella interminable serie de escaleras sin encontrarte de bruces con más y más soldados apostados en cada rincón, vigilando, mirando atentos, siempre serios, firmes y, por encima de todo, decididos a matar si el emperador así lo requería.

—Vamos —dijo Julia a los niños, que parecían embelesados al ver a tantísimo soldado por todas partes.

Para los pequeños, que ascendían trotando junto a su madre, aquella era la primera mañana en el gran anfiteatro del mundo. Estaban emocionados. No era habitual que niños tan pequeños accedieran a ver los juegos, pero nada había estipulado sobre la edad mínima de acceso a las luchas de gladiadores o a una *venatio*, una espectacular cacería de animales salvajes, como la que había programada para aquella jornada.

—Tengo miedo. No te lleves a los niños. Hoy no —le había implorado su hermana Maesa antes de salir de casa. Pero Julia se había mostrado tajante.

—Hoy más que ningún otro día he de estar en el anfiteatro, y los niños también. Si el emperador ve que tenemos miedo, sospechará de mí, de la familia entera, y no estaremos a salvo ninguno de nosotros; los niños tampoco. Y eso te incluye a ti, querida hermana, a Alexiano y a vuestra pequeña Sohemias.

Maesa asintió. Incluso cambió de parecer.

—Quizá debiéramos ir nosotras también —se atrevió a sugerir, pero en un tono de pregunta.

—No —respondió Julia—. Sohemias es apenas un bebé y tú estás embarazada. Eso me revelaste ayer. Y eso te excusa. Además, mi presencia y la de mis hijos es suficiente muestra de lealtad al emperador por nuestra parte. Lo único que siento es no tenerte a mi lado para poder escabullirme un poco de las miradas y los comentarios de todas esas arpías.

Maesa se permitió sonreír un poco ante el enfado de su hermana.

—¿Te refieres a Salinátrix y a Mérula? —preguntó Maesa mencionando los nombres de las esposas de Clodio Albino y Pescenio Nigro, los gobernadores de Britania y Siria respectivamente. Dos mujeres, que, junto con otras esposas de senadores, menospreciaban siempre a Julia y a su hermana al considerarlas extranjeras no romanas por haber nacido ambas en Oriente.

—Salinátrix es la peor —dijo Julia entre dientes—. Es una víbora. Si se mordiera la lengua, se envenenaría con su propio veneno. Pero no importa. Iré de todos modos.

Y allí terminó la conversación.

Ahora Julia y los niños ascendían a la quinta planta del Anfiteatro Flavio, donde encontraron más pretorianos vigilando el acceso al último nivel. Era aquel el lugar más alejado de la arena, eso era cierto, pero también el único que se hallaba protegido por un techo permanente, pues la larga serie de columnas de la planta última del anfiteatro había permitido instalar un tejado en todo aquel nivel. Bajo él las mujeres estaban guarnecidas del sol y las inclemencias del tiempo mejor que el resto de espectadores del recinto, que dependían de si el gran *velarium* de tela se desplegaba o no desde sus doscientos cincuenta mástiles. Aquella jornada, por el momento, el gigantesco toldo permanecía plegado.

El corpulento Calidio, junto con el resto de esclavos, se quedó en los pasillos.

No tenían permitida la entrada a ninguno de los niveles.

Julia inspiró hondo, cogió a sus hijos de la mano y cruzó por entre los pretorianos. Pronto sintió las miradas penetrantes y de desprecio de las mujeres de muchos senadores. Lo único bueno era que, al apartarse ante su presencia, le facilitaban avanzar en busca de su lugar asignado para presenciar el espectáculo que había organizado el emperador Cómodo aquella mañana.

—¿De qué hemos de tener miedo? —preguntó el pequeño Basiano en voz baja a su madre, pues el niño tenía aún muy viva en la cabeza la conversación entre su madre y su tía Maesa antes de salir de casa.

Habían hablado de tener miedo y el pequeño no comprendía por qué estaban las dos atemorizadas. Según había entendido, era por algo que podría ocurrir en aquel lugar, en el Anfiteatro Flavio. Él miraba hacia abajo, a la arena, de donde le habían explicado que saldrían las fieras. Los animales estarían muy lejos. Para el pequeño Basiano nada malo podía ocurrirles a tanta distancia.

Su madre no respondió. Se limitó a asirle la mano con más fuerza y el niño, correctamente, interpretó que aquella era una señal para que guardara silencio.

Subsuelo del Anfiteatro Flavio, Roma

El emperador Cómodo avanzaba veloz por el largo túnel que conectaba el *Ludus Magnus*, donde entrenaban los gladiadores, con el enorme anfiteatro de Roma. El jefe del pretorio seguía de cerca a Cómodo, casi a su lado, pero con cuidado de no ponerse nunca en paralelo, un gesto que, sin duda, el augusto interpretaría como una falta de respeto y de ahí a la muerte había un espacio muy pequeño que Quinto Emilio no quería recorrer.

Había una puerta habilitada para la familia imperial en el óvalo del Anfiteatro Flavio, pero a Cómodo le gustaba mucho más adentrarse en el gigantesco recinto por el mismo lugar por donde entraban los gladiadores. De hecho, le generaba enorme placer todo lo que tenía que ver con los juegos y las luchas de aquellos hombres y era muy habitual que se prestara a combatir él mismo contra gladiadores, eso sí, en combates organizados de modo que el emperador siempre tenía ventaja en la lucha. Y para esa misma jornada, después de la cacería matinal, tenía preparado un espectáculo especial.

Pero todo a su debido tiempo.

Su pasión por los *ludi* gladiatorios había favorecido el rumor de que el propio emperador era hijo de una relación ilícita de Faustina, la mujer de Marco Aurelio, con un hermoso gladiador. ¿Era cierto? Cómodo no había hecho nada para refutar ese libelo, si es que, en efecto, era mentira.

Llegaron al laberinto de los subterráneos del *hipogeo*, la serie de pasadizos que recorrían todo el subsuelo del Anfiteatro Flavio. Cómodo no tenía dificultad en moverse por allí con rapidez: por un lado, conocía aquellos túneles mejor que nadie y, además, el camino hacia el *pulvinar*, hacia el gran palco imperial, era fácil de detectar: solo había que seguir la larga hilera de pretorianos que formaban un interminable pasillo por el que el emperador avanzaba sonriente.

De pronto, se detuvo en seco y su faz se tornó muy seria. El jefe del pretorio frenó también la marcha y lo mismo hicieron los pretorianos que seguían a Quinto Emilio.

—¿Lo has hecho? —preguntó Cómodo.

—Sí, augusto —respondió el jefe del pretorio.

—Entonces ¿todos estarán pensando en lo que voy a hacer esta mañana? —añadió el emperador recuperando su sonrisa más siniestra.

—Así es, augusto. Nadie habla de otra cosa en la Colonia Comodiana —confirmó Quinto Emilio.

—¡Por Hércules! ¡Eso es magnífico!

Y Cómodo reemprendió la marcha y con él el resto de su comitiva militar. Pero el dueño de Roma tenía aún otra pregunta. Esta vez la formuló sin dejar de andar, sin tan siquiera volverse para mirar atrás.

—¿Y tienes la lista?

Quinto Emilio apretaba un pequeño papiro doblado entre los dedos de su mano izquierda, que llevaba extendida al lado de su cuerpo. La derecha, como siempre que escoltaba al emperador, estaba en la empuñadura del gladio. El jefe del pretorio tragó saliva antes de responder.

—La tengo, augusto.

Quinto nivel del Anfiteatro Flavio, Roma

Julia se situó con los niños en el lugar que les correspondía. La joven esposa del gobernador de Panonia Superior observó con curiosidad un gran estandarte de color rojo intenso que resultaba muy llamativo, en la columna que había junto a ellos. Se estaba preguntando por su significado cuando su hijo interrumpió sus pensamientos con una pregunta incisiva.

—¿Por qué nos miran así?

Con solo tres años, Geta se limitaba a mirar extasiado hacia la arena, pero Basiano era más sensible a su entorno y había advertido las miradas de asco de muchas de las mujeres que los rodeaban.

Julia se volvió, olvidando por completo el extraño estandarte rojo ubicado tras ella, y miró en la misma dirección en la que observaba su hijo, para descubrir las miradas altaneras de Manlia Scantila, la mujer del senador Didio Juliano; de Mérula, la esposa de Pescenio Nigro, gobernador de Siria; o la de Salinátrix, la mujer de Clodio Albino, gobernador de Britania.

Con buen criterio, Basiano había preguntado en voz baja, y su madre le respondió en el mismo tono.

—Nos desprecian. En particular a mí.

Basiano parecía confundido. Su madre era muy guapa y estaba casada con su padre, que era Septimio Severo, el poderoso gobernador de Panonia Superior. Puede que su padre no tuviera tanto dinero como Juliano, de quien todos decían que, después del emperador, era el hombre más rico del Imperio, pero como gobernador de Panonia Superior su padre tenía tres legiones a su mando, como Nigro o como Albino. En otras palabras: estaba a su mismo nivel.

—No lo entiendo, madre.

Julia tardó unos instantes en responder, pero pronto concluyó que, aunque su hijo fuera pequeño, más valía que fuese conociendo exactamente cuáles eran las circunstancias de la vida real.

—Es porque yo no soy romana de nacimiento, sino siria. Vengo de Oriente y en Roma siempre han desconfiado de las mujeres venidas de lugares lejanos. Piensan que todas somos como Cleopatra, la amante de Julio César y Marco Antonio, o como Berenice, a la que tanto amó el emperador Tito.

—No me parece bien que te miren así, madre —se lamentó el niño enfurruñado, algo abatido, contemplando el suelo.

Su madre se agachó, puso las yemas de los dedos de la mano derecha en su barbilla y se la levantó con suavidad para que el niño la mirara directamente a los ojos.

—Sienten temor, además, hijo mío, porque tú y yo somos descendientes de una larga dinastía de reyes que lleva siglos gobernando mi ciudad natal, Emesa. Desde los tiempos de Samsigeramo, que fue amigo leal del romano Pompeyo el Grande. Luego vino Jámblico, que supo ganarse el afecto del divino Julio César. Después vendría Jámblico II y a continuación Samsigeramo II. Tras él vino... —Julia calló a la espera de que su hijo completara la frase.

—Sohemo, que reinó en Emesa en tiempo de Claudio, Nerón y Vespasiano. Fue el último rey de Emesa. Y mi pequeña prima lleva el nombre de Sohemias en su honor.

—Muy bien, hijo. Así fue. En aquel tiempo Emesa pasó a formar parte del Imperio romano como una región importante de la provincia de Siria, pero nuestros antepasados de sangre real siguieron ejerciendo el sagrado sacerdocio del todopoderoso dios del sol El-Gabal. Julio Basiano, mi padre, a quien tanto tú como yo debemos el nombre que llevamos, fue el último gran sacerdote del dios Sol de Emesa, un linaje de reyes. A todo esto hay que añadir que tu padre, además, es uno de los tres gobernadores de Roma más importantes, así que cuando nos miren mal, piensa que es solo la rabia y la envidia lo que late en sus corazones oscuros. Y te prometo, Basiano, que llegará el día en el que nadie se atreva a mirarte a ti o a tu madre, o a nadie de nuestra estirpe, de ese modo. Eso, hijo mío, cambiará.

La última frase la masculló entre dientes, como si no se la dijera a su hijo, como si la pronunciara solo para ella misma. La seguridad total con la que Julia le habló hizo que el niño sonriera de inmediato. Se dio la vuelta y, como su hermano pequeño, se puso a mirar hacia la arena a la espera de que apareciesen las fieras o el emperador mismo. ¿Qué sería primero? Los recelos y envidias de los adultos se habían borrado de su mente.

Julia Domna se irguió despacio y repitió en voz baja:

—Llegará el día...

El griterío de la plebe resonó entonces en sus oídos. Cómodo acababa de llegar.

Palco imperial del Anfiteatro Flavio, Roma

El emperador apareció en la gran tribuna de la familia imperial. Marcia, su amante, estaba ya allí, esperando, pero él no se dirigió a ella, sino que se ubicó en el centro del gran palco y levantó los brazos con el fin de enardecer más aún a la plebe y que siguiera aclamándolo mientras Eclecto, el chambelán del emperador, declamaba en voz alta, a pleno pulmón, el nombre completo y los títulos del augusto.

—*Imperator Caesar Augustus Amazonius Lucius Aelius Aurelius Commodus Pius Felix Sarmaticus Germanicus Maximus Britannicus Invictus, Hercules Romanus Exsuperatorius, Pontifex Maximus, Tribuniciae Potestatis XVIII, Imperator VIII, Consul VII, Pater Patriae!*

Las trompetas sonaron desde todos los ángulos del anfiteatro y el público calló. Todos fijaron la mirada en la arena, expectantes. En el palco, Cómodo mantenía los brazos en alto y, de pronto, los bajó de golpe. Súbitamente se abrieron las treinta y dos trampillas que había repartidas por la arena y emergieron a la explanada mortal treinta y dos fieras: una docena de leones, varios tigres, dos leopardos, avestruces y un gigantesco oso. Habían distribuido por la arena decenas de árboles simulando lo que los romanos entendían que era una buena representación de África. El oso era una nota de color en aquella supuesta *silva* africana artificial. Los diseñadores del evento no eran muy puntillosos con la exactitud a la hora de recrear otros mundos. Tampoco el público era exigente en ese aspecto. La plebe solo anhelaba espectáculo y eso, con Cómodo, lo tenían asegurado. A veces algo más que espectáculo. ¿Dónde estaban los límites entre la vida real y la recreada en la arena?

El emperador se situó al borde mismo del palco imperial, donde se había instalado un puente levadizo que rápidamente bajaron varios pretorianos. Cómodo cruzó el puente que le dio acceso a un largo muro construido en el centro de la arena. De hecho, había dos muros que se cruzaban en el centro del óvalo, de modo que la arena quedaba dividida en cuatro secciones. Cómodo podía moverse ahora por lo alto de estos muros y matar a placer a todas las fieras que se le antojara durante horas con la tranquilidad de saberse a salvo de sus garras y fauces.

—¡Lanza! —reclamó el emperador, y Quinto Emilio le proporcionó un *pilum* militar.

Cómodo lo cogió con la mano izquierda, pues era zurdo, tal como rezaba la inscripción del nuevo Coloso que había reemplazado al de Nerón. Sí, Cómodo siempre usaba la mano y el brazo izquierdos y se jactaba de ello. Arrojó el arma con rapidez y fina puntería contra uno de los leones, que rugió enfurecido cuando la lanza lo atravesó de muerte en un costado. El emperador levantó las manos y la plebe lo aclamó con vítores que le agradaron.

—¡Hércules, Hércules, Hércules!

La operación se repitió con el resto de leones, leopardos y tigres. De momento, Cómodo dejaba para más tarde las avestruces africanas y el gran oso salvaje hispano.

—¡Más fieras! —exclamó.

Quinto Emilio miró hacia sus tribunos y estos hicieron señales para que se informara a los más de quinientos esclavos y libertos que manipulaban los ascensores del subsuelo del anfiteatro de que debían tirar de las poleas para subir a la arena más animales. Muchos más, sin descanso, hasta nueva orden. Normalmente doscientos cincuenta operarios bastaban para manejar todos los ascensores, tirar de las poleas, abrir y cerrar jaulas por los túneles del *hipogeo*, pero aquella mañana, Quinto Emilio, conocedor de que Cómodo se había quejado de que en la última cacería hubo, a su parecer, cierta lentitud a la hora de sacar nuevas fieras a la arena, había ordenado que se duplicara el número de esclavos dedicados a esta tarea.

—¡Allí, augusto! —indicó el jefe del pretorio señalando la trampilla por la que estaba apareciendo un nuevo animal, una leona.

—¡Dadme mi arco! —gritó Cómodo emocionado—. ¡Ahora los asaetearé!

Quinto Emilio miró a uno de los pretorianos que lo acompañaban.

—¡El arco del emperador! ¡Rápido!

El soldado se lo entregó y el jefe del pretorio, con aire preocupado, lo pasó a su vez al emperador. Hasta ese instante, Quinto Emilio había albergado la esperanza de que el emperador se hubiera olvidado del arco.

Primer nivel del Anfiteatro Flavio, Roma

En el *podium*, las gradas de las primeras filas del anfiteatro reservadas a los *patres conscripti*, el senador Pértinax miraba inquieto a un lado y a otro. De pronto vio algo que lo sorprendió y que lo preocupó aún más: el veterano Claudio Pompeyano, que nunca asistía a los juegos gladiatorios, entraba en las gradas senatoriales escoltado por media docena de pretorianos. Cómodo siempre quería que todos los senadores asistieran a sus exhibiciones, ya fueran de caza o de lucha, pero hasta la fecha el viejo Claudio Pompeyano —en razón a su edad y su no muy buena salud, o supuesta no buena salud— había conseguido eludir esta obligación de la misma forma que había evitado asistir a la mayor parte de las estrambóticas reuniones del Senado, como la última del Teatro Marcelo. Eso sí, para mostrar su respeto y lealtad al emperador enviaba siempre a su hijo Aurelio, de modo que el augusto no pudiera percibir el más mínimo asomo de desprecio por su parte. Y, sin embargo, aquella mañana el propio Claudio Pompeyano asistía a la nueva *venatio* del emperador.

—Mira quién ha venido —dijo Pértinax a Dion Casio, que como casi siempre lo acompañaba en las gradas, junto con Sulpiciano y los hijos de uno y otro, los jóvenes Helvio y Tito.

—No presagia nada bueno —respondió Dion Casio con su tono habitual de premonición nefasta en aquellos tiempos de locura del emperador, cuando pensar en lo peor era, casi siempre, acertar.

Pértinax esperó a que Pompeyano saludara a su hijo Aurelio y que se acomodara, antes de levantarse y acercarse a hablar con él.

—Los dioses nos regalan hoy tu compañía —le dijo en voz alta, pero, de inmediato, pasó a susurrar, aproximándose al oído de su muy veterano interlocutor—. Aunque no sé si eso ha de ser interpretado como buena noticia.

Claudio Pompeyano respondió también en voz baja, pues los pretorianos que lo habían escoltado no le quitaban ojo.

—No he tenido mucha opción esta vez —dijo—. El emperador Cómodo envió a la guardia de palacio para hacerme ver que mi presencia hoy en el Anfiteatro Flavio era especialmente requerida.

Pértinax asintió. Helvio, su hijo, se levantó y le cedió al recién llegado el sitio junto a su padre. Pompeyano aceptó el ofrecimiento y se acomodó junto a su viejo amigo.

—Sí, es raro que después de tanto tiempo haya insistido en que sea hoy precisamente cuando vengas —continuó Pértinax, mirando ahora hacia los muros que cruzaban la arena y sobre los que paseaba el emperador acribillando con infinidad de flechas a varios leones ante el clamor de un público entregado. Aunque...

—Veo menos gente que la habitual —añadió Dion Casio y señaló a los niveles superiores del anfiteatro.

—Se ve que el emperador no tiene suficientes guardias para traer uno a uno a los diferentes miembros de la clase ecuestre y de la plebe de Roma —comentó Claudio Pompeyano con una sonrisa entre amarga y cínica, siempre entre susurros—. Y si es cierto el rumor que corre por la ciudad, yo tampoco habría venido hoy, de haber podido evitarlo; ni mi mujer ni mi hijo estarían aquí.

—¿Cuál es el rumor? —preguntó Helvio, el hijo de Pértinax, que permanecía de pie junto a ellos. Como Pompeyano lo miró con aire de sorpresa, el joven se sintió obligado a añadir una explicación para justificar su desconocimiento—: He estado en Miseno, con la flota, estas últimas semanas, y he regresado esta misma mañana; no estoy al tanto de los últimos comentarios de taberna.

—Es cierto —afirmó su padre y se aclaró la garganta antes de proseguir—: Verás, hijo, como todos conocemos, el augusto Cómodo se identifica con Hércules y lleva tiempo recreando los diferentes trabajos del dios, como si él mismo fuera la personificación de Hércules entre nosotros. Pues bien, se cuenta por las calles de Roma que hoy es el día en el que el augusto va a emular a Hércules en su sexto trabajo.

Helvio frunció el ceño intentando recordar cuál fue el sexto reto que tuvo que afrontar Hércules, pero hacía mucho tiempo, años, de las clases de su viejo *paedagogus* griego... Estaba lo del león de Nemea y una Hidra, pero no era capaz de recordar el resto de tareas que el dios tuvo asignadas...

Pértinax miró a Claudio Pompeyano, a Dion Casio y a su suegro, Tito Flavio Sulpiciano, y se sintió obligado a disculparse.

—Las nuevas generaciones parecen ir olvidando a nuestros dioses. Con tanto cristiano y tanto judío me pregunto si alguna vez Roma se olvidará por completo de dónde venimos todos.

Dion Casio asintió. Lo que decía Pértinax tenía profundidad e iba más allá de una mera crítica al olvido de su hijo sobre los trabajos de Hércules y, sin embargo, el peligro inminente que representaba la locura de Cómodo le hizo hablar para que el joven entendiera bien a qué se enfrentaban todos aquel día.

—El sexto trabajo fue el de matar los pájaros del lago Estínfalo.

—Así es —confirmó Pértinax rotundo, satisfecho de que su igual, el senador Dion Casio, sí tuviera claro el asunto; pero en seguida frunció el ceño—. Lo que no entiendo es eso de disparar al público. En Roma, hijo, eso es lo que se cuenta, el tema del que habla todo el mundo: que el emperador va a disparar a las gradas como si fuera Hércules cazando pájaros, lo cual es una forma torpe de imitar a Hércules porque los pájaros vuelan en lo alto y hasta allí no podrá llegar nunca el augusto Cómodo...

Y de súbito Pértinax calló al tiempo que alzaba la mirada hacia la *summa cavea* del Anfiteatro Flavio. Fue el viejo Claudio Pompeyano, que lo imitó clavando los ojos en la última grada del anfiteatro, el que completó sus pensamientos con palabras precisas.

—A no ser que el emperador vaya a disparar hacia lo más alto, casi hacia el cielo; pero dentro de este recinto y en lo más alto del Anfiteatro Flavio están... nuestras mujeres.

—Nuestras mujeres —repitió Pértinax como el juez que dictamina sentencia.

Sobre el muro que cruza la arena del Anfiteatro Flavio, Roma

—¡Allí, augusto! —exclamó Quinto Emilio señalando a un tigre que estaba cercano a la posición del emperador.

Cómodo se giró rápidamente y disparó una flecha. El dardo voló certero y se clavó en la frente misma del animal. La fiera lanzó un rugido salvaje y el público bramó con fuerza. El emperador miró a las gradas.

—No están llenas, Quinto —dijo.

El prefecto engulló en silencio aquella crítica. Empezó a sudar, pero Cómodo sonrió.

—Tranquilo —siguió el emperador—. Que las gradas no estén llenas es muestra de que has hecho bien tu trabajo extendiendo el rumor sobre mi representación de hoy. —Quinto Emilio suspiró aliviado; el emperador continuaba hablando—: Tienen miedo de que dispare contra ellos. El miedo ha podido con la curiosidad. Toma nota de ello, Quinto: el miedo siempre es más fuerte.

El jefe del pretorio asintió con el ceño fruncido. ¿Era aquello una nueva amenaza contra él? No lo tenía claro.

Quinto nivel del Anfiteatro Flavio, Roma

—Madre, ¿es cierto lo que dice la gente? —preguntó el pequeño Basiano.

—¿Qué dice la gente?

El niño se volvió hacia su madre. Su hermano Geta permaneció mirando a la arena.

—Todos dicen que el emperador quizá dispare flechas hacia el público. Lo dicen por todas partes, en voz baja, pero lo dicen.

Julia Domna respondió despacio.

—El emperador se considera un nuevo Hércules en la tierra y Hércules realizó varios trabajos heroicos por petición de los dioses. ¿Recuerdas cuántos fueron estos trabajos, hijo?

—Doce, madre.

—Muy bien. ¿Recuerdas cuáles fueron?

—Matar al león de Nemea, dar muerte a la Hidra de Lerna, capturar a la cierva de Cerinea —Basiano recitaba con agilidad y de forma categórica—, capturar al Jabalí de Erimanto, limpiar los establos de Augías, matar a los pájaros del lago Estínfalo, capturar al toro de Creta, robar las yeguas de Diomedes, arrebatar el cinturón de Hipólita, conseguir todo el ganado de Gerión, robar las manzanas del jardín de las Hespérides y capturar al can Cerbero sacándolo del inframundo.

—Muy bien —dijo Julia con una sonrisa en los labios y orgullo en el corazón, pero con los ojos clavados en Cómodo, abajo en la arena—. Hoy el emperador quiere recrear el sexto trabajo.

Basiano apretó los labios mientras repasaba otra vez la lista de trabajos hercúleos, ahora en silencio.

—¡Matar a los pájaros venenosos y asesinos de hombres del lago Estínfalo! —exclamó triunfante—. Ese es el sexto trabajo.

—Exacto —confirmó su madre.

El niño miró hacia lo alto.

—Pero no hay pájaros en el cielo. De ningún tipo.

Era cierto. Las gaviotas se concentraban en la inmensa colina de basuras del *Mons Testaceus* junto al puerto fluvial. No se veían aves sobrevolando el Anfiteatro Flavio a las que apuntar.

—Los pájaros, hijo, somos nosotros —respondió Julia, con una serenidad fría que sorprendió incluso al pequeño—. Lo que no sé es si el emperador se atreverá... a tanto.

Sobre el muro de la arena del Anfiteatro Flavio, Roma

El emperador había herido a dos fieras más. Esta vez había disparado a sus costados. Le gustaba ver cómo se retorcían de dolor mientras agonizaban. Al oso de Hispania lo reservaba para el final. Un capricho con el que cerrar la *venatio*.

—¿Tienes la lista, Quinto? —preguntó Cómodo.

—Sí, augusto.

—Bien. ¿Cuál es el primer nombre?

—La lista —dijo el jefe del pretorio volviéndose hacia un centurión que estaba a su espalda y sostenía un papiro enrollado en la mano que el propio Quinto le había entregado hacía un rato.

El oficial era el mismo que había vigilado los movimientos de varias personas la noche del incendio de hacía unos meses, un oficial pretoriano que estuvo destinado aquella noche infausta en la Puerta Trigemina.

—Estoy esperando, Quinto, y sabes que no me gusta esperar.

El jefe del pretorio desenrolló el papiro con rapidez y leyó en silencio, para sí, el primer nombre de la lista de sospechosos de traición. No era un hombre. Era una mujer. Se pasó el dorso de la mano izquierda por debajo de una barbilla que rezumaba sudor.

—Quizá todo esto, augusto, no sea buena idea —se atrevió a decir sin haber pronunciado en alto aún el nombre que encabezaba la lista.

—No te he preguntado tu opinión —respondió Cómodo con voz seria.

—Esto podría provocar una rebelión... una guerra civil... —añadió aún Quinto Emilio sudando cada vez más.

Cómodo inspiró profundamente. Ladeó la cabeza hacia un lado y hacia el otro como si hiciera estiramientos con el cuello. Le dolía un poco de apuntar siempre con el arco hacia abajo. Disparar ahora hacia lo alto les vendría bien a sus músculos algo entumecidos. Señaló entonces a un joven esclavo semidesnudo que estaba detrás de la guardia.

—Tú, empieza a danzar.

El esclavo no tenía ni el valor ni las ganas de contravenir al emperador que parecía tener el jefe del pretorio y de inmediato inició un extraño baile sobre el muro del anfiteatro: en la peculiar danza se acompañaba por dos grandes crótalos de oro que hacía chocar entre las manos a modo de grandes castañuelas, de forma que hacía un enorme ruido rítmico, acompasado.

Cómodo fijó los ojos de nuevo en el jefe del pretorio.

—Es la última vez que te lo pido: dime el primer nombre de la lista.

Quinto nivel del Anfiteatro Flavio, Roma

—¿Qué hace ese esclavo, madre? —preguntó Basiano.

—Simula la danza que Hércules hizo junto al lago Estínfalo con crótalos de oro, cuyo ruido hizo que los pájaros alzaran el vuelo para así quedar a tiro de su arco.

—Pero nosotros, madre, no podemos volar.

—No, no podemos —confirmó Julia, muy concentrada, convencida aún de que el emperador no se atrevería...

Sobre el muro de la arena del Anfiteatro Flavio, Roma

Quinto Emilio volvió a mirar el papiro como si tuviera la esperanza de haber leído mal, pero el nombre que encabezaba la lista seguía siendo el mismo. No podía negarse más. Sentía la ira de Cómodo creciendo frente a él. Contra él.

—Julia Domna —leyó el jefe del pretorio al fin, como quien lee una sentencia de muerte.

—¿Julia Domna? —repitió como un eco el emperador—. No sé por qué no me sorprendo. Demasiado hermosa e inteligente a la vez. No deberían existir mujeres así nunca. Mira a Marcia, mi amante. Bella pero simple. ¿De qué es sospechosa Julia Domna?

Quinto Emilio leyó entonces el cargo que los *frumentarii*, la policía secreta, había especificado bajo su nombre.

—Intentó salir de la ciudad la noche del incendio.

—Entiendo. —Cómodo cogió la flecha que le tendía otro esclavo y la puso en el arco—. Su reunión con su esposo, el gobernador de Panonia Superior, habría permitido que este quizá osara levantar contra mí sus tres legiones. ¿No fuiste tú, Quinto, el que me sugirió el nombre de Septimio Severo como gobernador para esa provincia?

—Sí, augusto. Porque Septimio es un hombre leal al Imperio y un buen militar, y necesitamos buenos mandos en la frontera del Danubio. Las tribus del norte siguen agitadas, pese a las victorias del divino Marco Aurelio, padre del emperador, y del propio emperador estos últimos años. Quizá Julia solo buscaba refugio de las llamas para ella y sus hijos; quizá no pretendiera huir. Matarla por una sospecha, augusto, sin ni siquiera escucharla, sí puede provocar la rebelión de su esposo...

—¿Tú crees? —preguntó Cómodo con una sonrisa mientras se giraba con el arco ya en tensión y empezaba a apuntar hacia lo alto en busca de aquella mujer—. Yo no creo que Septimio Severo se atreva a rebelarse aunque matemos a su esposa. Esto es, si retenemos a sus hijos con vida.

Quinto Emilio ladeó la cabeza despacio. Eso tenía sentido. Y, sin embargo...

—Pero, augusto, el gobernador está muy enamorado de su esposa, todo el mundo sabe eso. Su rencor será infinito —contrapuso aún el jefe del pretorio.

—Por eso lo relevaremos de su cargo —replicó Cómodo y, de pronto, enfurruñado, añadió unas palabras—: ¡Por Hércules, no la veo! ¿Dónde está?

El centurión que había proporcionado el papiro con la lista se adelantó unos pasos y señaló a un lugar concreto del quinto nivel.

—Allí, Augusto. Hemos puesto un estandarte rojo en la columna junto a la que está Julia Domna con sus hijos.

—¡Es cierto! —exclamó el emperador con una nueva sonrisa en su rostro—. ¡Bien pensado! Quinto, ahí tienes un buen centurión. ¿Cuál es tu nombre, oficial? —preguntó mientras apuntaba el arco hacia lo alto.

—Marcelo, augusto.

—Además de ser pretoriano, ¿trabajas para los *frumentarii* de Aquilio? —preguntó Cómodo a continuación, tensando bien el arco.

—Sí, augusto.

—Marcelo es un buen centurión, Quinto —repitió el emperador—. Y un buen informador.

El jefe del pretorio asintió, pero no había sonrisa alguna en su cara.

Quinto nivel del Anfiteatro Flavio, Roma

—¡Madre! ¡El emperador apunta hacia nosotros! —gritó Basiano.

66

Julia Domna miró un instante al estandarte rojo que ondeaba junto a la columna que tenían tras ellos y comprendió ahora por qué estaba allí.

—No os mováis —dijo Julia sin levantar la voz pero con una seriedad que heló la sangre de Basiano y Geta.

Los niños se quedaron petrificados, pero por detrás, las mujeres que estaban próximas a Julia, daban rápidos pasos alejándose de ella y sus hijos. La joven esposa del gobernador de Panonia Superior miró a ambos lados y confirmó que la habían dejado sola con los niños. Alrededor de ellos solo había ahora piedras vacías. Julia paseó los ojos velozmente por los rostros de las otras mujeres. En la mayoría leyó terror, pero en la faz de Salinátrix, la esposa del gobernador Clodio Albino de Britania, pudo detectar el vinagre agrio de una sonrisa sutil. Julia se grabó aquella sonrisa como si se la hubieran estampado en la memoria con un hierro ardiente.

Pero ahora tenía otras preocupaciones, otras urgencias.

—No os mováis —repitió mientras asía con fuerza las pequeñas manos de sus hijos.

Miró entonces hacia el muro de la arena desde donde el emperador apuntaba directamente hacia ella. Todos sabían de la destreza de Cómodo con el arco. El emperador acababa de demostrarlo cercenando los cuellos de grandes avestruces en movimiento con las afiladas puntas de sus dardos. La gente había disfrutado enormemente viendo cómo los animales, aun decapitados, seguían corriendo durante más de un centenar de pasos. Julia, sin embargo, ni siquiera se movía. Parecía una hermosa estatua de Venus que, como tantas otras, decoraba el anfiteatro.

Parpadeó una vez. Dos. Cómodo no podía estar tan trastornado. O sí, pero no era un tonto. Septimio nunca se lo perdonaría. Nunca... El emperador no podía permitirse una rebelión de tres legiones... ¿O eso, en su locura, le daba igual al augusto?

En el torbellino de su mente, lo vio con nitidez.

El emperador soltó la flecha de su mano izquierda y esta empezó un vuelo mortal hacia lo alto en busca de su corazón.

V

EL GOBERNADOR

Frontera danubiana del Imperio romano, Carnuntum,[6]
Panonia Superior
Verano de 192 d. C.

Fabio Cilón entró en el *praetorium*. Llevaba el informe de las patrullas que vigilaban a lo largo del gran río. No había nada relevante que reseñar, pero el gobernador había insistido en que quería saber de primera mano, cada día, lo que los jinetes de la caballería de las legiones habían visto al norte del Danubio. De modo que allí estaba Cilón, frente a la mesa tras la que el gobernador Septimio Severo miraba una copa de vino que acababa de servirle un esclavo. Fabio Cilón llevaba suficiente tiempo con Severo como para saber cuándo el gobernador estaba meditando. El tribuno intuía que había algo que importunaba a su superior, pero no podía discernir bien de qué se trataba. Inteligente, guardó silencio.

—Hoy hace ocho años, Fabio —dijo Septimio Severo al cabo de un rato.

Cilón, confuso, optó por continuar callado.

—Hoy hace ocho años desde que conocí a Julia, a mi esposa —aclaró el gobernador, y miró al tribuno que permanecía en pie frente a la mesa—. Que te sirvan vino y bebe conmigo.

El mismo esclavo trajo de nuevo la jarra de licor y escanció con generosidad el líquido en otra copa que había en la mesa y que Septimio había señalado. Tras esto, desapareció y dejó a los dos hombres solos.

---

6. Hoy día entre las poblaciones de Petronell y Bad Deutsch Altenburg, unos cuarenta y cinco kilómetros al este de la actual Viena, junto al Danubio.

—Es la primera vez desde mi boda que paso este día sin Julia. Y me resulta extraño. Por Júpiter, quiero beber con alguien leal como tú por la salud de mi esposa. ¿Me acompañarás?

—Es un honor, gobernador.

Los dos militares bebieron y como Fabio vio que Severo vaciaba todo el contenido de un largo trago, el tribuno lo imitó.

Ambos dejaron las copas sobre la mesa.

—La conocí hace ocho años —repitió Severo—. Yo era entonces legado de la legión IV *Scythica* en Zeugma, en los confines orientales del Imperio. Estaba inspeccionando todas las guarniciones próximas al gran puente sobre el Éufrates y recalé con mi escolta en Emesa, una ciudad hermosa. Allí me recibió el líder local, un tal Julio Basiano, aristócrata y sacerdote principal del dios Sol, El-Gabal lo llaman, al que adoran en aquella región. Un hombre afable e inteligente que mantenía, como sus antepasados, muy buenas relaciones con Roma. Emesa, de hecho, ha sido ciudad aliada del Imperio durante generaciones y eso, sin duda, ha ayudado a su enriquecimiento. Departí con aquel hombre largo y tendido y luego, en la comida, vinieron sus hijas: Julia y Maesa. Eran apenas unas adolescentes. Julia tenía los catorce años recién cumplidos, pero ambas eran hermosas. Julia, además, tenía una mirada penetrante e incisiva que daba la impresión de desnudarlo a uno, como si fuese capaz de leer pensamientos de otras personas. Veo que sonríes.

—No, perdón, gobernador, no.... —intentó excusarse Cilón, pero Severo continuó su relato sin mostrar enfado.

—Sé que es peculiar lo que cuento. Quizá ya, sin saberlo, me había enamorado. Yo era hombre casado entonces. Así que intenté no fijarme mucho en aquella joven, pero al atardecer, paseando por el jardín de plantas y flores de la residencia de Basiano, me encontré con la muchacha, que también caminaba sola por el hermoso patio. Le dije que me parecía un lugar bello aquel en el que vivían. Ella me respondió que Emesa era la ciudad más bonita del mundo. Le repliqué que debería esperar a ver Roma un día. Luego hablamos de cosas triviales hasta que al fin, no sé por qué, le pregunté si su padre tenía ya buscado un marido para ella. No pensaba yo en aquel instante en mí como futuro pretendiente. Como te he dicho, yo estaba casado con Paccia Marciana y no tenía motivo alguno para el divorcio ni estaba descontento, pese a que, eso es cierto, Paccia no me había dado hijo alguno. Hasta el día de su muerte, siempre fue una buena esposa. La pregunta que hice a la joven siria era por pura curiosidad, como si sintiera un interés casi paternal en el bienestar de la muchacha. Su respuesta fue curiosa y nunca la olvidaré.

El gobernador calló un momento y se sirvió él mismo de la jarra de vino que el esclavo había dejado en la mesa. También escanció licor de Baco para Cilón.

—¿Qué dijo su actual esposa aquel día, gobernador? —inquirió el tribuno. A esas alturas de la conversación parecía evidente que Severo esperaba que se le formulase la pregunta.

El gobernador retomó su relato.

—La muchacha me dijo con todo el aplomo de una diosa de la *Ilíada* que ella era descendiente de reyes y que los astrólogos habían predicho que solo se casaría con un rey, porque ella misma estaba destinada a gobernar. Eso me dijo.

Fabio Cilón guardó silencio, pero sabía que el gobernador era muy dado a consultar a astrólogos y adivinos y comprendía que aquellas palabras de la joven Julia debieron de causarle un gran impacto.

—Entonces no hice comentario alguno al respecto y nos despedimos —continuó Severo—. Regresé con la legión IV y luego retorné a Roma y por último a Lugdunum, pues ese fue mi nuevo destino, en la Galia. Allí Paccia, tristemente, enfermó. Más allá de lo de no tener hijos, sentíamos un afecto mutuo el uno por el otro y lamenté mucho su pérdida. Al cabo de unos meses, pasado el dolor y cumplido el luto que mi esposa merecía, empecé a reflexionar sobre mi vida: me vi cerca de los cuarenta años, sin mujer ni hijos, y pensé seriamente en volver a contraer matrimonio. Había numerosas hijas de senadores, jóvenes y hermosas, con las que sé que podría haber acordado un enlace beneficioso para ambas partes, pero cuando me acostaba y cerraba los ojos cada noche siempre volvía a mi mente la bella y resplandeciente faz de aquella muchacha siria. Habían pasado dos años desde nuestro encuentro y lo más probable es que aquella joven ya estuviera comprometida o casada, pero pese a lo errático que pudiera parecer mi comportamiento, envié una carta con una propuesta seria y formal de matrimonio a Julio Basiano, de quien sabía que seguía ejerciendo como líder local en Emesa. Luego, nervioso como un niño a la espera de ese regalo que tanto anhela pero que no sabe si conseguirá nunca, me dediqué a aguardar una respuesta y cada día se me hacía eterno. A las pocas semanas llegó al fin: la muchacha seguía sin compromiso y Basiano, su padre, aceptaba mi petición. Julia se casaría conmigo. Fui tan feliz. Por Cástor y Pólux y todos los dioses, me sentí tan inmensamente afortunado. Y así me he sentido cada día que he pasado con Julia. —Severo detuvo su historia y suspiró antes de concluir—: Entonces vino esta separación impuesta por el emperador.

—El augusto Cómodo la exige a los tres gobernadores con tres legiones a su mando —comentó Cilón como intentando hacer ver que no era nada personal del emperador contra el gobernador de Panonia Superior.

—Lo sé —aceptó Severo—, pero cada día que paso sin ella, duele. Es casi como un día perdido en la vida. Supongo que sigo muy enamorado de mi esposa.

Cilón se permitió una nueva sonrisa.

—No todos los casados pueden decir lo mismo a los ocho años de haberse conocido.

—No, supongo que no —admitió Severo, y ambos hombres se echaron a reír un rato largo.

Luego vino un nuevo silencio.

—Temo por ella, Fabio —dijo Septimio con la faz de pronto muy seria—. Julia es una mujer muy valiente. Demasiado valiente.

—No veo cómo eso puede ser algo malo, gobernador.

Septimio hizo una mueca de sarcasmo y miedo entremezclados.

—Fabio, Julia está ahora en Roma y Roma la gobierna el augusto Cómodo, y bajo el mando de Cómodo no hay lugar para valientes, sino solo para sumisos. Y temo que Julia no sepa verlo. Sí, no sé exactamente por qué, pero me inquieta mucho que algo terrible pueda pasarle a mi esposa.

No dijeron nada más.

Fabio compartió una nueva copa de vino con el gobernador y como este no preguntó por los informes de la frontera, el tribuno salió del *praetorium* sin hacer referencia alguna a los mismos. De algún modo ya no parecían relevantes.

VI

—

LA PUNTERÍA DEL EMPERADOR

Quinto nivel del Anfiteatro Flavio, Roma
192 d. C.

La flecha del emperador pasó rozando el pelo recogido de Julia hasta estrellarse en las piedras que habían quedado desiertas a su espalda.

Varias mujeres gritaron.

Ella no dijo nada.

El pequeño Geta empezó a llorar.

Basiano apretaba los labios con furia contenida, pero permanecía inmóvil, entre rabioso y, a un tiempo, admirado por el valor inabarcable de su madre, que recibió aquel dardo que la rozó sin parpadear.

Sobre el muro de la arena del Anfiteatro Flavio, Roma

—Ni siquiera se ha movido —dijo Cómodo entre curioso y divertido—, ¿lo habéis visto?

—Lo he visto, augusto —respondió Quinto Emilio.

—O es muy valiente o está loca. —El emperador se volvió hacia su jefe del pretorio—: No he fallado. Era solo una prueba. Sé que crees que estoy loco, sé que muchos creen que estoy loco, pero no es así. Lo de hoy ha sido solo un aviso. ¿Crees ahora que volverá a intentar escapar de Roma sin mi permiso?

—No, no lo creo, augusto.

—¿Ves? Al final me entiendes, pero te cuesta tanto, Quinto. Por cierto, puedes guardar esa lista de posibles traidores. Ahora tengo otros entretenimientos.

Quinto Emilio, aliviado, plegó la lista con las manos y, muy despacio, se la guardó bajo el uniforme.

El emperador, entretanto, cogió otra flecha y apuntó ahora, como al principio de la cacería, hacia la arena y siguió ejecutando fieras, una tras otra, hasta que solo quedó el gran oso de Hispania.

—Dadme una flecha más.

Se la entregaron.

Cómodo apuntó hacia el gran oso marrón que vagaba entre confuso y aterrado por encima de los cadáveres de decenas de fieras salvajes traídas desde todos los confines del Imperio.

El dardo fue tan certero como todos los demás que había lanzado el emperador aquella mañana, con excepción del que había arrojado contra Julia Domna.

El oso del norte de Hispania giró sobre sí mismo mientras intentaba arrancarse con las garras la flecha que se le había clavado en el cuello. Solo se hizo más y más sangre. El animal moría en medio de enormes gruñidos brutales.

El emperador sonrió. Levantó el brazo izquierdo con el arco en una señal pactada de antemano con los libertos de los túneles del anfiteatro y las trampillas volvieron a abrirse dejando libres a decenas de osos, de Hispania, del Danubio, de Caledonia, Britania, Dalmacia... Hasta noventa y nueve más. Y a todos, uno a uno, asaeteó Cómodo por puro placer de verlos retorcerse de dolor a sus pies.

Al fin, el augusto suspiró, como si estuviera algo cansado o, peor aún, aburrido, y entregó el arco a uno de los pretorianos que lo escoltaban.

—Creo que es el momento de bajar a la arena —dijo conforme levantaba los brazos para que un par de esclavos le colocaran una coraza y le ajustaran un casco de *murmillo*—. ¡Hércules acabará ahora con unas decenas de guerreros enemigos!

El emperador iba a descender a la explanada de uno de los cuartos en los que el doble muro cruzado dividía el óvalo de la arena. Para que bajara con comodidad se dispuso una escalera móvil de madera que varios esclavos empujaron hacia el borde del muro. Cómodo se encontró pronto sobre la arena y agitó los brazos con su larga espada en la mano izquierda. Necesitaba que el público lo jaleara. Al menos, los espectadores que habían acudido aquella jornada, pues las gradas seguían sin llenarse. De hecho, tras la flecha lanzada por el augusto contra Julia Domna, más gente había abandonado el edificio. Pero los que sí se habían atrevido a permanecer por morbo o curiosidad o miedo a represalias imperiales o, en muchos casos, por todo ello a la vez, junto con los que se habían visto forzados a estar allí presentes, como los senadores, aclamaron al emperador aullando un mismo nombre sin descanso. Cierto que unos lo hacían con más ilusión que otros.

—*Hercules, Hercules, Hercules!*

De pronto se abrieron, una vez más, las trampillas por las que antes habían salido los animales salvajes. Los pretorianos que escoltaban al emperador, incluido el propio Quinto Emilio, tuvieron miedo, pues nadie sabía ya a ciencia cierta cuál era el espectáculo que Cómodo había diseñado en secreto con los libertos que trabajaban en el Anfiteatro Flavio.

Por cada una de las trampillas apareció la figura de un guerrero de apariencia temible que esgrimía un arma amenazadoramente, pero Quinto Emilio pronto se tranquilizó al comprobar que todos aquellos hombres armados no eran más que tullidos de guerra: a uno le faltaba un brazo, a otro una pierna, a aquel las dos y se arrastraba sobre un carrito de madera con ruedas; otro más había perdido una mano. Al que había quedado sin ambas manos le habían cosido una espada a la *manica* protectora. Excepto el que se arrastraba por el suelo con el carrito, el resto tenía una apariencia feroz, de modo que desde más lejos, desde las gradas, no quedaban claras para el público las limitaciones de aquellos hombres a la hora de poder presentar una lucha en condiciones.

El jefe del pretorio pasó entonces de cierto sosiego al asco. Todos aquellos guerreros a los que el emperador, ágil y en plenas facultades físicas, daba muerte con enorme facilidad uno tras otro aprovechando su incuestionable mayor fortaleza habían sido, en un momento u otro, valerosos soldados de Roma; legionarios que habían combatido en las fronteras del Imperio y que por el fatal destino habían quedado primero heridos y, tras las intervenciones quirúrgicas necesarias para preservar sus vidas, tullidos para siempre por los *medici* de la *valetudinaria*, los hospitales militares. Su vida terminaba ahora de forma inmerecidamente trágica e innoble en aquella macabra jornada. A Quinto Emilio no le parecía aquella una justa recompensa a los servicios prestados por aquellos antiguos legionarios.

—¡Veinte, llevo veinte! ¿Lo has visto, Quinto? —preguntó con voz potente el emperador, pero entre jadeos; el esfuerzo físico de matar, incluso cuando se asesina a mancos y cojos, era extenuante: clavar, hundir la espada, quebrar huesos, tirar del arma, extraerla, volver a clavar, retorcerla para destrozar entrañas, corazones, hígados...

—Veinte, sí, augusto —repitió el jefe de pretorio sin entusiasmo y, por primera vez en mucho tiempo, sin importarle que se percibiera su falta de ilusión.

Quinto nivel del Anfiteatro Flavio, Roma

Julia aún sentía las miradas de las mujeres de los enemigos de su esposo clavadas en ella, pero poco a poco, los gritos de la plebe, los aullidos de los desgraciados abatidos por el emperador y la curiosidad de ellas por lo que ocurría en la arena hizo que todas volvieran a centrarse en el triste espectáculo diseñado por la mente enferma del emperador. Ella, por el contrario, no miró hacia abajo, sino que giró levemente el cuello para ver a los pretorianos que custodiaban los accesos al quinto nivel. Miraban a la arena, muy atentos a los gritos de dolor de las víctimas. Julia examinó con detenimiento el rostro de aquellos soldados de la guardia imperial sin decir nada, manteniendo a sus dos hijos cogidos de la mano mientras los pequeños, como el resto de los asistentes, seguían con atención las fingidas heroicidades de aquel augusto emperador supuestamente hercúleo que los gobernaba a todos.

Suspiró. Por lo menos, parecía que Cómodo no dispararía más flechas contra ella. Sus pensamientos volvieron hacia las caras tensas de los pretorianos.

En la arena del Anfiteatro Flavio, Roma

La carnicería de tullidos de guerra continuó durante más de una hora.

Cada vez que el emperador terminaba con toda una tanda de aquellos miserables, había un breve descanso en el que se quitaba el casco y bebía agua y vino, y acto seguido volvían a abrirse, a una voz suya, las trampillas y emergían nuevos espectros que a rastras, cojeando e incluso con cascos cegados sin visión, como si fueran *andabatae*, vagaban por la arena del Anfiteatro Flavio hasta que la inclemente espada de Cómodo les daba muerte uno a uno.

La sangre regó toda la superficie de aquel cuarto de la arena.

Cómodo se quitó el casco por última vez y lo entregó a uno de los pretorianos. Ascendió de nuevo al muro por la escalera de madera y caminó por el mismo con los brazos en alto mientras la plebe, muchos senadores, los *equites*, comerciantes, hombres de toda condición y hasta las mujeres de Roma seguían aclamando a su emperador con el sobrenombre que más le agradaba.

—*Hercules, Hercules, Hercules!*

Primer nivel del Anfiteatro Flavio, Roma

Solo algunos *patres conscripti* guardaban, por fin, un tímido silencio henchido de rebelión y rabia y ansia contenida en rostros serios como el de los senadores Pértinax, su hijo Helvio, Sulpiciano y su heredero Tito y Claudio y Aurelio Pompeyano. Miraban a un Dion Casio quien, entre aturdido y aterrorizado, se había levantado para aclamar al emperador. Dion se percató de las miradas de desprecio de sus colegas en el Senado. Dejó de gritar y se sentó.

—Lo siento —dijo en voz baja.

Quinto nivel del Anfiteatro Flavio, Roma

La joven Julia Domna también callaba. Seguía observando el rostro de los pretorianos, examinando sus facciones, observando luego los huecos vacíos en las gradas y, finalmente, la flecha solitaria que el emperador le había disparado tendida sobre las piedras, junto al estandarte rojo.

Palco imperial del Anfiteatro Flavio, Roma

Cómodo se detuvo en el centro del palco y, mientras saludaba una vez más al público, se dirigió a Quinto Emilio.

—No se ha ido. Sigue allí —dijo al tiempo que miraba hacia la bella esposa de Septimio Severo—. Eso está bien, pero vigílala de cerca. Y a las otras esposas, Salinátrix, la de Albino, y a Mérula, la de Nigro, también. Y a todos los que estén en la lista que has guardado.

—Sí, augusto.

—Y nunca más, nunca, vuelvas a dudar de una orden mía: si te digo que me des el nombre de una lista, me lo das, Quinto. Tú no piensas. Ya pienso yo por los dos, por la urbe entera, pero por encima de todo —y aquí el emperador se acercó mucho a su jefe del pretorio y le habló al oído—, por tu propia seguridad personal, Quinto, no pienses demasiado. Es peligroso.

—No pensaré, augusto.

—Bien, eso está bien —respondió el emperador—. Mañana más. Haremos esto varios días. Es buen ejercicio.

Cómodo pasó entonces junto al prefecto de la guardia y los pretorianos lo siguieron. Entre ellos iba el centurión Marcelo, a quien el emperador había alabado aquel día delante del prefecto.

Quinto Emilio se quedó unos pasos atrás, mirando primero a los esclavos de la arena mientras retiraban las fieras y los cadáveres abatidos, y luego alzó los ojos hacia el quinto nivel, donde Julia Domna continuaba sentada, inmóvil, con sus hijos a su lado.

El jefe del pretorio echó a andar siguiendo la estela del resto de la guardia.

Aquella había sido la tercera vez que el emperador lo amenazaba.

A Quinto Emilio se le había prohibido pensar, pero en aquel momento no hacía otra cosa que pensar, y pensar mucho.

Quinto nivel del Anfiteatro Flavio, Roma

Finalizada la interminable cacería de fieras primero y de hombres tullidos después, Julia Domna se levantó despacio y con sus hijos de la mano empezó a caminar hacia el túnel de salida. Pasó por entre el resto de mujeres. Podía sentir de nuevo las miradas entremezcladas de desprecio y odio. Podía percibir que muchas pensaban que ella las había puesto en peligro a todas.

—Hoy el emperador no ha tenido tan buena puntería como suele —dijo Salinátrix, dando a entender que Cómodo había fallado cuando disparó contra Julia. Y, para rematar su total desprecio hacia ella, la mujer del gobernador de Britania se echó a reír.

Mérula, la esposa de Pescenio Nigro, y Scantila, la mujer del rico senador Didio Juliano, se unieron a aquella carcajada cruel.

Julia se detuvo un instante. Las miró y clavó los ojos en el rostro divertido de la que había hecho el comentario supuestamente jocoso.

—Algún día, Salinátrix, lamentarás lo que has dicho hoy. Tú y tus amigas —le advirtió, dedicando una dura mirada de asco y rabia a cada una de ellas, para luego, veloz, reemprender la marcha tirando de las manos de sus hijos.

Salinátrix continuó riéndose, como si así restara toda importancia a aquella amenaza, pero la advertencia de Julia quedó grabada en su corazón y en el fondo de su ánimo y, más que nunca, la esposa de Clodio Albino deseó ver muerta a aquella maldita extranjera siria a quien un estúpido como Severo había elegido por esposa. Salinátrix intuía que aquella siria podría, en algún momento no muy lejano, intentar dar sustancia a su amenaza. A no ser que alguien se adelantara y la matara antes a ella, claro.

Julia, por su parte, llegó a donde estaba su esclavo *atriense*.

—¡Sácanos de aquí, Calidio! ¡Rápido!

—Sí, mi señora —respondió el esclavo y, raudo, se volvió hacia el tumulto de gente que se había acumulado en el pasadizo. Un sinfín de curiosos quería ver de cerca a la mujer contra quien el emperador había disparado—. ¡Paso, abrid paso! —gritó Calidio, y a empujones, golpes cuando era preciso, y dando numerosas voces, cumplió la orden de su ama con su eficacia acostumbrada.

En poco tiempo estuvieron en la residencia de la familia Severa.

Julia entró sin saludar a nadie. Maesa la vio llegar con el rostro tenso y fue a preguntar, pero la velocidad con la que su hermana se dirigió hacia sus aposentos hizo que optara por no importunarla.

Los niños se quedaron con su tía en el atrio de la *domus*.

Julia Domna entró en su cámara personal siempre escoltada por Calidio, que fue quien abrió la puerta de la habitación para su ama. El esclavo, que había sido testigo de todo lo acontecido en el Anfiteatro Flavio, no estaba seguro sobre cuál debía ser su comportamiento en aquel instante.

—Puedes irte —dijo la esposa del gobernador, después de sacar unas monedas de una bolsa que llevaba debajo de su túnica y de ofrecérselas al esclavo sin girarse siquiera.

El *atriense* las cogió con rapidez, con cuidado extremo de apenas tocar la mano de su ama. Calidio no estaba convencido de que dejar sola a su señora fuera la mejor opción tras todo lo ocurrido. Él habría preferido que la hermana del ama estuviera allí con ella, pero no era nadie para discutir una orden directa.

—Sí, mi señora —dijo, y se retiró con las monedas cerrando la puerta de la habitación sin hacer ruido. Intuía que el silencio era algo preciado para su ama.

Julia se quedó, por fin, sola.

Ya no podía resistirlo, contenerlo por más tiempo. Sintió un temblor poderoso en el interior de su cuerpo. Intentó tragar saliva, pero nada podía hacer por refrenar aquella convulsión. Fue a una esquina de la cámara. Se dobló con las manos sobre el vientre y empezó a vomitar.

El primer día [Cómodo] mató cien osos él solo abatiéndolos desde la barandilla del muro; pues todo el anfiteatro había sido dividido por dos muros que se cruzaban y sobre los que discurrían sendos pasillos a lo largo de los mismos con el propósito de facilitar que las bestias, divididas en cuatro rebaños, pudieran ser asaeteadas más fácilmente a más corta distancia desde cualquier punto. (...) Este espectáculo que he descrito en general duró hasta catorce días. Cuando el emperador luchaba, nosotros, los senadores, junto con los *equites,* asistíamos siempre. (...) Pero muchos de la plebe no entraron en el anfiteatro en absoluto y otros lo abandonaron después de simplemente echar un breve vistazo en su interior, en parte por vergüenza ante lo que allí acontecía, en parte también por miedo, pues había un rumor muy extendido que decía que [Cómodo] podría asaetear a algunos de los espectadores como forma de imitar a Hércules y los pájaros del lago Estínfalo.

Dion Casio, 73, 18-20

VII
—

NADIE

Cubiculum del esclavo *atriense,*
residencia de la familia Severa, Roma
192 d. C.

Calidio se tumbó de costado para descansar un poco. Le dolía
algo un brazo. Alguien le había devuelto alguno de los golpes
que se había visto obligado a propinar él para abrirse paso entre el gentío de los pasadizos del Anfiteatro Flavio y poder conducir a su ama y a los niños sanos y salvos de vuelta a la residencia de su señor.

Cerró los ojos. La señora y sus familiares ya estaban en el
atrio todos juntos. Cuando vio al ama reaparecer con apariencia más sosegada, aunque algo pálida, él se tranquilizó. El resto
de esclavos se ocuparía de atenderlos. Solo se reclamaría su presencia cuando empezaran a despedirse. Ese sería el momento
de abrir y cerrar la puerta de acceso a la *domus,* una de sus res-
ponsabilidades. Él era el encargado de todo lo importante. La
seguridad de la familia era asunto clave. En calidad de esclavo
atriense, era el sirviente de mayor rango y ostentaba ese puesto
desde hacía varios años ya, como esclavo más veterano de la
casa. Tenía veintisiete años. Había alguno más mayor, pero
adquirido hacía poco. Él, sin embargo, había nacido en cautividad, dentro del grupo de esclavos y esclavas de la familia Severa.
Eso le permitió conocer a sus padres y vivir con ellos un tiempo.
Hasta que, ya mayores, Publio Septimio Geta, el padre del
gobernador, los vendió a un tratante de esclavos. Cuando enve-
jecías ya no eras válido para el trabajo diario, esto es, proteger
a los amos en el caso de los esclavos fuertes, y servir en las comidas y limpiarlo todo y ayudar en la cocina en el caso de las

mujeres. El padre del amo vendió a los suyos siguiendo la costumbre de Catón el Viejo, para quien deshacerse de los esclavos en la parte final de su vida era un modo lógico de evitar la pérdida que suponía cuidar y dar de comer a quien no aportaba suficiente trabajo como forma de que su mantenimiento fuera rentable. ¿Haría lo mismo con él el nuevo amo, el gobernador? Calidio no lo tenía claro. Septimio Severo parecía más amable con los esclavos y, por el momento, no se había vendido a ninguno de los sirvientes adquiridos para la casa o nacidos, como él, en esclavitud. Pero tampoco había esclavos ancianos en la residencia, de modo que no había forma de saber qué pasaría cuando empezaran a envejecer.

Calidio se acurrucó en su *cubiculum*. Hacía frío. El verano terminaba, los días acortaban y por las tardes refrescaba bastante. La cámara donde dormían los esclavos era la más fría. Allí no llegaba nunca el calor de los túneles de calefacción que el amo había hecho instalar por el subsuelo de las habitaciones de su esposa y los niños.

No, no sabía qué haría el amo cuando él llegara, por ejemplo, a los cuarenta años. Si llegaba.

Pero Calidio tenía un plan.

La fuga era impensable. Si bien era cierto que tenía oportunidades para la misma, pues era frecuente que saliera solo, o acompañado como mucho de otros esclavos, con el fin de realizar compras para sus amos, no era menos cierto que si huías y luego eras atrapado las consecuencias eran terribles. Desde la muerte hasta que, con suerte, se conformaran con grabarte con un hierro candente las letras FUG, de fugitivo, en la frente para que todos supieran que habías intentado escapar. Si sus amos no fueran ricos —como era el caso, pues Severo era un gobernador de toda una provincia—, la huida sería más fácil, pues un propietario que anduviera justo de recursos bien podría decidir dejar la búsqueda del esclavo prófugo solo en manos de las autoridades. Pero en el caso de los amos ricos, estos contrataban a auténticos profesionales en la recuperación de esclavos fugados: hombres violentos y sin escrúpulos que buscaban a los prófugos hasta el último rincón del Imperio a cambio de un puñado de monedas de recompensa. Un amo como el gobernador se vería en la obligación de recurrir a ellos para dar ejemplo y evitar otras fugas.

No, escapar no era una buena opción. Además, había que considerar que vivir, el día a día, no era desagradable para un esclavo de importancia como él en la residencia Severa. De entrada, tenía ingresos. Sus amos, tanto el gobernador como su esposa, le daban abundantes propinas que, en ocasiones, podían ascender a decenas de sestercios, como muestra de que apreciaban sus buenos servicios. Ese mismo día, el ama le había hecho entrega de treinta sestercios por su habilidad para sacarla a ella y a los niños del Anfiteatro Flavio de una forma rápida y ágil.

Calidio palpó debajo de la almohada y sintió el saco donde tenía guardadas todas sus monedas, su *peculium* personal. Normalmente lo escondía detrás de un ladrillo de la pared en una esquina de su *cubiculum*, pero cuando dormía se lo ponía todo debajo de la almohada.

Tenía más de mil sestercios ahorrados. Al principio apenas recibía estos pagos, pero desde que fue designado *atriense*, las propinas se habían incrementado manera notable. Su plan era reunir el suficiente dinero para poder comprar su libertad antes de llegar a viejo. Luego tenía pensado adquirir una de las *tabernae* junto al puerto fluvial del Tíber. Era un buen negocio, si conseguías una. Siempre estaban atestadas de gente y el trabajo no era demasiado difícil ni pesado: servir vino barato, pan, gachas de trigo, algo de carne seca y queso. La cuestión era ahorrar unos cinco mil sestercios. Eso debería bastar. Lo había estudiado todo con detalle: él había sido el encargado de comprar otros esclavos para la residencia Severa y había sido instruido en lo que era pertinente pagar por un esclavo. Y luego, en sus conversaciones con los vendedores de esclavos de la ciudad, había aprendido aún más cosas: antaño, en tiempos de expansión del Imperio, con hombres como Julio César, el precio de los esclavos era muy inferior al de la actualidad, pues el divino Julio trajo centenares de miles de esclavos a Roma y la abundancia, lógicamente, hizo que los precios bajaran notablemente. Pero desde las últimas conquistas de Trajano, el Imperio no se expandía y no eran ya tantos los esclavos que se conseguían en guerra. La mayor parte de los nuevos esclavos eran los hijos de aquellos otros que nacían en cautividad, como él. Escaseaban los esclavos extranjeros procedentes de zonas fronterizas del Imperio, como Britania, Germania o la Dacia. Muchos de los capturados y vendidos en los mercados de Roma podrían provenir de cacerías humanas ilegales, donde traficantes sin escrúpulos cruzaban las fronteras del Imperio para capturar nuevos esclavos sin importarles que hubiera acuerdos o no de paz con esas regiones limítrofes. Les daba igual si eso podía reavivar el odio de esas gentes hacia Roma y dar origen a una nueva guerra de frontera. Incluso se decía que, en ocasiones, esos traficantes podían capturar a hombres y a mujeres libres; colonos romanos en regiones remotas del Imperio que, sin la proximidad de una guarnición militar que garantizase el orden y la ley, acababan en manos de estos traficantes, que los vendían como si hubieran sido esclavos desde siempre. El Senado había intentado terminar con estas prácticas, pero en los últimos años de Cómodo esto no había estado entre las prioridades del emperador. Se comentaba incluso que, en medio de la dejadez de Cómodo a este respecto, algunos senadores como el millonario Didio Juliano podrían haber conseguido parte de su fortuna con este tráfico ilegal de esclavos.

Calidio abrió los ojos mientras seguía repasando su plan.

En cualquier caso, el precio de un esclavo sano varón podía oscilar entre los mil doscientos y los dos mil ochocientos sestercios. Una mujer costaba menos, en torno a los setecientos si era joven. Alguna particularmente hermosa podría costar algo más, pero, por lo general, los varones fuertes eran los más caros. Eran los que más y mejor podían trabajar, ya fuera en el campo, donde las labores eran más duras, o en la ciudad.

Calidio había calculado que su precio actual rondaría los dos mil quinientos sestercios, pues aún no era viejo y se mantenía fuerte, trabajaba bien y era de mucha confianza. Pero necesitaría varios años para poder reunir el dinero necesario para comprarse a sí mismo y en ese tiempo envejecería y perdería valor. De ese modo, había estimado que para cuando pudiera hacerle una oferta al amo para comprar su libertad, su valor habría descendido a unos mil o mil doscientos sestercios. El resto del dinero que esperaba acumular a lo largo de los años lo necesitaba para adquirir la taberna y poner en marcha el negocio.

De ese modo se garantizaba envejecer sin ser vendido a no se sabía quién, para trabajos que acabarían deslomándolo en poco tiempo y enfermándolo. A Calidio no le importaba tanto morir como sufrir dolor y miseria y golpes durante los últimos años de su vida.

Era un buen plan.

Tenía calculado todo. En unos diez años más podría comprarse. Sobre todo si los amos seguían siendo generosos con él. Y les iba bien.

Frunció el ceño.

Lo ocurrido en el anfiteatro no había sido bueno. La señora podría haber perecido y eso podría ser el preludio a un ataque del emperador contra su amo Septimio Severo.

Se pasó el dorso de la mano por la nariz y se limpió unos mocos. Estaba algo constipado. Nada serio. No había tenido fiebre y no se encontraba flojo.

Él no podía hacer nada con respecto a las disputas entre sus amos y el emperador. Solo podía confiar en que nada cambiara en su relación con aquella familia que lo poseía. Solo podía rezar a los dioses porque protegiesen a Severo y a todos los suyos. Solo el bienestar de la familia de su amo a lo largo de varios años le permitiría a él ejecutar su plan según tenía dispuesto.

Cerró los ojos y rogó a Júpiter y todos los dioses que cuidaran de sus amos y de sus proyectos. Hubo un tiempo en que consideró hacerse cristiano, pero cuando aprendió que los cristianos no hablaban de acabar con la esclavitud sino solo de que los amos trataran bien a los esclavos, perdió interés en aquella religión y se mantuvo fiel a los dioses romanos. Los únicos que conocía bien.

Terminó de orar.

Intentó dormir.

Sin embargo, había algo en su plan que faltaba. Lo intuía, pero no sabía bien qué. Había cosas en su cabeza, sensaciones, sentimientos, a los que le costaba poner nombre. Cuando tenía esa ansia de los hombres por estar con una mujer, se permitía coger algunas monedas de su *peculium* —unas pocas, no muchas o su objetivo de ahorrar lo suficiente para comprar su libertad no llegaría nunca a buen puerto— y, aprovechando alguna salida para comprar algo, se desviaba hacia la Subura y allí satisfacía sus apetitos de yacer con una mujer, con alguna de las prostitutas de pelo naranja que se ofrecían por aquel barrio a cualquier hora del día. Apenas unos pocos sestercios bastaban. Pero esos desahogos no terminaban nunca con esa sensación de melancolía, con aquel sentimiento para el que no tenía nombre aún y que no era otro sino la soledad más profunda.

Sí, eso era: se sentía solo.

Se oyeron voces.

Calidio abrió los ojos.

VIII

EL MIEDO

Residencia de la familia Severa, Roma
192 d. C.

Cayo Fulvio Plauciano hablaba a gritos.

—¡Por Júpiter Óptimo Máximo! ¡Nos has puesto a todos en peligro! ¡A toda la familia! ¡El emperador te ha señalado!

—Me ha disparado una flecha —corrigió Julia con una serenidad pasmosa para el resto de los presentes. Las arcadas, los vómitos, y su miedo se los guardaba para cuando estuviera a solas. No quería mostrar su vulnerabilidad ante los demás y, desde luego, nunca ante Plauciano—. La flecha la ha lanzado contra mí, no contra ti, Plauciano.

El veterano senador, amigo de su esposo, siguió vociferando en medio del atrio.

—¡Nunca, nunca debiste abandonar la casa sin mi permiso e intentar salir de Roma el día del incendio! ¡Ahora el emperador sospecha de ti y por extensión de tu esposo y de todos sus parientes y amigos más cercanos, entre los que nos incluyo a mí mismo y a mi familia!

—Y eso y solo eso es lo que te preocupa —replicó Julia, recostada en su *triclinium* y bebiendo vino de una copa.

Los niños lo observaban todo escondidos detrás de una columna. El pequeño Geta parpadeaba asustado, pero Basiano tenía los ojos inyectados de una rabia brutal y clavados en aquel viejo amigo de su padre que hablaba con aquella falta de respeto tan descarada a su madre. El niño quería salir y ordenar que azotaran a aquel hombre, pero siendo tan pequeño sabía que lo único que podía hacer era callar y observar desde su escondite. Sin embargo, algún día, algún día... Por otro lado, su madre parecía tranquila. Ni siquiera tembló cuando aquella flecha de la que hablaban le pasó rozando la cabeza. Basiano tenía muy claro que su madre, además de la mujer más hermosa, era también la más valiente del mundo.

Maesa miró a Alexiano, su marido, invitándolo a intervenir en aquella confrontación entre su hermana y Plauciano.

—Julia, Plauciano quizá se excede en sus formas —comentó Alexiano—, pero es cierto que intentar salir de Roma aquella triste jornada del incendio nos ha marcado, a ti en particular, aunque de algún modo es verdad que las sospechas del emperador se extienden ahora a todos los que estamos aquí y también a tu propio esposo en Panonia. No me extrañaría que el emperador ordene su destitución. Y ya sabes que Cómodo ya juzgó a Septimio una vez por consultar a astrólogos sobre el futuro. No creo que en una segunda ocasión vayamos a tener la fortuna de que el emperador lo perdone de nuevo. Plauciano tiene razón en que hemos de extremar al máximo la prudencia. Cualquier otra acción por nuestra parte que el augusto pudiera considerar traición sería fatal para todos.

—¡Lo sé! —contestó Julia de modo abrupto. El ataque frontal de Plauciano podía digerirlo, pero que su cuñado lo respaldara la sacaba de sus casillas. Además, le hablaba como si fuera una niña y los niños allí eran todos ellos. Nadie parecía entender nada—. Ya sé que me equivoqué aquella noche, pero también acerté al no mostrar miedo alguno cuando me apuntó con el arco en el Anfiteatro Flavio. Si me hubiera agachado, Cómodo habría interpretado no ya que tenía miedo, sino que me sentía culpable. Sé que mi actitud en el anfiteatro contribuyó a que dudara y por eso también estamos, de momento, vivos todos. Y nadie me agradece ese gesto de valentía.

Todos callaron.

El pequeño Basiano quería aplaudir desde su escondrijo, pero siguió agazapado y sin hacer ruido alguno.

—No es hora de exhibiciones ni de valor ni de audacia —dijo Plauciano, esta vez en un tono más sosegado, pero aún mirando con enorme desdén a Julia.

Ella lo vigilaba de reojo. Sabía que Plauciano la odiaba desde el mismo día en que se casó con Septimio, pero no sabía exactamente por qué. Había oído rumores de que Plauciano había sido no ya solo amigo sino también amante de su esposo en la juventud, pero ni a su esposo ni al veterano Plauciano parecían agradarles los hombres, así que no podía ser por despecho de amante destronado. No. Era por algún otro motivo que ella no alcanzaba a entender. Septimio había estado casado durante años y, según había averiguado ella, Plauciano se mostró siempre educado con aquella primera esposa de su amigo. ¿Sería porque ella, Julia, no era romana? Pero ni Septimio ni Plauciano eran de Roma tampoco. Procedían, como toda la familia Severa, de Leptis Magna, en la provincia de África. ¿Entonces...? La animadversión de Plauciano hacia ella estuvo siempre ahí... Julia parpadeó un par de veces... Cuando ella dio hijos a Septimio, la hostilidad de Plauciano creció enormemente. Fue con los niños. Julia acababa de darse cuenta... ¿Podía ser que Plauciano hubiera hecho tantos planes, que apuntara tan alto? Ella, en su fuero interno, se jactaba de ser capaz de ver e intuir más allá que el resto, pero ¿hasta dónde había hecho cálculos Plauciano de modo que los hijos de su amigo pudieran ser una molestia? No llegaba a entenderlo. Septimio tenía un hermano, Geta. Si su esposo fallecía, él heredaría todo. Plauciano era solo un amigo. No, no lo entendía. Solo tenía claro que con los niños su animadversión hacia ella había aumentado.

—¿Y qué podemos hacer para recuperar la confianza del emperador Cómodo? —preguntó Maesa mirando a Plauciano y a Alexiano alternativamente.

—No lo sé —dijo el primero de ellos tomando, por fin, asiento en su *triclinium* pero aún sin recostarse. Se pasaba una mano por el cogote. Estaba sudando—. No lo sé.

Alexiano negaba con la cabeza sin saber tampoco qué añadir.

—El emperador Cómodo ya no importa —dijo Julia, dejando de lado sus reflexiones sobre Plauciano y recuperando el control de la conversación al tiempo que volvía a mojarse con delicadeza los labios con su copa de vino.

—¿Perdona? —preguntó Plauciano retornando al tono de irritación del principio.

—Digo que Cómodo ya no importa demasiado. En el Anfiteatro Flavio no había ni la mitad de la gente que acostumbra. La plebe le tiene miedo. El emperador ha perdido el apoyo incondicional del pueblo. Sus locuras han empezado a atemorizarlos también a ellos. Por otro lado, el Senado odia a muerte al emperador y la guardia pretoriana asistió horrorizada, esa misma jornada en que me disparó la flecha, a cómo el emperador, su emperador, asesinaba, uno tras otro, en la arena, a decenas de tullidos, muchos de ellos veteranos de guerra, algunos puede que hasta fueran antiguos compañeros de los propios pretorianos en un pasado no muy remoto. Y todo solo para divertirse. Sin el pueblo, con el Senado en su contra y con la guardia asqueada, Cómodo está muerto. Mucho más que cualquiera de nosotros. Vosotros estáis aterrados, todos le tenemos miedo. ¿Cuánto terror tendrán los que viven con él, los que duermen con él, los que habitan su palacio? No, no creo que Cómodo llegue a ver el año nuevo.

Julia Domna calló.

Hubo unos instantes de silencio.

Plauciano negó con la cabeza y habló entre dientes, conteniendo su rabia hacia la joven esposa de su amigo. ¿Por qué se casaría Severo con ella? ¿Qué había visto en Julia más allá de sus hermosas facciones?

—La cuestión no es esa —dijo al cabo pronunciando cada palabra con el énfasis de un augur que dictamina sobre un futuro que cree ver con una clarividencia inapelable—: La cuestión es si nosotros llegaremos vivos a ver ese desenlace mortal de Cómodo... o no.

Julia no replicó. Solo el tiempo y la sangre que se derramara diría quién de los dos tenía razón. Era como si hubiera una macabra apuesta en marcha. A doble o nada, a vida o muerte. Lo único que en aquel momento unía a todos, en mayor o menor medida, era esa profunda sensación de miedo. Incluso Julia, aunque había ocultado sus temores en una actitud de audacia y desafío en medio de aquel océano de incertidumbre en el que se había transformado el Imperio de Cómodo, no podía dejar de pensar en si alguna vez volvería a ver a su esposo Septimio, que seguía estando allá lejos, al norte, en la remota frontera del Danubio. Dejó que una lágrima resbalara por su rostro sereno, pero se la enjugó rápidamente con el dorso de la mano. No quería que nadie la viera llorar, y mucho menos el altivo Plauciano.

IX

EL PLAN DE TODOS

Palacio imperial, Roma
Unos meses después, 192 d. C.

Quinto Emilio pensó mucho. Durante semanas, meses. Un día el jefe del pretorio observó que Marcia, la amante del emperador, estaba sola en su habitación. El prefecto empujó la puerta entreabierta y miró a las ornatrices de la amante del César: una sostenía un frasco con una mezcla de vinagre, miel y aceite de oliva; la otra, otro más pequeño con un ungüento hecho a base de raíces secas de la planta del melón y excrementos de cocodrilo y estornino. Estaban a punto de aplicar la compleja mezcla al rostro de la amante de Cómodo, pero en cuanto vieron al jefe del pretorio, salieron de la estancia como perseguidas por el can Cerbero del inframundo.

Marcia se giró despacio, ante la huida de sus esclavas.

—¿Qué quieres? —preguntó.

Ella, como amante del emperador, se permitía no usar la fórmula de respeto debida al jefe del pretorio. Había hablado con aparente resolución, pero en seguida quiso tragar saliva. No tenía. De pronto, la garganta se le había quedado completamente seca. Quinto Emilio era el prefecto de la guardia imperial, esto es, el perro de presa de Cómodo, como antes lo fueron otros.

Marcia vio cómo Quinto Emilio, sin decir nada, sin responder a su pregunta, se volvía y cerraba la puerta desde dentro muy despacio.

Estaban solos en la habitación.

La joven paseaba la mirada sobre la larga serie de frascos que tenía ante ella: pequeñas botellas con cera de abejas, agua

93

de rosas, leche de almendras; otros frascos donde se había mezclado azafrán con pepino, o setas con amapolas y raíces de lirio; otro repleto de comino, uno más con polvos de mica... Pero ella realmente no los miraba, sino que pensaba. A toda velocidad. Podría gritar pero no tenía sentido pedir ayuda si Cómodo había enviado a Quinto Emilio para ejecutarla.

El jefe del pretorio se fue acercando a ella poco a poco, la mano derecha en la empuñadura de su *spatha*. De pequeña Marcia había visto cómo Cómodo ordenaba la ejecución primero de su hermana y luego de su propia esposa. Ordenar ahora la ejecución de la amante que había reemplazado a la esposa sacrificada en el pasado reciente parecía tener toda la lógica letal de Cómodo. Quizá el emperador se había aburrido de ella. Quizá había encontrado una sustituta que lo complaciera más.

—Estoy cansado... —empezó Quinto Emilio, pero calló sin concluir la frase, como si tanteara el terreno.

A Marcia le sorprendió tanto miramiento. Estaba segura de que al líder de los pretorianos no le debía de temblar la mano cuando ejecutaba a otras personas, senadores incluidos, por orden del emperador. ¿Por qué esa lentitud con ella?

—Estoy muy cansado... —insistió él acercándose un poco más. Separó la mano de la espada.

Marcia concibió una idea extraña en su cabeza: ¿querría acaso Quinto alguna otra cosa? ¿La querría a ella? Podría ser. ¿Por qué no? Aunque Cómodo pudiera estar hastiado de ella, seguía siendo muy hermosa. Por eso el augusto la había elegido de entre todas las mujeres de Roma no hacía aún muchos años. Pero..., ¿cómo era que Quinto se atrevía a tanto?

—¿De qué... estás cansado? —consiguió decir ella, al fin, con voz trémula pero dulce. Si su belleza podía salvarla, estaba dispuesta a utilizarla, como llevaba haciendo desde... siempre, desde que descubrió que era la única forma de sobrevivir en la corte imperial de Roma.

—Estoy cansado y mis hombres también. Cansado de... las locuras del emperador.

Las palabras de Quinto Emilio sobrecogieron a Marcia. ¿Era aquella una de las retorcidas pruebas de Cómodo para comprobar su lealtad?

—El emperador tiene gustos particulares, pero todos nos debemos a él —respondió ella con mucho tiento.

Quinto Emilio detuvo su lento avance. La mano derecha del jefe del pretorio volvió a deslizarse hacia la empuñadura de su espada.

Marcia sabía que, fuera una prueba o no, tenía que decidirse, que decantarse a favor o en contra de lo que estaba empezando a sugerir Quinto Emilio.

La joven estiró el brazo, cogió un vaso dorado que había en la mesa de sus ungüentos y frascos y engulló el miedo de semanas, meses, años en un largo trago de agua. Dejó la copa sobre la mesa.

—Yo también estoy cansada.

Dicho estaba. Prueba o no, ya no había marcha atrás.

Quinto Emilio asintió despacio un par de veces y alejó una vez más la mano derecha de la espada.

—Entonces es posible que podamos entendernos —dijo el jefe de la guardia pretoriana.

Se sentó acto seguido en una *sella* que había junto a la pared. Ella lo observaba muy quieta desde el *solium* en el que se acomodaba todas las tardes para que las ornatrices que habían salido corriendo al ver entrar al jefe del pretorio la peinaran. Recordarlas la hizo fruncir el ceño. Él habló como si le leyera el pensamiento.

—¿Dirán algo de nuestro encuentro tus esclavas?

—No creo —respondió la amante del emperador tras meditar un instante—. Están aún más aterradas que yo.

—Bien. Entonces las dejaré tranquilas. Ahora vamos al asunto importante.

Pero volvió a callar.

Marcia comprendió que incluso un hombre tan recio y brutal como Quinto Emilio necesitaba que alguien lo ayudara para poner palabras a su plan.

—¿En qué has pensado? —preguntó ella.

—Veneno.

Marcia asintió con la cabeza una vez.

—¿Yo? —preguntó ella.

—Sí. Eres la que está más próxima. El emperador siempre

coge una copa de vino de tus manos cuando regresa de los baños. La próxima copa deberá ser la última.

Marcia volvió a pensar intensamente mientras miraba alrededor de la habitación como un conejo asustado que busca en su jaula una salida inexistente.

—El emperador es muy fuerte y toma antídotos.

—¿Antídotos? —Quinto Emilio repitió la palabra como si fuera la primera vez que la escuchara en su vida, lo que, por cierto, era el caso.

—La *theriaca*. Es una medicina que le proporciona el médico imperial, Galeno. Está hecha de decenas de ingredientes secretos, incluso de carne de serpientes venenosas. Quizá el veneno no baste. Galeno la preparaba para su padre, para el divino Marco Aurelio, y dicen que ha mejorado la mezcla desde entonces.

El jefe del pretorio arrugó la frente. No había esperado esa contrariedad, pero acababa de revelar demasiado y no había posibilidad de cambiar ya de opinión sobre lo que debía hacerse.

—Podríamos intentar sumar a Galeno a nuestra... A nuestro plan —dijo ella al ver la confusión en el rostro de su interlocutor.

—No —respondió Quinto Emilio tajante—. Nunca sé qué piensa ese hombre. Y eso no me gusta. No. Esto lo tenemos que hacer nosotros. Muy pronto.

—¿Cuándo? —preguntó ella buscando precisión.

—Esta noche.

—De acuerdo —aceptó Marcia con una decisión que agradó al pretoriano. No pensó que una mujer pudiera ser tan resolutiva. Era obvio que llevaba temiendo por su vida tanto como él: meses—. Ya puestos a intentarlo, cuanto antes mejor, pero queda el asunto de la *theriaca*. No me has contestado a mi pregunta de antes: ¿y si el veneno falla?

Quinto Emilio se levantó, se puso firme frente a ella y le respondió mirándola fijamente a los ojos.

—Si el veneno falla, tendré a alguien más preparado, junto a ti, que no fallará. Y si hace falta... —Se llevó otra vez la mano derecha a la empuñadura de la espada.

Marcia comprendió, pero, de súbito, se le ocurrió una pregunta más.

—¿Por qué no empezar directamente con tu espada?

El jefe del pretorio negó con la cabeza.

—Sería una muerte demasiado noble para ese miserable. Uno de mis hombres te traerá el veneno antes de que el emperador vuelva a palacio.

Quinto Emilio dio entonces media vuelta, salió de la habitación y cerró la puerta por fuera.

Marcia miró al suelo. Quedaba una hora para que Cómodo regresara de los baños.

Baños de Trajano, Roma
31 de diciembre de 192 d. C.

Lucio Aurelio Cómodo entró en el *tepidarium,* la piscina de agua templada de los baños que se habían levantado bajo el gobierno del primer emperador de su dinastía. Había varias termas en la ciudad y le gustaba ir cambiando de lugar para relajarse. Todo el gigantesco conjunto arquitectónico estaba tomado por la guardia pretoriana: desde el muro sur de grandes ventanales que facilitaban el calentamiento del recinto al permitir el paso de la luz del sol, hasta las diferentes estancias con las piscinas de agua caliente, fría o templada. Nadie podía entrar en unas termas cuando el emperador había decidido relajarse en ellas. Era el final de una jornada en la que había matado, una vez más, a decenas de fieras primero y, luego, a muchos hombres drogados o tullidos, esta vez en la arena del Circo Máximo. Últimamente, al augusto emperador también le gustaba ir cambiando de escenario para sus festines de violencia.

Cómodo sonrió mientras los esclavos lo desnudaban.

Quitar vidas parecía recargarlo. Cuanta más sangre derramaba, de bestias y hombres, más fuerte se sentía. Y solo estaba empezando. Tenía planes. Grandes planes. Cerró los ojos justo en el momento de entrar en el agua y sentir cómo el líquido lo arropaba a él y a sus macabros sueños.

El emperador emergió desnudo de la gran piscina.

No le importaba que los soldados lo vieran. Se consideraba bello. Un *dios* hermoso, para ser exactos, y los dioses bellos bien podían caminar desnudos entre los mortales que los servían. Pero sintió algo de frío y extendió un brazo para que rápidamente un esclavo le proporcionara una toalla grande con la que cubrir su cuerpo. Luego, una vez seco, permitió que unas jóvenes esclavas lo vistieran con una toga de fina lana. El abrigo del tejido le pareció agradable después del baño. Observaba a las jóvenes moviéndose alrededor de su cuerpo. Eran bonitas. Le recordaron a Marcia. Quizá yacer con su amante fuera una buena idea. Aunque en los últimos tiempos sentía cierto hastío de ella. Parecía tan... inquieta con él. ¿Había llegado la hora de reemplazarla por otra? ¿Quizá alguna de aquellas vírgenes que lo estaban vistiendo podría ser una digna sucesora de Marcia?

Empezó a andar.

Tenía que pensar en ello.

Salió del edificio siempre rodeado de pretorianos. Quinto Emilio, tan fiel como un perrito, estaba allí fuera, esperándolo. Últimamente, Quinto estaba poniendo en duda alguna de sus decisiones en el anfiteatro, en el circo..., y lo notaba cada vez más falto de entusiasmo. Cómodo se puso muy serio y pasó a su lado sin saludarlo. Se dio cuenta de que el jefe del pretorio no daba la impresión de molestarse al verse ignorado. A Cómodo aquello le pareció curioso. Quinto parecía tan sensible durante las últimas semanas y, sin embargo..., se diría que ahora no reaccionaba a su desdén. Quizá también era el momento de pensar en sustituirlo, como había hecho con los anteriores jefes del pretorio que se habían mostrado..., ¿cómo expresarlo?, inadecuados para la tarea de servirlo. ¿Cuáles eran sus nombres? Cleandro..., ¿y los demás? ¡Qué importaban ya sus nombres! ¿Tiene acaso un dios que recordar los nombres de todos aquellos que lo han servido? Sería absurdo. Agotador. Peor: aburrido.

Salieron de las termas y cruzaron el foro de Trajano primero y luego el foro antiguo hasta llegar a la colina del Palatino.

Entraron en el palacio imperial.

Cómodo atravesó la gran Aula Regia donde se celebraban las audiencias imperiales, donde tantos otros emperadores antes que él habían recibido a reyes de todo el orbe que se postraban, uno tras otro, ante el poder infinito de Roma. Ahora era él ante quien se humillaban todos. ¿Todos? Sabía que había traidores en el Senado. Siempre el Senado. Debería hacer otra purga, otra muestra de su poder absoluto para terminar de una vez por todas con tanta deslealtad. Así le pagaban sus desvelos diarios, su constante preocupación por Roma. Por la Colonia Comodiana. ¿Cómo se atrevían a cuestionarlo, a él, que era la reencarnación misma de Hércules?

El emperador, distraído por sus tribulaciones sobre el Senado, no se percató de que Quinto Emilio se retrasaba y se quedaba en el Aula Regia. Lo que sí vio el augusto fue a Marcelo. ¿Podría ser ese oficial, el centurión que lo había servido bien en el anfiteatro hacía unos meses, al que había alabado delante de Quinto Emilio, y al que había ascendido a tribuno recientemente, un buen sustituto del propio Quinto?

En el atrio central del palacio imperial lo recibió, como siempre, Marcia con una copa en la mano. Había comida dispuesta en varias mesas, junto a los *triclinia*. También había una docena de esclavos que llevaban copas y jarras con vino. Las bailarinas estaban preparadas al otro lado del atrio, junto con los músicos. Todos expectantes, atentos a una señal suya. No había invitados aquella velada. No los había pedido. Cada vez le resultaba más complicado encontrar a alguien que mereciera ser invitado a su divina presencia. Eran todos tan vulgares, tan poco relevantes. Vio a Eclecto, su chambelán. ¿Lo importunaría ahora con asuntos de Estado, con alguna molesta carta de algún gobernador solicitando más tropas para someter otro estúpido levantamiento de alguna tribu bárbara en uno de esos remotos rincones del Imperio? Los gobernadores. Todos tan débiles y tan traidores a la vez. Como los senadores. Tenía pendiente resolver lo de la esposa de ese tal Septimio Severo al que ya juzgara en el pasado por consultar el futuro en los astros. De eso Cómodo no se olvidaba, aunque había pospuesto el cese de Severo porque tampoco encontraba a nadie de confianza para reemplazarlo al mando de las legiones de Panonia Superior.

Suspiró.

Sí, Eclecto siempre tenía algo con que molestarlo al final del día; sin embargo, aquella tarde guardaba silencio. Mejor.

También vio a Narciso, su hermoso preparador físico, con quien luchaba con frecuencia entre danza y danza de las bailarinas que allí seguían, con los músicos, esperando su señal. Como tenía por costumbre, Narciso aguardaba con el torso musculado desnudo. Le dedicó una sonrisa y el atleta se la devolvió, pero como con vergüenza. Peculiar. No le dio importancia. Al menos, Narciso, como Marcia, poseía un cuerpo hermoso. Cómodo seguía con la copa que ella le había entregado en la mano. Vio cómo Marcia retrocedía algunos pasos y se giraba para sentarse primero y luego reclinarse en el *triclinium*. Aquella tarde ella había olvidado su dulce beso de bienvenida. ¿Por qué? Y lo miraba de forma extraña. ¿Acaso había algún pliegue de su ropa que quedara ridículo? Se miró la toga, pero no descubrió nada.

Seguía con la copa en la mano.

Marcia había dejado de mirarlo.

Cómodo echó un primer trago de vino. Estaba dulce, en su punto, bien mezclado con ralladura de plomo en alguno de los enormes recipientes, también de plomo, de las cocinas de palacio. Por fin había logrado Eclecto que los esclavos siguieran las instrucciones explicitadas por Columela en su tratado *De re rustica*. Tanto preocuparse por el Imperio y nadie se preocupaba apenas por él. Había tenido que quejarse varias veces y hasta ejecutar a varios cocineros para conseguir un vino dulce decente en palacio. Pero..., apenas se había mojado los labios y degustaba el sabor del licor cuando se percató de que Marcia volvía a mirarlo con esa peculiar expresión en sus ojos que no había visto antes. ¿Qué sería lo que la perturbaba? Decididamente había llegado el momento de reemplazarla. Empezaba a ponerlo nervioso con aquella actitud tan particular.

Cómodo bebió un poco más, solo un poco.

Entonces se quedó inmóvil. ¿Dónde estaba Quinto Emilio?

De pronto lo vio aparecer, entrando en el atrio en aquel instante y no con el resto de la guardia. ¿Por qué se había retrasado Quinto y..., peor aún..., por qué goteaba sangre la espada del jefe del pretorio aunque estuviera envainada? ¿De quién eran esas gotas rojas que salpicaban el suelo sobre el que estaba detenido el prefecto de la guardia? Él no había ordenado ninguna ejecución para aquel día.

Súbitamente, el emperador cayó en la cuenta.

Todas las piezas de aquel mosaico de pequeños matices extraordinarios empezaron a encajar en su mente: la indiferencia de Quinto Emilio en la puerta de los baños de Trajano, el silencio de Eclecto, la peculiar sonrisa de Narciso, la extraña mirada de Marcia...

Cómodo se llevó la mano izquierda al pecho y luego fue bajándola.

Despacio.

Estaba sintiendo una especie de mordedura en la boca del estómago.

Miró a su alrededor con asco y rabia y desprecio y locura y ansia de venganza. Lanzó la copa al suelo y el vaso dorado se partió en dos, separándose el cuenco superior de la base por el lugar donde un soldador los había unido en el pasado. Cómodo se arrodilló en el suelo mientras miraba de reojo a Quinto Emilio, a Eclecto, a Narciso y a Marcia. Sentía los ojos de todos ellos examinándolo en su lucha. ¿Creían que iban a acabar con él tan fácilmente? Él era tan fuerte como Hércules, o más. Y más inteligente que todos ellos juntos.

Veloz, se llevó los dedos índice y corazón de la mano derecha a la garganta mientras mantenía la izquierda presionando el estómago y se los introdujo en la boca hasta alcanzar la campanilla. Forzó el vómito y las arcadas llegaron de inmediato. En cuestión de un instante había arrojado la mayor parte del líquido que había ingerido de la copa que Marcia, la traidora Marcia, le había entregado.

Escuchó cómo Quinto Emilio daba una orden. Entre arcada y arcada, pues seguía intentando expulsar el veneno que aún pudiera quedar en su cuerpo, Cómodo no acertó a entender las palabras, pero pudo ver que todas las bailarinas y los músicos salían corriendo del atrio central del palacio.

Dejó de vomitar.

Lucio Aurelio Cómodo se levantó entonces con fuerza renovada. El veneno apenas había estado unos segundos en su cuerpo y la *theriaca* de Galeno lo protegía.

Se sentía vivo, muy vivo por dentro y por fuera.

—Habéis fracasado, malditos —dijo mirando a Quinto Emilio. Señaló a uno de los pretorianos que estaban junto al prefecto—. Tú, mátalo.

Pero en lugar de obedecer al emperador, el pretoriano dio un paso atrás y se alejó de Quinto Emilio.

—¿Estáis todos en esto? —preguntó el emperador, dando una vuelta de trescientos sesenta grados y escrutando a todos los que permanecían en pie, en silencio, a su alrededor.

Las miradas extrañas llegaban ahora de los pretorianos de su guardia. Al emperador le costaba entender el significado de todos aquellos ceños fruncidos, hostiles. No sabía interpretar lo que era una mirada con ansias de venganza. Nunca la había experimentado antes en acción contra su persona y por ello era incapaz de reconocerla. Él siempre había ejecutado sin verse nunca alcanzado por el anhelo indómito del odio de quien ha vivido subyugado y aterrado durante meses, años...

Quinto Emilio miró en ese instante a Narciso y le hizo un gesto con el rostro para que se acercara al emperador.

Narciso no dio muestra alguna de reconocimiento de aquella orden, pero obedeció como movido por un resorte mecánico oculto y empezó a caminar hacia el augusto.

Cómodo buscó con la mirada al tribuno Marcelo, pero no lo encontró en ningún lado. Recordó la sangre que seguía cayendo por la vaina de la espada de Quinto Emilio y sacó conclusiones con rapidez. Se dirigió entonces a otro oficial.

—Entrégame tu espada —dijo.

Mas nadie le dio arma alguna. En la mente de aquel pretoriano, como en la del resto de soldados, como en la de Narciso, estaba la enorme suma de dinero que Quinto Emilio había prometido a todos en cuanto el Senado nombrara un nuevo emperador en sustitución del trastornado Cómodo. Este ya llevaba doce años gobernando. Era demasiado tiempo sin que la guardia recibiera un *donativum* extraordinario, algo que solo acontecía cuando un emperador moría y otro lo reemplazaba, o cuando un augusto era inteligente y lo concedía de forma esporádica para mantener feliz a la guardia. Cómodo se olvidó de ese detalle, así que a los pretorianos les iba bien cambiar de jefe supremo. Ninguno se prestó, pues, a ayudar al emperador presente. De hecho, veían su existencia como el escollo que los separaba de esa recompensa económica prometida. Con dinero se podían comprar prácticamente todas las voluntades.

Cómodo empezó a retroceder. Por un instante tuvo miedo, se veía solo ante el gigantesco Narciso, pero, de pronto, recordó que él era mucho más fuerte que Narciso, a quien siempre derrotaba en sus entrenamientos. Se detuvo y se encaró entonces con su adversario.

Narciso se lanzó como un salvaje sobre Cómodo y lo derribó al primer embate. En un segundo puso una rodilla sobre el pecho del emperador, al tiempo que rodeaba con ambas manos el cuello del hasta entonces todopoderoso augusto.

El emperador intentaba deshacerse del pesado cuerpo de Narciso pero le resultaba del todo imposible.

No lo entendía.

Estaba confuso.

Si siempre había ganado él.

¿Sería el veneno? ¿Sería que la *theriaca* del maldito Galeno no era eficaz realmente? No podía entender, no cabía en su cabeza que hasta aquella tarde Narciso siempre se había dejado vencer con facilidad y que solo aquella jornada luchaba con la voracidad brutal de quien combate por su vida, sin misericordia ni redención, pues sabía que si el emperador sobrevivía a aquel ataque, él sería el primero en ser ejecutado.

Si Cómodo hubiera sido un gladiador de verdad, habría contraatacado. Habría llevado sus propias manos al cuello de su contrincante o, mejor aún, a los ojos, a las cuencas mismas como hizo Domiciano años atrás en aquel mismo palacio, cuando se confabularon para intentar asesinarlo a él también.

Pero Cómodo no era un luchador. Él tenía esa imagen de sí mismo, pero era pura fantasía, una mentira que él mismo se había creído. Él solo había matado a millares de bestias indefensas desde la distancia, con flechas, sin acercarse a ellas. O había abatido a miles de hombres drogados, con miembros amputados por heridas de guerra, o a infelices con una o ambas manos atadas. Narciso era un recio luchador en plenitud de sus fuerzas, sin droga alguna en el cuerpo y con ambas manos muy libres, apretando cada vez con más ansia el cuello del emperador.

Cómodo empezó a patalear como un niño.

Narciso apretaba el cuello más y más.

Parecía que los ojos del emperador fueran a explotar en sus cuencas. La boca se entreabrió de forma torcida y la larga lengua emergió envuelta en babas.

El jefe del pretorio puso una rodilla en tierra junto a Narciso y el emperador postrado agonizante. Se acercó aún más y examinó el rostro de Cómodo en medio de su mueca salvaje de dolor. ¿Muerto?

—Sigue apretando —dijo Quinto Emilio con voz gélida.

El luchador continuó estrangulando aquel cuello en el que ya no encontraba resistencia, le parecía haber partido el gaznate. Las manos del emperador que, hasta ese momento, se aferraban a las de su atacante para intentar zafarse del estrangulamiento, cayeron a ambos lados de su cuerpo como dos hojas secas de un árbol en otoño.

Narciso iba a separarse del cuerpo del emperador.

—Sigue. No sueltes —insistió Quinto Emilio sin moverse del lado del luchador.

Narciso continuó apretando un rato largo.

Nadie se movía en el atrio del palacio imperial.

—Yo creo que está muerto —señaló al fin Narciso, que tenía los dedos entumecidos de tanto apretar y apretar sin descanso alguno.

Quinto Emilio asintió una vez y se levantó lentamente, sin dejar de mirar el cuerpo inmóvil de Cómodo.

—Llamad al médico del emperador —dijo el jefe del pretorio.

Eclecto se acercó a Quinto Emilio por detrás, mientras uno de los tribunos salía en busca de Galeno.

—¿Por qué quieres al médico? —preguntó el chambelán imperial.

—Quiero que alguien que sabe de medicina me asegure que el emperador está muerto del todo.

Nadie dijo nada durante la espera. Galeno estaría, como de costumbre, en la biblioteca imperial. Esto es, en lo que quedaba de ella después del gran incendio, rebuscando entre los papiros quemados en su intento por recuperar lo que pudiera de sus escritos perdidos. La biblioteca se hallaba apenas a unos centenares de pasos de allí. Todos sabían que no tardaría en llegar.

Mientras aguardaban, Marcia se sirvió vino ella misma. No había esclavos presentes. Bebió con avidez. No sabía si aquella sería su última copa o la primera de una nueva vida en libertad. En cualquier caso le supo bien aquel licor ingerido ante el que parecía ser el cadáver de Cómodo, pero, incluso bebiendo, no dejaba de mirar el cuerpo del emperador de reojo por si se movía.

Todos lo miraban y todos con el mismo miedo.

—Aquí está.

Era la voz del tribuno que había ido a buscar al médico.

Galeno entró con paso lento en el atrio, escrutando las miradas de tensión que había en los rostros de todos los guardias. Caminó hacia el cuerpo del emperador y se detuvo a su lado. Por el tono con el que se le había dirigido el tribuno en la biblioteca apenas hacía unos instantes, ya había intuido que algo grave había pasado.

—¿Qué ha ocurrido? —preguntó. Como nadie parecía querer responder, miró a Quinto Emilio, la máxima autoridad presente en el atrio, pero el jefe del pretorio tampoco respondió.

Galeno había tardado en interpretar la escena. Aún venía de la biblioteca turbado por el descubrimiento de que su denso tratado de farmacia también había ardido en el incendio. Solo había encontrado algunas partes legibles. Tardaría años en recomponerlo. Y eso solo si se le daba el tiempo y la oportunidad para hacerlo... Pero ahora se centró en lo que tenía a su alrededor, dejando de lado, por un rato, su dolor por los libros consumidos por las llamas.

Observó el vómito a unos pasos del emperador que yacía en el suelo, tendido, justo detrás del jefe del pretorio. El médico no se sorprendió. Hay cosas que se ven venir. Se agachó entonces para examinar el cuerpo y vio en seguida las profundas marcas en el cuello de Cómodo. No necesitó que nadie le dijera nada para comprender todo lo que había pasado allí. Tuvo claro que el veneno no había sido suficiente y Quinto Emilio habría ordenado algo más expeditivo. Al viejo médico le parecía lógico aquel desenlace del hijo de Marco Aurelio. Cuando falleció el padre lo lamentó profundamente. Marco Aurelio había sido un buen gobernante y lo apoyó en sus investigaciones, al menos en parte, siempre con el límite que todos ponían..., pero esa era otra cuestión en la que no debía distraerse ahora. Sin embargo, Cómodo había sido un lunático desde el principio, empezando en el rango de lo caprichoso e insoportable para terminar en el nivel de asesino en serie. Nunca tuvo simpatía por él. El emperador había encontrado un fin acorde a su vida.

Galeno exhaló despacio. En todo caso tendría que comprobar que aquel era, en efecto, el final de su lamentable existencia.

Ya arrodillado, se aproximó muy despacio al rostro del emperador. Los años hacían que estas maniobras fueran cada vez más penosas. Le palpó los brazos, puso luego las yemas de los dedos en el cuello unos instantes y, a continuación, acercó su mejilla a la nariz de aquel cuerpo tendido.

Marcia apretaba la copa vacía con fuerza. Quinto Emilio contenía la respiración.

Galeno miró al jefe del pretorio.

—¿Puede uno de tus hombres ayudarme a levantarme?

Quinto Emilio hizo una señal y un pretoriano se acercó y tiró del viejo médico para que este pudiera ponerse de nuevo en pie.

—Está muerto —dijo Galeno—. Supongo que para eso me habéis llamado.

Quinto Emilio parpadeó varias veces. No podía ser tan sencillo. Después de tantos meses, años de horror y locura..., ¿todo había terminado?

—¿Estás seguro? —preguntó.

A Galeno no le gustaba que cuestionara su criterio médico.

—El *vir eminentissimus* sabe de pretorianos y emperadores —respondió el médico—, pero yo sé de vivos y muertos. Y el emperador Cómodo está muerto. Muerto del todo. ¡Por todos los dioses, no era necesario destrozar el cuello de esa forma!

Se sacudió algo del polvo del suelo que se le había pegado en la túnica y echó a andar de regreso a la biblioteca. Tenía cosas bastante más importantes de las que ocuparse.

Quinto Emilio miró a uno de los tribunos.

—Llevad el cadáver a la cámara del emperador. Yo iré a informar al Senado.

El jefe del pretorio salió entonces también de aquel atrio pasando por encima del cadáver de Cómodo; luego, cruzó por entre las columnas, atravesó un largo pasillo y llegó hasta el Aula Regia. Allí se detuvo un instante para observar una esquina en la que seguía tumbado otro cadáver: el del tribuno Marcelo.

Quinto Emilio escupió sobre el cuerpo inerte de aquel oficial que a punto había estado de quitarle el puesto y reemprendió la marcha camino del Senado. Su espada, colgada en la cintura, aún goteaba sangre a través de la vaina. A Marcelo, al contrario que al resto de pretorianos, Quinto Emilio no le ofreció dinero.

X

LOS CINCO CANDIDATOS

La noticia de la muerte de Cómodo fue extendiéndose por el Imperio como una espesa mancha de aceite: primero por toda la ciudad de Roma, que con la muerte de Cómodo había recuperado su antiguo nombre, ese que nunca perdió del todo, después por las provincias hasta alcanzar a los gobernadores más poderosos y, de nuevo, por las calles de Roma, en un círculo extraño en el que los fantasmas del desastre se alimentaban del miedo y la ambición.

Foro de Roma
1 de enero de 193 d. C.

En las sombras de las columnas, junto a la basílica Ulpia, el senador Pértinax esperaba en silencio. Tras él, su hijo, y alrededor de ambos varios esclavos armados que los acompañaban mirando inquietos a un lado y a otro. Se oyeron entonces los pasos firmes e inconfundibles de las sandalias de pretorianos. El senador y su hijo permanecieron ocultos en la oscuridad. Sus hombres se apostaron frente a ellos, a sabiendas de que estaban muertos si se desataba cualquier lucha. Contra aquellos militares armados, curtidos en mil guerras, no tenían ni una sola posibilidad. Valían para defender a sus amos contra bandidos nocturnos, pero nada podían hacer contra la guardia.

—Salve, Pértinax —dijo otro senador que acudía junto con los pretorianos.

El aludido reconoció la voz de uno de los más veteranos de los *patres conscripti* y, al tiempo, su suegro y amigo; eso le dio cierta seguridad.

—Te saludo, Sulpiciano —respondió Pértinax emergiendo de entre las columnas. Pudo ver entonces que junto con los pretorianos no solo estaba Sulpiciano, sino también Dion Casio, otros senadores más y, con todos ellos, el mismísimo jefe del pretorio—. Os escucho.

Sulpiciano no dio rodeos.

—Mañana, en la próxima sesión del Senado, vamos a proponerte como nuevo emperador.

Pértinax tragó saliva. Mucha.

—¿Por qué no tú mismo? —preguntó el elegido—. Tú eres más veterano.

Helvio, el hijo de Pértinax, asistía atónito a aquella conversación. Quinto Emilio callaba con una faz seria.

Sulpiciano sonrió.

—Me lo tomo como un halago por tu parte, pero precisamente por eso, por mi veteranía, como tú amablemente la llamas, no opto a la púrpura imperial: soy demasiado viejo. El ejército, los pretorianos, el propio Senado no quieren ver a un pobre viejo a punto de cruzar la laguna Estigia al mando del Imperio. Tú también eres experimentado, pero además todos ven energía suficiente en ti y dignidad para acometer la tarea de reconducir la historia de esta Roma herida que nos ha dejado Cómodo.

—Pero... ¿realmente está muerto? —inquirió en este punto Helvio Pértinax hijo, que no ocultaba sus dudas al respecto.

—Así es —respondió Quinto Emilio lacónicamente, pero con rotundidad.

Sin embargo, como era evidente que ni la aseveración del jefe del pretorio era capaz de sosegar el ánimo del elegido para relevar a Cómodo, Dion Casio se adelantó y añadió un comentario.

—Lo ha certificado el propio Galeno, el médico de los emperadores.

—Galeno... —repitió Pértinax padre en voz baja, fijando los ojos en el suelo, como digiriendo lo conclusiva que parecía aquella afirmación final. Si Galeno decía que alguien estaba muerto, es que lo estaba. Pero en su mente surgieron aún más dudas—: ¿Y por qué no nombrar emperador a Claudio Pompeyano? Me gana en veteranía también y está emparentado con el divino Marco Aurelio. Es mucho más merecedor que yo si se trata de ser investido augusto.

Aquí Sulpiciano tardó un poco en responder.

—Bien. Igual no te gusta lo que voy a desvelarte, pero quiero que veas que somos totalmente sinceros: Claudio Pompeyano fue *de facto* nuestra primera opción, por las razones que tú mismo acabas de exponer, pero rechazó la oferta alegando, como hace siempre, su supuesta mala salud y su edad. En lo de la edad tiene razón y eso me hizo ver que yo tampoco debía optar. Tú eres, insisto, nuestro candidato perfecto: maduro, pero fuerte; respetado y honesto. Y hombre de indudable experiencia política y militar.

Pértinax aceptó las explicaciones. No se sentía molesto porque hubieran acudido a Claudio Pompeyano primero. De hecho, saber que solo se le ofrecía el cargo después de que este lo hubiera rechazado le daba algo más de seguridad. Si había algo que no se debía crear, era un conflicto de intereses que pudiera desencadenar una guerra civil, con el Senado y las legiones divididas entre unos y otros. Las legiones. Eso le recordó algo clave.

—¿Y los gobernadores?

—¿Qué pasa con ellos? —preguntó Sulpiciano.

—¿Acatarán la decisión del Senado? —preguntó Pértinax hijo, poniendo palabras a lo que preocupaba a su padre—. Ya sabéis a quiénes me refiero.

Sulpiciano comprendió. No podían referirse a otros sino a los tres únicos gobernadores que controlaban tres legiones cada uno. Los más poderosos. Los más temibles en caso de rebelión.

—Clodio Albino, Septimio Severo y Pescenio Nigro no son solo gobernadores, sino también senadores, colegas nuestros y hombres rectos. Respetarán nuestra decisión. De eso estoy seguro —afirmó categórico.

—Mmm... es posible... Aunque también son ambiciosos..., pero admito que son gente de ley, eso es cierto —aceptó Pértinax padre. Sulpiciano llevaba razón. Los tres gobernadores eran senadores de prestigio y no era probable que se levantasen contra una decisión unánime del propio Senado pese a los intereses personales de cada uno; todo parecía estar en orden. Únicamente quedaba un último escollo. Pértinax padre miró entonces a Quinto Emilio—: ¿Y la guardia pretoriana?

—Solo esperan un *donativum* —respondió el prefecto—: una paga especial en consonancia con la ocasión de la elección de un nuevo emperador. Es lo acostumbrado.

Pértinax vio que todo parecía atado y bien atado.

Iba a ser emperador.

Sonrió.

—Contad conmigo.

Eboracum,[7] Britania
Enero de 193 d. C.

Las noticias de la muerte de Cómodo no sorprendieron al gobernador Clodio Albino. Las recibió de manos de un pretoriano mientras examinaba mapas de la provincia. La frontera norte estaba, como siempre en aquella región, agitada. Las diferentes tribus de los pictos y sus aliados, desde los meatas hasta los otadinos, incluidos los selgovae, no se conformaban con haber cruzado el Muro de Antonino, más septentrional, sino que ahora atacaban incluso las guarniciones romanas establecidas a lo largo del Muro de Adriano.

Albino leyó el mensaje e invitó al pretoriano a descansar en las dependencias del *praetorium* de la capital de la provincia britana. En cuanto el enviado de Roma salió, Albino miró al tribuno Léntulo, su hombre de confianza.

—¿Qué piensas de esto? —preguntó el gobernador.

—No sé. El Senado nombrará a alguien como augusto en sustitución de Cómodo. La cuestión es: ¿y si no aciertan con el elegido?

Albino asintió varias veces.

—Sin duda, esa es la clave de todo. Imagino que pronto nos llegarán noticias sobre el senador al que entregan la toga púrpura.

---

7. La actual ciudad de York.

—¿Y si se equivocan? ¿Y si el que seleccionan no es capaz de controlar Roma y el Imperio? —insistió Léntulo.

Clodio Albino no respondió de inmediato. La cuestión era delicada.

—Si se equivocan —empezó al cabo de un rato—, entonces Septimio en Panonia y Nigro en Siria se alzarán en armas.

El gobernador apuró la copa de un trago.

—¿Y quién de los dos debe preocuparnos? —preguntó Léntulo entonces.

—Septimio Severo, sin duda —respondió Clodio Albino de forma tajante—. Es mejor militar y, además, es el que está más próximo a Roma. Nosotros, por si acaso, nos iremos preparando. —Miró la distribución de tropas en la provincia en un mapa que tenía desplegado en la mesa antes de dar una orden a su subordinado—: Desplaza una legión hacia el sur. A Londinium.

—¿Una legión entera? —preguntó Léntulo.

—La II *Augusta* completa.

—¿Y los pictos? ¿Y la frontera norte? Pueden terminar atravesando el Muro de Adriano igual que ya han cruzado el de Antonino. Necesitamos todas nuestras fuerzas para contenerlos.

—La II *Augusta* al sur —repitió Clodio Albino—. Ahora mismo me preocupan más Septimio Severo y Pescenio Nigro que los malditos pictos del infierno. Quiero que la legión II lo prepare todo para cruzar el *Mare Britannicum* de regreso al Rin si es necesario. Contendremos a los pictos con la VI *Victrix* y la XX *Valeria Victrix*. No será fácil, pero ahora tenemos dos frentes. Y me preocupa más el del sur. Me inquietan más los movimientos de Severo que todos los malditos pictos de Caledonia.[8]

Antioquía, Siria
Enero de 193 d. C.

El gobernador de la provincia romana de Siria estaba sentado en silencio en el *praetorium* de la gran capital de la provincia,

8. Escocia.

una de las mayores ciudades del mundo en competencia directa con Alejandría e incluso con Roma misma.

Hasta Antioquía habían llegado las noticias de la muerte de Cómodo, junto con el nombramiento de Pértinax como sucesor. La información llegaba a Oriente más tarde que en otras provincias, pero también más completa. Pescenio Nigro meditaba apretando los labios y con la frente arrugada. Ante él, Emiliano, su tribuno más experimentado, su brazo derecho en toda la provincia, permanecía en pie a la espera de recibir órdenes.

—No, no haremos nada. Esperaremos —dijo, al fin, el gobernador.

—¿Y los otros gobernadores harán lo mismo, esperarán sin más? —preguntó Emiliano, dejando traslucir en el tono una profunda inquietud por la propuesta de su superior.

—Por Júpiter, ¿por «los otros» quieres decir Clodio Albino y Septimio Severo?

—Sí, mi gobernador —confirmó Emiliano.

Pescenio Nigro enarcó las cejas y suspiró largamente.

—Aguardarán acontecimientos. Si Pértinax se afianza en el poder, no debemos hacer nada. En el Senado tengo apoyos y se me respeta, pero si nos levantamos en armas contra una decisión de mis colegas, todo ese apoyo se desvanecerá. No, amigo mío, aunque no te lo parezca, esperar nos hace más fuertes. Pero esperar no quiere decir que no hagamos nada.

Y Pescenio Nigro dibujó una amplia sonrisa en su rostro.

—Ah —dijo Emiliano con aprobación, aunque como el gobernador guardaba silencio sin dejar de sonreír se vio obligado a preguntar—: ¿Y qué haremos?

—Contactaremos con los reyes de Osroene, de Adiabene, de Armenia, con el *mry* de Hatra y hasta con el propio rey de reyes de Partia. Averiguaremos hasta qué punto podemos contar con ellos —y continuó—: Si va a haber guerra, quiero saber con cuántos soldados cuento, fuera y dentro del Imperio. En eso no habías pensado, ¿verdad? Eso es lo que me diferencia a mí de Pértinax, de Albino o de Septimio: ellos solo piensan en lo que hay dentro del Imperio, mientras que yo pienso en lo que hay dentro pero también en lo que nos rodea. Y eso, Emiliano, me hace mucho más temible.

Y lanzó una sonora carcajada.

Se sentía fuerte. Muy fuerte.

Con Cómodo muerto, todo era posible.

Villa de Claudio Pompeyano, diez millas al sur de Roma
Enero de 193 d. C.

—¿Cómo has podido rechazar el nombramiento, padre, cómo has podido hacer semejante cosa?

Habían pasado semanas desde que Claudio Pompeyano rehusara ser nombrado emperador, y su hijo había guardado un respetuoso aunque inquieto silencio. En parte por respeto a la decisión de su padre, en parte porque el ofrecimiento llegó en secreto cuando el prefecto de la guardia Quinto Emilio estaba preparando la conjura contra Cómodo, y en esos días, con el emperador aún vivo, el miedo que todos sentían era más poderoso que la ambición. Pero ahora que se acercaba el día oficial del nombramiento de Pértinax, el joven Aurelio no pudo resistirlo más y explotó ante lo que él interpretaba como una mezcla de torpeza, cobardía y estupidez de su viejo padre.

—¿Cómo has podido hacerlo? ¿Cómo has podido rechazar semejante nombramiento? —insistía una y otra vez.

—Ya lo hice antes, cuando el mismísimo divino Marco Aurelio, que intuía el carácter sanguinario e imprevisible de su hijo Cómodo, me propuso ser césar para sustituirlo a él a su muerte o, como mínimo, para actuar como coemperador equilibrando con mi sentido común los dislates de su hijo. Entonces, con mi decisión de rechazar la toga imperial que me ofrecía Marco Aurelio, salvé la vida de todos. Si la hubiera aceptado, Cómodo se habría rebelado contra mí y todo habría terminado en una guerra civil de dudoso desenlace. Solo había una cosa segura: el Imperio se debilitaría. Los marcomanos habían alcanzado el *Mare Internum*[9] ya con Marco Aurelio y eso podía volver a pasar. No era momento de divisiones. —Y añadió algo entre dientes, para sí mismo—: Creo que por eso nombró, al final, a Cómodo

---

9. Una de las denominaciones romanas para el mar Mediterráneo.

como césar y único heredero. Por evitar una guerra civil que nos destruiría a todos. Pero Cómodo resultó mucho más terrible de lo que cualquiera de nosotros, incluso su padre, pudiéramos haber imaginado nunca. —Ahora volvió a mirar a su hijo y habló con tono normal, emocionado, pero perfectamente audible—: Que rechazara en aquel entonces la púrpura hizo que Cómodo no se lanzara luego contra mí, contra nosotros, contra nuestra familia, en las numerosas purgas que ha ordenado contra el Senado.

—Pero Cómodo sí se revolvió contra madre —contrapuso Aurelio con rabia.

Claudio Pompeyano miró fijamente a su hijo.

—Tu madre instigó una conjura contra Cómodo —explicó—. El asunto de por qué no la defendí hasta el final ante la ira del emperador es algo que te explicaré cuando estés dispuesto a escuchar. Algo que no veo probable hoy, cuando solo piensas en la toga púrpura.

Su hijo calló unos instantes, pero pronto volvió a la carga dejando de lado el espinoso asunto de la muerte de su madre por orden de Cómodo.

—Pero ahora todo es distinto —insistió Aurelio, que seguía sin poder entender la actitud de su padre—. Cómodo está muerto y el Senado vino a por ti. Es la segunda vez que rechazas ser investido como emperador. Nadie hay tan loco como para rehusar ser *Imperator Caesar Augustus* dos veces.

—Eres muy joven e impulsivo, hijo, y no me entiendes: en ocasiones la supervivencia está no en conseguir más poder, sino en rechazarlo, en alejarlo de ti tantas veces como te lo ofrezcan.

—En una sola cosa te concedo la razón, padre: no te entiendo ni creo que lo haga nunca.

—Pues si no llegas a entenderme, un día, cuando te acerques demasiado a ese poder del que yo intento alejar a toda la familia, te matarán. Y, entonces, ya será demasiado tarde para entender.

Hubo un largo silencio.

Los dos hombres, sentados el uno frente al otro, miraban el suelo.

—En todo caso, no sé ni siquiera por qué te he comentado todo esto —dijo Aurelio—. Pértinax aceptó en tu lugar y él será el nuevo emperador. Salgo para Roma para ponerme a su servicio.

—No harás tal cosa —le dijo su padre de forma contundente.

—¿Por qué no? —preguntó Aurelio levantándose, como desafiando la autoridad de su *pater familias*.

—Esta no es nuestra guerra, hijo, porque, créeme, va a ser una guerra. Y ni tú ni yo estamos a la altura.

—¿Ah, no? ¿Y quién está a la altura, padre? ¿Clodio Albino, Pescenio Nigro, Septimio Severo, los gobernadores con más legiones? ¿O acaso Didio Juliano y todo su dinero? ¿O será quizá Pértinax, con el apoyo del Senado y de la guardia el que sí esté a la altura? Hablas solo desde la envidia, porque sabes que te has equivocado al rechazar el nombramiento de emperador y desprecias por puro despecho a todos los fuertes que sí están interesados en la púrpura.

Claudio Pompeyano no se molestó ni en levantarse ni en alzar la voz.

—No sé, hijo, quién de todos los que has mencionado estará a la altura, pero ahora que has nombrado a esos cinco, que sepas que, una vez que empieza la lucha por el poder, esta solo se detiene cuando únicamente queda uno vivo en la pugna. Y nosotros no tenemos legiones como los gobernadores, ni tanto dinero como Juliano, y yo, como ha quedado claro, he rechazado el apoyo del Senado y de la guardia que, sin embargo, sí ha aceptado Pértinax. Así que te quedarás en casa y harás como hice yo en el pasado: esperar y callar. Los acontecimientos nos indicarán qué debemos hacer.

La seguridad en la voz de su padre o, quizá, la cobardía de Aurelio o ambas cosas a la vez hicieron que el joven senador se sentara de nuevo.

—¿No intuyes de verdad quién de ellos estará a la altura de esta pugna por el poder, padre?

Claudio Pompeyano fue categórico en la respuesta:

—A esos niveles de poder, hijo mío, los que realmente están dispuestos a todo por vencer solo se reconocen entre ellos.

Carnuntum, norte de la provincia de Panonia Superior
Enero de 193 d. C.

El gobernador Septimio Severo estaba reunido en una tienda de campaña junto con Fabio Cilón y Julio Leto, los oficiales que más años lo habían acompañado en diferentes destinos a lo largo de su dilatado *cursus honorum*. En cuanto Severo recibió el mensaje de la muerte de Cómodo y, a los pocos días, el nombramiento de Pértinax como emperador, dio instrucciones precisas de trasladar gran parte del ejército de Panonia Superior al sur de la provincia, sin salir de la misma para no contravenir ninguna orden senatorial o imperial, que no permitía que un gobernador sacara legiones de su demarcación provincial sin mandato del Senado o del emperador. La idea era ir aproximándose a la capital del Imperio lo máximo posible, siempre dentro los límites de Panonia Superior. El desplazamiento de numerosas *vexillationes* de las legiones I *Adiutrix*, la X *Gemina* y la XIV *Gemina* podría ser detectado y levantar sospechas en Roma, pero nunca podría tomarse por una acción ilegal. En momentos de tanta tensión e incertidumbre, aquellos matices técnicos y legales eran importantes porque permitían a Severo ganar tiempo, posicionarse con fortaleza y, por ahora, no transgredir ley alguna. Siempre podía dar marcha atrás.

—Quiero estar lo más cerca de Roma que podamos —les había dicho a sus hombres. A los dos altos oficiales les pareció buena idea. Nadie tenía claro de qué forma iban a desarrollarse los acontecimientos y la idea del gobernador les pareció prudente—. ¿Algún mensajero más? —preguntó Septimio a sus tribunos militares cuando estos entraron en la tienda a informar del estado del campamento.

—Nada, gobernador —respondió Leto.

—No podemos acercarnos más —dijo Severo—. Nos toca aguardar, pero en esta posición seremos los primeros en saber qué pasa en Roma. Clodio Albino en Britania y Pescenio Nigro en Siria tardarán más en recibir noticias. Enviad jinetes hacia el sur y que regresen en cuanto averigüen algo. Este largo silencio me exaspera. Y mi mujer y mis hijos, como los de los gobernadores Albino y Nigro, siguen en Roma. Ellos no sé, pero yo necesito saber que mi familia está bien. Antes Julia y los niños eran rehenes de la locura de Cómodo, pero ahora están atrapados en la incertidumbre total en la que se ha sumido la capital del Imperio.

Los dos oficiales se llevaron el puño al pecho y salieron de la tienda.

Septimio Severo cerró los ojos y dibujó en su mente el hermoso rostro de Julia. La echaba de menos no solo sentimental, sino también físicamente: su cintura estrecha y sus senos prietos, su piel suave, el olor de sus cabellos recién lavados, su sudor después de yacer con ella. Podía yacer, sí, con una esclava y apaciguar sus ansias de hombre, pero con Julia todo era distinto. Ella correspondía con una intensidad, con una pasión que no había conocido ni con las más expertas prostitutas de Oriente. Y, además, era tan hermosa o más que la más exótica de las concubinas que uno pudiera imaginar. Julia se le había consagrado en cuerpo y alma y hacer el amor con ella era una vivencia de entrega total, sensual, intensa... Tras el asesinato de Cómodo, ¿estaría bien su esposa? ¿Y los niños?

Septimio abrió los ojos. Las preocupaciones diluyeron sus recuerdos carnales. Julia era impulsiva. Demasiado. Una gran virtud en la cama y en el sexo, pero que en Roma podía resultar peligrosa. Quizá con Cómodo muerto, la osadía característica de Julia no fuera ya tan de temer. Y menos mal que estaba Alexiano, el esposo de Maesa, con ella y, sobre todo, el bueno de Plauciano. Sí, él cuidaría de ella y de los niños. Tenía confianza ciega en él.

—¡Por Cástor y Pólux! —exclamó en la soledad de la tienda.

Aquella espera sin noticias de Julia acabaría con él.

Residencia de la familia Severa, Roma
Enero de 193 d. C.

Julia tenía los ojos clavados en su hermana.

—Me miras pero no me ves. —Maesa sonrió—. Tus ojos están sobre mí, pero siento tus pensamientos muy lejanos.

Julia no dijo nada.

—¿Lo ves? —insistió su hermana—. Ni siquiera me escuchas. —Y se echó a reír. Una carcajada limpia propia de alguien sin remordimientos a sus espaldas.

—Pienso en la muerte de Cómodo —dijo Julia como si retornara de un trance.

—Bueno, ya no tenemos que pensar mucho en eso —replicó Maesa—. Ya está muerto y ninguno de sus horrores puede alcanzarnos ahora.

—Ya. Pero eso no es lo importante. Tú tampoco te das cuenta. Nadie se percata de qué es lo esencial en lo que acaba de ocurrir.

—¿Y qué es eso tan importante, hermana?

—Lo importante, dulce Maesa, es que Cómodo ha muerto sin descendencia, sin sucesor.

—Bueno, pero el Senado ya ha nombrado uno.

—¡Por El-Gabal! Eso da igual. La clave es que han tenido que nombrar a alguien porque no había un sucesor predeterminado, porque Cómodo no se ocupó de tener algún descendiente ni de designar a nadie como césar. Todos piensan que todo está arreglado. Pero no será tan sencillo.

—El Senado está de acuerdo, los pretorianos también y los gobernadores principales, incluido Septimio, respetan al Senado. Así...

—No, hermana mía, siento disentir: ha ocurrido algo mucho más grande que la muerte de un emperador —la interrumpió Julia, levantándose y empezando a caminar por el atrio. Se detuvo junto al *impluvium* y miró a su hermana de nuevo—. Todos, el Senado, los pretorianos y, como tú muy bien dices, los gobernadores, incluido mi querido esposo, piensan que ha muerto un emperador, pero ha ocurrido algo mucho más importante, algo mucho más enorme.

—¿Qué ha pasado estos días que sea más grande que la muerte de un emperador? —preguntó Maesa con ingenuidad sincera.

Julia la miró, al tiempo que respondía, con un brillo especial en los ojos.

—El fin de una dinastía. Eso es infinitamente más grande. Y hace unas semanas, con el asesinato de Cómodo, con su ejecución, no solo ha caído un emperador, sino que además ha desaparecido toda una dinastía. Y no una dinastía cualquiera, sino un linaje que empezó con Nerva y Trajano. Eso es lo que ha muerto con Cómodo. Y no lo ve nadie.

—¿Y en qué cambia las cosas que haya terminado una dinastía?

Julia caminó despacio de regreso a su *triclinium* y se recostó en él lentamente mientras volvía a hablar.

—El fin de un emperador es un acontecimiento, pero el final de una dinastía, hermana mía, supone algo muy diferente. —Calló, como si dejara en el aire una palabra no pronunciada.

Su hermana la observaba ahora intrigada. La había cautivado con su reflexión, pero no veía el final de toda aquella argumentación y quería saberlo.

—¿Qué supone el final de una dinastía? —preguntó Maesa de nuevo.

Julia respondió muy seria.

—Una oportunidad, hermana; para el que sepa verla.

Residencia del senador Didio Juliano, Roma

—El senador me ha convocado y aquí estoy, pese a que estamos en medio de la noche y las calles no son seguras —dijo un hombre enjuto envuelto en una capa terminada en capucha. Del rostro arropado por la sombra del tejido solo asomaba una larga nariz aguileña.

—Bueno, Aquilio —empezó el veterano senador Juliano—. Dudo que las oscuras calles de Roma supongan un peligro para el jefe de los *frumentarii*. Tengo entendido que la policía secreta es la que más controla la noche romana.

—Estamos informados, eso es cierto, de los movimientos de las bandas nocturnas —admitió Aquilio—, pero una cosa es saber lo que ocurre en la ciudad y otra muy diferente tener fuerza para intervenir. Ahí son los pretorianos los que ganan.

—Pretorianos que muchas veces actúan a ciegas. Como un gigante que ni sabe ni entiende. Como el cíclope Polifemo cegado por Ulises. Prefiero la información.

—Yo siempre traigo datos y noticias relevantes para el senador.

—Y yo te los pago muy generosamente.

—Muy generosamente. Es cierto, mi señor y *clarissimus vir*. —Y aquí Aquilio hizo una leve inclinación tras usar la fórmula de respeto pertinente ante un senador de Roma. El jefe de la policía secreta observó que el senador inspiraba hondo. Ahora abordaría el asunto de aquella reunión. Hasta ese momento todo había sido un amable preámbulo.

—Quiero que vigiles a alguien —anunció Juliano.

—Imagino que a algunos de los posibles aspirantes a la púrpura en caso de que el recién elegido emperador Pértinax no..., ¿cómo decirlo? En caso de que el augusto Pértinax no perdure. ¿O quizá el senador desea que vigile al mismísimo emperador? —Como vio que Juliano callaba, Aquilio continuó hablando—: Espiar al nuevo emperador tiene la ventaja de que está en Roma, pero el inconveniente de que hay que infiltrarse entre los pretorianos o entre los esclavos del palacio. Puede hacerse, pero es caro. El prefecto Quinto Emilio ejecutó al tribuno Marcelo, un pretoriano que trabajaba para mí. Una lástima, porque Marcelo llegó a estar muy próximo a Cómodo, y tener a un informador situado tan cerca del centro del poder es tan perfecto para obtener datos como infrecuente. Pero Marcelo era soberbio y debió de inquietar a Quinto Emilio en algún momento. Ahora he de comprar a otros oficiales de la guardia. Por otro lado, vigilar a los gobernadores de Britania, de Panonia Superior o de Siria es más fácil, pero nuevamente caro a causa de la distancia a la que hay que enviar a mis agentes. Pero todo puede hacerse con dinero. Con el suficiente dinero, *clarissimus vir*. —Y remarcó la palabra *suficiente* con su voz aguda.

—¿Ha sido alguna vez el dinero un problema conmigo? —preguntó el senador.

—No, nunca —aceptó Aquilio de forma contundente.

—Bien, pues entonces deja de mencionarlo en cada frase y ocúpate de vigilar a quien yo te diga.

Se hizo un silencio. Aquilio sabía que a Juliano le gustaban esas pequeñas pausas teatrales. Disfrutaba con ellas. Al jefe de la policía secreta eso le parecía una tontería, pero aun así admiraba a aquel senador que, con gigantescas corruptelas varias, desde la especulación inmobiliaria hasta oscuros negocios como prestamista y vendedor de esclavos capturados de formas poco claras, había conseguido una de las mayores fortunas de Roma, si no la mayor de todas. Didio Juliano era inmensamente rico y con su dinero había logrado controlar la policía secreta a través de él, de Aquilio. Cómodo se centró en los pretorianos y olvidó el cuerpo de espías de los *frumentarii*. Formalmente, Aquilio actuaba como si Juliano fuera un representante del Senado, pero hacía tiempo que el jefe de la policía secreta de Roma tenía claro que aquel veterano senador solo usaba los servicios de información de los *frumentarii* en beneficio propio sin que nadie se percatara de ello. La confusión de los últimos años de desgobierno y locura de Cómodo había facilitado aquella situación. Además, ningún otro senador se había atrevido a sobornar a los *frumentarii* por temor a que Cómodo o su jefe del pretorio lo descubrieran y ese atrevimiento terminara en una segura condena a muerte. Una más. Pero todo eso pertenecía al pasado.

Aquilio seguía esperando, en medio de aquel silencio teatral, a que Juliano desvelara el nombre o nombres de las personas a quienes debía vigilar. Como siempre, tendría que preguntarlo. Eso parecía agradar al senador: que él, Aquilio, por muy jefe de los *frumentarii* que fuera, se rebajara a preguntar como forma de hacer patente que era inferior, que no podía intuir lo que la inteligencia supuestamente superior de Juliano había pergeñado.

—¿A quién he de vigilar, mi señor? —preguntó Aquilio, plegándose así a los deseos de Juliano.

—¿No lo imaginas? —inquirió a su vez el propio Juliano divertido, disfrutando el momento, un instante que, al contrario de lo que estaría pensando el propio Aquilio, no era gratuito ni innecesario: con aquel silencio, Juliano estaba comprobando si uno de los hombres más agudos de Roma podía intuir quién era la persona clave en ese momento en todo lo relacionado con el control del poder. Si Aquilio no era capaz de verlo, eso implicaría que nadie más se habría dado cuenta. Y eso le otorgaba una clara ventaja con respecto a sus enemigos.

—Quizá, como he sugerido, a quien hay que vigilar sea al emperador Pértinax —propuso Aquilio.

Juliano negó con la cabeza.

—¿Al gobernador Clodio Albino de Britania?

Pero Juliano volvió a negar.

—¿A Pescenio Nigro, gobernador de Siria?

—No.

—Pues a Septimio Severo en Panonia Superior.

—No, Aquilio. Ninguno de ellos es, en sí mismo, clave ahora. A quien debes vigilar es a Julia Domna.

—¿A quién?

Didio Juliano sonrió al ver que había sorprendido por completo al jefe de la policía secreta de Roma.

—Nadie hace una fortuna como la mía sin ser muy inteligente, amigo mío —añadió Didio Juliano, dejando de lado el asunto de la honestidad o corrupción—. Quiero que vigiles a la mujer de Septimio Severo. Ella sigue en Roma, como las mujeres de los otros gobernadores que has mencionado, pero ella es..., no sé si la más inteligente de todos, pero, sin duda, la más audaz. Es la que actuará primero, la que dará el primer golpe. La vi en el Anfiteatro Flavio, decidida, inmóvil cuando Cómodo disparó aquella flecha contra ella. Firme en la adversidad, será, sin embargo, osada en la oportunidad.

»Quiero saber lo que hace, lo que compra, lo que come, lo que piensa y, sobre todo, lo que anhela. Julia Domna. Esa es tu misión: si controlamos a Julia, tendremos a Septimio en nuestro poder, y con Septimio subyugado, tendré el ejército del Danubio que él controla. Con esas legiones a nuestro favor, cuando Pértinax caiga, que caerá, procederemos a comprar la voluntad de la guardia pretoriana, que siempre es susceptible a un buen *donativum*. Entonces tendré a la ciudad de Roma, por un lado, y al ejército por otro, pues Severo no dudará en ponerse de mi parte si sabe que tenemos a su esposa... vigilada; y eso frenará a Albino y a Nigro. El Senado me aceptará, porque conmigo se evitará la guerra y el Imperio entero quedará a mis pies.

Aquilio había seguido con suma atención el razonamiento del senador y todo le encajaba bien, pero había un eslabón en aquella compleja serie de acontecimientos que había descrito Juliano que no terminaba de comprender con claridad.

—Pero ¿por qué el gobernador Septimio Severo va a ponerse de nuestro lado de modo tan rotundo?

—Porque Septimio Severo está enamorado de su esposa y ese sentimiento que quizá tanto placer le reporte en ocasiones lo hace del todo vulnerable, pues nunca permitirá que le pase nada malo a ella y, por extensión, a sus hijos. Albino y Nigro puede que se preocupen por sus mujeres, pero no las aman. Ese enamoramiento singular que Severo siente hacia Julia la convierte en la llave de todo. Y tú te vas a ocupar de que tengamos esa llave controlada en todo momento. —Aquí Didio Juliano se echó hacia atrás en su cómoda *cathedra* y pronunció unas últimas palabras—: Ah, el amor... es tan hermoso...

Aquilio Félix, jefe de los *frumentarii*, hizo una reverencia y sin decir nada más abandonó la estancia.

Didio Juliano se quedó a solas en el atrio de su lujosa residencia del centro de Roma. Sonrió y añadió unas palabras en el silencio de la noche.

—La partida va a empezar.

LIBER SECUNDUS

PÉRTINAX

IMP CAES P HELV PERTIN AVG
Imperator Caesar Publius Helvius
Pertinax Augustus

XI

DIARIO SECRETO DE GALENO

*Anotaciones sobre la debilidad
del emperador Pértinax*

El cadáver de Cómodo aún estaba caliente cuando el Senado decidió que se debía nombrar lo antes posible a alguien como sucesor. Pértinax fue, tras la negativa de Claudio Pompeyano, el elegido y fue designado nuevo augusto de Roma. A todos les pareció aquella una decisión sensata, incluso a mí, aunque yo no tenía capacidad de influencia alguna en el desarrollo de aquellos sucesos; solo era un espectador privilegiado en medio de la vorágine. El caso es que Pértinax parecía una buena elección por varios motivos: era un senador veterano, experimentado y prudente. Si vamos al detalle, podemos decir que tenía un muy respetable *cursus honorum*: natural de Alba Pompeia, era un hombre culto que en un principio quiso ser *grammaticus*, pero se decantó por fin por una carrera política y militar, más arriesgado pero más lucrativo, sin duda; participó en las guerras contra Partia y contra los marcomanos, tribuno de la legión VI *Victrix*, procurador en la Dacia, cónsul *suffecto*, gobernador de Mesia Superior, Mesia Inferior, Siria y Britania, procónsul de África, prefecto de Roma y, finalmente, cónsul por segunda vez con el emperador mismo como colega en el cargo. Pocos podían presentar una hoja de servicios más impresionante. Un hombre sereno, cabal y flexible. Quizá, para algunos, demasiado flexible. Pero en aquellos momentos de difíciles equilibrios entre el Senado, la guardia pretoriana y el ejército, Pértinax quizá fuese lo que más necesitaban Roma y todo el Imperio.

Los pretorianos estaban aún a la expectativa, pero se les había prometido un abultado *donativum*, una cuantiosa paga extra en conmemoración del nuevo nombramiento de un emperador y, por ahora, callaban. Lo mismo hacían todos los gobernadores de provincias cuyas legiones también aguardaban en silencio el devenir de los acontecimientos. Septimio Severo, aunque aún inquieto, se sentía relativamente seguro en aquella nueva situación. Para él, Julia ya no era rehén de un emperador tiránico y las vidas de su hermosa mujer y de sus hijos ya no estaban en peligro inminente, sujetas al arbitrio de los caprichos de un loco como Cómodo. Y no solo eso: Severo se sentía, además, seguro en Panonia Superior con sus tres legiones, a la par que en Roma tenía a su gran amigo Plauciano en medio de los intersticios del poder de la capital del Imperio. A Julia la acompañaba además su hermana Maesa, y esto era esencial porque implicaba que Alexiano, el marido de Maesa, también estaba allí, en Roma. Si jugaba bien todas estas bazas, Septimio Severo estaba persuadido de que podría situarse en una posición muy próxima a Pértinax, el nuevo centro del poder en Roma. A sus ojos y a los de muchos de los oficiales de Severo en Panonia Superior, como los leales Leto o Cilón, todo marchaba bien. Severo había pasado unas semanas de incertidumbre, pero con las últimas noticias, sintiendo que Julia y sus hijos estaban bien, se relajó. Eso sí, no retiró aún las legiones del sur de la provincia. Pero estaba más tranquilo.

Incauto.

He dicho que Pértinax era flexible. A veces, entre la flexibilidad y la debilidad hay una frontera muy tenue que no se debe rebasar nunca. No, si lo que se desea es gobernar. Pértinax estaba a punto de cruzar esa fina línea.

Solo una persona supo leer el futuro con la pericia del más experimentado de los augures: solo Julia intuyó el desastre en su justa medida. Quizá el senador Juliano lo percibió también, pero estoy seguro de que no supo calibrar la velocidad en la que todo iba a desarrollarse. Julia sí. La esposa de Severo recurrió entonces a unos y a otros, pero ni los mencionados Plauciano y Alexiano ni ningún otro amigo de la familia de Severo en Roma se sentía nervioso. Solo ella. Una mujer. Y, como tal, despreciaron su opinión. Todos, con excepción de Juliano, la infravaloraban, pero no adelantemos acontecimientos. Ya llegaré a Juliano y me extenderé sobre él, pues sin duda merece un capítulo aparte en este relato.

Sigamos con Pértinax: lo he situado como el segundo de los enemigos de Julia. No es que el sucesor de Cómodo fuera contra ella de modo directo, pero su inacción la situaba a ella, a todos, en medio de una espiral de nueva locura y violencia que, como he dicho, solo la propia Julia supo intuir. La inacción en política es, en ocasiones, una falta tan imperdonable que puede equipararse a la del político que quebranta la ley a sabiendas de que lo está haciendo. Pértinax pertenecía a esta categoría de políticos que tardaban tanto en actuar que, para cuando se decidían, ya todo era imposible.

Nadie estaba a la altura de la esposa de Septimio Severo a la hora de discernir el futuro en todo lo referente al control del poder, y no la entendieron. Esto es, nadie de entre los suyos. Juliano, que sí la habría entendido perfectamente, estaba en el bando opuesto. Por supuesto, hago todas estas valoraciones con el beneficio del paso del tiempo, cuando el pasado se ve claro, se comprende y se pueden interpretar bien todos y cada uno de los sucesos.

La cuestión clave es que nadie de su entorno escuchaba a Julia.

La esposa de Severo debió de sentirse muy sola.

Para mi sorpresa, de pronto, Julia Domna se fijó en mí.

Y me llamó.

Yo estaba en mi lucha personal por recuperar mis escritos perdidos en el incendio, valorando incluso la posibilidad de reiniciar mi búsqueda de los libros ocultos de Erasístrato y Herófilo como forma de sobreponerme a mi terrible pérdida, y todas las vicisitudes políticas me parecían menores. Ella sabía que la política no me interesaba. Por eso se inventó un pretexto médico para requerir mis servicios.

Fue entonces cuando la conocí.

XII

UNA PROPUESTA INESPERADA

Roma
Enero de 193 d. C.

Galeno acudió a la llamada de Julia Domna más por inercia que por interés. Ella era la esposa del muy importante gobernador de Panonia Superior, quien, junto con el gobernador de Britania y el de Siria, era uno de los hombres más poderosos de la Roma que emergía tras el asesinato de Cómodo. Al viejo médico no le atraían nada las nuevas cuestiones políticas que se dirimían entre el Senado, los gobernadores de las provincias mencionadas y la guardia pretoriana. Galeno había escrito a Pérgamo y a Alejandría para intentar recibir algunas copias de manuales de farmacia y anatomía que se habían perdido en las llamas de Roma. Sabía que algunas obras suyas se habían reproducido manualmente y enviado a su Pérgamo natal o a la gran Alejandría, pero todo el Imperio estaba trastocado y el correo no era ni veloz ni eficaz.

Estaba desesperado.

Había pensado en reescribir algunos volúmenes. La tarea lo abrumaba, pero, sobre todo, necesitaba tiempo y, como para cualquier cosa, dinero. Por eso había decidido seguir atendiendo a enfermos de las más poderosas familias de Roma. Pértinax, el nuevo emperador, no parecía muy interesado en sus servicios, más preocupado como estaba por consolidarse en el poder y por recortar gastos del palacio imperial, de modo que la economía del veterano médico podría resentirse con rapidez si no reemplazaba a su paciente de más recursos con otros de economía potente. El mensaje que había recibido aquella mañana en su casa —según el cual uno de los hijos de la esposa del gobernador de Panonia estaba enfermo— llegaba, pues, en el momento adecuado.

Mientras cruzaba la ciudad, Galeno presenció cómo se seguían derribando múltiples estatuas de Cómodo. Había tantas que el trabajo requeriría varios días de empeño continuado. Semanas incluso. Y, todo sea dicho, los pretorianos encargados de aquella tarea encomendada por el Senado no parecían ni demasiado alegres ni demasiado involucrados en el trabajo en cuestión. Pértinax, a petición de una amplia mayoría senatorial, había impuesto una solemne *damnatio memoriae* contra Cómodo y toda imagen del antiguo augusto debía ser destruida.

El médico se había hecho acompañar por un nutrido grupo de esclavos armados con palos. En general, a Galeno lo conocían bien los pretorianos, senadores y muchísima gente de la plebe, y era una figura famosa y respetada. Sus disecciones públicas de animales o sus experimentos habían causado sensación en numerosas ocasiones, como aquel día en el que demostró que la voz no venía del corazón sino de la parte superior del cuerpo, probablemente de la cabeza, pese a que el sonido que emiten los humanos parezca venir del pecho: para ello no dudó en atar las cuerdas vocales de un cerdo delante de una multitud que se quedó asombrada al ver cómo los gritos del animal cesaban y cómo, para mayor sorpresa aún de todos los allí congregados, los alaridos de dolor de la bestia retornaban cuando Galeno liberó las cuerdas vocales de la atadura. Acababa de probar que la voz no estaba relacionada con el corazón. Y no eran pocos los que le estaban eternamente agradecidos por sus servicios al haber salvado el médico griego a algún familiar de una muerte segura. Aun así, pese a su fama, eran tiempos de disturbios y todo estaba violento y agitado en la ciudad, por lo que Galeno estimó prudente no caminar solo por las calles de la capital del Imperio, incluso si le convocaba bajo la luz del sol, en la hora sexta, la esposa del gobernador Septimio Severo.

—Es aquí, amo —dijo uno de los esclavos que lo acompañaban, deteniéndose ante la gran puerta de la *domus* de la familia Severa.

Galeno asintió y el esclavo golpeó la puerta un par de veces con energía. Al poco, el gran portón de pesada madera se entreabrió. El médico se identificó y de inmediato se le permitió el acceso al interior de la casa. Solo a él. Sus esclavos, como era lógico, quedaron fuera.

Calidio, el *atriense* de la residencia Severa, condujo al médico al patio del centro de la *domus*.

—Ahora vendrá la señora —dijo el esclavo.

Galeno esperó junto al *impluvium*. El suelo era todo él un gigantesco mosaico con escenas marinas de todo tipo, con peces y sirenas y barcos de vivos colores. Las paredes estaban pintadas con motivos de caza y todo se veía limpio y reluciente. La dueña de la residencia sabía mantener la organización pese a la larga ausencia de su esposo. Galeno asintió en silencio un par de veces. Le gustaba el orden. Era esencial para cualquier cosa...

—Gracias por venir.

El médico se dio la vuelta con un pequeño sobresalto. Ante él estaba la figura delgada, de facciones redondeadas y hermosas, los labios carnosos, la tez morena, más de lo habitual en Roma, de Julia Domna. Una belleza exótica. El gobernador de Panonia había elegido una joven deslumbrante como esposa. Si uno está en situación de elegir, ¿por qué no decantarse por lo bello?

—Estaba admirando las pinturas y la señora es muy silenciosa —respondió Galeno acompañando sus palabras con una larga reverencia. No se trataba de ser servil, sino solo de una muestra de respeto que aquella mujer se había ganado por el perfecto orden en el que el médico había encontrado la *domus*.

—Fueron pintadas a petición de mi esposo. Como buen militar, le gusta la caza —explicó Julia en un tono amable.

La voz era embriagadora. Hacía tiempo que Galeno no escuchaba una entonación femenina tan grata al oído. ¿Era su voz o la hermosura de aquel rostro, de aquella figura? ¿Todo junto?

—¿Puedo ver al enfermo? —preguntó el médico, casi por miedo a que su mirada traicionase la admiración que sentía por el físico de su interlocutora y que aquello pudiera interpretarse como una impertinencia.

En aquel momento dos niños cruzaron corriendo el atrio por el otro extremo de la gran sala porticada. Uno perseguía al otro y daban gritos. Que la señora de la casa no controlase a los pequeños incomodó un poco al veterano médico. El orden en aquella residencia ya no era perfecto.

—Esos que han pasado corriendo son mis dos hijos, Basiano y Geta —dijo Julia.

—No parece que ellos sean los enfermos —señaló Galeno—. Quizá hay otro niño más, que sea el que requiera de mis cuidados.

—No están enfermos. Y no, no lo hay.

Galeno frunció el ceño.

—Entonces ha debido de haber un malentendido. El mensaje que recibí hacía mención expresa a un niño enfermo...

Mientras el médico hablaba, Julia miró a un lado y a otro del atrio para asegurarse de que estaban solos y, al tiempo, fue acercándose lentamente al médico griego.

—Mentí —dijo, al fin, en voz baja.

Galeno parpadeó varias veces. La primera impresión, la de la casa ordenada, había sido buena, pero los niños corriendo y gritando como bárbaros y, a continuación, el reconocimiento de la mentira, sin culpa aparente, habían hecho que Galeno ya no desease permanecer un segundo más en aquella *domus*. Se sentía herido en su amor propio. Con tantas cosas como tenía pendientes de hacer...

—He sido médico de dos emperadores. No estoy acostumbrado a que se me haga perder el tiempo. Con permiso —dijo y, esta vez con una reverencia mucho menor que en el saludo inicial, hizo ademán de echar a andar hacia la puerta.

Julia, para su sorpresa, lo cogió por el brazo con una mano de piel tersa y suave.

—Mis hijos no están enfermos pero corren un grave peligro —precisó—. Y necesito la ayuda del gran Galeno.

El médico se detuvo. En cualquier otra circunstancia y con cualquier otra persona, habría sacudido el brazo para zafarse, pero aquel tacto —aquel sentir los suaves dedos de la joven Julia, que no tendría más de veintidós o veintitrés años, en su vieja piel zaherida por la edad y el viento y el sol de infinitas jornadas en decenas de ciudades de todo el Imperio romano— era un tacto tan agradable...

—Si no hay enfermos a los que atender, no entiendo bien en qué puedo ser útil —replicó él, pero no pudo hacerlo con un tono irritado. Aquella mano de mujer parecía ser tan sedante como el opio más fuerte.

—Necesito que el gran Galeno haga algo por mí.

Y Julia, segura de que aquel hombre ya no se encaminaría hacia la puerta, retiró la mano de su brazo.

Galeno se quedó un instante mirando el punto donde los dedos de la mujer del gobernador de Panonia Superior habían reposado unos instantes para luego abandonarlo.

—¿De qué se trata? —El médico se sorprendió a sí mismo preguntando aquello, cuando lo lógico habría sido reiniciar su marcha hacia la salida.

—Necesito hacer llegar un mensaje a alguien fuera de Roma —dijo ella con rapidez, pero siempre en voz baja.

—No está en mi ánimo dejar la ciudad en estos momentos —respondió Galeno secamente. Alejada la mano de su brazo, parecía que el encantamiento que lo tenía anclado a aquel lugar se debilitaba.

—¿Qué te gustaría recibir a cambio de que entregues este mensaje? —indagó ella, con un movimiento sutil hacia un lado, de forma que su bella figura se interponía en la ruta de su invitado hacia la puerta.

Galeno suspiró y negó con la cabeza.

—Con el debido respeto, por Asclepio y por todos los dioses de Grecia y Roma, la matrona de esta familia no está en situación de darme nada que alivie mis pesares y problemas. Creo que es mejor que me marche.

Y echó a andar intentando rodear a la mujer.

—Sé que muchos de tus libros valiosos se quemaron en el gran incendio.

Galeno se detuvo y la miró fijamente.

—Eres una persona muy conocida y respetada —se apresuró a explicar ella al ver que, por fin, había dado con algo que captaba la atención de aquel hombre—. En todas partes se habla del gran médico de los emperadores y no has ocultado en ningún momento tu dolor por la enorme pérdida que supone para ti y para tu trabajo que se hayan quemado tantos volúmenes de la biblioteca de palacio con anotaciones e información que imagino que eran importantes para tu labor.

—¿Para mi labor? —preguntó él al tiempo que negaba con la cabeza—. Señora, los papiros y pergaminos escritos por mí que ardieron en la biblioteca imperial eran importantes para el mundo entero. *Yo he hecho tanto por la medicina como el emperador Trajano por el Imperio cuando construyó puentes y caminos por toda Italia. Soy yo y solo yo, el que ha revelado la verdadera senda de la medicina. Hay que admitir que Hipócrates ya atisbó esta senda y preparó el camino, pero yo lo he hecho transitable.*[10] Y ahora, con el permiso de la autoridad de la casa o sin él, me voy.

—No puedo devolverte lo que has perdido y carezco del conocimiento necesario para valorar lo que has hecho en tu ciencia, pero puedo ofrecerte toda la ayuda que precises para lo que quieras. —Ella hablaba, de nuevo, con velocidad y volvió a posar su mágica mano en el brazo del médico—. Si necesitas dinero, tendrás todo el que te haga falta. Puedes traer pergaminos de cualquier otro lugar, o si necesitas tiempo para escribir o para pensar, con la ayuda de mi esposo, no te faltará nada. No puedo, en efecto, devolverte los códices y papiros que has perdido, pero puedo facilitarte recursos para que tú reconstruyas tanto como seas capaz de lo que ahora echas tanto en falta. No sé si lo que se escribió una vez puede volver a escribirse, pero si con tiempo y dinero se puede ayudar, contarás con todo el tiempo y todos los sestercios que necesites. A cambio solo te pido que entregues un mensaje. Pero has de llevarlo fuera de Roma.

Galeno meditó unos instantes antes de lanzar una pregunta.

—¿El marido de la señora cumplirá lo que aquí se pacte?

—Cumplirá. Mi marido me estima y querrá que mi palabra dada se cumpla.

Galeno pensó en los libros que Philistión retenía en Pérgamo y que nunca le enviaba, o los pergaminos que Heracliano quizá ocultaba en la biblioteca de Alejandría, pero le pareció precipitado aventurar una petición con relación a ellos. Apenas

---

10. Palabras atribuidas al propio Galeno recogidas en Jackson, R. (1988): *Doctors and Diseases in the Roman Empire.* University of Oklahoma Press.

conocía a Julia Domna y con su marido ni siquiera había cruzado palabra alguna. Quizá más adelante. Aun así, la promesa de tiempo y dinero para rehacer la biblioteca perdida era, sin duda, tentadora.

—¿Para quién es el mensaje? —quiso saber entonces el médico, siempre con la frente arrugada, aún dubitativo.

—Precisamente para mi esposo.

—¿Cuál es el mensaje?

Julia Domna pronunció una única palabra, un nombre de un emperador muerto y casi olvidado.

—¿Eso es todo? —preguntó Galeno confuso, aunque en seguida empezó a pensar. Él conocía bien la historia de Roma y creyó comprender el sentido del mensaje. Miró a Julia a los ojos—: Quizá sí sea buena idea que abandone Roma.

—Lo es, no lo dudes —confirmó ella—. Yo misma lo haría si pudiera.

Roma
Enero de 193 d. C., hora séptima

Galeno salió de aquella casa sin saber bien si acababa de ser hechizado por una sirena que lo empujaba, sin él quererlo, hacia una tormenta, o si él era ahora el heraldo de un nuevo mundo. Fuera como fuese, sus esclavos lo rodearon a la salida y lo protegieron en su tortuoso camino de regreso a casa, donde no permaneció más que el tiempo necesario para llenar un par de baúles con lo estrictamente básico para el viaje. Luego dio instrucciones a los sirvientes que se quedarían velando por sus pertenencias y su casa durante su ausencia, cuya duración era aún difícil de predecir, y dio inicio a su viaje hacia el norte, hacia los límites del Imperio.

Residencia de la familia Severa, Roma

En cuanto vio salir al médico, Maesa apareció de entre las sombras de las columnas del atrio.

—¿Estás segura de lo que haces? —preguntó.

—Estoy segura —respondió Julia de forma categórica.

—Estás contraviniendo otra vez el criterio de Plauciano —se aventuró a decir Maesa.

Julia recostó su hermosa figura sobre el *triclinium* y, mientras alisaba las ondulaciones de su túnica, sentenció:

—Septimio tendrá que decidir entre Plauciano o yo. Alguna vez tendrá que hacerlo.

XIII

LAS SOLUCIONES DE PÉRTINAX

Senado de Roma
Invierno de 193 d. C.

Aún se oían de cuando en cuando gritos de rabia y odio y ansia de venganza de muchos senadores en cuanto se mencionaba el nombre de Cómodo en una sesión del día.

—*Unco trahatur, unco trahatur!*[11] —clamaban los senadores con referencia al emperador recientemente asesinado.

Aún corrían rumores por la ciudad que aseguraban que el temido y odiado hijo de Marco Aurelio seguía vivo. Muchos *patres conscripti* estuvieron días preguntando si de verdad Cómodo estaba muerto o no, de la misma forma que el propio Pértinax lo preguntó a Sulpiciano, a Dion Casio y a Quinto Emilio el día en el que le propusieron asumir la toga púrpura.

—¡El emperador Cómodo ya ha sido enterrado en el Mausoleo de Adriano! —había explicado el propio Pértinax en una sesión anterior, la de su proclamación, pero aquello solo hizo que los gritos cambiaran de *unco trahatur* a «¡que lo desentierren y que lo arrastren con un gancho!».

Muchos habían sido los senadores asesinados por Cómodo y muchos los juzgados y desposeídos de propiedades de forma arbitraria. Ese miedo y ese odio no desaparecían así como así. Necesitaban ver su maldito cuerpo arrastrado por toda la ciudad. Pero, por el momento, Pértinax había hecho valer su criterio de moderación con respecto al final del *imperium* de Cómodo: había aceptado que se destruyeran sus estatuas y que

---

11. «¡Que lo arrastren con un gancho, que lo arrastren con un gancho!». Literal de la «Vida de Cómodo», 18, en la *Historia Augusta*.

138

se borrara su nombre de los archivos oficiales de Roma, pero había enterrado el cuerpo de Cómodo en un pequeño sarcófago en el Mausoleo de Adriano con una breve inscripción donde se leía:

L ELIO COMODO

Ni mención al divino Marco Aurelio, su padre, ni al gran Antonino, nombres que resultarían extraños en una tumba de alguien cuyo comportamiento, especialmente en los últimos años, había estado del todo alejado de *imperatores* de máxima dignidad y templanza. Tampoco se grabaron los títulos exóticos de *Hercules Romanus Amazonius* ni ninguna otra ocurrencia absurda y sacrílega de Cómodo. Pero a Pértinax, quizá por su investidura como augusto, no le parecía apropiado mancillar el cuerpo de un predecesor en el cargo arrastrando y vejando su cadáver por las calles de Roma.

Por el momento, allí, bajo aquella simple inscripción, yacía el cuerpo del anterior emperador.

Pértinax estaba en el centro de la sala del Senado, sentado en una *sella curulis*, esperando que el tumulto de los senadores que aún clamaban intermitentemente por arrastrar el cuerpo de Cómodo se calmara una vez más, antes de poder tomar él la palabra de nuevo. A su espalda, como siempre, como había ocurrido también en época del emperador asesinado, estaba Quinto Emilio, muy firme, atento a los movimientos de unos y otros, vigilante, girándose de cuando en cuando hacia la puerta, donde podía ver a una docena de sus hombres armados, controlando todo lo relacionado con la seguridad de la reunión.

Dion Casio se volvió hacia Sulpiciano:

—Me pregunto si los pretorianos velan por nuestra seguridad o más bien nos vigilan.

—Ambas cosas, de todo un poco, pero más de lo segundo —apuntó Sulpiciano.

Dion Casio sonrió cínicamente y luego, mirando hacia Pértinax, añadió un nuevo comentario:

—Apenas lleva unas semanas como emperador y se le ve agotado.

—Pero tiene una salud de hierro —respondió Sulpiciano—: resistirá. Aunque que estemos con él le vendrá bien. Hemos de apoyarlo en estos momentos difíciles.

—Ayudaría que Claudio Pompeyano y su hijo Aurelio asistieran también —apuntó Dion Casio.

—Mi hijo habló con Helvio, el muchacho de Pértinax —explicó Sulpiciano—, y me ha dicho que el joven Aurelio le ha remitido una carta donde explica que su padre ha vuelto a su actitud de no acudir al Senado y mantenerse al margen de los acontecimientos.

—Prudente —dijo Dion Casio—. Pero una lástima. Nos habría venido bien su apoyo explícito.

Unos asientos más allá, Didio Juliano asistía a aquella segunda sesión del Senado tras la muerte de Cómodo, la primera que presidía Pértinax como *princeps senatus*. Juliano estaba recostado hacia atrás, apoyado su brazo derecho sobre el suelo de la siguiente bancada, con aire distante. Miró a su alrededor y observó que nadie se fijaba en él. Mejor. Sonrió apenas. Era un hombre paciente. Se trataba de ver cuánto tiempo era Pértinax capaz de resistir sin... dinero. Él había calculado que sería cuestión de unos ocho meses. Por cierto, Pértinax, el nuevo emperador, empezaba a hablar. Juliano centró la atención en él.

—Amigos míos, amigos todos —empezó Pértinax—. Así me permito dirigirme a vosotros pues todos me habéis dado vuestro apoyo en estos tiempos de incertidumbre. Os agradezco infinitamente vuestros ánimos y vuestras palabras de la sesión anterior donde me proclamasteis augusto e *imperator,* pero creo que en vuestro afán por darme muestras de vuestra lealtad absoluta y de que estáis conmigo en la reestructuración del Estado, habéis querido..., ¿cómo decirlo? Sí. Habéis querido hacerme un regalo extendiendo la dignidad de augusto a mi esposa Flavia Titiana y elevando a mi hijo Publio Helvio a la categoría de césar. Tanto como debo agradeceros esta confianza en mí y en mi familia para que continuemos con el esplendor de la dinastía imperial que se inició con Nerva y Trajano y que ha llegado hasta nuestros días, con la misma intensidad he de deciros que no puedo aceptar que se considere a mi mujer augusta ni a mi hijo césar.

—Oooooh —se oyó entre muchos de los senadores presentes.

No todos. Juliano callaba. También permanecían en silencio Sulpiciano padre e hijo, Dion Casio y algunos otros de su entorno.

—Por favor, por favor —continuó Pértinax—. Una vez más reitero mi gratitud, pero no es hora de estos nombramientos que parecerían indicar que mi preocupación principal es la de perpetuar a mi familia en el poder en vez de resolver los problemas que aquejan a Roma. A saber: la terrible situación financiera en la que Cómodo dejó las arcas del Estado, asegurar las fronteras del norte y de Oriente y dar término a la corrupción con la que el hijo de Marco Aurelio gobernó el Imperio en los últimos años. Esas han de ser las prioridades para todos, y yo, antes que nadie, debo predicar con el ejemplo.

Aplausos.

Algunos puestos en pie. Entre ellos Sulpiciano, ayudado por su hijo Tito para levantarse, y Dion Casio. Juliano se vio solo en su silencio y se unió, eso sí, sin alzarse, al estruendoso aplauso con unas palmas que, ciertamente, disimulaban su desafección sobre lo que había escuchado. Pero no debía descubrirse. Aún era pronto. Aquilio, su informador y jefe de la policía secreta, le había pasado nuevos datos: Pértinax era fruta madura, solo tenía que esperar un poco más. Después de haber esperado tanto, qué importaba unos meses adicionales.

—Gracias, *patres conscripti* y amigos —continuó Pértinax—. Gracias de nuevo. Tengo ahora tres propuestas que presentar al Senado y que suponen el motivo fundamental por el que os he convocado a todos. En primer lugar, revocar esos nombramientos de augusta para mi esposa y de césar para mi hijo. La segunda propuesta, muy importante, es que se me permita disponer de todos los esclavos de palacio y de todos los objetos de lujo de Cómodo, incluidas sus carrozas y bagajes para viaje, de modo que pueda ponerlos todos a la venta y recaudar dinero que engrose las dilapidadas arcas del Estado. Y, en tercer lugar, propongo que el oro que Cómodo había enviado hacia el norte poco antes de morir, a fin de comprar a algunas tribus bárbaras para que no ataquen las fronteras, pueda ser reclamado y retornado a Roma para ser usado en los pagos a nuestras legiones y pretorianos —y en este instante se levantó de su *sella curulis*—, pues han de ser precisamente nuestras legiones las que respondan a estos ataques de los bárbaros y no nuestros sestercios. Hierro contra el hierro. Eso es lo que nos ha hecho fuertes y eso es lo que nos seguirá haciendo fuertes en el futuro.

Un mar de aplausos envolvió el final del discurso de Pértinax.

El emperador se sentó.

Las tres mociones se aprobaron por unanimidad. El propio Juliano se levantó en cada votación apoyando cada una de las propuestas presentadas por Pértinax. Solo le molestaba el asunto de la venta de los esclavos del palacio imperial. Sabía que entre ellos había informadores de Aquilio. Eso supondría una merma en información sobre lo que pasaba en la gran residencia de la familia del emperador actual, pero estaba seguro de que Aquilio encontraría la forma de corromper a alguno de los esclavos y libertos que quedaran para servir en palacio.

Se levantó la sesión.

Todos iban desfilando por delante de Pértinax, saludándolo, algunos estrechándole la mano en señal de amistad. Era agradable sentir que entre ellos el nuevo emperador no era una fuente de miedo y terror, sino alguien preocupado por que Roma funcionara bien. Sulpiciano y Dion Casio esperaron al final.

—Gracias por todo el apoyo —les dijo Pértinax—. Lo he dicho en público incluyendo a todos, pero vosotros sabéis muy bien que me refería muy en especial a vosotros, amigos míos.

—Llevas una pesada carga, augusto —le respondió Sulpiciano con tono afable a la vez que formal, usando el título acorde a la dignidad del *princeps senatus* y emperador—. Es importante que sepas que no estás solo. Pero... —El veterano senador miró a su alrededor con ojos brillantes. Solo estaba Quinto Emilio, a unos pasos. Continuó entonces hablando, acercándose un poco más a Pértinax—: ¿Has pensado en cómo conseguir los apoyos de Clodio Albino en Britania, de Septimio Severo en Panonia Superior y de Pescenio Nigro en Siria? Ya sabes que son los tres gobernadores claves. Los que más legiones tienen a su mando.

—Cierto. Muy cierto —convino Pértinax—. Les he ofrecido buenos puestos en Roma a familiares de todos ellos. De momento, están aceptando y lo tomo como indicativo de que los gobernadores van a cooperar.

—Eso es buena señal. Muy buena —admitió Sulpiciano respirando aliviado—. Roma no puede permitirse una guerra civil.

—Creo que ellos lo ven de igual forma, que han visto en los nombramientos que estoy haciendo una búsqueda de equilibrio y que cuento con los tres y sus familias por igual.

—Bien —ratificó Sulpiciano—. Ese debe ser el camino.

Los senadores se despidieron del nuevo emperador.

Pértinax se quedó solo en el centro del edificio del Senado.

Quinto Emilio se acercó despacio.

—Augusto —dijo el jefe del pretorio.

Pértinax se volvió hacia el líder de la guardia pretoriana.

—Augusto, mis hombres, todos, pensaban que el pago del *donativum* por el nombramiento de un nuevo emperador se haría efectivo a los pocos días de la muerte de Cómodo.

—Lo sé, lo sé... —dijo Pértinax haciendo un gesto de cierto desdén con la mano derecha—. Pero ahora tengo otros problemas que se han de resolver antes: ¿acaso no ves que acabo de aprobar una moción en el Senado para convertir todos los lujos de Cómodo, incluidos sus centenares de esclavos y todos sus caprichos, en dinero? ¿Acaso no has oído que he hecho aprobar que el dinero enviado por el anterior emperador para los bárbaros del norte regrese a Roma? Entre lo uno y lo otro reuniré miles de sestercios y podré hacer frente a los pagos de los salarios de las legiones, por un lado, y por otro, al *donativum* comprometido con la guardia pretoriana. Pero todo a su debido tiempo, Quinto.

El prefecto permanecía inmóvil junto al emperador, justo frente a la puerta de acceso al Senado, donde un grupo de sus hombres esperaba. Sabía que, entre otras cosas, esos hombres anhelaban que les dijera cuándo iban a cobrar lo convenido.

—¿Y todo eso tardará mucho? —preguntó Quinto Emilio.

—¿El qué? —replicó a su vez Pértinax con tono de fastidio.

—Reunir el dinero.

Pértinax exhaló aire de golpe, exasperado.

—No lo sé. Trataré de que sea todo lo más rápido posible. Primero vender los esclavos, luego recuperar el oro enviado al norte, a continuación pagar a las legiones y, finalmente, pagar a la guardia pretoriana.

El orden propuesto no pareció convencer a Quinto Emilio.

—¿No sería mejor pagar primero a la guardia y luego a las legiones? —sugirió.

—Me preocupa más la seguridad de las fronteras —respondió con gravedad Pértinax—. ¿O acaso te gustaría estar discutiendo en Roma con partos, germanos, marcomanos y roxolanos? Te advierto que tus hombres llevan bastante tiempo sin combatir y los bárbaros no son gente tan dialogante como yo. Tanto a ti como a mí como a todos nos conviene pagar a las legiones y asegurarnos unas fronteras fuertes, ¿no crees?

Quinto Emilio permaneció en silencio.

Se hizo a un lado.

Pértinax pasó junto a él y se encaminó hacia la puerta.

El jefe del pretorio se quedó muy quieto, mirando al suelo. Él, personalmente, había prometido a sus hombres que tras la muerte de Cómodo cobrarían muy pronto. De súbito una idea entró en su cabeza: ya había organizado el asesinato de un emperador, de Cómodo, y allí estaba él. Después de todo, no era tan difícil dar muerte a un augusto.

Inspiró hondo. Dio media vuelta y siguió a unos pasos de distancia la figura recta y de porte digno de Pértinax. Quinto vio cómo sus hombres hacían un pasillo para que pasara el nuevo *Imperator Caesar Augustus*. El prefecto de la guardia se dirigió a uno de sus oficiales.

—Escoltad al emperador —dijo.

Así hicieron sus hombres. Quinto Emilio, no obstante, se quedó allí, en el umbral de acceso al Senado, un largo rato en silencio, a solas con su sombra y sus pensamientos.

XIV

EL MENSAJE DE JULIA

De Roma a Carnuntum, Panonia Superior
Febrero de 193 d. C.

Galeno lo observaba todo desde el interior de su carro. Iba precedido por un pequeño grupo de libertos y esclavos leales a Septimio Severo, cedidos por su esposa Julia para que actuaran como escolta del médico. Tras la carroza iban más libertos armados que llevaban años con Galeno y a quien seguían por obligación tanto como por seguridad propia, pues al lado del famoso médico su vida era mucho más sencilla que sirviendo en una granja o con un amo caprichoso y cruel.

Como había anticipado la propia Julia, los pretorianos del nuevo emperador Pértinax no impidieron la salida del conocido médico de Roma.

Flanqueadas las puertas de la ciudad, fueron en dirección norte, cruzando el centro de la península itálica hasta llegar, en pocos días, a Ariminum,[12] en la costa adriática. Al día siguiente se detuvieron en la gran ciudad de Rávena, bastión portuario y sede de gran número de barcos de la flota imperial. Apenas se quedaron una noche. Solo lo necesario para reabastecerse de víveres y continuar su ruta, siempre hacia el norte.

Aquileia primero y luego Virunum,[13] ya dentro de la provincia del Nórico,[14] fueron otras paradas relevantes en su camino. Galeno podía ver que se cruzaban con numerosos carros pe-

12. Actual Rímini.
13. Antigua ciudad romana en el sur de Austria.
14. Antigua provincia romana que incluía parte del sur de Austria y Eslovenia.

145

queños que llevaban el preciado oro naranja de más allá del *limes* del Imperio romano: ámbar. De ahí que toda aquella ruta se conociese como el camino del ámbar.

Entraron en la provincia de Panonia y allí los controles de patrullas militares se intensificaron. La comitiva tenía que identificarse constantemente como portadora de un mensaje personal para el gobernador Septimio Severo. Solo eso permitía su avance hacia el norte. Mencionar el nombre de Julia Domna en aquella tierra era mejor que mostrar un salvoconducto del emperador. Todos los oficiales reconocían de inmediato en aquel nombre a la esposa del gobernador.

De pronto los libertos de vanguardia se detuvieron.

Galeno no entendía qué pasaba.

Reemprendieron la marcha pero muy despacio. Al poco, el médico vio que en un recodo del camino había un montón de cadáveres y muchos legionarios de Panonia a su alrededor rebuscando entre los muertos. Había habido una pequeña batalla y los soldados caídos —por lo visto responsables de custodiar una carroza cerrada que, sin duda, transportaba algo de valor— habían sido derrotados por las mucho más numerosas tropas del gobernador de la provincia. También pudo ver algunos hombres con vestimentas extrañas entre los cadáveres. Galeno no tenía claro si se trataba de germanos de más allá del Rin, marcomanos o roxolanos del norte del Danubio. Seguramente serían de estos últimos.

—¿Qué ha pasado? —preguntó a uno de los libertos de Julia Domna.

—No lo sé ni pienso preguntarlo —respondió el interpelado en voz baja—. Nos hemos identificado y nos dejan pasar. Eso es todo cuanto me interesa.

El médico aceptó aquella respuesta.

No preguntar parecía prudente.

Retomaron la marcha sobre la calzada rumbo a la capital de Panonia Superior. Galeno, muy serio, se permitió mirar hacia atrás. Aquellos cadáveres, aquel combate entre legionarios que se habían defendido y otros que los habían atacado con brutalidad era un anuncio de lo que se avecinaba. Parecía que iban a ser tiempos difíciles no solo para la ciudad de Roma, sino para todo el Imperio. Galeno sabía reconocer el principio de una guerra. Ya había visto otros inicios: un pequeño baño de sangre que daba lugar a otro mayor que a su vez enardecía los ánimos de más y más legionarios y bárbaros hasta que al final un valle tras otro se llenaba de muertos y heridos. Entonces, en medio de la locura, requerían sus servicios.

Cerró los ojos.

Se durmió.

Unas voces lo despertaron.

—Hemos llegado.

—Sí.

Eran las voces de los libertos. Galeno se asomó por la cortina del carruaje y pudo ver las fortificaciones de Carnuntum, la capital de Panonia Superior, sede del gobernador de la provincia, dibujándose en aquel horizonte boscoso y frío. Por un lado se podía observar las murallas de la ciudad civil y, más hacia el norte, la fortificación del gran campamento legionario sede permanente de la legión XIV *Gemina* desde tiempos de Trajano.

Los guardias de la puerta a la que se acercaron los hombres que escoltaban a Galeno demandaron, como en los controles militares de la ruta, saber quién iba en el carro.

—Mi nombre es Galeno, *optio*; me envía la esposa del gobernador, Julia Domna.

El oficial de la puerta abrió mucho los ojos y buscó confirmación en aquellos libertos que escoltaban a aquel extraño anciano. Todos los que acompañaban a Galeno desde la capital del Imperio asintieron.

—Harías bien en ir al *valetudinarium* y que un médico te limpiara esa herida —añadió Galeno señalando el brazo vendado del oficial, que parecía muy manchado de sangre reseca oscura, casi negra.

—Dejadlos pasar —dijo el *optio* al fin.

La comitiva del médico griego entró en la ciudad de Carnuntum y en apenas unos minutos estaban frente al *praetorium* militar donde Galeno, una vez más, tuvo que explicar quién era y quién lo había enviado hasta allí.

—Espera —respondió un centurión, pero con tono relativamente amable, como si el solo hecho de haber pronunciado el nombre de Julia Domna bastase para aplacar cualquier tipo de duda.

Aquella sensación repetida ya en incontables ocasiones de que un oficial romano pudiera sentirse positivamente predispuesto ante algo que proviniera de aquella mujer le llamó la atención al veterano médico. Le resultaba ya del todo evidente que la figura de la esposa del gobernador de Panonia Superior era conocida y popular entre los oficiales de Septimio Severo. Galeno recordó entonces cómo él mismo se había sentido hechizado en presencia de la joven Julia. ¿Por qué no iba a verse influido de igual forma cualquier centurión u otro oficial de las legiones que la hubiera visto de cerca?

—El gobernador te recibirá ahora —dijo un hombre joven, fornido y con aire de mando a quien el centurión había llamado—. Mi nombre es Julio Leto, tribuno de las legiones de Panonia Superior.

Galeno siguió entonces a aquel alto oficial del ejército del Danubio.

—Veo que nada ha cambiado en el *praetorium*—comentó el médico, mirando a un lado y a otro de las paredes pintadas con motivos de juegos gladiatorios.

Se podía reconocer el anfiteatro civil de aquella ciudad fronteriza en algunas pinturas. La pasión en Carnuntum por las luchas de gladiadores era célebre en todo el Imperio. De hecho, hasta donde sabía Galeno, era la única ciudad que disponía de dos anfiteatros de dimensiones colosales: uno civil y otro militar. La arena del anfiteatro del campamento militar era tan grande como la del Coliseo de Roma.

—¿Perdón? —preguntó Leto confundido.

—Estuve aquí varios años, cuando servía al divino emperador Marco Aurelio en su guerra contra los marcomanos.

—Entiendo —dijo Leto, tomando nota de que aquel anciano quizá hubiera visto mucho más de lo que uno podía imaginar por su frágil aspecto.

Llegaron a la gran sala de mando del *praetorium* militar del gobernador de Panonia Superior. Septimio Severo, sentado en un *solium* modesto, esperaba con ojos intrigados.

Galeno no tuvo ocasión de saludar.

—Dicen que traes un mensaje de mi esposa.

—Así es, gobernador. —El médico se inclinó en señal de respeto.

—¿Y cuál es ese mensaje? —preguntó el gobernador sin más preámbulos y sin tan siquiera preguntar por el nombre del mensajero.

Galeno asintió una vez. El gobernador tenía razón en sus prioridades: si portaba un mensaje de su esposa, eso, el mensaje mismo, era lo esencial. A partir de ahí ya vendrían otras consideraciones, como, por ejemplo, ponderar qué hacer con el mensajero.

El médico miró a su alrededor mientras meditaba unos instantes antes de responder. Además del tribuno Leto, que lo había acompañado desde la puerta de entrada al *praetorium* de Carnuntum, había otro hombre más, apostado a un lado del gobernador: un oficial recio y vigoroso como el propio tribuno Leto, pero con menor estatura y mirada particularmente inquisitiva.

—Se llama Fabio Cilón —explicó Septimio Severo— y junto con Julio Leto, que te acompaña, son mis dos tribunos de máxima confianza. Sea lo que sea que tenga que decirme mi esposa, estos hombres pueden oírlo. No tengo secretos para ellos. —Y, ante el silencio del mensajero, añadió—: Tampoco mucha paciencia.

Galeno cabeceó afirmativamente una vez más.

—Galba —dijo entonces el médico.

Septimio parpadeó confuso.

—¿Disculpa?

—«Galba» es el mensaje. Solo esa palabra. Julia Domna dijo que el gobernador entendería.

Septimio Severo inspiró profundamente. A Julia le gustaban los acertijos, las adivinanzas, pero también la historia de Roma.

—Galba —repitió entonces en voz baja—. Sí, tiene sentido —aceptó al fin—. ¿Tú lo entiendes? —indagó el gobernador mirando fijamente al médico.

—Sí, creo intuir el sentido del mensaje —respondió Galeno.

—¿Y puedo fiarme de tu discreción?

—Sí, gobernador.

Hubo un breve silencio.

—¿Por qué has aceptado ser portador de este mensaje? —preguntó entonces Septimio Severo—. Como médico de emperadores debes de tener mucho que hacer en Roma, muchos pacientes importantes a los que atender.

Galeno comprendió que el gobernador ya lo había reconocido, pese a que solo se habían visto ocasionalmente y nunca antes habían cruzado palabra alguna entre ellos.

—La esposa del gobernador me prometió algo a cambio.

—¿Qué?

—Perdí muchos de mis mejores escritos en el incendio de Roma, en la biblioteca del palacio imperial. Julia Domna me dijo que se me proporcionaría tiempo y dinero y circunstancias para que yo pudiera dedicarme a reescribir lo perdido y permisos para reclamar copias a las bibliotecas de Alejandría y Pérgamo de algunos de esos volúmenes quemados.

—¿Ese fue tu precio?

Galeno pensó en añadir algo más: solicitar un salvoconducto para consultar los libros secretos que custodiaban Philistión en Pérgamo y Heracliano en Alejandría, pero, una vez más, la cautela y la sinceridad gobernaron sus respuestas.

—Sí, eso fue lo convenido.

—Eso es lo que mi esposa te prometió.

—Sí.

Silencio.

Septimio Severo se pasó la palma de la mano por la barba mientras miraba hacia Leto y Cilón. Los vio a ambos observándolo todo con los ojos muy abiertos. No entendían qué estaba pasando, pero su lealtad era incuestionable y por eso los había dejado presenciar aquella conversación. Quería que vieran que, en efecto, no les escondía nada. En los meses que estaban viviendo, la lealtad total de un puñado de hombres valientes y buenos en el campo de batalla sería esencial. Si no a más, ahí sí llegaba la clarividencia de Severo. El gobernador se volvió de nuevo hacia el mensajero que le había enviado Julia.

—Honraré la palabra de mi esposa. Tendrás todo aquello que se te ha prometido. El mensaje es ciertamente importante y mi mujer, como siempre, ha sido astuta a la hora de encontrar alguien que pudiera cruzar todos los controles en Roma y en la ruta del ámbar sin llamar la atención ni del emperador ni de otros gobernadores. Un correo imperial o una carta normal habrían sido interceptados.

—No conozco mucho a la mujer del gobernador, pero me precio de haber aprendido a calibrar bien el valor de las personas a través de una conversación, y la esposa de Septimio Severo es, sin duda, una mujer inteligente y... —aquí Galeno se corrigió en ese instante, pues iba a decir «hermosa», pero no tuvo claro si esa afirmación incomodaría al gobernador y cambió sobre la marcha— persuasiva.

Septimio sonrió.

—Esa fue mi conclusión la primera vez que la vi y eso que cuando la conocí ella solo tenía catorce años —aceptó el gobernador en un tono más relajado, ahora más cercano, humano—. ¿Estaba bien de salud ella? ¿Y los niños?

—Julia Domna me pareció rebosante de salud, gobernador, y a los niños los vi correr por el atrio con la energía propia de su edad. En ese sentido el *clarissimus vir* puede estar tranquilo.

—Bien, bien... —Septimio suspiró largamente—. Creo que es momento oportuno para que te retires y descanses. A la espera de que pueda ir haciendo honor a todo lo prometido, quizá tus servicios nos serían de utilidad en el *valetudinarium.* Además, imagino que el hospital militar será el sitio donde te encuentres más cómodo. Leto te acompañará.

—Sí, mi señor. Pero no hace falta que me acompañe el tribuno. Conozco el camino.

Y Galeno se inclinó de nuevo, dio media vuelta y salió de la sala.

—¿Conoce Carnuntum? —preguntó Septimio Severo mirando a Leto.

—Dice que estuvo aquí sirviendo a Marco Aurelio en las campañas contra los marcomanos —aclaró el tribuno.

Septimio enarcó una ceja.

—Bien, entonces dejaremos que el médico se reencuentre con el viejo hospital de la ciudad. Si esto evoluciona como preveo, sus servicios nos serán, en efecto, muy necesarios. Mucho. —Calló un instante en el que miró primero a Leto a los ojos y luego a Cilón—. ¿Habéis entendido el mensaje de mi esposa?

Los dos tribunos se miraron entre sí, valorando quién sería el primero en confesar.

—Yo no, gobernador —dijo Leto.

—Yo tampoco —admitió a continuación Cilón.

Septimio Severo se levantó del *solium* y empezó a pasear por la gran sala con las manos en la espalda.

—Como sabréis —dijo—, Galba fue emperador.

—Sí, pero no comprendo qué tiene que ver con la situación actual —continuó Leto, poniendo palabras a la confusión suya y a la de Cilón.

Septimio se detuvo en el centro del *praetorium* y puso los brazos en jarras encarando a sus dos tribunos, a sus dos más estrechos colaboradores desde hacía años. Junto con Plauciano, su cuñado Alexiano y, por supuesto, su hermano Publio Septimio Geta —gobernador en aquel momento de la provincia de Mesia Inferior, y de quien tomaba el nombre el menor de sus hijos—, Leto y Cilón constituían parte de ese núcleo de hombres leales con los que el gobernador contaba para... lo que fuera que el futuro deparase.

—Galba fue nombrado emperador tras la muerte de Nerón —explicó entonces Septimio—. Era el candidato del Senado, como ahora lo ha sido Pértinax, para evitar una guerra civil al terminar la dinastía que se inició con el divino augusto y que a la muerte de Nerón quedó sin heredero.[15] Pero todo salió mal. ¿Por qué? —Era una pregunta retórica y no esperó respuesta de sus tribunos—. Porque Galba era un tacaño que, además, no supo evaluar la importancia de la guardia pretoriana en el control del poder en el Imperio y, en particular, en la ciudad de Roma. Galba no cumplió lo prometido a los pretorianos y nunca les pagó el *donativum*, la recompensa que se había prometido a la guardia por apoyar su nombramiento como emperador por el Senado. La guardia se rebeló y dio muerte a Galba apenas unos meses después de que este hubiera sido declarado augusto.

15. Hoy día conocida históricamente como dinastía Julio-Claudia.

»A partir de ahí los acontecimientos se descontrolaron y todo terminó en la larga y brutal guerra civil de infausto recuerdo. Nada se calmó hasta la victoria absoluta de uno de los contendientes por la púrpura imperial. Solo cuando Vespasiano derrotó al resto, esto es, a Otón y a Vitelio, se reinstauró la paz en el Imperio. Una paz interna que hemos disfrutado hasta ahora, porque cuando la dinastía Flavia terminó también sin herederos a la muerte de Domiciano, Nerva, que lo reemplazó, sí encontró con rapidez un sustituto incuestionable que supo unir a todos en torno a su figura. Me refiero, claro está, a Trajano. Ahora ha muerto Cómodo. Julia nos está diciendo que Pértinax, el elegido por el Senado para reemplazar al emperador asesinado, quien como Nerón o Domiciano murió sin sucesor, va camino de convertirse no en un clarividente Nerva, sino en un nuevo Galba.

»Julia siempre ha departido de política conmigo, desde que nos casamos. Siempre le he comentado lo que se discutía en el Senado y el carácter de cada senador y cada gobernador, prefecto o procurador relevante. Y ella lo registra todo. Yo mismo no lo recordaba, pero es cierto que Pértinax, pese a sus múltiples cualidades como negociador y su excelente *cursus honorum*, es tacaño. Siempre recorta en gastos al tiempo que incrementa la disciplina. No sé si los pretorianos acogerán bien esas características de Pértinax si se conduce en esa línea de nuevo. A lo que se ve, mi mujer intuye que Pértinax no va a satisfacer las demandas de la guardia imperial o, al menos, no con la celeridad que estos esperan, y si hay una sublevación de los pretorianos la situación en Roma puede volverse, como en aquella ocasión tras la muerte de Nerón, incontrolable.

Leto asintió, pero se atrevió a dar un paso al frente y a contrargumentar.

—Con todo el respeto para el mensaje de la esposa del gobernador. Tenemos cartas de Plauciano que indican que la situación en Roma se está desarrollando a nuestra conveniencia: Alexiano ha sido nombrado procurador de la *annona* y el propio Plauciano es ahora *praefectus vehiculorum*. A cambio, nuestros legionarios han detenido el convoy con oro que Cómodo, antes de morir, había mandado hacia el norte para pagar a los bárbaros más allá de la Dacia. Tenemos también a Geta como gobernador en Mesia Inferior con otras dos legiones a su mando. Y cuando enviemos ese oro de vuelta a Roma, ¿no tendrá entonces Pértinax suficiente dinero para satisfacer las ansias de los pretorianos y mantenerlo todo bajo control en un Imperio en el que la familia de Severa, si se me permite decirlo así, estará en una satisfactoria posición de fuerza?

—Es posible que ese oro que hemos interceptado por orden de Pértinax contribuya a apaciguar los ánimos un tiempo, pero Cómodo dejó las arcas del Estado vacías con sus constantes gastos en banquetes, juegos gladiatorios y *venationes*. Roma se ha desangrado económicamente trayendo a luchadores y fieras de todo el mundo. No creo que ese oro sea suficiente para revertir lo que mi mujer prevé. Recuerda que hay que pagar también a las legiones en todas las fronteras. He aprendido a respetar las intuiciones de Julia, pues siempre ha acertado. Pero no es menos cierto que según lo que Plauciano nos cuenta en sus cartas, y con mi hermano Geta en Mesia Inferior al mando de dos legiones, como bien dices, nuestra posición en Roma y en el Imperio es mucho mejor que las de, por ejemplo, Clodio Albino en Britania o Pescenio Nigro en Siria. Eso es lo que parece, al menos, de momento. Retirarnos de la ciudad, pedir a Alexiano y a Plauciano y a mi esposa y a los niños que abandonen Roma, haría más fuertes a Albino y a Nigro y, al tiempo, más débil a Pértinax, pues se ha apoyado en mi familia, y por ahora Pértinax está siendo un buen emperador, y no merece ver su confianza en mí correspondida con deslealtad.

—Entonces ¿a qué criterio nos atenemos: al de Plauciano y no hacemos movimiento alguno, o al de la mujer del gobernador y hacemos que todos abandonen Roma por si supuestamente se transforma en un campo de batalla con los pretorianos en rebelión? —preguntó Cilón.

Septimio inhaló mucho aire mientras pensaba. Caminó de regreso a su *solium* y volvió a sentarse. Sabía que su esposa lo estaba forzando a decidir entre ella y Plauciano. Las relaciones entre su amigo de la infancia y su mujer nunca habían sido buenas. Plauciano la había aceptado al principio porque solo vio en ella a una joven ingenua y guapa, pero, desde que nacieron los niños, parecía que sintiera animadversión hacia ella y, al mismo tiempo, Julia no perdía ocasión de criticar cualquier decisión de Plauciano. Aquello lo torturaba por dentro, pues se sentía completamente enamorado de Julia. La amaba no ya como la esposa que le había dado la descendencia que su primera mujer no pudo concederle, sino que la quería como amante, como confidente, como cómplice en todo lo que él deseaba conseguir. Anhelaba estar con ella y aquella separación forzosa que había impuesto el ya muerto Cómodo, y que se había prorrogado bajo el mandato de Pértinax, había supuesto un gran padecimiento cada noche que regresaba a su habitación y se encontraba solo. Tan solo la idea de poder volver a estar junto a su esposa cada noche lo había vigorizado. Por otro lado, Plauciano era ese amigo de la infancia de quien se fiaba por completo porque habían ascendido juntos en el *cursus honorum* respetándose y ayudándose en los convulsos tiempos de las intrigas y purgas de Cómodo. No había ningún otro hombre en todo el Imperio de quien se fiara más. Bueno, estaba su hermano Geta. Pero, curioso, puede que incluso Plauciano le diera más seguridad. Aun así, dejando a su hermano al margen, la cuestión ahora seguía siendo la misma. ¿A quién hacer caso: a Julia o a Plauciano?

—Es verdad que Pértinax tuvo problemas de disciplina con las legiones de Britania cuando estuvo allí de gobernador —apuntó Leto.

—Pues si hay una unidad difícil de disciplinar, esa es la guardia pretoriana. Eso lo sabemos todos —apostilló Fabio Cilón.

Septimio callaba pero escuchaba con atención. Aquello que comentaban era muy cierto. La excesiva rudeza a la hora de disciplinar a las legiones de Britania terminó en un motín del que Pértinax se salvó por poco. Julia conocía ese dato porque había salido en las largas conversaciones con ella y Septimio estaba seguro de que su esposa no había olvidado aquello. Y, como había apuntado Cilón, los pretorianos no eran soldados dóciles. Eso reforzaba la idea del mensaje de Julia. Aun así, Plauciano había insistido en sus cartas en que no debían abandonar los puestos asignados por Pértinax en Roma. Y él también tenía su parte de razón.

—Seguiremos el consejo de los dos —dijo Septimio en voz alta.

Fabio Cilón y Julio Leto se acercaron. Sabían que iban a recibir instrucciones precisas que aclararían el sentido de aquellas palabras aparentemente contradictorias.

—Tú, Fabio, irás a Roma y buscarás la forma de sacar a Julia y a los niños de la ciudad. Si ves a Plauciano, dile que es orden mía, que echo de menos... a mi esposa. Sobre todo por la noche. Eso puede entenderlo cualquiera. —Sonrió y con él los dos tribunos que conocían bien la hermosura de Julia—. Y así como Cómodo había dado instrucciones explícitas de retener a las esposas de los gobernadores de Panonia, Britania y Siria, Pértinax no ha ratificado nada sobre ese punto y podemos entender que, al igual que se han anulado infinidad de decisiones de Cómodo, esta también ha quedado tácitamente derogada. Esa interpretación me deja las manos libres para traerme a Julia conmigo. Podría ser que el propio Albino o Pescenio Nigro hayan pensado hacer lo mismo con sus respectivas esposas e hijos, aunque no lo tengo claro. En todo caso, Julia quiere venir conmigo y conmigo vendrá. Pero dile también a Plauciano que deseo que siga él en Roma y que nos mantenga informados de todo. Si mantenemos a Plauciano y a Alexiano en la ciudad, eso muestra que mi compromiso con Pértinax continúa, más allá de dónde estén mi mujer y mis hijos. Tú, Leto, te quedarás aquí conmigo. Te necesito para organizar las legiones. Quiero las tropas preparadas.

—¿Preparadas para qué? —preguntó Leto.

—Para luchar —anunció Septimio.

Leto aún necesitaba una precisión más.

—¿Para luchar contra quién, gobernador?

—Eso aún no lo sé.

XV

LOS OLVIDADOS

Territorio de los cuados y marcomanos, al norte del Danubio
Frontera septentrional de Panonia Superior
Final de febrero de 193 d. C.

Lucia[16] miraba hacia el horizonte con una mano en la frente para protegerse de la lluvia, mientras que con el otro brazo sostenía en el regazo a su niño recién nacido, al que estaba amamantando.

—¡Se aproximan unos jinetes, padre!

Un hombre alto y fornido salió del cobertizo donde tenían varios animales de granja y se puso al lado de su hija mirando en la dirección de los hombres que se aproximaban a caballo.

—¿Son jinetes de las legiones? —preguntó la muchacha.

—No lo sé —respondió el padre muy serio—. Entra en casa y que tu madre y los niños no salgan.

Lucia no discutió y se encaminó veloz hacia la casa de madera que se levantaba junto al cobertizo de los animales.

—¿Quiénes son? —preguntó una mujer mayor, arañada en la frente y las manos y el cuello por las arrugas de una vida dura.

—No lo sé, madre, pero padre dice que nos encerremos y que no salgamos.

La mujer mayor asintió y trabó la puerta con un grueso leño, y lo mismo hizo Lucia con todas las ventanas, menos con una para poder mirar hacia el exterior.

—Ponte allí, junto al fuego, con el pequeño y tus hermanos —dijo la madre.

---

16. Sin tilde en latín, pronunciado como palabra llana, es decir, con «lu» como sílaba tónica.

Lucia obedeció y, siempre sin dejar de amamantar al bebé que portaba en brazos, se acomodó junto al lar con sus dos hermanos pequeños de doce y diez años. Habían sido más, pero la vida como colono en aquel lugar remoto y frío del norte era muy difícil y una hermana suya y otro hermano habían muerto tras coger fiebre durante el invierno pasado. Su joven esposo, el padre de la criatura a la que daba de mamar, también había muerto por esas mismas fiebres hacía unos meses. Habían huido de Roma en tiempos de la peste que asoló la ciudad y acudieron al norte, al territorio fronterizo, en busca de prosperidad. Marco Aurelio llegó a soñar con hacer una nueva provincia al norte del Danubio, como en tiempos hiciera Trajano con la Dacia más al este. Ellos no tenían grandes sueños: solo subsistir con una pequeña granja, pero tras las luchas entre marcomanos y las legiones, el territorio al norte del Danubio en aquella región había quedado en una especie de tierra de nadie poco sujeta a leyes u orden alguno. Ellos eran los olvidados de Roma. El miedo constante de la familia de Lucia era que los atacase algún grupo de guerreros marcomanos o cuados que se acercaran a la frontera en busca de saqueos. La pobreza en la que vivían era su única arma defensiva. Su granja y las de sus vecinos eran un botín de escaso interés para una partida organizada de bárbaros del norte.

La madre cerró la ventana de golpe.

—¿Qué ocurre, qué ocurre? —preguntó Lucia inquieta, pues su madre llevaba el horror plasmado en la frente.

—Han matado a tu padre... Nos atacan... —dijo la mujer alejándose de la ventana cerrada y buscando el abrigo del fuego, pero persuadida de que el desastre total los había alcanzado al fin—. Nos matarán a todos.

—¿Son marcomanos? —quiso saber Lucia.

—¿Eso qué importa? —contestó la madre abrazando a los niños.

Empezaron los golpes en la puerta.

—¡Abrid, por Júpiter! —se oyó aullar desde fuera. Hablaban en latín y sin acento germano.

Nadie se movió dentro. La puerta no resistió mucho. Los hombres, cubiertos por túnicas oscuras, ennegrecidas por meses sin lavado alguno ni limpieza de ningún tipo, irrumpieron en la pequeña estancia. Cogieron a las mujeres y las pusieron a un lado.

—Esa es vieja —dijo uno que parecía el líder—. No nos darán nada por ella. —Y la atravesó con una espada mellada que blandía en la mano derecha.

—¡Madre, madre! —gritó Lucia, pero no podía abrazarla sin soltar a su pequeño bebé.

—Esta valdrá. Es joven —apuntó otro señalando a la muchacha que, arrodillada, junto al cuerpo de su madre, lloraba desconsolada.

—Los niños también valdrán —dijo el líder—. Al carro con ellos.

Cogieron a Lucia por el pelo y tiraron de él de forma que la muchacha no pudo oponer resistencia alguna. Además, tenía pánico a que le arrebataran el bebé, de modo que no luchó y se dejó conducir dócilmente a un carro grande con una especie de gran jaula donde ya había algunos otros pobres desgraciados que, como ella y sus hermanos, acababan de ser capturados en granjas vecinas. Los separaron: a sus hermanos los condujeron a un segundo carro. Esa sería la última vez que los vería.

—En marcha —dijo el líder de los traficantes de esclavos.

En cuanto empezaron a avanzar de regreso hacia el río, uno de los hombres se situó junto al cabecilla del grupo.

—Hemos perdido dinero al matar al dueño de la granja. Por Marte, Turditano, ¿por qué has acabado con él nada más verlo? Era fuerte, recio. Nos habrían pagado muchos sestercios por un esclavo como ese.

—Precisamente por eso, porque era muy fuerte, lo he matado de inmediato. Solo nos habría dado problemas y yo no quiero problemas —respondió Turditano—. Estos de aquí, sin embargo, suponen dinero fácil. Y la chica joven es guapa. Sacaremos muchos sestercios por ella. El otro habría luchado, y para reducirlo habríamos tenido que herirlo o dejarlo tullido y ya no valdría nada como esclavo. Matarlo al principio era lo mejor. Así ha sido todo fácil, y ahora calla y cabalga. Estoy cansado y quiero llegar pronto a Carnuntum, comer y beber y descansar después de vender a todos estos imbéciles.

Lucia escuchó la conversación con los ojos muy abiertos, fijos en el cadáver de su padre tendido en el suelo junto al camino por el que transitaba aquel carro. Habían pasado meses temiendo que los atacasen germanos salvajes y, al final, habían sido unos desalmados del propio Imperio romano los que los habían masacrado y capturado para venderlos como esclavos.

Tardaron más de seis horas en recorrer la distancia que había entre la granja y el puesto fronterizo de las afueras de Carnuntum. Se detuvieron en un pequeño campamento avanzado de legionarios que vigilaban un embarcadero donde había varias barcazas que se usaban para transportar mercancías a un lado y otro del río una vez examinadas por los soldados romanos allí apostados. Sobre todo ámbar.

—¡Por Hércules, hoy no tenemos suerte! —exclamó Turditano al reconocer al oficial de guardia en el puesto fronterizo.

—¿Es Opelio? —preguntó otro de los traficantes.

—Sí —confirmó Turditano—. Veremos lo que nos pide como extra. Ese maldito *optio* no se conforma nunca con lo acostumbrado.

—¡Deteneos! —ordenó el oficial al que se referían.

Opelio era un hombre alto, de tez oscura y ojos negros. Procedía de la lejana Mauritania. Su familia pertenecía a la clase ecuestre —intermedia entre los patricios y los plebeyos—, pero sin demasiados recursos. En Roma estudió para abogado, pero sin apenas conexiones, el mundo de las basílicas y los juicios le quedó vedado. El ejército había sido su forma de subsistir aunque en aquella época los salarios no siempre llegaban a tiempo. Así, Opelio había buscado formas alternativas de complementar la soldada. Vigilar la frontera había supuesto una gran oportunidad para él. Era habitual cobrar una cantidad para el Estado por las mercancías que cruzaban el río, pero, además de recaudar para el Imperio, Opelio había descubierto que siempre se podía cobrar un suplemento adicional a los impuestos oficiales a los comerciantes que por allí pasaban. Muchos de ellos tenían menos escrúpulos aún que él y el origen de sus mercancías era, cuando menos, cuestionable en cuanto a su legalidad, así que Opelio no sentía que estuviera robando a nadie que no lo mereciera.

—¿Qué lleváis hoy? —preguntó el oficial.

—Lo de siempre —respondió Turditano—: esclavos del norte.

Opelio los examinaba mientras el propio Turditano, que había desmontado del caballo, lo acompañaba en su lento rodeo a la jaula de la primera carroza y le daba los sestercios para el Imperio y un puñado adicional para el propio Opelio.

El oficial cogió el dinero cuando estaba en el lado del carro en el que el resto de legionarios del puesto de guardia no podían ver la transacción. Todos intuían lo que pasaba, pero el *optio* tenía claro que tampoco era necesario hacerlo de forma demasiado evidente.

—Muy del norte no parecen —comentó al traficante jefe.

—¿Qué quieres decir? —preguntó Turditano.

—¡Por todos los dioses! —replicó el oficial romano—. Si salta a la vista que no hay nadie rubio entre ellos. Estos desgraciados tienen la pinta de ser colonos que habéis capturado en una acción ilegal. No son esclavos.

Turditano se acercó a Opelio y le habló en voz baja, pues las voces del oficial estaban atrayendo la atención de los legionarios del puesto de guardia.

—Si lo que buscas es más dinero, dímelo y lo consultaré para otra ocasión, pero no te inmiscuyas en este negocio o perderemos mucho tanto tú como yo. Sabes que el que lleva todo esto es alguien importante en Roma. ¿Quieres que le escriba explicándole que hay un oficial de frontera que ha decidido terminar con su principal fuente de ingresos? Te advierto que es un senador muy poderoso.

Opelio ya había oído en más de una ocasión el rumor de que el tráfico ilegal de esclavos lo dirigía desde la lejana Roma el mismísimo senador Didio Juliano, pero no había pruebas ni, a lo que se veía, interés en terminar con aquel negocio. Por un lado, había escasez de esclavos, por otro, los gobernadores de frontera estaban en otras cosas más importantes como, por ejemplo, dilucidar si Pértinax sería un emperador a quien apoyar o no. Esos pulsos de poder dejaban a aquellos desdichados colonos sin nadie que se ocupara de sus derechos.

Opelio guardó silencio unos instantes. No sería él quien se

involucrara en terminar con aquello. Más bien al contrario: ¿por qué no sacarle el máximo provecho posible? Claro que dentro de unos límites que Turditano aceptara. El traficante no parecía favorable a darle más dinero, no al menos aquella jornada.

¿Qué otra cosa podría sacarle?

Opelio volvió a dar una vuelta al carromato. Sus ojos se detuvieron en la chica más joven. Era guapa. Tenía una criatura en brazos. Eso le daba igual. Era atractiva, que era lo esencial. Hacía tiempo que no veía a una mujer joven y hermosa. Los prostíbulos de Carnuntum que podía permitirse con su escasa paga no disponían de chicas jóvenes y bellas como en Roma.

—En fin, supongo que en el norte también habrá bárbaros morenos de ojos negros —dijo al fin para sosiego de Turditano y el resto de traficantes.

Lucia iba a decir algo, iba a comentar que, en efecto, aquellos canallas los habían capturado brutalmente, pero había algo en la mirada oscura del oficial romano que no le inspiraba confianza. Además, ¿por qué la iban a creer? Si el oficial no le hacía caso, luego los traficantes tomarían represalias con ella. Peor: puede que con el bebé. Lucia mantuvo la boca cerrada y contuvo la respiración a la espera de qué ocurriría. Intuía una nueva catástrofe.

Opelio habló al oído de Turditano.

—De acuerdo —respondió el traficante—, pero no me estropees la mercancía.

Turditano se dirigió entonces al carro e hizo que abrieran la jaula. Cogió por el brazo a Lucia y tiró de ella hacia fuera. Sin soltarla la condujo a una pequeña caseta del puesto de guardia del campamento militar, justo donde empezaba el camino al embarcadero. La introdujo dentro.

—Dame el niño —le ordenó Turditano.

—No, por favor, no, el niño no... —imploró ella al tiempo que lo abrazaba con fuerza en un vano intento por protegerlo de tanta brutalidad.

El traficante se acercó a ella para arrancárselo de los brazos cuando se oyó por la espalda la voz del oficial romano.

—Déjale el niño y sal.

Turditano se encogió de hombros.

—Tú mismo —dijo, y abandonó la pequeña caseta de guardia dejando solos a la joven, su bebé y el oficial.

Opelio cerró la puerta.

—Hace tiempo que no he estado con una chica joven y guapa como tú. Las hermosas y, por cierto, caras hetairas de Roma quedan lejos. Las echo de menos, pero tú hoy me vas a satisfacer y me vas a compensar por todas las veces que he yacido estos meses con las feas rameras del campamento militar de Carnuntum.

—No, por favor... —rogó Lucia, siempre sin soltar al niño.

Opelio se fue acercando poco a poco.

—Puedo obligarte, aunque tendría que golpearte y le he prometido a ese cretino de Turditano que no iba a dañar tu cuerpo, pero sé que no será necesario porque vas a hacer todo lo que te pida o, de lo contrario, ese niño no saldrá vivo de aquí.

La muchacha se arrodilló, al tiempo que pensaba muy rápido.

—Si matas al niño, tendrás que pagárselo al traficante de esclavos.

Opelio se agachó junto a la muchacha.

Sonrió malévolamente.

—Eres lista —dijo mientras le acariciaba el largo pelo lacio y negro—. Tienes razón. Yo tendré que pagarle el precio de tu niño a Turditano, pero los niños de corta edad mueren constantemente. No valen demasiado hasta que cumplen ocho o nueve años y empiezan a tener fuerza para trabajar en el campo o donde les corresponda. Es un precio que puedo pagar, aunque me moleste, pero ¿quieres tú perder a tu hijo?

Se separó entonces de ella y se sentó en un camastro.

—¿Qué quieres que haga? —preguntó Lucia con voz trémula.

—Deja al niño ahí mismo, en el suelo, desnúdate y ven.

Lucia miró a su alrededor. Todo el suelo estaba empapado. El tejado de la caseta tenía goteras y, como siempre en aquella región, había llovido mucho en las últimas semanas. No había un solo lugar seco en la habitación. Únicamente el camastro parecía en mejores condiciones, pues alguien había llevado mantas nuevas y limpias.

—Permíteme dejar al niño en el camastro, por favor.

—¿Y que yo yazca contigo en ese suelo empapado y me moje? —preguntó el oficial indignado—. Esa no es mi forma de obtener placer. ¡Deja al niño de una maldita vez y ven aquí antes de que me impaciente! Ese imbécil de Turditano va a empezar a ponerse nervioso en poco tiempo y antes quiero disfrutar de ti a gusto.

Lucia vio que no había nada que hacer, así que dejó al niño en el suelo, protegido tan solo con la fina manta de lana que lo cubría. En cuanto el agua empapó la tela y el niño sintió el frío y la humedad creciente comenzó a llorar. Ella se desnudó con rapidez y puso su túnica de lana al lado del pequeño, y fue a cogerlo para ponerlo encima de la misma y que esta lo protegiera un poco más del agua y del frío, pero Opelio se había levantado e, impaciente, la agarró por un brazo y la tumbó sobre el camastro antes de que ella pudiera arropar al pequeño.

El niño lloraba y lloraba.

Ella mantuvo los ojos cerrados todo el tiempo.

En el exterior, Turditano escupía en el suelo.

—Si estropea la mercancía, ese condenado me pagará hasta el último sestercio —mascullaba entre dientes.

Al cabo de un rato largo, Opelio emergió de la caseta con aire de haber quedado satisfecho. Tras él apareció la figura de la joven, con la túnica medio abierta, mojada, y el niño en sus brazos llorando sin descanso.

—Sube al carro —le ordenó Turditano a la muchacha.

—Ya podéis pasar —dijo por su parte Opelio al traficante.

Este último no respondió. Se concentró en examinar el cuerpo de la muchacha y al niño. Parecían estar bien aunque aquella criatura no dejara de llorar y llorar.

—A ver si se calla ese maldito —le espetó el traficante a Lucia con rabia.

Turditano dio unas cuantas voces más y el carro, con todos los esclavos, tomó, por fin, el camino que llevaba al embarcadero. Esa misma tarde podría vender todos los esclavos capturados. Un negocio redondo. Tendría que enviar el dinero pactado al senador Juliano por los esclavos vendidos en el último mes, pero aun así le iban a quedar muchas ganancias. Las cosas marchaban bien.

XVI

LA REBELIÓN

Puerto de Ostia, Roma
Final de febrero de 193 d. C.

Pértinax los esperaba junto a los grandes almacenes de grano del *Portus Traiani Felicis,* la imponente ampliación hexagonal que había ordenado construir el gran emperador hispano para proteger, de una vez por todas, de las tormentas a los barcos de mercancías que llegaban a Roma desde los confines más lejanos del Imperio. Plauciano y Alexiano aparecieron a la hora quinta, tal y como se los había citado. El emperador los recibió con su escolta de pretorianos a las puertas de los *horrea* dedicados en su totalidad a acumular trigo.

—Gracias por venir —dijo Pértinax con tono afable en cuanto los vio llegar.

—Gracias al emperador por su confianza en nosotros —respondió Alexiano, recién nombrado procurador de la *annona,* encargado de la distribución de trigo por toda la ciudad de Roma.

—Veréis. —Pértinax tomó por el brazo a Alexiano, que parecía el más receptivo, y se apartó unos pasos de los pretorianos hasta cruzar el umbral de la puerta del almacén y quedar en la sombra—. Es muy importante que el flujo de grano siga constante hacia Roma. Siempre es algo importante, pero en estos momentos aún más. No puedo permitirme disturbios en la ciudad por escasez de pan o por precios excesivamente elevados. Tú, Alexiano, serás responsable y cuento con tu conocida eficacia. Y en cuanto a ti, Plauciano... —Aquí Pértinax se detuvo un poco.

Plauciano había sido acusado de corrupción en los años finales del mandato de Cómodo, pero como era uno de los mejores amigos de Septimio Severo, Pértinax había decidido darle también un puesto de relevancia, como había hecho con otros afines a Clodio Albino o a Pescenio Nigro. Era esencial, en su política compleja de equilibrios, tener contentos a los tres gobernadores que más legiones controlaban. Tener tranquilos a aquellos líderes era tener tranquilo al ejército.

—¿En qué puedo ayudar yo, augusto? —preguntó Plauciano también en tono conciliador, invitando al emperador a que especificara qué esperaba de él.

—Como *praefectus vehiculorum* te corresponde el control de los transportes y en ese sentido quiero que la descarga de grano tenga en el puerto y por el río total preferencia sobre cualquier otra mercancía. ¿Lo entiendes?

—Así se hará, augusto —confirmó Plauciano.

Pértinax lo miraba sin tenerlas todas consigo. De pronto Plauciano lo sorprendió con una pregunta que nada tenía que ver con lo que estaban hablando.

—¿Se han subastado ya todos los bienes de Cómodo?

—Sí, así es —respondió el emperador.

—¿Y es cierto que Cómodo tenía carrozas con asientos giratorios para poder encarar la brisa o buscar la sombra? —siguió, con tono de genuina curiosidad.

Alexiano y el propio Pértinax lo miraban perplejos. Ninguno entendía a qué obedecía aquella pregunta frívola. El emperador, no obstante, iba a dar respuesta cuando uno de los pretorianos se acercó.

—Hay una rebelión en marcha en Roma, augusto —dijo el guardia imperial.

El emperador se olvidó por completo de la pregunta de Plauciano.

—He de marchar —dijo.

Alexiano y Plauciano aceptaron aquel comentario sin responder nada. ¿Qué se le dice a un emperador cuando este se enfrenta a un levantamiento militar?

Pértinax dio media vuelta y salió disparado hacia la cuadriga que lo había llevado hasta Ostia.

—¿Es grave? —preguntó el augusto a los pretorianos mientras subía al carruaje.

—Parece que Quinto Emilio lo tiene bajo control, pero dice que es mejor que el emperador regrese a Roma —concretó uno de los soldados.

Pértinax asintió y salieron al galope hacia Roma como si estuvieran compitiendo en una de las carreras del Circo Máximo.

Junto a los almacenes de trigo quedaron Plauciano y Alexiano.

—¿A qué ha venido preguntar por los asientos de las carrozas de Cómodo? —le espetó Alexiano a su compañero en la gestión del transporte público de mercancías.

—Bueno. Cómodo estaba loco, pero tenía buen gusto y las cosas lujosas siempre me han interesado. No veo crimen alguno en preguntar por ello.

—Pero el momento no era, no es... —empezó a oponer Alexiano. Plauciano lo interrumpió.

—Quizá no fuera el momento. Sin duda, más allá de lo que pensemos tú y yo sobre mis intereses privados en cuanto a enseres de lujo, lo esencial ahora es si esa rebelión pretoriana triunfa o no. Si Pértinax cae, igual seremos el procurador de la *annona* y el *praefectus vehiculorum* que menos tiempo estén en el cargo.

Palacio imperial, Roma

—Entonces ¿todo está bajo control? —preguntaba Pértinax en la sala de audiencias del palacio erigido en la colina frente al Circo Máximo.

—Sí, por el momento —respondió Quinto Emilio.

—Eso no parece muy tranquilizador —replicó el emperador. Se llevó los dedos de la mano derecha a las cejas, se las rascó unos instantes, suspiró y luego se encaró de nuevo con el jefe del pretorio—: Hazme un resumen exacto de los acontecimientos.

—Según dicen todos los arrestados, uno de los tribunos de la guardia, cansado de esperar semanas el *donativum* acordado por el nombramiento del nuevo emperador, se rebeló junto con unos setenta hombres de la guardia. Habían elegido al senador Falcón como nuevo augusto bajo promesa de este de hacer efectivos los pagos que se deben a la guardia por el..., por el fin de Cómodo. No eran demasiados los sublevados y Falcón parecía actuar solo. Al menos, nadie más del Senado ha salido en su apoyo, de forma que he podido conseguir que los sublevados entregaran las armas y se rindieran. Tengo a todos arrestados en los *castra praetoria* y custodiados por hombres leales.

—¿Falcón? —repitió Pértinax de forma inquisitiva mientras intentaba comprender lo ocurrido.

En principio, todo el Senado estaba con él, pero eran setecientos senadores. Falcón era uno de los más jóvenes: había llegado a cónsul comprando su puesto en el último año de Cómodo, aprovechando las subastas que de aquellos cargos hacía el emperador asesinado. El turbio acceso de Falcón al consulado, en una edad además muy temprana, era clara muestra de su ambición. La mayor parte de los senadores cerraban filas en torno a él, en torno al augusto Pértinax, elegido por ellos como *imperator*, de eso estaba seguro, pero nadie podía controlar a hombres jóvenes y ambiciosos en extremo que se dejaran llevar por el ansia desmedida de poder. Y los pretorianos estaban impacientes por cobrar su *donativum*, lo que era un caldo de cultivo perfecto para levantamientos.

Pértinax suspiró.

—¿A Falcón también lo has detenido?

—También.

—Correcto. —El emperador hizo una larga pausa antes de continuar—: ¿Qué sugieres?

Quinto Emilio se puso muy firme. Estaban solos en la sala de audiencias. Era momento de dejar las cosas claras.

—Sugiero ejecutar al senador Falcón, ejecutar también al tribuno y a algunos de los cabecillas de la rebelión, latigazos para el resto y, muy importante, hacer efectivo el pago del *donativum* comprometido con la guardia. Mis hombres saben que el gobernador de Panonia Superior ha interceptado ya el oro que Cómodo había enviado para los bárbaros del norte de la Dacia y que lo ha mandado de regreso a Roma. Y ya se han vendido los objetos lujosos de Cómodo. Y los esclavos.

—Lo de los esclavos aún está en proceso. Y necesito gran

parte del oro reunido para pagar salarios a las legiones de las fronteras, como ya comentamos en su día, y también para comprar grano para el pueblo de Roma —contrapuso el emperador—. Si no, las legiones o la plebe se rebelarán.

—Las legiones están lejos de Roma y la plebe no tiene armas. La guardia está en Roma y sí tiene armas —replicó Quinto Emilio ya sin ambages.

—¿Me estás amenazando?

A Quinto Emilio le gustaba haber pasado de ser amenazado regularmente por un emperador como Cómodo, a ser él quien amenazara al nuevo. Le agradaba aquel cambio de perspectiva. Pero sabía que para controlar al nuevo *Imperator Caesar Augustus* había de mantener las formas y no tensar demasiado la cuerda.

—Solo he expuesto un hecho evidente, augusto —zanjó el jefe del pretorio.

Pértinax guardó silencio.

Quinto Emilio también.

Pasó un rato largo en el que los dos se miraron sin que ninguno bajara la vista. Al fin, Pértinax parpadeó una vez y dirigió los ojos hacia el suelo un instante. Luego volvió a encarar la mirada fija de Quinto Emilio y dictó sentencia.

—Ejecuta al tribuno y a sus aliados más cercanos, como has dicho, y latigazos para el resto del grupo, pero al senador mantenlo preso. No será bajo mi mando que se ejecute a senadores en Roma sin antes consultar a los propios *patres conscripti*. Ese no ha de ser el camino. Necesito al Senado incluso si entre sus miembros hay algún traidor. Y te prometo que en una semana la guardia pretoriana cobrará, al menos, una parte del *donativum* comprometido.

Quinto Emilio pensó en decir que muerte para los líderes de los pretorianos rebelados y, sin embargo, solo detención para el senador de la conjura era una diferencia demasiado grande a la hora de juzgar a unos y a otros. Una diferencia que no gustaría en absoluto al resto de la guardia pretoriana. Sí, Quinto pensó en decirlo, pero no fue eso lo que dijo. El tiempo de avisar y advertir a Pértinax había terminado.

—De acuerdo, augusto —aceptó el jefe del pretorio.

A la entrada del templo del divino Claudio, junto al Anfiteatro Flavio, Roma

El senador Didio Juliano salía del templo tras hacer un sacrificio. Iba escoltado por un grupo de libertos secretamente armados bajo sus túnicas de lana oscura. Vio la figura enjuta del jefe de los *frumentarii* al pie de la escalera.

—Dejadme a solas con ese hombre. Esperad allí. —Y señaló hacia la entrada del foro.

Sus hombres obedecieron

En cuanto Aquilio estuvo a su lado, Didio Juliano se mostró tajante.

—Falcón es un idiota.

—Sí, ha actuado antes de tiempo y sin los apoyos adecuados. Pero es cierto que la paciencia de Quinto Emilio y los pretorianos se está acabando.

—No me refiero a eso —contrapuso Juliano—. Me refiero a que ese imbécil de Falcón no tiene ni la mitad de dinero que yo. ¿Cómo esperaba pagar a los pretorianos una cantidad que los calmara?

Aquilio se quedó meditando.

—Eso no lo había pensado. Creía que sí tenía bastante oro para lo que prometía.

—Pues creías mal —continuó Juliano—. El único hombre en Roma que dispone de una fortuna suficiente para comprar a toda la guardia pretoriana soy yo. Tú sabes de intrigas, Aquilio, pero yo sé de fortunas, de cómo conseguirlas y cómo acrecentarlas aprovechando tiempos de desgobierno como el actual.

Juliano acababa de recibir varios pequeños cofres con oro y plata procedentes de diversos traficantes de esclavos de las fronteras del Rin y el Danubio y también de África. Sabía bien de qué hablaba. Y tenía más dinero que nunca. Quizá estaba llegando el momento de actuar.

El jefe de los *frumentarii* callaba a la espera de instrucciones. Él también conocía el origen de la fortuna del senador Juliano, solo que no era consciente de hasta qué punto aquel negocio de tráfico de esclavos era el más lucrativo del Imperio. Pero Didio Juliano volvía a hablar:

—¿Podríamos hacerle saber a Quinto Emilio que si él mismo se cansa de verdad de Pértinax y sus promesas incumplidas, hay alguien en Roma que sí tiene suficiente dinero para pagar a todos sus hombres?

—Podríamos, sí, senador.

—Hazlo —ordenó Juliano.

—Sí, *clarissimus vir.*

Aquilio se iba a marchar, pero el senador tenía más preguntas.

—¿Sabemos algo de los gobernadores de Britania, Panonia Superior y Siria?

—Observan. Esperan.

—¿Y sus mujeres?

—En Roma.

—¿Las tres?

—Las tres.

—Bien. —Didio Juliano levantó la mano derecha indicando que la conversación, ahora sí, había terminado.

XVII

LA LLEGADA DE CILÓN

Residencia de la familia Severa, Roma
Final de febrero de 193 d. C.

—La ciudad está revuelta.

Maesa hablaba con una mano sobre el vientre. Acababa de sentir otra patada.

—Dicen que los pretorianos están incontrolados —respondió Julia. Había vuelto del mercado y tenía noticias—. Parece ser que ha habido un conato de rebelión. Han aprovechado que Pértinax estaba en Ostia, pero he oído que Quinto Emilio se ha mantenido leal al emperador y ha detenido a los sublevados.

—Estoy preocupada —continuó Maesa, siempre con la mano sobre su vientre—. Cada vez veo más claro que tenías razón y que deberíamos haber abandonado Roma.

Julia decidió cambiar de tema. Su hermana, embarazada, parecía demasiado sensible a todo y las circunstancias no estaban para sensibilidades.

—¿Has vuelto a sentir algo?

—Sí, ven —la invitó Maesa y Julia se sentó a su lado, compartiendo un amplio *triclinium*. Ambas unieron las manos sobre el abultado vientre.

Guardaron silencio. Estuvieron muy quietas unos instantes.

—¡Sí, ahora! —exclamó Julia al notar otra patada de la criatura que su hermana llevaba en el interior—. ¡Golpea con la fuerza de un césar!

Las dos rieron. Eso las relajó.

—Esa broma en tiempos de Cómodo nos podría haber costado la vida —dijo Maesa.

Julia no respondió, sino que se centró en mirar al *atriense* que entraba en el patio con aire serio.

—Mi señora, un hombre pregunta por la esposa del gobernador de Panonia Superior —explicó Calidio—. Dice que lo envía el amo desde el norte.

—¡Ah, por fin! ¡Hazlo pasar! —exclamó Julia, y se volvió hacia su hermana al tiempo que se ponía en pie—. ¡El-Gabal ha escuchado mis plegarias! —añadió mencionando al dios solar supremo de Emesa.

Fabio Cilón entró solo en el patio. El *atriense* se quedó por detrás un instante y luego desapareció. Julia recibió al tribuno en pie, su hermana sentada. La esposa de Septimio reconoció a aquel oficial: era uno de los hombres de máxima confianza de su marido y más de una vez había estado invitado en su casa. En momentos más pacíficos.

—Mi señora, el gobernador de Panonia Superior me envía para sacar de Roma a la mujer del gobernador y sus hijos, y escoltarlos sanos y salvos hasta Carnuntum —dijo Cilón que, como buen militar, evitó dar rodeos.

—Perfecto —respondió Julia con alivio.

—¿Cuándo cree la señora que podremos ponernos en marcha? —preguntó el tribuno militar.

—¿Cuándo? Ya mismo. Lo tengo todo preparado desde hace días.

Fabio Cilón se quedó con la boca abierta. No esperaba tanta diligencia y menos de una mujer, pero todo el mundo en el campamento decía que la esposa del gobernador no era una mujer al uso, y no lo decían solo porque fuera hermosa, sino también por su carácter resuelto. Él lo estaba comprobando ahora. Iba a hablar, pero alguien más entró en el patio.

—¡Alexiano! —Maesa se levantó y se acercó a su esposo para abrazarlo. Un gesto impropio de una matrona romana en presencia de alguien ajeno a la familia, pero una siria como ella y como Julia no se atenía a ciertos convencionalismos.

Alexiano aceptó la muestra de afecto de su esposa, pero en seguida se zafó de sus brazos para dirigirse a Fabio Cilón primero y luego a Julia, mirando a los dos alternativamente, como si la pregunta que hacía fuera para ambos.

—¿Qué haces aquí, Cilón? ¿Qué hace aquí?

—Tengo órdenes del gobernador de conducir a su mujer y a sus hijos con él, a Panonia Superior. El propio Septimio Severo me ha conminado a...

Julia lo interrumpió mirando a Alexiano directamente a los ojos.

—Está aquí por mí. Yo lo he llamado. Contacté con Septimio y le hice ver que la situación en Roma era peligrosa, y enviar a Cilón para escoltarnos al norte es su respuesta.

Habló con gravedad y determinación. Preveía un nuevo enfrentamiento. Tanto Plauciano como Alexiano se habían mostrado muy reticentes a dejar Roma en ocasiones anteriores, incluso con Cómodo muerto, y ella esperaba encontrar la misma oposición ahora en su cuñado pese a la presencia del tribuno.

Alexiano, sin embargo, suspiró y se sentó en un *solium* en una de las esquinas del patio.

—Quizá lleves razón, después de todo —dijo—. No, me corrijo: Julia, tienes toda la razón: has de salir de Roma, y Maesa, si puede —miró el vientre de su joven esposa hinchado por siete meses de embarazo—, debería acompañarte. Después de lo que ha ocurrido hoy con la inesperada rebelión de Falcón, veo claro que la caída de Pértinax por un nuevo golpe de los pretorianos es una posibilidad que no hemos de desdeñar. Falcón ha actuado solo y no es nadie, pero en el Senado hay otros con más poder que pueden preparar una nueva conjura con más posibilidades de éxito. Y si eso ocurre, vendrá el caos. Roma no es sitio seguro para nadie. Debéis marchar las dos al norte. Con los niños. Ya no es eso lo que me preocupa. Lo que me inquieta es cómo sacaros de la ciudad.

—¿Cómo salir? —repitió Julia arrugando la frente.

No había pensado que fuera a ser un problema toda vez que Cómodo estaba muerto. ¿Acaso el nuevo emperador también vigilaba las puertas de la ciudad y no quería que las mujeres de los gobernadores con más legiones a su mando salieran de Roma, como había ordenado hasta su muerte el hijo de Marco Aurelio para asegurarse así la lealtad, aunque fuera forzosa, de todas aquellas tropas? Controlando a tres mujeres se controlaba a nueve legiones. Con nueve legiones seguras, era casi imposible una rebelión militar. Sí, tenía todo el sentido que Pértinax, hombre cauto en extremo, hubiera podido confirmar la orden, aunque fuera en secreto, de retener a Salinátrix, a Mérula y a ella misma en Roma, fuera como fuese. Julia paseaba por el patio mientras pensaba.

Maesa se dirigió entretanto a su esposo.

—Si yo marcho al norte, tú vienes conmigo y con la pequeña y con el niño que llevo dentro.

—No. Mi lugar está aquí. Soy el procurador de la *annona*. Es un puesto clave para el control de la ciudad y no puedo huir como un niño asustado. He de estar aquí, cumpliendo mis funciones. Si mantengo la correcta distribución de trigo en la ciudad, la plebe querrá y respetará a nuestra familia, y ahora cualquier apoyo es importante. Estoy seguro de que el gobernador no ha incluido en sus órdenes que Plauciano o yo acompañemos a Julia.

Esto último lo dijo mirando al tribuno militar.

—No, procurador; el gobernador solo mencionó en su orden a su mujer y a sus dos hijos. De hecho, manifestó que sería conveniente que sus amigos Alexiano y Plauciano permanecieran en Roma.

—¿Lo ves, Maesa? —Alexiano se aproximó a su esposa y la abrazó con cariño—. Septimio tiene claro que tanto Plauciano como yo hemos de seguir aquí. Si hay revueltas o disturbios, o si hay una rebelión de la guardia, me refugiaré con Plauciano en Ostia. Allí estaremos seguros: tenemos bajo nuestro control el alimento de Roma y nadie quiere quedarse sin comer. Mientras mantengamos el flujo de grano, sea quien sea quien se haga con el control de la ciudad, nadie nos atacará. Antes se matarán entre ellos. Entre quienes luchen por el poder. Pero yo solo estaré tranquilo si marchas ahora mismo de Roma con Julia, escoltadas por Cilón y sus hombres... —Miró de nuevo al tribuno—. Porque has traído tropas contigo, ¿verdad?

—He venido acompañado por una docena de legionarios que visten como si fueran mis esclavos, y tengo además una centuria a unas millas, armada, esperando mis instrucciones sobre dónde deben reunirse con nosotros una vez que salgamos de la ciudad. No me pareció prudente revelar a la guardia pretoriana que había tropas del Danubio desplazadas sin la orden del emperador a las puertas de Roma.

—Bien, bien, por Júpiter, has obrado bien, Cilón. Supongo que no hay inconveniente en que mi mujer y mi hija acompañen a Julia.

Cilón se mostró confuso. Dudaba. Veía a la mujer del procurador encinta y no tenía claro que aquella fuera la mejor idea. El viaje al norte era un trayecto largo e incómodo para un soldado, tanto más para una mujer embarazada... Incluso si disponían de una carroza preparada para Julia y los niños, lo suficientemente grande para acoger a dos personas más con comodidad, no lo veía claro.

—Mi hermana vendrá con nosotros, Alexiano. Y tu hija. Y yo cuidaré de Maesa. No te preocupes.

Cilón miró hacia Julia. Ella no lo miraba. El tribuno parpadeaba intentando entender lo que ocurría. Había algo que reconocía sin darse cuenta de qué era, hasta que, de pronto, cayó en la cuenta. Lo que sentía como familiar era el tono: el mismo en el que se daba una orden, solo que él nunca lo había oído en voz de mujer. Era esa forma de pronunciar las palabras que indicaba que la orden era inapelable, indiscutible.

—Queda el asunto clave de cómo salir de Roma —dijo Alexiano.

—Ya he pensado en una solución —intervino entonces Julia de nuevo. Todos la miraron con genuino interés. Ella se explicó despacio pero con la serenidad de quien ha desarrollado todo un plan de ataque contra el enemigo—. La guardia pretoriana tendrá vigiladas las puertas, como cuando intentamos salir en tiempos de Cómodo, cuando el incendio. Y como ha sugerido Alexiano, es muy probable que nos vigilen. A decir verdad, lo he pensado con tiento y estoy segura de ello. Hoy mismo, al volver del mercado, he tenido la sensación de que varios hombres me seguían. Y eso lo he percibido en otras dos ocasiones más. He preguntado al *atriense* y él me ha confirmado que ha visto a hombres rondando la casa a todas horas, de día y de noche. Y no le parecen ladrones. A mí tampoco. Ahora lo veo claro. Sea por orden del emperador o por orden de algún otro, nos vigilan. Y seguramente a Salinátrix y a Mérula también.

—*Frumentarii* quizá —dijo Alexiano.

—¿La policía secreta de Roma? —preguntó Cilón con cierta duda. Nadie en las legiones tenía muy claro si existían de verdad.

—Ese cuerpo es real, tribuno. Muy real —le confirmó el esposo de Maesa—. En teoría sirven al emperador, pero en estos tiempos de confusión, donde todo anda revuelto, no me extrañaría que sus informantes notificaran lo que averiguan a alguien más.

—¿A quién? —preguntó Cilón.

—No tengo ni idea, quizá al propio Quinto Emilio, el jefe del pretorio, pero esa no es la cuestión. El asunto era que Julia tenía una idea. —Se volvió de nuevo hacia su cuñada.

—Sí —dijo Julia—. Eres el procurador de la *annona*, ¿no es así?

—Sí, por supuesto, pero no veo que eso sea relevante...

—¿Y por dónde entra la mayor parte del trigo a Roma? —le cortó ella.

—Pues llega a la ciudad por... —Alexiano asintió lentamente al tiempo que terminaba la frase—: El trigo llega a Roma en su mayor parte por el río, por el puerto fluvial.

—¿Sería sospechoso que el procurador de la *annona* quisiera enseñar a su esposa y a su cuñada el lugar clave de su nuevo cargo oficial? —preguntó Julia.

—No. Supongo que sería algo natural. De hecho, si no estuviéramos tan preocupados por todo, lo habría propuesto.

—Pues finjamos que no estamos tan preocupados por nada de lo que está ocurriendo —concluyó Julia—. Además, si llevamos con nosotros a los niños, los que nos vigilan pensarán que es una visita al puerto fluvial, una visita familiar. Para cuando informen de que se trata de algo más, Maesa, los niños y yo ya estaremos con Cilón en una barcaza rumbo a la desembocadura del Tíber. Fabio Cilón puede dar instrucciones a sus hombres para que nos recojan en algún punto a mitad de camino entre Roma y Ostia.

Julia no esperó a recibir el consentimiento de ninguno de los dos hombres presentes en el patio, sino que se dirigió a su hermana.

—¿Cuánto tardas en disponerte para salir?

—Dame media hora —respondió Maesa que, como buena

hermana de Julia, tenía también su misma capacidad de resolución en cuanto veía claro cuál era el camino que debía seguir—. Con eso me basta.

Puerto fluvial de Roma
Una hora más tarde

Alexiano vio cómo su esposa Maesa, su hija Sohemias, Julia y los pequeños Basiano y Geta se alejaban de los grandes *horrea* del puerto fluvial de la ciudad en dirección a Ostia a bordo de una de las barcazas de transporte. En una segunda barcaza viajaban Calidio y algunos otros sirvientes que debían acompañar a las dos mujeres en su viaje hacia el norte. Por su parte, Alexiano pensaba salir hacia el enclave portuario de la costa en unas horas, pero antes quería poner en orden algunas cuestiones en Roma con relación al reparto de la *annona*.

Mientras examinaba los almacenes vio cómo los hombres que los habían seguido desde la residencia de Septimio Severo lo miraban entre confusos y sorprendidos porque regresaba solo, sin su esposa, sin su hija, sin su cuñada y sus sobrinos, sin los esclavos... En menos de una hora la información estaría en el palacio imperial y en casa de quien fuera que se beneficiara de los servicios de aquellos malditos espías. Ahora era todo cuestión de la capacidad de Cilón para cumplir su cometido. Alexiano se sintió relativamente confiado: el tribuno era un hombre leal y capaz y, si fallaba, la ira de Severo podría ser brutal. Conocía bien a su cuñado: era un hombre recto y recompensaba con generosidad la lealtad, pero podía ser cruel e implacable si alguien no estaba a la altura de las circunstancias o, sobre todo, si lo traicionaba. En ese último caso, Severo era inclemente.

Ribera del Tíber, Roma

Fabio Cilón ayudaba a Maesa a descender de la barcaza que se había varado junto a la orilla del río.

—Con cuidado —dijo el tribuno, pero la mujer, pese a lo avanzado de su embarazo, saltó a tierra con desenvoltura y, al igual que ya lo habían hecho los niños Basiano y Geta y la pequeña Sohemias, trepó a la carroza con agilidad.

Alrededor de ellos, ochenta legionarios armados miraban hacia el norte y hacia el sur con cierta ansia. Cuanto antes se alejaran de Roma y se encontraran de regreso con su legión XIV *Gemina* en Panonia Superior, mejor.

—Condúcenos lo más rápido que os sea posible al norte —le dijo Julia a Cilón al bajar de la barcaza, la última de todos.

—Sí, señora, pero tengo también orden del gobernador de hacer que el viaje sea lo más confortable posible y la hermana de la señora está embarazada...

—Llévanos al norte lo más rápido que puedas —lo interrumpió Julia—, y déjate de zarandajas, tribuno. Mi hermana resistirá. Y si quieres que me sienta confortable, has de saber que no lo estaré hasta que salgamos de Italia y entremos en la provincia que gobierna mi marido; ¿me has entendido, tribuno?

—Sí, mi señora —respondió Fabio Cilón agachando la cabeza y volviendo sobre los talones.

Julia percibió cierta incomodidad en aquel alto oficial. No debía de estar acostumbrado a acatar órdenes de nadie salvo Septimio, y recibir instrucciones de una mujer debía de resultarle algo humillante. Julia se separó de la carroza y siguió a Fabio Cilón unos pasos.

—¡Tribuno!

Fabio Cilón se giró.

—Sí, mi señora.

Julia se acercó y le habló, por primera vez desde que llegó a Roma, con un tono suave, con esa voz que, si ella deseaba, embriagaba a los hombres.

—Cuanto antes nos conduzcas ante mi esposo, mejor hablaré de ti al gobernador.

—Gracias, mi señora.

—No, tribuno. Gracias a ti, por venir. Roma era una trampa mortal para mí y mi familia. Tú nos has sacado de allí y eso ya no lo olvidaré nunca.

Julia dio media vuelta, anduvo los pasos que la separaban del carruaje y subió a él sin ayuda de nadie, aunque un legionario le brindó una mano en la que apoyarse. Fabio Cilón se quedó unos segundos mirándola. La tensión de huir de Roma no le había dejado tiempo para reflexiones adicionales, pero en aquel instante, ya en marcha, fuera de la ciudad, su mente coincidió en todo lo que le habían dicho de aquella mujer: era muy hermosa y... diferente en su modo de comportarse. Inspiró profundamente. Se pasó el dorso de la mano izquierda por la frente sudorosa, como si intentara borrar pensamientos peligrosos. Era la mujer del gobernador.

Se volvió hacia sus hombres y dio orden de salida.

Treinta legionarios encabezaban aquella columna militarizada. Tras ellos iba el carruaje con Julia Domna y sus familiares. Tras la carroza otros treinta legionarios. A continuación Calidio y el resto de esclavos de la mujer del gobernador de Panonia Superior. Otros veinte legionarios armados cerraban el grupo que, a paso veloz, trotaba hacia el norte alejándose de Roma lo más rápido que las piernas les permitían.

—Hacia el norte —había dicho Fabio—. *Magnis itineribus*, ¡a marchas forzadas!

XVIII

LA DECISIÓN DE QUINTO EMILIO

Palacio imperial, Roma
28 de marzo de 193 d. C.

Era el octogésimo séptimo día del gobierno de Pértinax. Aún no había completado los tres meses como augusto. El emperador estaba en uno de los grandes atrios porticados del palacio revisando a los esclavos de Cómodo que aún no habían sido vendidos. No dejaba de sorprenderle que después de haber vendido a más de dos centenares de sirvientes, aún hubiera otros tantos o más en palacio que seguir ofreciendo a diferentes tratantes de esclavos.

Pértinax los examinaba con atención, atendiendo a su estado físico, su apariencia o sus destrezas, por si tenían alguna especial. Ecleto, el chambelán al que Pértinax mantenía en servicio, estaba resultando muy útil para gestionar la vida diaria en palacio sin quejarse en momento alguno por la venta constante de sirvientes.

Eran los propios esclavos los que estaban en pie con cara de rabia y odio eterno al nuevo augusto. No era para menos: la vida en el palacio imperial era siempre infinitamente más confortable para un esclavo que cualquier nuevo destino que les pudiera corresponder a partir de su venta. Pero Pértinax necesitaba dinero. Mucho, para pagar a los pretorianos, para comprar el grano que requería la plebe, para hacer frente a los salarios de las legiones... Lo sabían, lo podían entender, pero eso a ellos, a los esclavos, les daba igual. Cómodo los tuvo allí y el Imperio funcionaba. ¿Por qué no podía seguir siendo como antes?

No entendían que la cantidad comprometida con los pretorianos había conducido a la quiebra de un Estado que ya estaba esquilmado en los últimos meses del gobierno de Cómodo, un augusto que había dilapidado el dinero en sus fastuosos y constantes juegos de gladiadores y *venationes* en el Anfiteatro Flavio y en las incontables carreras de cuadrigas en el Circo Máximo. Todo ello sin haber obtenido nuevas conquistas con las que satisfacer sus caprichos propios o los del pueblo romano.

Se oyó un tumulto en el exterior del palacio.

Pértinax miró de reojo al jefe del pretorio que estaba allí con ellos, pero no tuvo la sensación de que Quinto Emilio se sintiera concernido por la algarabía que parecía provenir de las calles próximas al palacio. El emperador pensó que si su jefe del pretorio no se inmutaba, tampoco debía hacerlo él. Siguió examinando a otro esclavo.

—Es cocinero —apuntó Eclecto, quien, no obstante, sí que se sentía incómodo con el tumulto que llegaba del exterior y que no dejaba de crecer.

—¿Tenemos suficientes cocineros en palacio? —preguntó Pértinax.

—Oh, sí, más que suficientes —respondió Eclecto, mirando intermitentemente hacia la puerta principal de entrada al recinto imperial.

—Entonces ¿por qué otro más?

—Es que este hombre hace muy bien los erizos y los erizos eran uno de los platos favoritos de Cómodo, de forma que estaba aquí para cocinarlos cuando el antiguo augusto lo deseaba.

—¡Erizos! ¿Solo para cocinar erizos? —exclamó Pértinax.

Cada vez que confirmaba nuevos ejemplos de derroche absurdo, le hervía la sangre.

Eclecto ya no dejaba de mirar hacia la puerta del gran atrio.

—Quizá sería buena idea que fuera a ver qué ocurre, augusto —dijo el chambelán.

Pértinax no dijo nada, pero asintió a la vez que miraba hacia Quinto Emilio. El jefe del pretorio permanecía impasible, ensimismado, mirando al suelo, sin prestar atención alguna al griterío que procedía del exterior.

Eclecto marchaba hacia la puerta cuando Flavia Titiana entró en el atrio vociferando.

—¡Han rodeado el palacio! ¡Y vienen armados! ¡Que los dioses nos protejan!

Pértinax se volvió hacia su esposa.

—¿Quién ha rodeado el palacio? ¿Quién viene armado?

Eclecto salió del atrio a toda velocidad en dirección a la puerta principal del complejo de la gran *domus* imperial.

—¡Son pretorianos! ¡Centenares de ellos! —respondió Titiana mirando a Quinto Emilio de manera acusatoria.

Pértinax abrazó a su mujer unos instantes para intentar calmarla. El emperador estaba convencido de que se trataba de otro conato de rebelión como el instigado hacía unas semanas por el senador Falcón, ahora detenido en los *castra praetoria*, a la espera de la sentencia definitiva.

En ese momento llegó al atrio Helvio, el hijo de Pértinax, y confirmó lo que todos imaginaban ya.

—¡Padre, es una nueva rebelión de la guardia! ¡Lo he visto desde las ventanas!

El augusto se separó con cuidado de su esposa y se giró hacia Quinto Emilio. El hecho de que el jefe del pretorio estuviera con ellos lo tranquilizaba. Si el prefecto no estaba con el levantamiento, seguro que podría controlarse. Además, se veía al *vir eminentissimus* muy tranquilo. Sería solo un nuevo conato. Quizá debiera ser más brutal en el castigo en esta ocasión y ejecutar a más cabecillas indisciplinados. Los latigazos para según qué crímenes parecían insuficientes. De pronto, la voz de Eclecto, que regresaba de las puertas del palacio, se mezcló con los pensamientos del emperador.

—¡Son unos trescientos pretorianos, han rodeado el palacio y están con las espadas desenvainadas, augusto!

Pértinax no se volvió hacia su chambelán, sino que mantuvo la mirada fija en su jefe del pretorio.

—¿Qué quiere decir esto, Quinto? ¿Acaso no eres capaz de mantener a tus hombres en orden? ¿Cuántos motines he de soportar?

Quinto Emilio, por fin, levantó la mirada del suelo y se encaró con el emperador.

—El augusto Pértinax ya no tendrá que padecer más rebeliones. Esta será la última. Mis hombres no han cobrado lo prometido y han pasado casi tres meses. Son guerreros, no gente paciente. Sin dinero, no hay autoridad que valga.

El jefe del pretorio miró entonces al cielo. Amenazaba lluvia. Había hecho bien en vestir ese día la túnica militar de invierno. Se puso la capucha sobre la cabeza y de esa forma, embozado, pasó por delante del emperador sin dirigirse más a él.

—¡Quinto Emilio! ¡Quinto! —le gritó Pértinax, pero la figura robusta del prefecto de la guardia imperial cruzó el umbral de la puerta del atrio, luego atravesó la gran Aula Regia de las audiencias, llegó a las puertas del palacio imperial y miró a los pretorianos que estaban allí sin saber muy bien qué hacer.

—¡Abrid! —dijo Quinto.

Los pretorianos obedecieron sin dudarlo.

El sol entró con más fuerza en el Aula Regia. Quinto Emilio emergió como una gran sombra ante la escalinata de acceso donde se arracimaban los sublevados, todos hombres de la guardia. Al ver a su superior ante ellos, dejaron de gritar, pero no envainaron las espadas.

Pértinax salió detrás del jefe del pretorio.

—¡Quinto! —aulló el emperador desde el centro de la gran sala de audiencias, y su eco se repitió como si, llegado del inframundo, rebotase en el techo abovedado de la gigantesca Aula Regia.

El jefe del pretorio no se volvió para mirar atrás. En su lugar, empezó a descender por la gran escalinata de acceso al palacio imperial sin dirigirse tampoco a los sublevados. Estos seguían con la espada en la mano, dudando qué hacer, pero ante el silencio de su superior, simplemente abrieron un gran pasillo por el cual cruzó el jefe del pretorio las diferentes filas de pretorianos sublevados y se alejó en dirección al foro.

«Quien calla otorga», pensaron en seguida los rebeldes. Cerraron el pasillo por el que habían dado vía libre a su superior y comenzaron a ascender por la escalinata.

En el interior del palacio, Pértinax se había retirado al atrio central.

—¡¿Qué vamos a hacer?! —gritaba Titiana.

Publio Helvio, el hijo de Pértinax, miraba a su padre también sin una respuesta, los brazos caídos a lo largo del cuerpo, impotente. Se sentía paralizado ante la situación.

—En el palacio hay un numeroso grupo de *vigiles* —dijo Eclecto—. La policía nocturna de Roma es dura y leal al emperador. Y también hay una unidad de jinetes de los *equites singulares augusti.* El emperador puede defenderse.

Pértinax miraba a Eclecto, luego el acceso al Aula Regia. Podía oír los gritos de los pretorianos que ya habían entrado en palacio.

—Titiana, tú y Publio Helvio encerraos en vuestras habitaciones —dijo el emperador con rapidez— y llevaos a los *vigiles* de protección. Eclecto, tú llama a los *equites.* Que vengan aquí.

—¿Qué vas a hacer? —pregunto Titiana con voz trémula. Le costaba hablar.

Pértinax la ignoró.

—Publio Helvio, ve con tu madre a su habitación y haced lo que os he dicho. —Y como vio que su hijo iba a negarse, añadió una explicación adicional—: No vienen a por vosotros. Rechacé vuestros nombramientos como augusta y como césar. Eso os deja al margen de la sucesión. Pasado el tumulto, no os buscarán. Obedéceme en esto, Helvio. Hazlo por tu madre.

—Sí, padre —aceptó Helvio al fin y se retiró con su madre haciendo esfuerzos para no llorar.

—¡Publio, Publio! —gritó Titiana usando el *praenomen* del augusto Pértinax mientras su hijo tiraba de ella para conducirla a las habitaciones que debían servirles de refugio.

Los primeros pretorianos entraban ya en el atrio.

Eclecto llegó corriendo desde el hipódromo con seis jinetes de los *equites singulares.*

—Solo me han seguido estos, augusto —explicó el chambelán con claro tono de derrota.

Pértinax los miró: eran media docena de valientes, pero incluso en sus ojos pudo leer el miedo. Eran leales, pero se sabían desbordados. En apenas un instante se vieron rodeados por decenas y decenas de pretorianos con las espadas en mano apuntando hacia el pequeño círculo que habían formado los jinetes en el atrio, en cuyo centro estaba el emperador y su chambelán.

—¿Qué creéis que hacéis? —dijo con voz potente y grave

Pértinax a los sublevados. La pregunta y la determinación en el tono sorprendieron a los rebeldes y detuvieron su avance, del mismo modo en que un perro frena su ataque cuando un gato se revuelve en lugar de huir—. ¿Acaso creéis que podéis rebelaros contra el emperador de Roma? ¿Acaso creéis que eso no tendrá consecuencias sobre vosotros? ¡Yo tengo *imperium* sobre treinta legiones! ¡Treinta! —Repitió el número porque parecía que la cifra los había impresionado. Daría más números—. ¡Treinta legiones con sus auxiliares y *vexillationes* y sus *turmae* de caballería! ¡Eso son más de trescientos mil hombres a mi mando, y puedo convocarlos a todos, puedo pedir que varias de esas legiones vengan a Roma y os aplasten como a hormigas! ¡Y por todos los dioses que tengo ganas de hacerlo!

Los pretorianos permanecían inmóviles.

Ninguno se atrevía a dar el primer golpe. Pértinax, con su arrojo, los había dejado confusos. Habían esperado encontrarse con un viejo corriendo por las esquinas del palacio, escondiéndose como un cobarde, al que habrían cazado sin dudarlo un instante como un conejo asustado y huidizo. Sin embargo, se habían encontrado con un hombre mayor, sí, pero acostumbrado a dar órdenes, a gobernar hombres, miles de ellos, forjado en las guerras de frontera; alguien recto que no tenía la sombra de la mala conciencia sobre los hombros. Rezumaba aplomo y eso era algo que hasta los pretorianos codiciosos de sestercios admiraban. Pero entre ellos había un tungrio, un germano llegado del norte, alistado en las legiones, primero en la época de las guerras contra los marcomanos, y que luego prosperó en el ejército de Cómodo hasta terminar como pretoriano. Tausio se llamaba. Y Tausio solo pensaba que estaban allí porque llevaban meses sin cobrar el *donativum* prometido. Miles de sestercios por los que se habían rebelado contra Cómodo y permitido, con su inacción, su muerte, y aquel maldito Pértinax era quien se interponía ahora entre ese dinero y él, entre ese oro y todos sus compañeros. Y el tungrio, además, no entendía bien el latín. Así que apenas comprendía una palabra de lo que estaba diciendo Pértinax. De modo que su buena oratoria no hacía la misma mella en él que en el resto de pretorianos.

Tausio se adelantó a ellos empuñando su arma con fuerza.

—*¡Los soldados te han enviado esta espada!*[17] —Era la frase que habían acordado para arremeter contra la vida del emperador. Eso era de lo poco que había aprendido de aquel idioma de los emperadores a los que servía.

Pértinax, al verse atacado, se cubrió la cabeza con la toga al tiempo que se encomendaba a Júpiter Vengador.

Tausio atravesó el pecho del augusto de parte a parte, con el ansia de la avaricia. Derramada la primera sangre, el resto fue como si se hubiera abierto una fuente. Más pretorianos se abalanzaron sobre Eclecto y los jinetes de la caballería imperial. Fue cuestión de unos segundos y todos quedaron tendidos en el suelo. Se hizo entonces el silencio. Ya estaba hecho. ¿Ahora qué? Uno de ellos se arrodilló y cortó la cabeza del emperador. Luego pidió un *pilum* y la clavó con fuerza y la exhibió en el centro del atrio. Todos jalearon la victoria y salieron dando gritos, reclamando su dinero y mostrando a Roma entera la cabeza del augusto emperador que no había cumplido sus promesas con la guardia.

No obstante, tal y como Pértinax había previsto, no se acercaron a las habitaciones privadas del palacio. Pértinax no nombró herederos oficiales que matar; al rechazar, prudentemente, los nombramientos de césar para su hijo o de augusta para su esposa, los había salvado. Así, el joven Publio Helvio y la matrona Titiana sobrevivieron a aquella sangrienta jornada.

Pero ¿y Roma?

Esa tarde del 28 de marzo de 193 d. C., una vez más, el Imperio no tenía ni augusto ni césar. Estaban igual que tras la muerte de Cómodo. Todo volvía a empezar.

---

17. Literal de Dion Casio, 73, 10.

LIBER TERTIUS

Juliano

IMP CAES M DID IVLIAN AVG
Imperator Caesar Marcus Didius Iulianus Augustus

XIX

DIARIO SECRETO DE GALENO

Anotaciones sobre la llegada
al poder de Juliano

Pértinax cayó muerto por la guardia pretoriana apenas ochenta y siete días después de su nombramiento por el Senado. Tal y como había intuido Julia, tuvo el mismo destino que el malogrado Galba, a quien también, en su momento, los soldados sublevados cortaron la cabeza, y por el mismo error: no pagar lo prometido a la guardia pretoriana.

En medio del nuevo vacío de poder, emergió un hombre, Didio Juliano,[18] en el que nadie había pensado, pues los ojos de todos estaban más puestos en los poderosos gobernadores de Britania, Panonia Superior y Siria y sus numerosas legiones. Además, el senador Didio Juliano, es cierto, no tenía legionarios bajo su mando, ni el apoyo explícito del Senado.

¿Estaba, pues, Juliano loco o, peor, era idiota?

A Juliano se lo podía acusar de muchas debilidades humanas y vicios de toda índole, pero la estupidez no era uno de ellos. Frío y calculador, si bien no tenía legiones, Juliano disponía del arma más poderosa del mundo: el dinero. Mucho.

Tras el asesinato de Cómodo eran cinco los candidatos a emperador: Pértinax, Albino, Severo, Nigro y, aunque no lo supiéramos entonces, el intrigante Juliano. Con Pértinax muerto antes de que llegaran las *kalendae* de abril, quedaban cuatro: el propio Juliano, el contendiente inesperado, Clodio Albino, Septimio Severo y Pescenio Nigro. El primero con oro, los otros tres con ejércitos.

---

18. Este Juliano es un emperador diferente al conocido como Juliano el Apóstata, que gobernará Roma muchos años más tarde.

Si concedemos al dinero su capacidad de comprar la voluntad de muchos soldados, la partida estaba igualada. ¿Qué o quién podría desequilibrar la balanza en aquel pulso mortal y feroz por el poder absoluto? Por supuesto: Julia.

Pero, una vez más, me adelanto a los acontecimientos. La mañana del 29 de marzo de 946 *ab urbe condita*,[19] cuando Roma cumplía más de nueve siglos y medio de existencia según los calendarios de los sacerdotes, Didio Juliano salió de su casa para comprar un imperio. El Senado envió a Sulpiciano para intentar evitarlo.

La cuestión clave era entonces la siguiente: ¿había llegado Roma al extremo de que ya se pudiera comprar en su Imperio no solo cualquier objeto lujoso o extravagante, sino incluso la propia toga imperial junto con el poder que esta representaba?

Entretanto, lejos de la capital, Julia aguardaba en la residencia del gobernador de Panonia Superior el reencuentro con su esposo. ¿Estaría Septimio enfadado con ella por haberle pedido que la sacara de Roma? ¿Seguiría amándola como antes?

19. 193 d. C.

XX

EL REENCUENTRO

Zona norte de las murallas, Roma
29 de marzo de 193 d. C.

Sulpiciano avanzaba protegido por un grupo de *vigiles* rodeando la muralla serviana, siempre en dirección norte. Había aceptado apenas hacía un mes el encargo de su yerno, el ya fallecido emperador Pértinax, de ejercer como *praefectus urbi*, prefecto de la ciudad de Roma. Era un cargo de mucha responsabilidad en momentos difíciles, pero Sulpiciano lo había aceptado por dos motivos: primero, su yerno había distribuido los cargos más importantes entre amigos de los tres gobernadores principales y en Roma todos sabían que él, Sulpiciano, era favorable a Clodio Albino, el gobernador de Britania, y como vio que Pértinax había dado otros puestos de relevancia a hombres de la confianza de Severo, por un lado, y de Pescenio Nigro, por otro, se sintió en la obligación de aceptar ser *praefectus urbi* para formar parte de esa red compleja de equilibrios que su yerno había establecido. En segundo lugar, también había aceptado el puesto porque pensaba que, en caso de problemas, estaría en una mejor posición para ayudar, ya fuera al propio Pértinax, a su esposa Titiana, su hija, o a su nieto, el joven Helvio. Tras los brutales acontecimientos de la rebelión pretoriana, esta segunda circunstancia se transformó en realidad y, al menos, como prefecto de la ciudad, Sulpiciano pudo ofrecer cobijo y protección tanto a su hija como a su nieto.

Pero con la rebelión de los pretorianos todo se había descontrolado y la lucha por el poder continuaba.

—Has de acudir a su campamento, a los *castra praetoria* —le dijo Dion Casio, que hablaba en nombre de la mayoría del Se-

193

nado—. No se ha podido celebrar la reunión según lo estipulado por las normas porque había infinidad de pretorianos armados en el foro y en el Ateneo y en los teatros. Tenían orden de no dejar pasar a nadie. No quieren que los senadores nos reunamos. Pero ellos no se detienen: los pretorianos van a subastar el Imperio, Sulpiciano, como lo oyes. Al mejor postor. Como si la toga imperial fuera un pescado o un trozo de carne seca de jabalí o un esclavo cualquiera. Y Didio Juliano se ha mostrado dispuesto a pujar por el nombramiento. A él no parece importarle la forma en la que consiga el puesto de *imperator*, con tal de lograr su objetivo. Es una infamia. No podemos permitirlo, Sulpiciano. Eres el prefecto de la ciudad, suegro del malogrado Pértinax y, por encima de todo, senador, uno de los nuestros. Hemos hablado en las calles, donde hemos podido juntarnos unos cuantos. Todos estamos de acuerdo. Apenas hay favorables a Juliano. Su ignominia es insoportable para cualquiera que se precie de tener un mínimo de dignidad.

—¿En qué está de acuerdo la mayoría del Senado? —había preguntado él apenas una hora antes.

—De acuerdo en que pujes tú también por ser reconocido emperador por esos miserables de la guardia. No podemos detener la subasta, pues no tenemos soldados para impedirlo: los *vigiles* aceptan protegernos, pero no están dispuestos ni preparados para un enfrentamiento a gran escala contra la guardia pretoriana. No los atacarán para impedir su plan. A eso no llegan. La subasta va a seguir, pues, adelante, así que hemos de participar en ella. No podemos permitir que Juliano, ese mismo Juliano que todos conocemos, retorcido y sin escrúpulo alguno, enriquecido por Cómodo por traerle fieras y luchadores para sus locuras en el anfiteatro, cuya fortuna, lo sabemos todos, está basada en mil negocios oscuros, sea encumbrado a la púrpura imperial. Sería un nuevo Cómodo. Habría purgas, listas secretas y asesinatos sin fin. Puedes ofrecer dinero. Todos te respaldaremos. Lo esencial es que Juliano no se haga con el poder. Luego, ya contactaremos con los gobernadores de las provincias y pactaremos con ellos quién permanece como augusto, quién es nombrado césar y qué demonios hacemos con los pretorianos.

—¿Qué dice a todo esto Claudio Pompeyano? —preguntó entonces Sulpiciano. En la medida en que Pompeyano era el más veterano de todos y alguien que había rechazado la toga imperial hasta en dos ocasiones diferentes, le confería a su opinión un valor especial.

—No lo sabemos. Guarda silencio. Ya lo conoces. Hace años que no quiere participar en las decisiones importantes. Pero su hijo Aurelio sí ha venido a Roma y está con nosotros.

Dion Casio había mencionado el apoyo de Aurelio Pompeyano como si el hijo con su audacia sustituyera de alguna forma a la experiencia y prudencia del padre, algo que en modo alguno era así. Pero quizá Dion Casio y el resto tuvieran razón en que permitir que el miserable de Juliano se hiciera con el poder no acarrearía nada bueno. Había que actuar.

—¿Hasta cuánto puedo ofrecer a esos malditos de la guardia pretoriana? —inquirió entonces Sulpiciano.

Dion Casio cabeceó varias veces.

—Sí, sí. Una cifra, claro. Por todos los dioses, lo hemos hablado también. Hemos calculado que podemos llegar hasta veinte mil sestercios de *donativum* por pretoriano. Lo sé, lo sé, es una locura, es tanto como lo que dieron Marco Aurelio y Lucio Vero cuando empezaron a gobernar como coemperadores, pero es una cantidad que podríamos reunir entre todos los que estamos en esto. Luego ya veríamos cómo recuperar el dinero. Con el apoyo de los gobernadores podría encontrarse alguna fórmula.

—Veinte mil sestercios es, pues, el límite —concluyó Sulpiciano.

Fue entonces cuando se despidió de Dion Casio y se alejó del foro para salir de la ciudad, cruzar la puerta de la muralla serviana y empezar a bordearla en dirección norte para llegar, junto con su pequeña escolta de *vigiles*, al gran campamento de la guardia.

Muros de los *castra praetoria*, Roma

Didio Juliano ya estaba frente a la gran muralla del campamento pretoriano: una inmensa mole de más de cuatrocientos pasos de ancho por cada lado; un ciclópeo cuadrado a modo de los campamentos militares más grandes, como el de Carnuntum en Panonia o como el de Legio en Hispania. Los *castra praetoria*, levantados por Sejano, el prefecto de la guardia en época de Tiberio, suponían un auténtico castillo inexpugnable junto a la ciudad de Roma. Una fortaleza, no obstante, que cada vez con más frecuencia se revolvía y, al contrario que un fiel perro, mordía con furia la mano que le daba de comer. Y aquella mañana era uno de esos días donde la fiera pretoriana iba a morder con más saña.

Pero a Juliano todo aquello no le importaba demasiado: Tiberio y Sejano representaban un pasado remoto. Y Cómodo, el pasado más reciente, un emperador que primero lo acusara y que luego lo perdonara para, finalmente, enriquecerlo a cambio de fieras y gladiadores y esclavos, ya estaba muerto. Pértinax, que se había hecho con el poder tras Cómodo, también había sido asesinado. Él, sin embargo, seguía allí vivo, con mucho dinero, dispuesto a gastar gran parte de su fortuna para que lo nombrasen emperador aquellos fieros locos de la guardia pretoriana que, en el fondo, necesitaban alguien que les dijera a quién debían morder y cuándo. Las fauces de la guardia estaban en venta. Y con ellas un mundo entero.

—¡Bien! ¡Por Júpiter! —aulló Quinto Emilio, prefecto de la guardia, otro superviviente a la locura de los últimos meses, desde lo alto de la muralla, flanqueado por varios tribunos pretorianos—. Solo veo un senador dispuesto a pujar por el Imperio. Pobre subasta va a ser esta.

Juliano sonrió. En el fondo aquello le convenía. Si no había otros que ofertaran dinero por la púrpura imperial, menos tendría que ofrecer él.

—Viene alguien —le dijo Aquilio, que estaba al lado del ambicioso senador, señalando hacia el sur. El jefe de los *frumentarii*, ya sin tapujos, dejaba evidente para todos de lado de quién estaba y para quién trabajaban sus informadores.

Sulpiciano, por su parte, con su escolta de *vigiles*, llegó a la explanada frente a los *castra praetoria* pasada la hora sexta del mediodía, marcada por los pretorianos para la subasta. Llegaban tarde, pero la guardia anhelaba más dinero del que pudiera ofrecer un solo senador en liza, de modo que, dirigidos por Quinto Emilio, habían aguardado un tiempo más allá de la hora límite con la esperanza, ahora cumplida, de que apareciera alguien más dispuesto a pujar por el título de emperador y el apoyo militar de la guardia pretoriana.

—Bien, bien. Esto está mejor. Tenemos dos interesados en comprar el Imperio —continuó Quinto Emilio desde lo alto de la muralla con actitud satisfecha—. ¡Pues que empiece la subasta! ¡Ya hemos esperado bastante! Y por *bastante* quiero decir... —y el jefe del pretorio miró entonces a los dos senadores que iban a pujar—, quiero decir, repito, que Cómodo nunca terminó de pagar todo lo prometido y mucho menos Pértinax. Así que el que de vosotros dos obtenga la púrpura en esta subasta espero que esta vez cumpla con lo que aquí ofrezca y que cumpla rápido. La guardia no aceptará ya más retrasos de nadie. Ya habéis visto cómo ha terminado Pértinax.

Didio Juliano no dijo nada, pero tomó buena nota de que Quinto Emilio ya estaba amenazando incluso antes de que él o Sulpiciano hubieran sido aceptados como emperadores por los pretorianos y luego nombrados oficialmente por el Senado. No parecía aquel un jefe del pretorio de quien se pudiera fiar un nuevo emperador...

—¡Mil sestercios! —dijo Sulpiciano, en la esperanza de que pujando primero pudiera controlar de alguna forma aquella subasta, aquella infamia—. ¡Mil sestercios por cabeza, para cada pretoriano!

—¿Mil sestercios? —preguntó Quinto Emilio indignado, como quien no es capaz de dar crédito a sus oídos—. ¿Acaso has venido aquí solo con el fin de insultarnos?

—Eso es lo que pagó el gran Augusto cuando llegó al poder —se defendió Sulpiciano.

Quinto Emilio y sus tribunos no sabían mucho de historia. Solo sabían que aquello era mucho menos de lo que Cómodo les llegó a prometer, que eran diez mil sestercios. Cierto que nunca lo pagó por completo, pero sí una parte sustantiva, mucho más de lo que Sulpiciano acababa de ofrecerles.

Los pretorianos miraron entonces a Juliano a la espera de que hiciera una contraoferta, pero antes de que este dijera nada, el propio Sulpiciano se corrigió y subió su puja hasta la cantidad que Calígula regaló a sus pretorianos cuando llegó al poder.

—¡Dos mil! ¡Ofrezco dos mil por cabeza!

El gesto, sin embargo, no le valió aprecio alguno por parte de Quinto Emilio y sus hombres que, desde lo alto de la muralla del enorme campamento, ni siquiera se dignaron a mirarlo de nuevo. Sus ojos seguían fijos en Juliano. Este sabía que tenía que hacer ya una oferta y que debía ser una suma que agradara a los pretorianos. Pero debía ir con tiento, por si la cantidad que ofreciera en ese momento aún no fuera la definitiva.

—¡Propongo que cada pretoriano cobre un *donativum* de tres mil setecientos cincuenta... denarios! ¡Hablo de un total de quince mil sestercios por soldado! —Y luego, volviéndose hacia el sorprendido Sulpiciano, añadió en voz baja pero lo bastante audible para su colega en el Senado—: Que es lo que el divino Claudio o el maldito Nerón ofrecieron a la guardia, ya que te gusta hacer comparaciones.

—Quince mil sestercios... —repetía por su parte Quinto Emilio apreciativo, mirando a los tribunos que lo acompañaban en lo alto de la muralla. No parecía aquella una mala oferta.

Sulpiciano sabía que no le quedaba otra que jugárselo todo a una.

—¡Veinte mil! ¡Veinte mil por cabeza! —aulló.

La misma cantidad que pagaron los coemperadores Marco Aurelio y Vero, que ahora tendría que hacer frente un único emperador. Una absoluta locura, pero era el último recurso para evitar que Didio Juliano pasara a controlar la guardia y con ella la ciudad entera de Roma. Lo del Imperio, por mucho que estuviera supuestamente incluido en la oferta de los pretorianos, estaba aún por ver, pues, en gran medida, dependía de los gobernadores y sus legiones; pero Juliano podía hacer muchas locuras en la ciudad de Roma con los pretorianos a su lado y presionar a los gobernadores cuyas familias serían rehenes en la ciudad... Veinte mil sestercios. Sí, tenía que ofrecer el máximo al que lo habían autorizado sus colegas. Era todo o nada.

Quinto Emilio y los tribunos callaban. Les gustaba aquella subasta. No había empezado bien, pero eso había cambiado.

—¡Ofrezco cinco mil más! —dijo entonces Didio Juliano, y levantó la mano derecha con los cuatro dedos juntos extendidos y el pulgar también extendido aunque algo separado del resto, haciendo el gesto romano que marcaba la cifra que ofrecía de más. Un gesto que valía un imperio. O eso pensaba él.

Quinto Emilio se volvió entonces hacia Sulpiciano y pudo ver cómo este agachaba la cabeza en clara señal de derrota. El jefe del pretorio lo tuvo claro.

—Ese es nuestro hombre —les dijo a los tribunos en voz baja y, a continuación, aulló a pleno pulmón—. ¡Didio Juliano es el nuevo emperador de Roma y pagará un *donativum* de veinticinco mil sestercios a cada miembro de la guardia!

Los más de doscientos pretorianos que estaban frente al muro y los miles más que estaban dentro de las murallas del campamento empezaron a vociferar y a aclamar al nuevo *Imperator Caesar Augustus*.

—¡Juliano, Juliano, Juliano!

XXI

—

LA SUBASTA DE UN IMPERIO

Residencia del gobernador, Carnuntum,
Panonia Superior
Abril de 193 d. C.

Julia esperaba en silencio.

Pero sus pensamientos gritaban.

Muchos habían sido los meses de separación. Las cartas escasas. Y, especialmente por parte de Severo, bastante frías, distantes. Julia había estado convencida de que era porque su esposo no quería transmitir por escrito su pasión por ella, algo que la habría hecho aún más preciosa como rehén para el ya fallecido Cómodo. Pero ahora, a unos instantes de reencontrarse con su marido, Julia, se pronto, dudaba de todo: ¿y si aquella frialdad epistolar no era fingida, sino real? ¿Y si el tiempo pasado había cambiado a su marido? ¿Y si Severo había encontrado a alguna esclava hermosa de la que se hubiera encaprichado? Los hombres eran así.

Se oyeron pasos en el exterior.

Eran firmes, decididos, con la prestancia de quien tiene mando.

Julia podría reconocer aquellas pisadas en cualquier parte del mundo. Habían antecedido a muchas noches de pasión. Era la forma inconfundible en la que su esposo caminaba sobre el mármol, sobre la gravilla o sobre un mosaico. La cadencia entre cada paso, su enérgico golpe en el suelo...

Ella había forzado su salida de Roma. Apenas unos momentos antes se habría mostrado aún del todo segura de que aquella decisión era la mejor que podía haber tomado. Había estado segura de que Pértinax no aguantaría en el poder y había acertado, y ahora todo andaba, una vez más, revuelto, inseguro, confuso en Roma. Su lugar era allí, en el norte, con su esposo.

Pero... ¿y si Septimio lo veía todo de otro modo? ¿Y si solo había aceptado ayudarla a salir de Roma enviando a Cilón porque la veía tan convencida que temía que lo intentase sola? ¿Y si él estaba irritado o, peor, decepcionado? ¿Quizá Septimio fuera de la opinión de que ella, como Salinátrix, como Mérula, como las esposas de los otros gobernadores, debería haber permanecido en Roma? Y, sin embargo, aquello parecía un error tan grande a sus ojos... ¿O el error lo había cometido ella al forzar a su esposo a sacarla de Roma? La cabeza le iba a estallar.

La última pisada.

Las puertas se abrieron empujadas por dos centinelas fornidos.

Septimio Severo entró en la sala donde ella esperaba.

Luego se giró levemente hacia los legionarios, que de inmediato cerraron las puertas.

Entonces la miró.

—Hola —dijo ella. En voz baja, casi en un susurro.

—Hola —respondió él, con voz más potente, poderosa, pero sin muestra de resentimiento aparente—. Estás tan hermosa como siempre —añadió el gobernador.

Julia se pasó la lengua por un instante por los labios resecos y sintió que una lágrima resbalaba por su mejilla.

Él se acercó a ella y la abrazó.

Luego, con iniciativa pero con gestos controlados, sin brusquedad, Septimio llevó sus dedos de la mano derecha a la barbilla de ella, para levantar su cara y así poder besar a gusto, a placer, con intensidad su boca.

Y ella se dejó besar, primero.

Y ella empezó a besarlo, después.

Y a él le agradó la pasión en la respuesta de su esposa y la abrazó con más fuerza.

—De tanta ansia como siento por ti, temo hacerte daño —dijo él.

—Nunca me haces daño —respondió ella.

Y Julia supo que todo estaba bien.

No hablaron más aquella noche.

No era tiempo de palabras.

Pero se lo dijeron todo.

XXII

EL SACRILEGIO DE CORTAR LA PIEL

Residencia del gobernador, junto al Danubio, Carnuntum,
Panonia Superior
Abril de 193 d. C.

—¡Aaaaaah!

Maesa gritaba con las pocas fuerzas que aún le quedaban. A su lado, su hermana Julia intentaba reconfortarla con un paño húmedo en la frente.

—Un poco más, solo un poco más... —Pero para Julia aquel nuevo intento parecía inútil.

Se separó del lecho y fue junto al médico, que se estaba lavando bien las manos con agua hervida.

—El niño no quiere salir y mi hermana está agotada —empezó a razonar Julia—, ¿no podríamos hacer eso que se hizo con el primer césar?

—¿El qué? —preguntó Galeno, sin dejar de mirar hacia el agua y el jabón con el que se había embadurnado bien manos y brazos.

—¿No abrieron a la madre de Julio César y lo sacaron del vientre? Eso ayudaría. ¿No viene acaso el nombre de César de esa operación?

—No —respondió Galeno, pero al ver a su interlocutora tan nerviosa, decidió añadir alguna explicación mientras se enjuagaba, primero, y luego se secaba con una toalla limpia—. Eso es una creencia falsa. Ya sé que Plinio lo sugiere en su *Historia Naturalis*, aunque realmente lo que él dice es que el nombre de la familia viene de algún antepasado de Julio César que nació de esa forma. Si eso fuera cierto, el nombre procedería de la palabra latina *caedere*, que significa «cortar». Pero Julio César nació como han de nacer todos los niños, por la vagina de su madre, en su caso Aurelia Cotta.

—¿Cómo puedes estar tan seguro? —se atrevió a dudar Julia—. ¿Acaso estuviste allí?

Galeno se permitió una sonrisa. Comprendía que la esposa del gobernador, hermana de la parturienta, estuviese nerviosa. En cualquier otra circunstancia se habría sentido ofendido por el hecho de que alguien, no le importaba quién ni de qué rango, dudara de su criterio en algo relacionado con la medicina.

—Soy viejo, señora, pero no tanto. No, ciertamente, no estuve allí. Pero no hay ni una mujer en el mundo que haya sobrevivido a una cesárea como la que describe. Y la madre de Julio César vivió muchos años después de dar a luz al portento de su hijo. Si abrimos el vientre de Maesa, es posible que salvemos al niño, pero ella se desangrará. Esta operación solo vale como caso extremo para salvar a la criatura en caso de que la madre haya muerto. Numa Pompilio, uno de los reyes de Roma, la propuso también para el caso en el que muerta una mujer embarazada, y muerto también su hijo, se pudiera enterrar ambos seres por separado. Pero hoy no queremos enterrar a nadie, ¿verdad? —insistió Galeno.

—No —admitió Julia sin atreverse ya a contradecir a aquel veterano médico griego que parecía saber bastante más que ella del pasado de Roma y, sobre todo, de medicina.

—Bien —continuó Galeno—, pues si la señora se vuelve a sentar junto a su hermana y le pide que empuje una vez más, al final lo conseguiremos.

La esposa de Septimio Severo obedeció, retornó junto al lecho de Maesa, volvió a pasarle el paño húmedo por la frente y le habló al oído.

—Hay que intentarlo una vez más, mi pequeña —le dijo.

Julia la cogió también de la mano. Se sentía culpable por haber forzado aquel viaje desde Roma hasta Carnuntum con su hermana en avanzado estado de gestación, pero, en medio de los acontecimientos por la lucha por el poder en Roma, le había parecido lo más sensato. Ahora ya no lo tenía tan claro. El parto se había adelantado y Julia estaba convencida de que era por el esfuerzo extraordinario del viaje.

—¡Aaaaah! —gimió de nuevo Maesa.

—¡Un poco más! ¡Por Asclepio! ¡Un poco más! —insistió Galeno—. ¡Ya veo la cabeza!

Dos horas después

Julia continuaba sentada junto al lecho donde descansaba su hermana. Unas esclavas habían retirado las toallas manchadas de sangre y también se habían llevado al bebé. Maesa, con la inestimable asistencia de Galeno, acababa de dar a luz a una segunda niña a la que pensaban poner de nombre Avita Mamea.

Julia seguía con enormes remordimientos por haber forzado a su hermana a viajar tantas horas, tantas millas, en tan poco tiempo. Reunirse con Septimio en el norte había sido su única prioridad.

Su hermana abrió los ojos.

—¿A qué viene esa cara triste? —preguntó ella.

—Te he obligado a venir aquí, te he arrastrado por medio Imperio romano cegada por escapar de Roma...

—Estoy bien —dijo Maesa. Su voz era apenas un suspiro, pero un susurro sosegado—. Y según me has dicho, la niña también está bien.

—Sí, sí —le aseguró Julia categóricamente—. Si hubiera habido la más mínima duda, te lo habría dicho, mi pequeña, pero Galeno asegura que está muy bien. ¿No recuerdas cómo lloraba, con qué fuerza, tu nueva hija?

Maesa giró la cabeza muy despacio y miró hacia el techo.

—Creo que eso me lo he perdido. Estaba ocupada gritando.

Las dos se echaron a reír y les hizo bien.

—No hablemos más. Has de descansar. Intenta dormir —dijo Julia al tiempo que se levantaba—. Son instrucciones de Galeno.

—Ese médico nos ha venido bien —respondió Maesa—. Eso de enviarlo aquí por delante de nosotras fue una buena idea, hermana.

Julia no había pensado en ello. Solo había seleccionado a

Galeno como mensajero, pero ahora se alegraba de haber elegido a aquel veterano médico para que contactara con su marido. Sus servicios no solo como mensajero, sino ahora como *medicus*, estaban siendo, sin duda, muy oportunos.

—Descansa —dijo Julia ya desde el umbral.

—La niña necesitará un ama de cría —dijo Maesa—. Estoy muy débil aún.

—Y aunque no lo estuvieras —le respondió Julia—. Descuida. Yo me ocuparé de eso de inmediato.

Salió y cerró la puerta.

Maesa suspiró y, en apenas unos instantes, quedó completamente dormida.

Atrio de la residencia del gobernador de Panonia Superior

Julia encontró al médico, que salía de la habitación contigua a la de su hermana.

—La niña descansa —dijo Galeno.

—Mi hermana también.

—Dormir les hará bien tanto a la una como a la otra —añadió el médico—. Pero en unas horas la pequeña pedirá de comer. Habría que buscar con rapidez un ama de cría entre las esclavas...

—Mi hermana también estaba comentándomelo. El parto se ha adelantado y nos ha sorprendido sin ama de cría, pero me ocuparé de que el asunto se resuelva en seguida.

—Perfecto. Eso simplificará todo. —El médico calló unos instantes.

Con otra familia, el asunto de encontrar un ama de cría le habría inquietado más, pero no si la decidida esposa del gobernador se ocupaba de ello. Algo había en el tono con el que hablaba aquella mujer que no dejaba margen para dudar de sus afirmaciones. Galeno miró a su alrededor: los esclavos disponían todo lo necesario para la comida a la que asistiría el propio gobernador.

—Creo que mi presencia ya no es necesaria —dijo—. Con

el permiso de la señora, me retiro. Hay que vigilar que ni la madre ni la hija tengan fiebre. Si eso ocurriera, estaré en el *valetudinarium.*

Galeno se inclinó ante la esposa del gobernador e iba a marcharse cuando la mujer se dirigió de nuevo a él.

—Gracias. Tu presencia, soy consciente de ello, ha sido muy importante hoy. Sé que el parto no ha sido sencillo.

—Bueno, los he visto más complicados —se permitió decir Galeno.

—No lo dudo, pero para mí el parto importante era este. ¿De verdad que César, el primer césar de todos, no nació de esa forma, cortando el vientre de su madre?

—No, nunca. El propio Julio César se pasó toda la vida explicando que su nombre venía de que un antepasado suyo había matado a un gran *caesai,* un gran elefante según la lengua púnica o algún otro idioma del norte de África, en la primera o segunda guerra entre cartagineses y romanos. Y de *caesai* pasaríamos a *Caesar.* A lo que se ve, las explicaciones de Julio César se vieron superadas por la creencia popular y se sigue atribuyendo su nombre, erróneamente, a esa operación que nunca pudo tener lugar con su madre. Y hay más explicaciones sobre el origen del nombre de César, pero ese es un tema que me aburre un poco. Por otro lado, retomando el asunto médico de la cesárea, como decía antes, esta es una operación que solo se puede hacer si la madre ha muerto. Cortar el vientre es una barbaridad absoluta. Incluso si hubiera forma de poder hacerlo con seguridad de que se puede volver a coser a la madre y que no va a sufrir infección alguna, no lo aconsejaría. Si algo he aprendido en más de cuarenta años ejerciendo la medicina, es que lo mejor es siempre que la naturaleza siga su curso. Ayudar a ello es buena idea. Intentar modificarla es peligroso.

—Pero a veces se hacen operaciones, para curar heridas de lucha, de guerra —contrargumentó Julia, encantada de tener una conversación inteligente con alguien que no estuviera mirándola embebido por su belleza, sino con una persona que, pese a su sabiduría evidente, la consideraba una digna interlocutora.

—En ese caso, cuando hay una herida, pongamos por una

lanza, somos nosotros los que hemos alterado la naturaleza y entonces intervenimos para intentar recomponer lo que hemos roto: cauterizar las venas, coser la piel...

Pero aquí Galeno se quedó en silencio, mirando al suelo, meditando.

—Cortar además la piel del vientre de una mujer embarazada —continuó Julia, aprovechando la distracción del médico—, ahora que lo pienso bien, es como cortar cualquier piel y eso es algo prohibido. No lo he considerado cuando te lo he pedido.

Galeno levantó la cabeza de inmediato, casi como enfadado.

—Sí, sí. Cortar la piel es sacrilegio para muchos.

Julia percibió que con aquel «para muchos», Galeno subrayaba que él no lo veía así.

—¿Y no es siempre sacrilegio? —preguntó Julia, cada vez más interesada por el devenir de la conversación.

—Bueno, es una barbaridad si la intervención para la que se corta la piel va a terminar con la vida del paciente, como en el caso que me planteaba la señora, pero en otros casos... —Galeno dudaba; continuó con tiento—. En general, son mayoría los que creen que cortar la piel en cualquier circunstancia es sacrilegio. Desde Filino de Cos es lo que opina la mayoría, eso creen en Grecia y también en Roma, y sí, está prohibido cortar la piel incluso de los muertos, pero yo... —Aquí volvió a callar.

—Tú piensas diferente —dijo Julia, terminando la frase inconclusa del médico—. Tú piensas que cortar la piel de los muertos puede estar bien; lo que no entiendo es ¿para qué? ¿Qué sentido puede tener seguir operando sobre alguien que ya está muerto, a no ser que sea una mujer embarazada, para sacar a su hijo aún vivo, como en la cesárea con la que hemos empezado toda esta conversación? Eso lo entiendo, pero ¿operar sobre un muerto? Dime, Galeno, ¿para qué?

Elio Galeno de Pérgamo se puso muy serio y muy firme ante Julia Domna.

—Para ver, mi señora, para ver.

—¿Para ver qué? —insistió ella sin entender.

—Para verlo todo..., para ver... —Pero de pronto entraron más esclavos, entre ellos Calidio, que anunció la llegada del gobernador en pocos minutos.

Julia asintió mirando al *atriense* un instante.

—¿Decías? —preguntó ella al médico, volviéndose de nuevo hacia él, invitándolo a que continuase, pero Galeno no tenía muy claro cuál era la apertura de miras de Septimio Severo sobre aquel delicado asunto de la disección de cadáveres, y la inminente llegada del gobernador no parecía el mejor momento para seguir con el tema. Aunque vital para él, defender la necesidad de cortar la piel de los muertos podía suponer una acusación criminal contra su persona. No conocía aún a los miembros de aquella familia lo suficiente como para saber hasta dónde podía llegar con sus peticiones.

—Creo que es mejor que me retire, señora.

—De acuerdo. Retomaremos esta interesante conversación otro día —respondió Julia—. Me has servido bien ya en dos ocasiones, Galeno: primero trayendo el mensaje para mi marido y ahora ayudando en el parto de mi nueva sobrina. Sé que prometí que tendrías todo lo que necesitaras para recomponer la biblioteca imperial, tanto tiempo como dinero. Y lo tendrás. —Y, de forma inesperada para el médico, Julia Domna, serena, casi plácida, añadió unas palabras que, sin embargo, eran de alto contenido para él—: Más allá de eso, de ayudarte a recomponer la biblioteca imperial, no te prometí nada. Hay asuntos que quedan fuera de mi poder. Pero es interesante pensar sobre lo que sugieres.

Galeno hizo una larga reverencia de reconocimiento. Parecía que aquella joven mujer entendía mucho más de lo que uno pudiera pensar a primera vista. Sí, sería interesante retomar aquella charla con la esposa del gobernador si había ocasión. Galeno iba a salir ya sin más, pero no pudo evitar hacer un pequeño comentario originado en su mente ante el aplomo con el que Julia hablaba de la biblioteca del palacio imperial como si fuera ya la biblioteca particular de la familia Severa y no la del emperador de Roma.

—Agradezco esas palabras, todas, las referentes a la biblioteca imperial y las otras, pero con relación a la biblioteca en cuestión, mi señora olvida que en el palacio imperial de Roma hay ya un emperador y que quizá debiéramos hablar con él antes para que se me permita hacer lo que se me ha prometido.

Fue ahora Julia Domna la que se puso muy seria en la respuesta, tanto como antes lo había hecho Galeno a la hora de referirse al asunto de las disecciones prohibidas.

—El hecho de que actualmente haya un emperador en el palacio imperial de Roma que no sea de mi familia es algo que, como es lógico, se tendrá que corregir para que pueda cumplir con las promesas dadas a Galeno.

El médico se quedó inmóvil. Nunca hasta ese momento había percibido la auténtica dimensión de la ambición de Julia Domna.

—Tú eres el experto en medicina —apostilló la hermosa esposa de Septimio Severo—, pero en el ámbito de la lucha por el poder, soy hija de reyes y la mujer de uno de los tres gobernadores más poderosos del Imperio; además, estoy destinada a ser esposa de un rey, eso predijo el oráculo en Emesa, mi ciudad natal. Estoy enamorada de mi marido y él de mí, así que para conseguir lo predicho por los augurios no se trata de que cambie de esposo sino de cambiar de emperador, ¿no crees? Deja que en estos asuntos de palacios imperiales sea yo quien opine. A cambio, en medicina yo no discutiré nunca más tu criterio.

A Galeno le pareció muy pertinente la matización. Hizo una reverencia y, sin decir nada más, salió de la residencia del gobernador de Panonia Superior. En su mente ya se formaba una idea con claridad: Julia no era solo una mujer hermosa. Era mucho más. Cuánto de imprudencia y cuánto de audacia había en sus palabras era algo que solo el tiempo determinaría, pero a Galeno, por primera vez en su vida, le entró curiosidad por saber qué pasaría en un asunto, el control de poder de Roma, que no tenía que ver con la medicina. ¿O también la ciencia de Asclepio tendría algo que decir en esa lucha por dominar el Imperio?

El esclavo *atriense* de la familia Severa estaba ya situado tras el médico para conducirlo a la puerta de salida de la *domus*.

—No, Calidio —dijo Julia Domna mirando a su sirviente—. El médico conoce la salida. He de hablar contigo.

Galeno volvió a hacer otra reverencia y, en efecto, se encaminó hacia la puerta sin acompañamiento alguno, distraída su mente en aquellas preguntas que se hacía sobre el devenir del

Imperio y el posible papel que aquella hermosa e inteligente mujer pudiera desempeñar en el futuro próximo.

—¿En qué puedo servir a mi señora? —preguntó Calidio una vez que se quedó a solas con su ama.

—Necesito un ama de cría. El nacimiento de mi sobrina se ha anticipado con el viaje, como ya sabrás.

Calidio asintió. Parpadeó varias veces.

—No tenemos una esclava que haya parido recientemente.

Julia se sentó con sosiego en uno de los *triclinia*, aún sin recostarse. Se alisó la túnica y miró un instante al esclavo.

—No te he preguntado sobre las esclavas que tenemos o no tenemos —dijo con seriedad—. Te he dicho que necesitamos un ama de cría y la necesitamos aquí en pocas horas. La niña tendrá hambre pronto.

Calidio volvió a asentir. Empezó a pensar con mucha rapidez, casi habló según se formaban sus ideas.

—Carnuntum es grande, mi señora, y habrá un mercado de esclavos. Puedo ir ahora mismo y buscar un ama de cría...

—Buscar no, Calidio. Encontrar —le corrigió Julia manteniendo el tono serio.

—Sí, mi señora, por supuesto —aceptó Calidio—. Necesitaré dinero.

—Desde luego.

Julia se levantó y fue a su habitación, donde tenía el cofre con el dinero que se había llevado para aquel viaje.

Calidio se quedó en el atrio meditando. ¿Y si no encontraba ninguna esclava en venta que hubiera dado a luz hacía poco? Eso no era una opción. Mejor no considerarlo. Carnuntum, en efecto, era una ciudad grande que tenía un mercado de esclavos importante...

Julia retornó e hizo entrega a Calidio de cinco pequeños saquitos con monedas.

—Mil sestercios —dijo la esposa del gobernador—. En cada saco hay doscientos. Entiendo que será más que suficiente. En todo caso, negocia con el mercader y que este te acompañe aquí, donde se le pagará el precio que acordéis si es que fuera superior. Confío en ti para negociar un precio razonable, *et caetera*. Ahora márchate. Te espero aquí antes de que anochezca.

Que te escolten media docena de legionarios. Si necesitan confirmación de esta orden, que el *optio* venga a verme.

Calidio cogió el dinero y no dijo nada más.

No había nada que decir.

Solo hacer.

Julia, entretanto, se quedó sola en el atrio de la residencia del gobernador de Panonia Superior. El debate sobre cortar la piel de los cadáveres o el asunto del ama de cría ya parecían triviales en su cabeza. Ahora en lo que pensaba era en borrar aquella miserable sonrisa que aún en vida de Cómodo se había dibujado en la faz de tres mujeres romanas: Scantila, la esposa de Didio Juliano; Mérula, la de Pescenio Nigro; y, por encima de todo, la de Salinátrix, esposa de Clodio Albino. Pero tendría que ir paso a paso. Sí, ella había ido a Carnuntum, pero aquello era solo una maniobra para, un día, de nuevo, regresar a Roma.

Julia no era de perdonar.

Tampoco olvidaba.

Nunca.

XXIII

EL IMPERIO DE JULIANO

Palacio imperial, Roma
Abril de 193 d. C.

—¿Cómo que se te ha escapado? —La pregunta del emperador Didio Juliano resonó potente en la inmensa Aula Regia del palacio imperial. En su trono se sentaba el tercer emperador que presidía una reunión en aquella sala de audiencias en menos de cuatro meses: primero Cómodo, después Pértinax y ahora Juliano—. ¿Y se puede saber cuándo pensabas decírmelo, imbécil? ¿Acaso sabías esto antes de la subasta organizada por los pretorianos? ¿O esperabas a que tuviera las legiones de Severo a las puertas de la ciudad para decírmelo?

La voz retumbó entre otras cosas porque apenas había nadie en el interior de la gigantesca sala: Juliano, sentado en el gran trono, algo a lo que le había cogido gusto en poco tiempo; Aquilio, el jefe de los *frumentarii*, que acababa de informar sobre la salida de Julia Domna de Roma; y un puñado de pretorianos repartidos por diferentes puntos de la sala. Quinto Emilio no se encontraba allí. Estaba tomando un baño en las grandes termas de Trajano y el emperador había aprovechado para departir con el jefe de la policía secreta, su hombre de confianza, del que, lamentablemente, estaba descubriendo que no era infalible.

—No dispongo de hombres armados para combatir, augusto —se excusaba Aquilio por no haber podido impedir que Julia Domna escapase—. Solo puedo vigilar e informar. Consigo datos y los paso al emperador, pero el augusto anterior, Pértinax, no prestó atención cuando le comuniqué que las mujeres de los gobernadores más importantes eran valiosos rehenes que había que tener controlados en todo instante por hombres armados. La guardia... —Miró de reojo a los pretorianos presentes que podrían oír algo y, aunque fueran hombres seleccionados personalmente por el jefe de la policía secreta, podría haber alguno fiel a Quinto Emilio entre ellos que no hubieran identificado; nunca estaba de más extremar la cautela; continuó en voz baja—: Para cuando huyó Julia Domna, la guardia estaba en otros asuntos y Pértinax trasladó a los *vigiles* a palacio para protegerse, aunque luego ni siquiera los empleó en el momento clave. Yo no tenía forma de retener a la esposa del gobernador de Panonia Superior por la fuerza... Y... me he enterado solo hace unas horas de esto —concluyó con una mentira.

¿Qué importaba que lo hubiera sabido hacía semanas? Juliano había estado obsesionado con las estrategias de poder de Pértinax primero, con la subasta después y luego con asegurarse el control de los pretorianos como para poder hablar con él de nada que no tuviera que ver con aquello. Por otro lado, a fin de cuentas, Aquilio no entendía por qué tanta preocupación por una mujer. Aunque Severo hubiera sacado a su esposa de Roma, había otros familiares y amigos suyos en la ciudad...

—De acuerdo, de acuerdo... —dijo Juliano—. Julia Domna está ahora fuera de nuestro alcance. Imagino que se llevó a sus hijos.

—Sí, augusto.

Juliano se reclinó en el trono imperial.

—¿Y las esposas de Clodio Albino y de Pescenio Nigro? —preguntó, intentando acomodarse entre los cojines que se habían dispuesto en aquella gran *cathedra* de poder.

—La mujer y los hijos de Pescenio están localizados. Siguen en su residencia. Y Salinátrix, sus hijos y el resto de la familia de Clodio Albino también —confirmó Aquilio.

—Bien, por Júpiter. Tenemos entonces las legiones de Britania y las de Siria y, seguramente, todo Oriente, bajo control. Solo hemos de preocuparnos de ese maldito africano de Septimio Severo y sus legiones del Danubio.

—Así es, augusto.

—Bueno. —Juliano inspiró aire y juntó las yemas de los dedos mientras hablaba él ahora en voz muy baja, tanto que Aquilio se vio forzado a acercarse más al trono imperial—: Queda el asunto pendiente del que hablamos.

El jefe de la policía secreta asintió a la vez que respondía, también en un susurro:

—Esta misma tarde, augusto, me ocuparé de ello y esto lo haré en persona.

—Mejor. ¿Y tenemos los sustitutos elegidos?

—Sí, augusto. Hombres de toda confianza. Llevan colaborando conmigo desde tiempos de Cómodo. Son veteranos. Sabrán manejar al resto de pretorianos.

—Procede —dijo Juliano.

Aquilio se inclinó, dio media vuelta y empezó a alejarse del trono imperial de Roma cruzando la inmensa Aula Regia.

El emperador se quedó pensativo. Lo de Julia había sido un traspié en su plan de controlar absolutamente todos los resortes del poder de Roma, pero era solo un pequeño problema. Con la guardia pretoriana bien segura, leal a su dinero, y con Britania y las legiones de Oriente controladas, Septimio no se atrevería a nada. Juliano se permitió una sonrisa. Esa noche pensaba celebrar un gran banquete. Tenía derecho a disfrutar de los privilegios de ser emperador de Roma.

Se levantó del trono imperial y bajó el par de peldaños de la tarima de mármol que lo elevaba por encima del resto del suelo de la gran Aula Regia, esto es, por encima del resto del mundo. Dio unos cuantos pasos. Se detuvo con la frente muy arrugada. El Senado tampoco le era favorable. Los *patres conscripti*, los conocía bien, preferían a Clodio Albino o a Pescenio Nigro.

Pero a su mente regresó el nombre de Severo.

No, Severo se estaría quieto.

—Septimio no se atreverá —repitió en voz baja y negó con la cabeza—. No, no se atreverá —insistió, como si al decirlo varias veces aquello que temía resultara cada vez más improbable.

XXIV

EL MERCADO DE ESCLAVOS

Carnuntum, Panonia Superior
Abril de 193 d. C.

Calidio salió del campamento militar y entró en la ciudad de Carnuntum. Deambuló un rato por sus calles hasta llegar al anfiteatro del centro. El *atriense* lo definía así para diferenciarlo del anfiteatro militar del campamento legionario. El anfiteatro de la ciudad era un emblemático edificio con capacidad para más de diez mil espectadores, según le habían comentado otros esclavos en una conversación en las cocinas de la nueva residencia de su ama. Era evidente que aquella ciudad era muy importante. Quizá tuviera cincuenta mil habitantes. Quizá algo más. A él se le antojaba sorprendente estando en los confines del Imperio, en un territorio fronterizo tan complicado, con los marcomanos, los cuados y otras tribus germanas al norte del río amenazando atacar. No era un peligro imaginado, sino real: no hacía ni veinticinco años que los marcomanos, en tiempos del divino Marco Aurelio, habían invadido toda la provincia y llegado hasta Aquileia, a orillas del Adriático. El gran emperador los hizo retroceder. De eso había oído hablar Calidio a menudo. Debió de ser una gran guerra, pero una guerra que terminó con la peste en las calles de Roma, llegada a hombros de las tropas desde las regiones donde se combatía, donde parecía que había empezado la terrible enfermedad. Fueron tiempos oscuros. Mas todo eso no eran asuntos que le preocuparan ahora. Él tenía otras urgencias.

—Es allí —dijo un legionario señalando una explanada próxima al anfiteatro.

Calidio asintió. Sin duda, Carnuntum era tan grande porque constituía la base de la legión XIV *Gemina*.

—Sí, es allí seguro —le confirmó otro legionario.

La media docena de soldados que lo acompañaban y el propio Calidio se encaminaron hacia allí. Un gran gentío se congregaba en torno a unas tarimas de madera sobre las que permanecían desnudas varias personas. Esa era la costumbre: exhibir sin nada de ropa a los esclavos en venta para que el comprador pudiera asegurarse de cómo eran y examinar la mercancía al detalle antes de adquirirla. Un cuerpo desnudo no podía ocultar malformaciones o carencia de musculatura, una herida o cualquier otro defecto que incidiera sobre el valor del esclavo.

Calidio frunció el ceño: había bastantes más esclavos de lo que pensaba. Le pareció raro, porque llevaban tiempo en paz con los marcomanos y había de todo, no solo niños. Encontrar pequeños tendría más sentido, y saldría más barato, eso lo sabía bien, porque serían hijos de padres esclavos y, en consecuencia, esclavos también que sus propietarios podían vender. Pero allí se veía hombres jóvenes, mayores, mujeres de diferentes edades...

Calidio pasó por delante del espacio donde se vendían niños y niñas. Los vio tiritando de frío en medio de aquel abril agreste y nublado del Danubio. Algunos tosían. Pasó de largo. Su objetivo era otro.

Los legionarios que lo escoltaban miraban a un lado y a otro con curiosidad. No buscaban nada concreto porque el que sabía qué debía comprarse para la familia del gobernador era el *atriense* al que escoltaban. Intuían que se trataba de algo muy específico, porque el sirviente del gobernador avanzaba con rapidez por los callejones entre los estrados, mirando a todos los esclavos, pero sin detenerse en ninguno.

Calidio, por su parte, empezaba a desesperarse. No había tantas mujeres como había pensado en un principio y la mayoría eran viejas, de por lo menos treinta años o más. Necesitaba una chica joven y que hubiera tenido un bebé hacía poco tiempo. Pero tampoco veía ninguna con una criatura en los brazos. Podrían haberles quitado los bebés a las jóvenes durante la venta. Podría ser. Calidio se concentró en mirar los pechos. Necesitaba unos grandes, llenos de leche. Sabía que no podía regresar sin el asunto solucionado. El ama Julia Domna había sido muy clara en cuanto a lo que necesitaban. Calidio sabía que era para la niña que acababa de nacer en la casa de sus señores... En caso de no encontrar él nada, seguramente, la hermana de la señora daría ella misma de mamar a la recién nacida, pero eso no era lo que deseaban ni, a lo que se veía, era la costumbre en la familia aristocrática siria de la que provenían el ama y su hermana, así que más le valía conseguir lo que se le había pedido. Vio entonces una tarima con varias mujeres desnudas, algunas más jóvenes.

Se detuvo.

Se acercó.

Un hombre de treinta y largos, alto, con lo que quizá había sido un uniforme militar en algún momento, se dirigió a Calidio.

—¿Te interesa algo? —le dijo con cierto aire de superioridad, pues podía ver que su interlocutor no era nadie poderoso. No sabía si era esclavo de una familia rica o un liberto, aunque la escolta militar que lo acompañaba revelaba a las claras que acudía enviado por alguien relevante en la ciudad.

—Esas mujeres —dijo Calidio.

—Ah. —Y el traficante sonrió—. Buscas una jovencita para tu señor, ¿verdad?

—Lo que busco no es asunto tuyo —respondió Calidio desafiante.

Aquel hombre le asqueaba. Las muchachas estaban no ya desnudas, sino mal cuidadas, heladas de frío no solo por la falta de ropa sino también por la carencia de alimento. Pese a todo se las veía aún con cierto atractivo porque eran muy jóvenes y debían de llevar poco tiempo en manos de aquel animal. Calidio había recorrido muchos mercados de esclavos en Roma y otras ciudades, siempre en busca de sirvientes para sus amos, y había visto cómo el buen mercader cuidaba la mercancía, no ya por interés afectivo hacia los esclavos en venta, sino aunque tan solo fuera porque un esclavo con buen aspecto físico se vendía mejor. Aquel engreído era, además de un miserable, un pésimo comerciante.

—No consiento que un liberto o, peor aún, un esclavo se dirija a mí de ese modo —replicó este con claro tono de desprecio y fastidio ante la altanería de Calidio—. Vete de aquí o llamaré a...

—¿Llamarás a quién? —preguntó Calidio sin mirarlo y aproximándose a la tarima para ver más de cerca a las muchachas desnudas. Un par de ellas tenían senos bastante grandes, pero era difícil saber más sin tocar.

—Como que me llamo Turditano, que puedo hacer que te echen del mercado. Conozco a los soldados que patrullan aquí y en la frontera. Tu escolta no me impresiona. Seguro que ellos no quieren problemas con otros legionarios por un cretino como tú —insistió el traficante, que no se dejaba amedrentar.

Calidio suspiró. Se tragó todo su orgullo. Un esclavo nunca podía exhibirlo mucho. Lo primordial era lograr el objetivo por el que se le había enviado allí.

—No hemos empezado bien —dijo con tono más conciliador—: Mi nombre es Calidio y es cierto que soy esclavo. Soy propiedad del gobernador de la provincia y mi misión es adquirir una joven. Mi amo paga bien.

Turditano siguió un instante con el rictus serio. Luego borró de su faz el fastidio y ofreció una sonrisa de dientes escasos. Puede que no tuviera un gran espíritu comercial, pero la posibilidad de conseguir un buen dinero siempre le era grata.

—Ya lo decía yo. Buscas una jovencita para el amo. Bien, aquí las tengo yo. Muy apetecibles, pero te advierto que te costará muchos sestercios, porque soy el único que las tiene tan jóvenes y tan hermosas. Aquí ese género escasea y mañana van a venir a verlas mis amigos que llevan los mejores burdeles de Carnuntum. Las tenía reservadas para ellos. Tendrás que ofrecerme mucho para que me merezca la pena desairarlos diciendo que una de las que les tenía prometidas ha sido ya vendida. Pero, por Hércules, el dinero no debe de ser un problema para el gobernador, ¿verdad?

—El dinero no será un problema —confirmó Calidio rotundo—, pero necesito que la joven tenga leche. Ha de dar de mamar. Y no sé si alguna de estas ha tenido un niño hace poco o si lo tiene aún.

Turditano se quedó parpadeando unos instantes. Aquella era una petición inesperada. Nunca antes había vendido una mujer como ama de cría.

—Se adelantó el parto de tu ama, ¿cierto? —inquirió Turditano—. Solo así se entiende que alguien tan poderoso no hubiera tenido este asunto resuelto.

—Algo así —respondió Calidio, pero sin dar más información.

—Bueno —continuó Turditano, subiendo a la tarima por una pequeña escalera de madera que había en un extremo del estrado—. Esta de aquí tuvo un niño hace poco. —Y se acercó hacia Lucia, que permanecía desnuda, temblando de frío, en pie, cubriéndose como podía los pechos y sus partes más íntimas con las manos de piel aceitunada como correspondía a su origen del sur de Italia, aunque hubiera sido apresada al norte del Danubio.

—¿Tiene leche? —insistió Calidio—. Solo me interesa si puede amamantar.

—Oh, sí, tendrá seguro. El niño ha muerto apenas hace unos días. Mira estos pechos, están llenos. —Golpeó con el dorso de la mano los brazos de la joven de forma que Lucia dejó sus pechos descubiertos. Turditano apretó uno de los senos brutalmente. La muchacha aulló de dolor y se encogió. El otro le tiró del pelo para erguirla de nuevo. Había lágrimas en los ojos de la joven y unas gotas de leche blanca en la aureola del dolorido pecho—. Tiene mucha leche. Yo no miento en los negocios.

A Calidio no se le escapó aquella precisión. Seguramente en todo lo demás mentía todos los días varias veces y, con toda probabilidad, en los negocios también, pero eso a él no le importaba demasiado. La cuestión era que había encontrado una joven que, una vez limpia, podría tener buena presencia, y tenía dos senos cargados de leche. Eso le resolvía su problema. Y en el tiempo justo. El sol empezaba a ponerse tras los bosques del Danubio. Quedaba, no obstante, el espinoso asunto del precio.

—Te doy seiscientos sestercios por ella.

—¿Seiscientos sestercios? —exclamó Turditano indignado, al tiempo que soltaba el cabello de Lucia y la empujaba hacia atrás—. Pero ¿tú crees que estoy loco? Por Hércules, puedo sacar cinco veces ese precio con los dueños de los burdeles.

—No, eso no es cierto —contrapuso Calidio con frialdad, sin dejar de mirar hacia la muchacha. Había algo en los ojos de la chica, más allá de las lágrimas, que lo intrigaba.

—Seiscientos sestercios —repitió Calidio—. Es una buena oferta. Un hombre adulto en Roma cuesta en torno a los dos mil sestercios dependiendo de su musculatura. Desde luego nunca más de seiscientos o setecientos denarios. Una mujer vale mucho menos, eso lo sabemos todos. Seiscientos sestercios es un buen precio para una joven en Roma y no creo que se pague más aquí que en la capital de Imperio.

Turditano frunció el ceño.

—Pues aquí las esclavas jóvenes escasean —se defendió—, por eso los precios son más altos. Cuanto menos hay de algo, más caro cuesta. Eso lo saben hasta los esclavos que compran para sus amos. —Y se permitió otra sonrisa mientras añadía presión a Calidio—. Además, tú no buscas una ramera para el amo, sino un ama de cría. Eso es más urgente cuando hay necesidad y no vas a encontrar muchas más en el mercado, jóvenes como ella y sanas. Si la quieres, son dos mil sestercios.

Calidio tragó saliva. El mercader había dado con su punto débil. Era cierto que necesitaba a aquella ama de cría y la precisaba ya mismo. La niña ya tendría hambre. Que la hermana del ama se viera forzada a dar de mamar ella misma no agradaría a la señora...

Calidio inspiró y se sorbió los mocos. Aquel ambiente húmedo del río lo estaba resfriando.

—¡Yo no soy esclava...! —empezó a gritar Lucia desde detrás de Turditano, pero este se revolvió con fuerza y la golpeó en la cara haciendo que cayera al suelo.

—Cállate —le espetó, y a punto estuvo de darle una patada cuando Calidio volvió a hablar.

—Si la golpeas más, no me interesará. ¿Cómo se llama?

—Ansa es su nombre —dijo Turditano utilizando uno claramente germano.

Pero Lucia no se resignaba a ser vendida como esclava. Allí había soldados con aquel esclavo que la quería comprar. Tenían que oír lo que pasaba. En aquel momento se olvidó de la violación de Opelio, el *optio* de la frontera.

—Mi nombre no es Ansa, sino Lucia, y soy de Italia. —Hablaba a toda velocidad, tanto que le dio tiempo a decir muchas cosas antes de que Turditano estuviera a su lado dispuesto para golpearla de nuevo, esta vez con más saña si era necesario para que callase—. Mi familia y yo éramos colonos traídos al norte del Danubio y este hombre nos apresó; mataron a mi padre, a mi madre, mi niño ha muerto por el frío y...

El brazo de Turditano ya estaba en alto y el golpe perfectamente pensado: en el rostro para dejarla sin sentido, pero Calidio gritó:

—¡De acuerdo, dos mil sestercios!

El brazo inclemente frenó en seco. Solo el dinero podía conseguir algo así. Turditano se controló. Plegó el brazo con el que iba a golpearla y, en su lugar, le escupió en la cara.

—Dame el dinero y llévate a esa maldita zorra —le espetó, al fin, el traficante.

Calidio sacó dos de las cinco bolsas llenas de monedas que portaba consigo y se las lanzó a Turditano, que las cogió en el aire con ambas manos, soltando así a la esclava. El *atriense* de la familia Severa aprovechó para tirar de Lucia y ponerla a su lado. Podría haberle dado las cinco bolsas, pero aquel miserable le causaba repulsión y tenía claro que no merecía ni tan siquiera una de las bolsas. Así que, ya puestos a no pagar los dos mil, por qué no pagar incluso menos.

—Vamos —le dijo de forma ruda.

—Estoy desnuda —protestó ella.

Calidio extrajo una túnica del saco grande que llevaba consigo y se la pasó. Siempre llevaba túnicas limpias cuando salía a comprar esclavos, pues la ropa de estos solía estar terriblemente sucia y sería inapropiada para entrar con ella en casa de sus amos.

—Póntela y vámonos.

Pero aquella operación los detuvo un momento que Turditano utilizó para contar las monedas.

—Eh, tú —dijo mirando a Calidio y haciendo ademán de llamar a los soldados que vigilaban el mercado—. Aquí solo hay cuatrocientos sestercios.

—Cuando quieras te pasas por la residencia del gobernador, en el campamento militar, y reclamas el resto —le replicó sin arredrarse lo más mínimo. La escolta que le había puesto Julia le daba seguridad. Además, él sí estaba convencido de que aquellos legionarios lo defenderían en el supuesto e improbable caso de que los soldados del mercado decidieran intervenir por las quejas del traficante. Esa confianza le hizo añadir algo—: Pero que sepas que si te veo acercarte por allí, informaré al gobernador sobre la forma dudosa que tienes de conseguir esclavos.

Turditano lo maldijo una y mil veces y lo llamó ladrón y miserable, pero no se atrevió a reclamar nada a los legionarios que patrullaban la zona ni, por supuesto, a acercarse luego al palacio del gobernador de Panonia Superior. Teniendo en cuenta el origen oscuro de Lucia como esclava, no parecía prudente. Tenía más que perder que que ganar si la muchacha insistía ante el propio gobernador que ella había sido capturada ilegalmente. Si no acudía a reclamar, el propio esclavo comprador de la misma se ocuparía de que la muchacha callara. Cómo lo hiciera le daba igual. Era evidente que necesitaba un ama de cría con urgencia. Mejor no inmiscuirse en los asuntos del palacio del gobernador.

Calidio echó a andar tirando del brazo de la muchacha.

Ella aún se resistía y se quejaba.

—Pero no soy esclava, no lo soy...

Calidio se frenó un instante y le habló a la chica con voz serena. Tenía claro cómo hacerla callar para siempre con aquel asunto de si era o no esclava y, por supuesto, sin darle golpe alguno. Solo con la maldita realidad del mundo. Ella le había estado contando los detalles de su captura. Calidio tenía más que suficiente para hacerla reflexionar.

—Sin ser esclava han matado a tu padre y a tu madre, ha muerto tu hijo, según has contado, y supongo que te habrán pasado más cosas terribles. Créeme, como esclava en casa del gobernador vivirás mejor. Piénsalo bien antes de seguir diciendo por todas partes que no eres esclava.

Lucia parpadeó varias veces.

—Bien, vamos allá —dijo Calidio, y volvió a tirar del brazo de la muchacha.

Lucia aún oponía algo de resistencia, pero cada vez menos.

XXV

UN SEGUNDO EMPERADOR

Residencia del gobernador en Carnuntum,
Panonia Superior
9 de abril de 193 d. C., hora sexta

Septimio Severo se presentó ante su esposa en el atrio del *prae-torium* con su uniforme de gala, limpio, con el *paludamentum* militar trabado con hebillas de oro, la coraza reluciente, las sandalias cosidas con cuero nuevo escogido expresamente para la ocasión. Los esclavos habían salido. Estaban solos.

—¿Estoy bien? —preguntó él.

—Estás imponente, más viejo que cuando te conocí en Emesa y con el pelo más blanco, pero imponente —respondió ella con una sonrisa.

—Pero sigo bien fuerte —replicó él mirándola a los ojos—, como pudiste comprobar anoche.

Ella no se sonrojó lo más mínimo.

—No estuvo mal —continuó divertida, y más cuando lo vio apretar los labios con rabia.

—¿Que no estuvo mal? —repitió con aire de indignación.

Ella se echó a reír.

—Para hacer lo que vas a hacer habrás de tener más seguridad en ti mismo a partir de ahora —apostilló Julia y volvió a reír.

Él se relajó y suspiró. Ella tenía razón y, además, era tan hermosa... E inteligente. Eso lo tenía claro: primero, su mensaje con la idea de que ella debía salir de Roma, por su intuición sobre el malogrado destino de Pértinax, y, luego por su presencia ahora allí, con los niños a su lado, que posibilitaba lo que él estaba a punto de hacer.

Septimio se acercó a su esposa. Se detuvo apenas a un paso.

—Ya no habrá marcha atrás —dijo y la miró fijamente a los ojos.

Ella pudo leer la duda aún marcada en su rostro. Se inclinó hacia él y lo besó con dulzura en los labios, primero, y, acto seguido, con pasión. Luego despegó sus labios, pero siguió bajo el abrazo con el que él la había acogido.

—No, no habrá marcha atrás, gobernador —respondió ella.

—Si sigo adelante, esta será la última vez que me llames así. De hecho, es la última vez que alguien se dirigirá a mí de esa forma. Todo cambiará.

—Pero yo podré seguir llamándote las cosas que te llamo cuando estamos juntos por las noches, ¿verdad? —preguntó ella, y puso esa cara de niña pequeña pícara y caprichosa que a él tanto le gustaba.

—Eso siempre, Julia.

—Entonces, vamos allá. —Lo cogió de la mano y tiró de él hacia la puerta del *praetorium*—: Leto y Cilón y el resto de tribunos y todas las tropas esperan.

Sin embargo, él se frenó en seco. Julia se volvió hacia su esposo.

—Dime —dijo ella con voz dulce.

Pero Septimio Severo callaba.

Ella lo vio allí detenido, en silencio, con la faz seria, y se situó a su lado unos instantes.

—Vamos —insistió Julia, al fin—. Tus legiones esperan.

Y entrelazó los dedos en los suyos para, despacio, con suavidad, tirar de él.

Septimio Severo se dejó llevar de la mano de su esposa, de la mano de la historia.

Anfiteatro del campamento fortificado de Carnuntum, Panonia Superior

Los niños estaban sentados en las pequeñas sillas dispuestas para ellos junto a un *solium* vacío que, en unos instantes, ocuparía su madre. Se hallaba en el centro del palco de aquel gigantesco anfiteatro militar con capacidad para más de cuarenta mil espectadores, casi tan grande como el Anfiteatro Flavio de la mismísima Roma. Decían que la arena era tan espaciosa como la del Coliseo romano. Basiano y Geta estaban pasmados ante el imponente desfile de tropas que acababan de presenciar. Los cinco mil legionarios regulares de la legión XIV *Gemina* estaban ya perfectamente formados en la inmensa explanada ovalada de arena que se estaba quedando pequeña por momentos, pues a estas cohortes se unían diferentes unidades de las tropas auxiliares y, por si fuera poco, también habían llegado a Carnuntum esa misma mañana varias *vexilationes* de las otras dos legiones de la provincia de Panonia Superior: la X *Gemina* de Vindobona y la I *Adiutrix* de Brigetio.[20] Los que no cabían ya en la arena se estaban distribuyendo por la infinidad de gradas de la *cavea*: la parte inferior de las mismas para tropas y la parte superior, las más alejadas, para todos los ciudadanos de Carnuntum que desearan ver aquel evento que iba a situar a su ciudad, por una vez, en el centro del Imperio. Si lo que iba a ocurrir acarrearía buenas o malas consecuencias era algo que aún estaba por ver, pero la curiosidad aquel día podía con todo lo demás en unos ciudadanos que, de algún modo, llevaban semanas esperando algo así por parte del gobernador de la provincia.

Así, ante los pequeños Basiano y Geta, había más de diez mil hombres armados, firmes, esperando la llegada del gobernador de Panonia Superior. Los legionarios habían dejado un gran pasillo por el que los niños vieron cómo su padre, con su madre junto a él y cogida de su mano, avanzaba hacia una tarima de madera elevada que, con una escalinata también de madera, daba acceso desde la arena hasta el palco del anfiteatro, donde ambos subieron y se situaron cerca de ellos. De esta forma todo lo que ocurriera allí arriba resultaba bien visible para los miles de hombres reunidos en aquel lugar. En el palco, que parecía un improvisado escenario, estaban también dos tribunos, Julio Leto y Fabio Cilón, firmes, con corazas resplandecientes y con los yelmos de combate bajo el brazo izquierdo.

20. Viena en Austria y Szöny en Hungría, respectivamente.

Septimio Severo llegó primero a la altura donde se encontraban sus hijos. Basiano y Geta estaban extasiados de felicidad, de orgullo. Su madre les había explicado lo que iba a pasar. Primero se asustaron, luego entendieron. O, al menos, aceptaron, tras las explicaciones de su madre, que su padre tenía tanto derecho como el que más en el Imperio romano para hacer lo que iba a hacer aquella mañana. Luego solo estaban orgullosos. Mucho. Sin límite.

Julia Domna soltó la mano de su esposo y se sentó en el *solium* junto a los niños. Septimio Severo dedicó una leve sonrisa a sus hijos, les puso la mano en el pelo, primero al primogénito, a Basiano, y luego a su hermano Geta. Acto seguido, se separó un poco de ellos y escoltado por dos docenas de legionarios de la XIV *Gemina* se situó, en pie, junto a sus dos tribunos militares, en el centro del palco del anfiteatro militar de Carnuntum.

Septimio Severo se quedó mirando a la multitud de soldados de las legiones de la provincia que abarrotaban la arena y las gradas. Se hizo un profundo silencio.

El gobernador callaba.

Pensaba.

Roma vivía momentos de infamia. La subasta del trono imperial por parte de los pretorianos había sido la gota que había colmado el vaso para muchos, dentro y fuera de Roma. Solo que dentro de Roma los pretorianos lo controlaban todo bajo las órdenes de Juliano y, fuera de Roma, Pescenio Nigro y sus legiones de Oriente o Clodio Albino y sus tropas de Britania estaban atados de pies y manos porque sus esposas e hijos seguían en Roma. Septimio Severo miró a su mujer. Ella estaba allí con él. El gobernador, muy serio, se volvió hacia Leto y Cilón.

Leto, el tribuno más audaz en el campo de batalla del ejército del gobernador, se agachó y de una *sella* que había a su lado, tomó un gran manto doblado de color púrpura y lo fue desplegando poco a poco. Una vez extendido, brillando al sol del mediodía, lo ofreció al gobernador. Hasta la lluvia del Danubio se había detenido y las nubes se habían dispersado. ¿Por qué?

Los legionarios de las legiones de Panonia Superior no se hacían semejante pregunta. Ellos habrían estado allí firmes, en la arena y en las gradas de aquel anfiteatro, aquel día aunque lloviera o nevara.

Miles de soldados empezaron a gritar.

—*Imperator, imperator, imperator!*

Pero Septimio Severo negó con la cabeza y rechazó el ofrecimiento que le hacía Leto de la púrpura imperial.

—Pero... ¿qué hace, madre? —preguntó el pequeño Basiano. Ella les había dicho la noche anterior que su padre iba a ser proclamado emperador de Roma y ahora iba él... ¿y decía que no quería aceptar?

—Es la *repugnatio* —explicó Julia a sus hijos, pues Geta estaba igual de sorprendido y, por qué no decirlo, de decepcionado que su hermano—. No es correcto en el mundo romano aceptar un nombramiento de esta entidad sin rechazarlo, al menos, una o dos veces.

—¡Ooooooh! —clamaron las más de diez mil gargantas de los soldados reunidos frente al palco del anfiteatro del campamento militar de Carnuntum.

—Julio César también lo hizo —continuó Julia, dirigiéndose hacia los niños—. Cuando se le ofreció una corona real, la rechazó varias veces. De hecho, nunca la aceptó.

—Pero padre aceptará, ¿verdad, madre? —Basiano estaba realmente preocupado. Ya se había hecho la ilusión de que su padre sería nombrado augusto esa misma mañana y que toda su familia sería, desde ese momento, la familia imperial de Roma, los más poderosos de todo el Imperio. Y se había acostumbrado tan pronto a la idea que el solo hecho de que su padre jugara a rechazar el ofrecimiento que le hacían sus oficiales lo tenía muy agobiado.

—Aceptará —dijo Julia en voz alta para tranquilizar a su hijo, pero, de pronto, le vinieron a la mente las dudas que su esposo había manifestado esa misma mañana y repitió, ahora en voz baja, para sí misma, aquella misma palabra—: Aceptará.

Cilón, el otro tribuno, tomó ahora el *paludamentum* púrpura de manos de Leto y lo ofreció por segunda vez al gobernador de Panonia Superior.

Septimio Severo pareció acercarse, como si lo fuera a coger, pero, como si se lo pensara mejor en el último instante, dio un paso atrás y volvió a negar con la cabeza.

—¡Ooooooh! —clamaron de nuevo los miles de soldados allí congregados en señal de tremenda decepción.

Odiaban a muerte a los malditos pretorianos y les había henchido el corazón de ansia la idea de ir a Roma a hacerles morder el polvo a aquellos miserables, que cobraban infinitamente más que ellos cuando llevaban en Roma comiendo y bebiendo trece años sin luchar en todo ese tiempo una sola vez en las fronteras. Además, Pértinax, el emperador asesinado por la guardia pretoriana, había estado al mando de una de las legiones de Panonia en el pasado, de la I *Adiutrix*, representada allí por varias cohortes, y estos hombres tenían una rabia especial contra los pretorianos. ¿Y ahora el gobernador declinaba ser emperador?... Los legionarios de la XIV *Gemina*, la X *Gemina* y la I *Adiutrix*, pese a ser muy conscientes de la costumbre de la *repugnatio*, empezaban a sentirse tan preocupados como los pequeños Basiano y Geta.

Cilón y Leto, esta vez los dos juntos, tomaron una vez más el manto púrpura de la *sella curulis* en la que lo habían depositado tras cada negativa de su superior y, de nuevo, lo ofrecieron a Septimio Severo. El gobernador de Panonia ya no jugó más ni con el ansia de sus soldados, ni con la ilusión de sus hijos, ni con la creciente preocupación de la propia Julia Domna, quien, ante la muy exagerada gestualidad de rechazo de su esposo hacia el manto imperial, también había comenzado a dudar. Pero no... Septimio Severo se dio la vuelta muy despacio, se soltó las hebillas de oro que sostenían su manto militar oscuro y este cayó al suelo. Se quedó inmóvil. Permitió entonces que sus dos tribunos se acercaran por detrás a su persona, lo rodearan con el *paludamentum* púrpura y se lo ciñeran con nuevas fíbulas doradas.

—*Imperator, imperator, imperator!*

Septimio Severo levantó los brazos.

Era su primera aclamación imperial.

El ejército de más de diez mil hombres disminuyó sus gritos. Muchos querían escuchar lo que su emperador, el suyo, el que ellos habían elegido, tenía que decirles, pero otros, cegados por la pasión, seguían con los vítores.

—¡Legionarios de la legión XIV *Gemina*, hombres venidos de las legiones X *Gemina* y I *Adiutrix*, auxiliares, soldados de Roma todos! —gritó Severo—. ¡Escuchadme!

Su voz potente resonó por encima de la algarabía creada por las gargantas de aquellos que aún lo vitoreaban hasta que, al fin, se hizo el silencio.

Septimio Severo dio unos pasos al frente hasta llegar al borde mismo del palco. La púrpura de su nuevo *paludamentum* resplandecía bajo un sol intenso peculiar. Sí, pese a estar allí en el norte, la lluvia diaria común en aquella ribera del Danubio había dado una tregua de unas horas. Las nubes se habían disipado. Ni Septimio ni Julia se preguntaban por qué.

Pero alguien desde lo alto, desde el cielo, quería ver.

Los dioses querían ver.

Júpiter Óptimo Máximo quería ver.

Y Marte, el dios de la guerra, el más interesado de todos, quería ver.

En la tierra, en Carnuntum, el gobernador de Panonia había conseguido por fin el silencio de sus legionarios.

—¡Escuchadme todos! —repitió Septimio Severo con tono fuerte pero más calmado—. ¡En Roma, un miserable ha usurpado el puesto de emperador! ¡Ese infame ha comprado con oro la dignidad imperial! ¡La guardia pretoriana, creada por el divino Augusto para proteger la vida del emperador y de la familia imperial y para preservar el orden en la ciudad de Roma, permitió primero que se asesinara a Cómodo y luego formó parte en la conjura mortal contra Pértinax! ¡Este último había sido elegido, como corresponde, por el Senado, por un Senado libre de presiones, como nuevo augusto para gobernarnos a todos con su sabiduría y su experiencia! ¡Pértinax fue siempre un hombre digno y también un digno augusto! ¿Cuál fue su recompensa? ¡La guardia pretoriana lo asesinó!

Hizo una pausa; necesitaba aire; tenía que ganarse el respaldo de todos sus hombres; sabía que las aclamaciones vienen y van y era preciso que todos terminaran aquella jornada convencidos de que los dioses y el destino de Roma estaban con ellos y de que ellos y solo ellos constituían el único orden legítimo. Inspiró profundamente; continuó:

—A Roma la gobiernan ahora un corrupto y los pretorianos. A su lado, caminan alegres pavoneándose por las calles de la capital del gran Imperio romano. ¡Sí, esos mismos pretorianos que, como bien sabéis, llevan trece años viviendo a costa de vuestro esfuerzo diario! ¿Pues quiénes sino vosotros luchan cada día en el Danubio para defender Roma? ¿Quiénes sino otros como vosotros, en el Rin o en el Éufrates, luchan por defender a Roma? ¿Y nos ha preguntado alguien, nos ha consultado alguien lo que pensamos?

Septimio calló un instante y dio un paso atrás.

No tuvo que esperar mucho tiempo.

—¡Nadie, nadie! —aullaron varios legionarios desde diferentes puntos de la inmensa explanada atestada de soldados.

Julia miraba a un lado y a otro y lo que veía le gustaba.

—¡Pues yo creo que algo tenemos que decir sobre si ese Juliano, que se ha hecho nombrar emperador forzando al Senado a elegirlo, poniendo una espada pretoriana en el cuello de cada uno de nuestros *patres conscripti*, nos parece o no un gobernante legítimo! —continuó Severo con energía—. ¡Porque yo os digo: si la elección hubiera sido libre, como libre fue la designación de Pértinax, no sería yo quien me atreviera a cuestionarla! ¡Roma lleva siglos perviviendo como el gran Imperio que es por el respeto que todos hemos tenido a nuestras tradiciones, a nuestras instituciones y, entre todas ellas, destacan el emperador y el Senado! Pero ¡cuando el Senado es secuestrado por los pretorianos y cuando bajo la fuerza de las armas se nombra a un emperador que ha comprado el trono con oro, no por méritos ni por valor en el campo de batalla ni por experiencia, entonces yo digo que ese usurpador ha de morir igual que se ha de terminar con todos y cada uno de los miembros de la guardia pretoriana! —Aquí Severo levantó los brazos para mantener el silencio y la atención de los que lo escuchaban porque los vítores, los gritos de guerra y otras imprecaciones empezaban a salir de las gargantas de muchos legionarios enfervorizados—. ¡Escuchadme, escuchadme, por Júpiter, un poco más!

Más gritos, hasta que al fin retornó un cierto silencio. No tan perfecto como al principio, pero sí suficiente como para hacerse oír desde lo alto de aquel palco. Septimio sentía las ansias de acción de los legionarios. Eso era buena señal. Le entraron dudas, que no estaba dispuesto a confesar ni admitir allí en público, pero no podía evitar preguntarse adónde conduciría el camino sin retorno que estaba iniciando aquella mañana con aquel discurso. Aun así, ya lo había hablado con Julia. Varias veces durante la noche, esa misma mañana. No había posibilidad de retractarse. Buscó en ese instante la mirada de su mujer entre los miles de miradas de los que lo rodeaban, hasta encontrar los ojos negros de su esposa, brillando como los de una loba salvaje, y vio cómo Julia le sonreía. Tan hermosa, tan valiente. Verla radiante de orgullo, con los niños a su lado, le dio fuerzas para concluir su discurso:

—¡Avanzaremos sobre Roma, depondremos al usurpador Juliano, lo ejecutaremos, terminaremos con la guardia pretoriana, devolveremos al Senado su libertad y restauraremos el buen nombre de Pértinax! ¡Muerte al usurpador! ¡Por Júpiter Vengador, muerte a Didio Juliano!

—¡Muerte, muerte, muerte!

Por detrás de Septimio Severo, en un esfuerzo titánico por hacerse oír, Leto, con todas sus fuerzas, gritó a pleno pulmón el nombre completo que Severo había decidido usar como nuevo augusto. En él había incorporado el del emperador asesinado, para mandar una señal inequívoca de que luchaba por la legitimidad de lo dispuesto por el Senado antes de ser forzado por Juliano:

—*Imperator Caesar Lucius Septimius Severus Pertinax Augustus!*

Los soldados de Carnuntum continuaron aclamando a su nuevo emperador durante un rato largo que, sin embargo, tanto a los pequeños Basiano y Geta, como, muy en particular, a su madre, Julia Domna, se les hizo corto.

El palco del anfiteatro militar de Carnuntum ya no era un palco sin más: se había transformado en un palco imperial.

Ahora había dos emperadores para un solo Imperio: Juliano en Roma y Septimio Severo en Panonia Superior.

XXVI

UN ARRESTO ESPECIAL

Domus del jefe del pretorio, Roma
Abril de 193 d. C.

Marcia estaba desnuda. Quinto Emilio se había quitado la coraza, la *spatha* y el *pugio*, pero, por lo demás, seguía de uniforme. Había llegado con afán. Estaba encima de Marcia y dentro de ella, que ponía cara de placer. Eso lo excitaba aún más. Se oyeron golpes en el exterior de la habitación, pero el prefecto de la guardia estaba ahora demasiado ocupado en otros menesteres como para molestarse en averiguar qué estaba ocurriendo. De pronto, se oyó el fragor típico de una lucha. Aquí Quinto Emilio se separó de Marcia y, por puro instinto, fue directo a por sus armas, que estaban en el suelo, pero para cuando su mano llegó a la empuñadura de la *spatha*, la sandalia del jefe de la policía secreta de Roma pisaba con todo el peso de su cuerpo el arma, de modo que el prefecto no pudo cogerla.

Marcia se tapó en la cama con las sábanas.

—¿Qué significa esto? —preguntó Quinto Emilio mientras veía cómo varios hombres armados, sin uniforme alguno, pero empuñando *gladii* militares ensangrentados, entraban en la habitación y lo rodeaban.

Algunos miraban hacia la bella figura de la antigua amante del emperador Cómodo, pero la mayoría estaban atentos a él y Quinto Emilio supo que no tenía ni una posibilidad, por el momento, de oponerse a sus atacantes por la fuerza.

—¿Te has vuelto loco, Aquilio? —preguntó ahora Quinto. El prefecto despreciaba a aquel hombre enjuto, para él una especie de correveidile extraño que escuchaba por las paredes e iba con chismes a unos y a otros. También a los emperadores, pero nunca lo consideró importante. Tenía pocos hombres.

Pocos.

Esa era la clave. Quinto se echó a reír antes de volver a hablar.

—La guardia te matará, a ti y a todos tus secuaces, como te atrevas a tocarme.

A Marcia le habría gustado que Quinto hubiera dicho «tocarnos», pero no podía hacer nada más que cubrirse y esperar. Visto lo visto, según fueran los acontecimientos tenía claro que se ofrecería al que dominara aquella situación.

—Solo sigo órdenes del emperador —se explicó Aquilio, y continuó con ese tono de cierto cansancio que uno tiene en las jornadas largas de trabajo—: Ya no eres prefecto de la guardia.

—¡Juliano no puede haber ordenado eso! —exclamó Quinto Emilio con rabia e hizo ademán de ir a por el *pugio*, la daga que estaba al pie de la cama, pero uno de los hombres de Aquilio se acercó al puñal y le pegó una patada, de modo que acabó a varios pasos de distancia del recién destituido prefecto de la guardia.

—Supongo que cuando dices Juliano, te refieres al augusto Juliano, ¿verdad? —comentó el jefe de la policía secreta.

Empezaba a divertirse un poco con todo aquello. Siempre le hacía gracia cuando alguien era incapaz de ver el final, su final. Al menos, Marcia, tapada con las sábanas, temblaba de puro terror, lo que mostraba que era una mujer con bastante más sentido común que el destituido Quinto. Lástima que la hermosa Marcia se hubiera equivocado de bando.

—Entiendo... —dijo Quinto Emilio encarándose de nuevo con su captor—: Ahora eres tú el nuevo prefecto de la guardia, ¿no? Con tus malditos chismes, con tus mentiras has envenenado a Juliano contra mí, ¿cierto?

—No. Para nada. Permíteme que te corrija sobre varios puntos: primero, yo no soy el nuevo prefecto de la guardia pretoriana. Es un puesto..., ¿cómo decirlo?, no sé si te habrás dado cuenta: inestable. Veamos: con Cómodo, en doce años ha habido... ¿siete, ocho jefes del pretorio? Y casi todos han acabado muertos, de formas diferentes, eso es cierto, pero muertos. ¿Por qué creías que contigo iba a ser distinto? ¿Porque te las habías ingeniado para acabar tú con Cómodo? Bueno, y eso no tú solo, sino asistido por Eclecto y Marcia y ese atleta... Narciso. —Y miró aquí a la examante de Cómodo, que seguía inmóvil, sudando y temblando bajo las sábanas, acurrucándose en la parte superior del lecho, como si intentara desaparecer de allí—. Eclecto ya está muerto, abatido por tus propios pretorianos cuando se rebelaron contra Pértinax. Es probable que tú seas el siguiente de los conjurados contra Cómodo en caer. Asesinar a un emperador nunca es buen asunto. No digo que no fuera necesario, pero ser el brazo ejecutor en un magnicidio nunca es bueno.

»Verás, y aquí llego al segundo punto: Juliano, como tú llamas al emperador, usemos solo su nombre para simplificar, él solo, por sí mismo, ha llegado a la conclusión de que te conjuraste no para acabar con un augusto, sino que has intervenido de forma activa en la muerte de dos emperadores: primero, Cómodo, y después, Pértinax. Tu inacción fue decisiva en la muerte del segundo. Pero volviendo al actual augusto, suyo es todo el mérito de llegar a la conclusión de que eres peligroso para cualquier nuevo emperador. Si hubiera sido necesario, como es mi deber, se lo habría dado a entender más bien pronto que tarde, pero no: a la conclusión de que, por lo menos, has de ser arrestado, ha llegado él por sí mismo.

»Y, tercero, ya que parece que es de tu interés: el emperador ha vuelto a la fórmula de dos jefes del pretorio. Has sido reemplazado por los tribunos pretorianos Tulio Crispino y Flavio Genial, quienes, por cierto, están encantados con su ascenso y con tu, digamos, desaparición de la guardia. A mí me habría gustado que hubiera sido el tribuno Marcelo, gran colaborador mío del pasado reciente, pero tú lo eliminaste. Aquello me dolió y confieso que es para mí una satisfacción largamente pospuesta cobrarme hoy venganza por aquello deteniéndote aquí y ahora. En todo caso, Crispino y Genial serán mucho mejores y más de fiar que tú.

—¡Perros traidores! —espetó Quinto Emilio; le hervía la sangre, pero estaba desarmado y los hombres de Aquilio cada vez se hallaban más cerca de él—. Tengo muchos leales aún en la guardia...

—Tenías —le corrigió Aquilio interrumpiéndolo—: A los que no se han dejado comprar los hemos matado. Y tampoco eran tantos. Creo que no hemos tenido que ejecutar a más de diez. Parece que, después de todo, no eras tan popular como creías entre tus hombres. Tú vas a ser encerrado, por el momento, en la prisión de los propios *castra praetoria*, algo paradójico en tu caso, lo sé, pero la vida es así; los nuevos prefectos están encantados y los pretorianos en general satisfechos porque Juliano les va pagando el *donativum* prometido; por partes, es cierto, pero va pagando bastante y eso sosiega los espíritus de los que hasta hace poco eran «tus» hombres.

Aquilio calló unos instantes.

Quinto Emilio también guardaba silencio.

Marcia empezó a emitir un sollozo medio ahogado por las sábanas bajo las que escondía el rostro.

—¿Vas a hacer esto fácil o difícil? —preguntó Aquilio al ya exprefecto del pretorio.

Quinto Emilio suspiró. Dejó de mirar hacia su *spatha*, que seguía bajo la sandalia del jefe de la policía secreta, y echó a andar hacia la puerta de la habitación rodeado por los *frumentarii*. Ni siquiera se volvió para despedirse de Marcia. En su cabeza había cuestiones más importantes para él: su propia supervivencia.

—Por Júpiter, esto ya está hecho —dijo Aquilio agachándose y recogiendo del suelo la espada del destituido prefecto. Luego añadió, con sorna, un comentario mientras la miraba en su mano—: La guardia se rinde. Ya no muere. *O tempora, o mores.* Los pretorianos ya no son lo que solían ser.

—¿Y yo? —dijo una voz de mujer.

Aquilio se volvió hacia Marcia, que apenas se había bajado un poco la sábana para asomar el rostro y hablar.

—¿Tú? —se preguntó. No había tomado una determinación concreta sobre ella ni tenía ninguna orden específica del emperador—. ¿Qué hacer contigo?

Las dudas del jefe de los *frumentarii* dieron algo de fuerzas a Marcia y la muchacha poco a poco fue descubriéndose del todo hasta dejar su hermoso cuerpo completamente desnudo y a la vista de Aquilio.

—No pierdas el tiempo conmigo, mujer —dijo el jefe de la

policía secreta—: A mí solo me gustan los hombres. Como al divino Trajano. —Y se echó a reír.

Ella esperó a que el hombre terminara su burla. Aprovechó la risa para volver a taparse, pero en cuanto Aquilio calló, Marcia habló de nuevo:

—Me desprecias, como tantos otros antes que tú, pero yo no tengo la culpa de que Cómodo me eligiera, ni soy responsable de su locura ni encontré forma mejor para sobrevivir que unirme a Quinto Emilio durante los meses en los que Pértinax fue emperador. Dime, por favor, te lo suplico: ¿puedo hacer algo, lo que sea, para sobrevivir en estos tiempos de locura? ¿Puedo hacer algo para congraciarme con el augusto Juliano?

Aquilio Félix la miró con atención y leyó el miedo claramente definido en los ojos de Marcia. En cierta forma, lo que ella había dicho era cierto: bien pensado, la joven no había podido elegir su destino, sino que su hermosura la había hecho cautiva primero de un emperador loco y luego de un retorcido jefe del pretorio quien, si se consideraba con detenimiento, era realmente feo. La mujer que estaba desnuda bajo las sábanas de aquella cama había hecho todo lo que había hecho para sobrevivir. Y, ahora, era consciente de su ruina. La súplica y la capacidad de ella de percibir el peligro conmovieron a Aquilio como no le había ocurrido desde hacía mucho tiempo. No era un enamoramiento ni nada por el estilo. Tan solo apreciaba a alguien que, como él, era un superviviente nato.

—Puedes quedarte en esta casa —dijo el jefe de los *frumentarii*, al fin—. No es que fuera de Quinto Emilio para ser exactos, sino que la confiscó de alguno de los senadores asesinados en época de Cómodo. No hay supervivientes de esa familia, de forma que, por ahora, puedes quedarte aquí, pero no salgas. Envía a esclavos a comprar comida. Dispondré algunos de mis hombres en la puerta. Si cumples y permaneces aquí, nadie te molestará. Eso es todo lo que puedo ofrecerte, por el momento, pero si me preguntas qué puedes hacer para sobrevivir a largo plazo, me temo que el único consejo que puedo darte es que reces a los dioses por que todos los que compiten en la lucha por el control del Imperio se olviden de ti. Lo único que puede salvarte es estar muy quieta. No llames a nadie, no salgas y, si puedes, respira muy poco.

Aquilio Félix dio media vuelta y salió de la habitación.

Marcia se levantó, se vistió sola y se asomó al atrio: había cuatro pretorianos muertos, hombres leales al arrestado Quinto. Los *frumentarii* no retiraban nunca los cadáveres. Eso era trabajo de esclavos.

XXVII
—

LAS HERMANAS

Carnuntum, Panonia Superior
Abril de 193 d. C.

—¿Qué crees que pasará ahora?

Maesa preguntaba tumbada en la cama. El parto la había dejado muy débil y, tal y como había anticipado Galeno, necesitaba unas semanas de descanso.

Julia estaba en la habitación, con el bebé en brazos. La pequeña Avita se puso a llorar.

—Dámela —dijo Maesa—. No estoy tan floja como para no poder tenerla en brazos un rato.

Julia se levantó y le pasó a la niña con cuidado, como quien sostiene algo muy delicado y a lo que no se tiene costumbre. La niña calló en cuanto la abrazó su madre.

Su hermana la miró algo perpleja.

—Te entiendes mucho mejor con los niños que yo.

Maesa no dijo nada y se limitó a mecer a la criatura y a darle besos suaves en la pequeña mejilla, gestos que, sin duda, resultaban del agrado del bebé.

—Menos mal que tuve niños —continuó Julia, volviendo a sentarse en la *sella* que había junto a la cama—. Con ellos es más fácil: como han de ser duros no tenía que cogerlos tanto en brazos. No sé qué habría hecho yo con una niña.

—Lo tuyo son otras cosas, hermana —comentó Maesa con una sonrisa.

—¿Otras cosas, qué cosas?

—Pensar en la seguridad de todos, intuir qué es lo más oportuno en cada momento con respecto a los tiempos de locura en los que vivimos. Esas son tus cosas —precisó—. Desde niña jugabas a ser reina, ¿recuerdas? Y luchabas contra reyes malvados de reinos vecinos.

—Es verdad... —admitió Julia en voz baja, como si recordara tiempos infinitamente lejanos: su infancia en Emesa.

Las dos callaron unos instantes.

La niña volvió a llorar.

—Tiene hambre —dijo Maesa.

Julia alzó la voz sin levantarse.

—¡Calidio!

El *atriense* apareció *ipso facto*.

—Sí, mi señora.

—El ama de cría. Ya —ordenó Julia.

Calidio salió corriendo y, al momento, Lucia entró en el atrio vestida con una túnica blanca muy limpia, bien aseada, con el pelo negro recogido, mirando al suelo.

—¿Qué puedo hacer, mi señora?

—La niña tiene hambre —dijo Maesa.

Lucia se acercó al lecho de su ama, tomó a la criatura en brazos y se retiró con ella al tiempo que se descubría un pecho y ponía a la pequeña cerca del pezón, de forma que pudiera ir mamando mientras se retiraban. Avita dejó de llorar.

Las dos hermanas se quedaron a solas.

—Hemos de hablar sobre lo que me preguntabas —dijo Julia cambiando de tema, o eso creía ella.

—¿Qué te preguntaba? —dijo Maesa, que con el llanto de la pequeña se había olvidado por completo de su pregunta inicial.

—Hemos de hablar sobre lo que pasará ahora: hay que hacer un nuevo viaje... —Pero como vio la cara de miedo en el rostro de su hermana, Julia rápidamente levantó la mano para no ser interrumpida y continuó hablando—: Lo tengo todo pensado: hemos de partir hacia el sur, esto es, Septimio ha de hacerlo, con las legiones de su provincia para derrocar a ese impostor de Juliano, ese corrupto que ha comprado el Imperio a los pretorianos en esa subasta infame. Pero tengo claro que has de descansar. Ya fue excesivo sacarte de Roma con tu embarazo, aunque, como sabes, no teníamos otra opción: ninguna mujer ni ningún niño de la familia podía quedar a merced de quien gobernara Roma, en este caso, Juliano. Hemos de tomar en consideración lo que ha dicho el médico griego y ahora será mejor que permanezcas aquí y descanses y cuides de tus dos hijas. La idea es que yo acompañe a Septimio con Basiano y Geta. No quiero separarme de mi esposo, no en estos momentos tan complicados. Que esté con él lo hace más fuerte. Nadie puede presionarlo al no tener de rehén ni a su esposa ni a sus hijos. En tu caso es diferente. No eres su esposa y estás lejos de Roma ahora. Aquí estarás segura. He hablado con Septimio y va a dejar bastantes tropas en la retaguardia para vigilar la frontera. Y he consultado otra vez con el médico. Galeno se quedará aquí también en el *valetudinarium*. Acudirá a Roma más tarde, cuando todo esto haya pasado. Lo llamaremos a la corte, pero más adelante. Para entonces sabremos a qué atenernos y dónde reunirnos todos: Septimio, tú y yo, mis hijos, tus hijas y, claro, tu esposo Alexiano.

—¿Ves como sigues haciéndolo? —dijo Maesa.

—¿El qué?

—Pensar en la seguridad de todos. En lo que conviene a cada uno en cada instante.

—Se me da mejor que los niños —dijo Julia justo cuando Geta, de cuatro años, entró llorando con una herida en la cabeza.

—¡Mamá, mamá! —aullaba el niño con la mano en la frente manchada de sangre—. ¡Basiano me ha tirado una piedra!

El aludido entró pisándole los talones.

—¡Él me había escupido! ¡Le he ganado en la carrera y no sabe perder!

—¡Por El-Gabal! ¡Callaos los dos! ¿No veis que vuestra tía ha de descansar? ¡Salid fuera y comportaos!

Los niños dieron media vuelta y fueron hacia la puerta. El pequeño Geta le dio un puñetazo a su hermano en la espalda, Basiano se giró y le dio otro en un hombro. Su madre ya se había vuelto de nuevo hacia su hermana y no vio, o no quiso ver, nada.

—No, los niños no son lo tuyo —afirmó Maesa sonriendo.

—Los quiero, pero cuando se ponen con esas tonterías, cuando tenemos asuntos tan importantes, me desesperan.

—Son niños —dijo Maesa.

—Son los hijos del emperador —añadió Julia.

—Es posible, pero siguen siendo niños.

—Pues tendrán que dejar de serlo pronto —concluyó Julia, sentándose una vez más junto a su hermana—. Lo sé, lo sé... —añadió con un suspiro largo—. Soy muy dura con ellos a veces, incluso seca, arisca... ¿Crees que no soy consciente de ello? Pero antes o después tendrán que hacerse hombres y comandar legiones enteras como su padre, y a quien está destinado a mandar sobre tantos no se le puede educar con mimos constantes... —Julia miró hacia otro lado como si quisiera ocultar la humedad de sus ojos—. ¿Crees acaso que no hay días o noches en los que no echo de menos abrazarlos con fuerza a los dos y cubrirlos de besos? Si me muestro dura con ellos es porque el mundo que tendrán que afrontar será aún más duro. Especialmente tras la proclamación de su padre como *imperator*. Y he de verlos crecer fuertes y decididos, nunca refugiados tras la túnica de una mujer.

Julia calló entonces. Su hermana la miró sin decir nada durante un rato.

Compartieron así un largo silencio hasta que Maesa dijo una frase con la que buscaba cambiar algo el sentido de la conversación y alejarla de los sentimientos que, como acababa de comprobar, sí que tenía su hermana aunque quizá más ocultos que otras madres.

—Sigues jugando.

—¿Jugando a qué? —preguntó Julia.

—Sigues jugando a ser reina y a acabar con tus enemigos. Lo veo en el brillo de tus ojos que resplandece bajo esas lágrimas —le concretó su hermana.

—Es posible. En cualquier caso es un juego que se me daba bien. Siempre ganaba, ¿no es cierto? —contestó Julia, pasando los dedos de la mano derecha con rapidez por sus mejillas para secarlas por completo y retornar a su yo más serio, más fuerte, más aparentemente invulnerable.

Maesa asintió. Era verdad que en los juegos de infancia, por supuesto, Julia siempre ganaba, aunque añadió una reflexión:

—Pero esto es la vida real, hermana.

Julia cabeceó afirmativamente.

—Lo sé —respondió—. Por eso ahora es más importante ganar.

XXVIII
—

EL PLAN DE JULIANO

Palco imperial del Circo Máximo, Roma
Abril de 193 d. C.

El *Imperator Caesar Marcus Didius Iulianus Augustus* apareció en el palco del gran estadio y saludó con el brazo derecho extendido al pueblo de Roma.[21] Las gradas estaban a rebosar. Parecía que ni la sucesión de emperadores Cómodo, Pértinax, Juliano, ni el hecho de que uno nuevo, el gobernador Septimio Severo, autoproclamado emperador en el norte, estuviera planteándose avanzar hacia la ciudad con sus legiones —algo que no había ocurrido en más de cien años—, ni la incipiente carestía en el precio del pan bastaban para alejar a las multitudes de su pasión favorita: las carreras de cuadrigas. Juliano lo sabía y había invertido parte de la fortuna que aún le quedaba, después de haber satisfecho unos primeros pagos de lo prometido a los pretorianos, en financiar unos impresionantes espectáculos de carreras en el gran estadio.

—*Imperator, imperator...!* —clamaba la plebe.

Juliano se sentó en su gran trono dispuesto en un pedestal para poder observar bien el desarrollo de la competición. El emperador sonreía a un lado y a otro. Su mujer Scantila, sentada junto a él en otra gran *cathedra*, hacía lo mismo. También se la veía ufana, henchida de gloria.

El espectáculo empezó. Los *carceres* se abrieron y los aurigas gritaron a sus mejores caballos para que salieran a toda velocidad.

21. El *Severus* del nombre completo de Didio Juliano no tiene relación con la familia de Septimio Severo.

Juliano se puso serio, como si estuviera centrado en el devenir de la competición, pero en realidad estaba sopesando hasta qué punto tenía opciones de preservar el control del Imperio con ese miserable de Septimio Severo acercándose a Roma con, al menos, dos legiones. Las informaciones eran confusas. ¿Habría sido Septimio tan loco como para coger las tres legiones de Panonia Superior y dejar la frontera de esa provincia totalmente desprotegida? Si así fuera, sería una fuerza formidable. ¿Resistiría la guardia pretoriana un embate de semejante nivel? Se pasaba la mano por la barba profusa que pendía de su rostro en grandes rizos recién peinados aquella misma mañana.

Y luego estaban los otros dos gobernadores: Nigro y Albino..., y como si el público tuviera la capacidad de introducirse en la mente del emperador, desde el lado derecho del estadio empezó a oírse un clamor que nada tenía que ver con ninguno de los aurigas que estaban compitiendo. Al principio, sus gritos no resultaban comprensibles, pero cuando se unieron no ya un centenar de ciudadanos, sino un millar, y luego varios miles, lo que gritaban o, mejor dicho, a quien jaleaban, resultó perfectamente claro para cualquiera en todo el Circo Máximo.

—¡Nigro, Nigro, Nigro!

La carrera terminó y ni los vítores de los que saludaban a la cuadriga victoriosa fueron suficientes para ocultar la constante aclamación dedicada al gobernador de Siria. Pero ¿qué estaba pasando para que un sector del público vitoreara a Pescenio Nigro?

Scantila miró a su esposo con el gesto torcido. Aquello era una humillación. Juliano la miró a su vez con impotencia.

—¿Qué quieres que haga, mujer? —le preguntó—. ¿Ordeno acaso que los maten a todos?

Scantila se quedó con las ganas de decir que sí. A su alrededor había senadores, caballeros y otros hombres preeminentes del maltrecho Estado romano. No era el lugar para dar rienda suelta a ansias vengativas que pudieran proporcionar argumentos a traidores y a desleales para promover una conjura contra su marido. La mujer se controló y se limitó a decir algo hiriente para su esposo:

—Solo me alegro de que nuestra hija Didia no esté aquí

hoy, sino en palacio. Ella, al menos, se ha ahorrado esta humillación.

Juliano apretó los dientes ante el comentario despechado de su esposa y no replicó.

Fuera del palco, en las gradas contiguas, todos los senadores estaban muy serios, incluidos el veterano Sulpiciano y su amigo Dion Casio, pero nadie quería dar a entender ante Juliano que estaban de acuerdo con que el pueblo vitoreara el nombre de un posible competidor por el trono. Otro más, además del ya autoproclamado emperador Septimio Severo.

Juliano se levantó entonces y, sin saludar ya a nadie, emprendió la marcha hacia el pasadizo que conectaba el palco del Circo Máximo con el palacio imperial. Su esposa lo siguió y lo mismo hicieron los servidores más allegados al emperador.

Tulio Crispino, al mando de los pretorianos de la escolta imperial, se situó junto al emperador para impedir que nadie se le acercara con ninguna pregunta impertinente y menos en aquel momento de tensión. El prefecto solo hizo una excepción: a la entrada del túnel, en las sombras, donde se desenvolvía siempre bien, estaba el jefe de los *frumentarii*.

Aquilio había oído desde allí cómo gran parte del estadio aclamaba a Pescenio Nigro y la faz desencajada del emperador le hizo ver que Juliano no se tomaba a la ligera aquella humillación de la plebe.

—Sígueme —le dijo el emperador cuando llegó a su altura.

Aquilio se situó a su lado y escuchó con atención lo que el emperador tenía que decirle. Crispino se encargó de que aquella conversación fuese completamente privada. Se adentraron en aquel túnel que tantas cosas había visto y oído, desde el asesinato de Calígula hasta la carcajada limpia de Trajano. Ahora esas mismas paredes asistían a la ira del emperador Juliano:

—No es suficiente con que Septimio Severo se haya autoproclamado emperador —empezó a decir el augusto como si escupiera las palabras—, sino que ahora el pueblo aclama al gobernador de Siria. ¿Se puede saber por qué?

—Hay escasez de trigo, augusto —explicó Aquilio—. Plauciano y Alexiano, los hombres de Severo en Ostia, están haciendo que llegue menos grano del necesario. Pértinax los nombró *praefectus vehiculorum* y *procurator de la annona* respectivamente, con lo que controlan el transporte y la distribución de cereales y otros productos y se han aprovechado de sus cargos para reducir el flujo de alimentos a la ciudad. El pueblo está descontento porque sube el precio del pan. Eso no es bueno.

—Pero son ellos, Plauciano y Alexiano, los que están creando ese problema de forma artificial —contrapuso airado Juliano.

—Bueno, sí —aceptó Aquilio—, pero la plebe no razona demasiado. El pueblo solo sabe que con Cómodo, o incluso con Pértinax, tenía pan barato y que con el augusto Juliano no, de forma que quieren a otro con el que creen que estarán mejor.

—En tal caso habría que enviar un par de cohortes pretorianas a Ostia —respondió el emperador—, que fuercen a esos malditos Plauciano y Alexiano a ejercer con más diligencia su trabajo o, mejor aún, arrestarlos.

A Aquilio le gustó la idea. Aquella parecía una forma contundente y eficaz de resolver el problema. Plauciano y Alexiano podrían escapar, no tenían fuerza militar que oponer a la guardia pretoriana, pero incluso aunque huyeran sin ser apresados, Juliano recuperaría el control de la distribución de grano, que era lo esencial. El emperador volvía a hablar:

—Lo que no entiendo es cómo se ha atrevido la plebe —continuó Juliano mientras andaba muy rápido por el túnel custodiado por pretorianos—. Hay alguien más que ha orquestado esto, alguien de relevancia. Algún senador.

—Es posible, augusto.

—«Es posible» no es suficiente. Quiero nombres.

—Sí, augusto —aceptó Aquilio.

En todo caso, para el jefe de los *frumentarii* el apoyo que pudiera estar reuniendo Pescenio Nigro en el Senado no era lo más peligroso con respecto al gobernador de Siria, pero decidió guardarse la información adicional que disponía sobre Nigro, por el momento. La clave de su trabajo era no decir nunca todo lo que sabía. Solo lo justo.

Llegaron al hipódromo interior del palacio. Juliano hizo una seña y los pretorianos condujeron a Scantila y al resto de la comitiva imperial rumbo a las habitaciones del complejo residencial, mientras él y Aquilio se quedaban a solas en aquel gran patio. Era el mismo lugar donde un siglo atrás había empezado una conjura para terminar con el emperador Domiciano. Cada rincón de aquel complejo parecía guardar una historia trágica de sangre y, sin embargo, todos luchaban por ser los moradores de aquel palacio.

Juliano miró a su alrededor. Conspiraciones por todas partes. Siempre. El emperador caminó hacia una de las esquinas y Aquilio lo siguió. Crispino vigilaba con varios pretorianos más desde la distancia, respetando la privacidad de aquel diálogo.

—¿Y por qué apoyaría el Senado a Pescenio Nigro en vez de a Severo, que ya se ha proclamado emperador? ¿Y la plebe? No lo entiendo —preguntó Juliano a su informador.

—El Senado ve a Severo demasiado militar, rudo, directo. Lo aceptan como colega porque consiguió acceder a la condición de *pater conscripti*, pero no lo sienten uno de ellos. Pescenio es, como la mayoría de senadores, de origen aristocrático, e intuyen que gobernaría teniéndolos más en cuenta. Y, en cuanto al pueblo, la plebe se ha creído lo que los agentes de Nigro han difundido por la ciudad: que con Pescenio como emperador todo el trigo de Egipto fluirá hacia Roma abaratando el precio del pan. Esos agentes del gobernador de Siria han prometido pan para todos, mucho, y barato.

—Vale, de acuerdo. Eso puede explicar el apoyo del pueblo al gobernador de Siria, pero da igual. Pescenio Nigro no me preocupa ahora mismo —replicó entonces rotundo el emperador y miró a Aquilio directamente a los ojos—, porque seguimos teniendo a su esposa Mérula y a sus hijos como rehenes, ¿cierto?

—Cierto, augusto —confirmó Aquilio.

Se hizo un silencio.

—Luego está Albino, en Britania —añadió el emperador—. ¿Algún movimiento por su parte?

—Ninguno, augusto. Albino observa, pero no se mueve.

—Y tenemos también a su esposa y a sus hijos, ¿verdad?

—También, augusto. Salinátrix y su familia están bajo nuestro control.

—¡Por eso era tan importante haber retenido a Julia Domna, por Hércules! —se lamentó el emperador, pegando un puñetazo en una de las columnas del hipódromo imperial.

Aquilio guardó un prudente silencio. Sabía que el emperador lo consideraba culpable de que Julia Domna se hubiera podido reunir con Severo, un Severo que había aprovechado que tenía a su esposa y a sus hijos consigo para autoproclamarse emperador sin miedo a represalias, al menos, contra los miembros más importantes de su familia.

—Hemos de parar a Septimio Severo —concluyó Juliano—. Incluso si Albino o Nigro se atreven a proclamarse también emperadores, teniendo a sus familias, siempre podemos negociar con ellos.

—Sin duda, augusto —aceptó Aquilio, pero el problema más grave quedaba sin resolver—. ¿Y qué hacemos con Severo?

—Sep-ti-mio Se-ve-ro... —Juliano pronunció el *nomen* y el *cognomen* del que para él seguía siendo solo un gobernador en rebeldía muy despacio, sílaba a sílaba. Luego continuó algo más rápido, pero siempre de forma pausada, serenamente fría, de ese modo en el que se dictan las sentencias de muerte—: Sin Julia Domna en nuestro poder, con Septimio Severo no se puede negociar.

—Tiene tres legiones, al menos —se atrevió a decir Aquilio, que temía que Juliano intentara una guerra abierta contra un enemigo claramente superior en fuerza militar—, y su hermano Geta dispone de dos legiones más en Mesia Inferior. Yo no combatiría. Sé que es difícil negociar, pero aún se puede buscar una solución.

—Yo no he dicho en ningún momento que vayamos a combatir —aclaró el emperador.

Aquilio se quedó unos instantes meditando, como si repasara mentalmente la última intervención del emperador en busca de la palabra *combatir*, y era cierto que no la encontraba.

—Pero si no negociamos, porque no tenemos a su esposa y sus hijos, y no luchamos, no veo qué otra alternativa hay para detenerlo, augusto, más allá de la solución en la que yo he pensado.

Aquí fue donde Juliano sonrió por primera vez en aquel día aciago. Aquilio era un hombre astuto y ver que ni siquiera aquel eficaz informador y espía era capaz de concebir cuál podía ser su plan le hizo sentir al emperador que su estrategia podría sorprender también al propio Septimio Severo. Decidió ir por partes.

—Dime, Aquilio, tú primero, tu solución para detener a Severo y luego yo te diré la mía.

El jefe de la policía secreta aceptó el reto.

—El augusto Juliano podría ofrecerle a Septimio la dignidad de augusto como coemperador.

Didio Juliano asintió un par de veces.

—Es una idea. Lo he considerado, pero no me veo tan desesperado como eso.

—No sería ninguna humillación, augusto. Marco Aurelio y Lucio Vero gobernaron como coemperadores durante varios años y salió bien. Se respetaron, se dividieron las tareas. Marco Aurelio gobernaba en Roma mientras Lucio Vero defendía las fronteras orientales contra Partia. Y con Pescenio muy próximo a rebelarse, sería una forma hábil de transformar ese ejército que tiene Septimio, y que avanza como enemigo hacia nosotros, en el brazo armado del emperador Juliano para mantener el orden en Oriente. Podría funcionar. Pactando con Severo, el augusto Juliano puede quedarse tranquilamente en Roma y presenciar cómo sus enemigos, Severo y Nigro, quizá, se aniquilen entre ellos.

—Lo que comentas es una estrategia posible, incluso tentadora, diría yo —admitió el emperador—, y, como te decía, lo he considerado y lo mantengo como una opción última, pero, por ahora, te olvidas de un pequeño gran detalle.

Aquilio frunció el ceño mostrando una curiosidad genuina. Creía que lo tenía todo muy bien pensado. Llevaba días con el asunto en mente y estaba persuadido de que lo que había propuesto era la única fórmula para mantener a Juliano en el poder y evitar una guerra civil, al menos, en el centro del Imperio. La guerra tendría lugar en Oriente, a miles de millas de Roma, entre Severo y Nigro, y, sin embargo, el emperador, según daba a entender, parecía haber considerado algo más.

—¿Cuál es el detalle que he olvidado, augusto?

Didio Juliano dio un paso adelante y le habló a Aquilio al oído.

—Yo soy bastante más ambicioso que Marco Aurelio. Yo quiero todo el Imperio para mí.

Aquilio Félix no dijo nada.

El emperador retrocedió un paso.

—¿Cuál es, pues, augusto, la alternativa? —preguntó entonces el jefe de la policía secreta.

Juliano volvió a sonreír. Ni aun después de todo lo hablado era Aquilio capaz de desentrañar su plan.

—La alternativa, como la llamas, o la solución definitiva, como prefiero denominarla yo, amigo mío, es descabezar a las legiones de Panonia Superior. La alternativa es matar a Septimio Severo. Y tú vas a encargarte de eso.

XXIX

LA DESPEDIDA

Carnuntum, Panonia Superior
Abril de 193 d. C.

Calidio se acercó despacio a la habitación de las niñas del ama Maesa. Empujó la puerta que estaba entreabierta hasta ver, en la penumbra de la tenue luz de una lámpara de aceite, la silueta de Lucia sentada en un *solium* dando de mamar a la pequeña Avita.

El *atriense* de la familia Severa entró del todo y cerró la puerta.

—Hola —dijo en voz baja, para no despertar a la otra niña que dormía, ni asustar a la pequeña que mamaba.

—Hola —respondió Lucia, algo inquieta. Calidio nunca había entrado en aquella habitación.

Hacía frío en el exterior. La lluvia y el viento habían regresado a la frontera del Danubio después de aquella breve tregua del día en el que el gobernador se había proclamado emperador de Roma. Pero en el interior de aquel dormitorio se estaba bien. Calidio pudo sentir el calor de la calefacción en las plantas de los pies.

—Aquí no hace frío —dijo él.

—No. Esta habitación siempre está caliente —respondió ella, todavía con la niña en brazos y el seno descubierto; el pezón, no obstante, tapado por la pequeña cabecita de la criatura.

—Es la calefacción —explicó Calidio—. Los amos la tienen en todas sus casas y cuando viajan, si no hay, hacen que se construya. Funciona como en las termas: hay un horno subterráneo donde se quema leña y una red de pequeñas galerías debajo de la *domus* por donde pasa el aire caliente.

—Pues funciona bien —aceptó ella, pero aún sin entender a qué venía aquella conversación.

—Me voy —dijo él—. Esto es, el amo y su esposa se van hacia el sur y yo con ellos. Tú te quedarás aquí con la hermana de la señora y sus hijas. Solo quería despedirme y... asegurarme de que estás bien.

Lucia parpadeó varias veces antes de responder.

—Sí, estoy bien.

—Perfecto —replicó él y empezó a abrir la puerta para marcharse.

—¿Volveremos a vernos? —preguntó Lucia.

Calidio se giró hacia ella.

—Imagino que sí: mi ama y la tuya son hermanas. Y se llevan bien. Les agrada estar juntas. Sí, nos volveremos a ver.

—Eso me gustará —dijo ella.

Él no respondió nada. Solo la miró un rato. Pensó en acercarse y acariciarle la mejilla o el pelo o..., pero quizá eso la asustaría. Dio media vuelta y salió.

—Mi señora —dijo Calidio mientras cerraba la puerta de la habitación de las hijas del ama Maesa, al encontrarse de bruces con Julia Domna en el pasillo.

La esposa de Septimio se limitó a asentir levemente. Cuando Calidio desapareció, Julia abrió la puerta de la habitación de sus sobrinas y vio al ama de cría amamantando a la pequeña Avita. Todo parecía estar bien. Nadie podía reparar entonces en que aquel bebé que mamaba del pecho de Lucia era la futura madre de un emperador de Roma, en una dinastía que aún no existía.

O quizá no era exactamente así.

Quizá Julia ya lo tenía todo pensado.

La mujer de Septimio Severo cerró lentamente la puerta. No quería interrumpir el sueño de su sobrina, ni que un portazo quebrara la fulgurante ambición de los suyos propios.

—

XXX

TRES EMPERADORES

Poetovio,[22] **Panonia Superior, en ruta hacia Roma**
Finales de abril de 193 d. C.

Septimio Severo necesitaba acción. No podía quedarse en Carnuntum a esperar acontecimientos. Eso no iba con él. Se decidió a aproximarse hacia ellos, hacia el lugar donde ocurría
todo, esto es, avanzó hacia Roma. Por el momento, aún caute-
loso, este movimiento de tropas solo lo hizo, al igual que los que
ya había realizado tras la muerte de Pértinax, por el interior de
su provincia. Mientras no saliera de los límites provinciales no
hacía nada ilegal con relación a su *imperium* militar, con respecto a su poder sobre sus tres legiones. Otra cuestión era el hecho
de haberse autoproclamado emperador. Pero no salir con tropas de Panonia Superior era, por ahora, prudente: aún dejaba
margen para una negociación.

De Carnuntum, descendió hasta Scarbantia,[23] de allí continuó progresando hasta llegar a la ciudad de Savaria[24] y, por fin, se
detuvo en Poetovio. Le pareció un lugar apropiado. Allí antaño
Vespasiano se había proclamado emperador en su disputa por
el cetro imperial de Roma en la última guerra civil que asoló
el Imperio. Luego Trajano, unos años después,[25] había elevado el estatuto civil de Poetovio de forma que era una ciudad
lo suficientemente grande para ser un punto adecuado donde ir

22. Actual Ptuj en Eslovenia.
23. Sopron, ciudad situada al oeste de Hungría, en la frontera con Austria. Está a unos sesenta kilómetros de Viena.
24. Szombathely, al oeste de Hungría, al sur de Sopron.
25. En 103 d. C.

reuniendo tropas. Septimio, siempre cuidadoso con todo lo que pudiera aportar algún simbolismo positivo en sus acciones, hizo que numerosas cohortes de la legión X *Gemina* de Vindobona abrieran su camino hacia el sur con su estandarte del toro. Aquella fue una de las legiones que el mismísimo Julio César había utilizado en su conquista de la Galia. Tras la X *Gemina*, entró en Poetovio la XIV *Gemina* de Carnuntum, fundada por Augusto con restos de las tropas que César utilizó en la legendaria batalla de Alesia, y tras ellos varias *vexillationes* de la I *Adiutrix*. El resto de unidades, de la I y la X sobre todo, habían permanecido en el norte para proteger la frontera del Danubio.

La marcha había sido veloz. Los hombres y las bestias necesitaban descanso y, además, había que recibir respuesta de los mensajeros que Septimio había enviado a las provincias vecinas para asegurarse los apoyos necesarios antes de atreverse a dar el paso final: salir de su provincia y abalanzarse directamente sobre Roma para deponer a Juliano por la fuerza de las armas. Pero había que ir con tiento.

—¿Te vas a reunir ahora con Cilón y Leto? —le preguntó Julia a su esposo, que estaba sentado al borde del lecho.

—Sí —dijo él. No comentó nada más. Se levantó y llamó a Calidio para que lo ayudara a vestirse. Julia permanecía tendida en la cama con una larga túnica cubriendo su cuerpo.

El esclavo salió en cuanto hubo terminado su trabajo.

Septimio se volvió hacia su esposa.

—¿Quieres venir conmigo?

—Sí —respondió ella.

Su marido la esperó en el atrio de la casa de Poetovio que las autoridades locales habían cedido al nuevo emperador como residencia improvisada pero razonablemente confortable. Septimio se encontró a sí mismo preguntándose por qué había invitado a su mujer. Le costaba hallar una respuesta precisa, porque había razones entremezcladas: por un lado, mostrar que el emperador tenía una familia —una esposa, que le había dado hijos, es decir, herederos— era una exhibición de fuerza presente y de estabilidad futura; por otro, Julia siempre se había probado certera en sus intuiciones y, muy en particular, en su idea de que tenía que salir de Roma y reunirse con él en Carnuntum. Eso había sido la clave de todo, lo que había permitido poner en marcha toda aquella estrategia para intentar deponer a Juliano. Sí, Julia se merecía estar en esa reunión y era, además, bueno mostrarla.

—Ya estoy —dijo ella sorprendiéndolo por detrás, mientras las dos ornatrices que habían entrado en la habitación para asistirla abandonaban el dormitorio.

Se había cambiado la túnica y llevaba una más fina de seda azul, llamativa pero sin resultar provocadora. El pelo recogido, con rizos cayendo sobre la frente para estrecharla y hacerla aún más agradable al gusto romano. Unos toques de aceites en el rostro y quizá algo más en los labios relucientes, carnosos, apetecibles... Septimio sacudió la cabeza.

—Por Júpiter, vamos allá entonces.

No tuvieron que salir de la residencia, sino solo cruzar un atrio porticado y otro más contiguo para llegar a un acceso que daba al interior de una amplia estancia en cuyo centro se había dispuesto una gran mesa con un mapa del Imperio romano. A un lado de la mesa estaba Fabio Cilón y al otro, Julio Leto. Los dos se pusieron firmes al ver entrar al emperador y a su esposa.

—¿Han llegado respuestas a nuestros mensajeros? —preguntó Septimio Severo.

—Sí, augusto —respondió Cilón.

—Pero tenemos buenas y malas noticias —apuntó Leto.

Severo se giró hacia Julia. No tuvo que decir nada. Ella respondió a su mirada.

—Mejor las buenas noticias primero —dijo la esposa del emperador—. Al contrario de lo que dicen, eso le da a uno fuerzas para resistir luego las malas. Al menos, eso he pensado yo siempre.

Ni Cilón ni Leto mostraron con palabras o con gestos ni ademanes inconscientes que los incomodara la asistencia de la mujer de Severo en aquel *consilium augusti*. De hecho, la presencia de la hermosa Julia nunca resultaba molesta para ningún hombre, si exceptuamos a Plauciano.

Por el momento.

—Las buenas noticias entonces ¿son...? —preguntó Severo y

miró ahora a Cilón, ya que Leto se había erigido en el Mercurio de las malas. Que esperara su turno.

—Han llegado mensajes de respuesta de los gobernadores del Nórico, de Recia y de Panonia Inferior. Todos apoyan al emperador Septimio Severo.

—De forma que tenemos también la II y III *Italica* con nosotros —dijo Severo con ilusión—, y la II *Adiutrix*. Tres legiones más que sumar a las nuestras.

—Más las dos del hermano del emperador, que como gobernador de Mesia Inferior se ha adherido, el primero de todos, a nuestra causa, augusto —añadió Leto, que se sentía obligado a hablar también en positivo, aun cuando sabía que le tocaba aguar la fiesta al final con sus noticias de Oriente.

—Sí —confirmó Fabio Cilón—: la I *Italica* y la XI *Claudia* de Mesia Inferior también están con nosotros.

—Bien, bien. Nunca he dudado de la lealtad de mi hermano y, una vez más, me muestra su fidelidad. Hicimos bien en llamar a nuestro segundo hijo con su nombre. —Septimio Severo caminaba alrededor de la mesa y miró a Julia un instante al hacer el último comentario; su esposa sonrió sin decir nada. Septimio hizo la cuenta final—: Eso suman ocho legiones con nosotros.

—Hay más mensajes de adhesión, augusto —continuó Fabio Cilón.

Severo se detuvo en seco.

—Te escucho —dijo el emperador.

—Novio Rufo, el gobernador de Hispania, también se une a nosotros con la legión VII *Gemina* y lo mismo ha prometido el legado de la legión III *Augusta* de Numidia. Estos mensajeros han llegado hoy mismo, exhaustos por el viaje, pero han traído respuestas positivas.

—Del legado de Numidia me fío —comentó Severo, meditabundo, mirando al suelo—, pero de Rufo y su legión de Hispania no. Rufo es un viejo amigo de Clodio Albino y actuará según le dicte este. ¿Qué sabemos del ejército del Rin y del propio Albino en Britania?

—Las tropas del Rin se han mostrado favorables a la causa del emperador Severo contra Juliano —prosiguió Cilón, pero luego calló un instante antes de dar respuesta a la segunda parte de la pregunta—. El gobernador Clodio Albino, sin embargo, no ha enviado respuesta alguna.

—Creía que las malas noticias las iba a dar Leto —comentó Severo.

—Es que el silencio de Albino no son las malas noticias, augusto —apuntó Fabio Cilón en voz baja.

—¿Ah, no? Entonces ¿se puede saber ya cuál es la mala nueva que tanto parece que va a importunarme? —espetó Septimio Severo con algo de rabia. Disponía de, al menos, ocho legiones seguras y seis muy próximas a unirse a su causa. Estaba en una posición de fuerza y no veía qué habría ocurrido que pudiera resultar inquietante para sus planes de controlar todo el Imperio en poco tiempo.

Julio Leto tragó saliva, dio un paso al frente y miró el mapa. Septimio Severo se acercó a la mesa y observó que el tribuno militar fijaba la mirada en la parte oriental del mundo controlado por Roma.

—¿Nigro? —preguntó Severo.

Julio Leto asintió al tiempo que respondía con precisión:

—El gobernador Pescenio Nigro de Siria también se ha proclamado emperador de Roma en Antioquía y le han jurado fidelidad las provincias de Capadocia, Siria, por supuesto, Palestina, Arabia, Egipto y las fuerzas que tenemos en Osroene. Un total de diez legiones.

—Contra catorce, augusto. Somos más fuertes —dijo Fabio Cilón para intentar compensar la mala noticia.

—¡No! ¡Por todos los dioses, no! —exclamó Severo irritado ante la incapacidad de Cilón de apreciar la magnitud del problema; ahora entendía la cara de pocos amigos de Leto, que parecía haber entendido mejor la gravedad de la situación—: Realmente contamos con seguridad con las ocho legiones del Danubio, Cilón. De las cuatro del ejército del Rin no podemos estar plenamente seguros. Pueden oscilar hacia el maldito Albino que, como decís, se mantiene en silencio en Britania con su propio ejército. Y las legiones de Hispania y Numidia, incluso si fueran leales, están demasiado lejos para ayudar en el corto plazo. ¡Estamos realmente ocho contra diez, un montón de dudas en nuestra retaguardia si miramos hacia Albino, y tenemos el problema de Juliano en Roma con la guardia pretoriana aún sin resolver!

Todos callaron durante un rato. Severo se sentó en un *solium* que había junto a la mesa.

—Lo que no entiendo —dijo el emperador mirando el mapa del Imperio romano— es... cómo se ha atrevido Pescenio Nigro a declararse emperador teniendo Juliano a su esposa y parte de su familia rehén en Roma.

—Conociendo a Mérula, es posible que a Pescenio Nigro le dé igual que la maten —comentó Julia.

Los tres hombres la miraron. Esas consideraciones no habían entrado en sus variables militares.

—¡Ja, ja, ja! —se rio Septimio Severo a mandíbula batiente. Casi se le saltaban las lágrimas—. Eso es genial. Por todos los dioses, quizá tengas razón.

Fabio Cilón y Julio Leto también rieron.

El ambiente se relajó.

A Julia le gustó que sus palabras no fueran criticadas. Lo había dicho medio en broma medio en serio, pero podría ser muy cierto que a Nigro no le importara lo que le pasara a su esposa.

—Otra posibilidad, no obstante —apuntó Leto, con tiento—, es que Nigro llegue a algún pacto con Juliano.

—¿Coemperadores? —preguntó Severo.

—Solo lo sugiero como una posibilidad, augusto —matizó Leto.

—En todo caso lo primero es hacerse definitivamente con Roma —apuntó Julia Domna, más animada, tras la recepción positiva de su primera intervención, a introducir sus ideas en aquel debate.

—Estoy de acuerdo —aceptó Severo mirando a su esposa—, pero tenemos el problema de Albino en Britania. Contra Nigro puedo enviar a mi hermano Geta desde Mesia Inferior, para que cruce a Tracia y nos cubra ese flanco con sus dos legiones impidiendo que Nigro se aproxime hacia nosotros por sorpresa. Al menos, podrá retenerlo o incomodar su avance si se decide a atacarnos. Eso nos da algo de tiempo extra y, si nos hacemos con Italia con rapidez, tendremos la flota imperial de Rávena y

Miseno. Pero no puedo avanzar sobre Roma sin asegurarme de que Clodio Albino no nos va a atacar por la retaguardia desde el oeste.

—Solo tiene tres legiones —se atrevió a decir Julia, que no terminaba de entender por qué su esposo se preocupaba tanto por el gobernador de Britania.

—Tres legiones, sí, Julia, pero tres unidades que están en permanente combate con las tribus del norte del Muro de Antonino. Me atrevería a decir que todo el territorio entre la muralla norte que ordenó levantar el emperador Antonino y el Muro de Adriano, algo más al sur, es territorio en constante disputa. Además, muchas *vexillationes* de otras legiones, algunas del Rin, también están en Britania. Por eso dudo de las legiones de la frontera de Germania. Y Albino es, de largo, mucho mejor militar que Nigro. Y Rufo, en Hispania, como os he dicho antes, es amigo de Albino. Si este lo reclama a su lado desde Britania, no tengo claro que la legión VII *Gemina* de Hispania nos sea tan leal. Incluso todo el ejército del Rin podría pasarse a su lado sumando ocho legiones. —Severo suspiró a la vez que apoyaba las manos abiertas sobre el mapa del Imperio romano—: Estamos entre tres frentes: Albino, Nigro y Juliano. No podemos contra los tres a la vez.

Fabio Cilón y Julio Leto callaban.

Julia Domna se acercó a la mesa. Miró el mapa por encima del hombro de su esposo, hombro sobre el que posó suavemente su fina mano cálida, que llegó a rozar el cuello del emperador. Severo agradeció el gesto pese a lo íntimo del mismo y aunque fuera en presencia de sus tribunos militares.

—No tienes que enfrentarte a los tres a la vez —dijo ella; su marido calló y Julia aceptó ese silencio como una invitación para que expusiera sus ideas—: Como has dicho, puedes usar las tropas de tu hermano Geta, las dos legiones de Mesia Inferior, llevándolas a Tracia para bloquear cualquier intento de Nigro de acercarse a ti por la espalda desde Asia. —Y acompañó sus explicaciones con el dedo índice de la mano derecha señalando los diferentes movimientos de tropas sobre el mapa—. Y para ir sobre Roma con la tranquilidad de que Albino no se lance contra tu retaguardia desde el noroeste, si se atreviera a cruzar el *Mare Britannicum* con las tres legiones de Britania, lo que hay que hacer es ofrecerle algo. Un gesto que lo satisfaga. Un pacto.

—¿Un pacto? —preguntó Septimio Severo.

—¿Qué le puede ofrecer el emperador al gobernador de Britania para garantizarnos que no nos atacará? —preguntó a su vez Cilón.

Julia se separó de su esposo y empezó a rodear la mesa paso a paso, muy lentamente, mientras hablaba sin apartar la vista del mapa.

—El emperador Septimio Severo puede ofrecerle a Clodio Albino ser césar, su césar, su heredero al trono, su sucesor. —Miró a su esposo y vio dudas en sus ojos; ella siguió rodeando la mesa y añadiendo datos a su propuesta—: Nuestro hijo Basiano, tu primogénito, acaba de cumplir cinco años. Faltan nueve para que sea adulto y, aun con la *toga viril*, seguirá siendo muy joven como para asumir el grado de augusto y ser emperador o coemperador con su padre. Es suficiente tiempo para pensar que hay espacio para otro césar en medio. Yo creo que Clodio Albino aceptará. Quizá no con el corazón, pero sí con la cabeza, pues ese pacto no le obliga a hacer nada: no tiene que combatir contra nadie; solo estarse quieto y esperar.

El emperador miró a sus dos tribunos militares. Fabio Cilón y Julio Leto asintieron. Se acababan de unir a Galeno en lo que sería una larga serie de hombres que iban entendiendo que además de hermosura, Julia Domna poseía otras muy interesantes virtudes.

—De acuerdo —admitió, al fin, Septimio Severo—: Enviaremos un mensajero de inmediato a Britania, pero seguiremos avanzando hacia el sur. No podemos esperar aquí hasta que llegue la respuesta. Quiero estar en la frontera de Italia cuando Albino me envíe lo que piensa.

XXXI

LA DECISIÓN DE ALBINO

Junto al Muro de Adriano, Eboracum, Britania
Abril de 193 d. C.

—Hay otro mensajero de Septimio Severo, gobernador —anunció Léntulo, tribuno militar de la legión VI *Victrix*.

Clodio Albino miró con aire de hastío hacia el militar que le había interrumpido en su desayuno. Pese a que el tribuno era su hombre de confianza, al gobernador de Britania no le gustaba que lo molestaran cuando comía.

—No quise responder a sus mensajeros anteriores —lo reprendió con desdén—, así que no entiendo por qué piensas, Léntulo, que esto puede ser lo bastante importante como para importunarme mientras desayuno.

El tribuno se mantuvo quieto y firme.

—Esta vez el enviado de Severo asegura que trae una oferta para el gobernador —dijo Léntulo con cautela.

Albino inspiró profundamente.

—Que pase, por todos los dioses, que pase y terminemos pronto con estas pérdidas infinitas de tiempo.

Estaba convencido de que nada que dijera Severo podía cambiar sus planes de contener a los pictos con las legiones VI y XX mientras tenía la legión II *Augusta* preparando toda la logística para un retorno veloz hacia Germania. Este regreso al continente con el ejército legionario britano para atacar al propio Severo era una opción que Albino solo consideraba para el caso de que Severo se convirtiera en una amenaza aún mayor de la que ya suponía tras su autoproclamación como emperador. Este agravamiento de la amenaza solo tendría lugar si Severo avanzaba sobre Roma saliendo de Panonia Superior con tropas de las legiones del Danubio. En tal circunstancia, Albino estaba dispuesto a lanzarse con las tres legiones que disponía y con todos los hombres que se le unieran del ejército del Rin y la legión VII *Gemina* de Hispania de su amigo Novio Rufo contra la retaguardia de Severo y destrozarlo. Rufo, más allá de lo que le hubiera dicho a Severo, ya le había escrito a él, a Albino, garantizándole su apoyo si lo convocaba. Además, estaba el espinoso asunto de que su esposa Salinátrix y sus hijos estaban aún en Roma, rehenes de Juliano. Él no pensaba ponerlos en riesgo declarándose emperador públicamente como había hecho Severo, pero si atacaba al gobernador de Panonia, eso no sería mal visto por Juliano. ¿Y si pactara con este último?

Léntulo fue a la puerta del *praetorium*, hizo una seña y, de inmediato, un *optio* de las legiones del Panonia Superior entró en aquella sala repleta de soldados de la legión VI *Victrix* de Britania.

Albino se reclinó en su asiento. Llevaba entre manos una guerra larga y dura contra los pictos con solo dos legiones porque había retirado la II *Augusta* al sur para preparar un posible ataque contra Severo. Aquello había obligado a él y a sus legionarios de la VI y la XX a luchar aún con más energía y multiplicarse para contener a los pictos que ya habían cruzado la muralla antonina y osaban atacar las fortalezas del Muro de Adriano, apenas a un centenar de millas de donde se encontraba él desayunando. O intentándolo. Pero aquello no arredraba a Albino. La guerra y sus dificultades no le daban miedo.

Era un gobernador guerrero.

Por eso lo temían todos. Allí y en el Danubio y en Roma y, con toda probabilidad, hasta en Oriente. Lo urgente ahora parecía ser detener el levantamiento de las tribus establecidas entre la muralla antonina y el Muro de Adriano. Pero los movimientos de Severo lo incomodaban enormemente.

—¿Cuál es ese ofrecimiento que me hace el gobernador de Panonia? —preguntó Albino al *optio* llegado del Danubio, recalcando con toda intención la palabra *gobernador*.

El enviado de Panonia se adelantó con cuidado, extendiendo el brazo con un papiro doblado, para dejar claro que no iba a acercar las manos a la empuñadura de su espada, pues sentía las atentas miradas de decenas de legionarios de la VI *Victrix* controlando hasta el más mínimo de sus gestos.

Albino rompió el sello, abrió el papiro y lo leyó.

Se reclinó de nuevo en el respaldo de su *solium.*

Léntulo preguntaba con la mirada, pero no se atrevía a interpelar directamente a su superior.

—Que salgan todos —dijo Albino.

El mensajero, rodeado por los legionarios de la escolta militar del gobernador de Britania, abandonó la sala desde la que se decidía todo lo relacionado con aquella provincia insular de Roma. Solo se quedó el tribuno Léntulo.

—Severo me ofrece ser césar, ser su sucesor. Hasta me sugiere mi nuevo nombre, en vez de *Decimus Clodius Albinus*, propone que pase a llamarme, ¿cómo dice? —Miró de nuevo la carta—. Sí, aquí está: *Decimus Clodius Septimius Albinus Caesar. Septimius* para indicar mi conexión a él y *Caesar*, como heredero designado.

Léntulo callaba.

—¿Qué piensas? —preguntó, al fin, el gobernador de Britania.

El tribuno se aclaró la garganta como un acto inconsciente para ganar tiempo con el que meditar una respuesta adecuada.

—Severo tiene hijos, pero creo que son niños muy pequeños.

—Son muy pequeños. Eso lo sé —confirmó el gobernador.

—Entonces el ofrecimiento quizá sea genuino.

Clodio Albino releyó la carta de Severo una vez más. No podía ni debía proclamarse emperador públicamente o peligraría la vida de Salinátrix en Roma, y de los niños, pero otra cosa era aceptar un pacto secreto con Severo y quedarse en Britania a la espera de acontecimientos. El propio Severo aseguraba en la misiva que el acuerdo entre ellos no tenía por qué hacerse público por el momento, para garantizar la seguridad de la familia de Albino en Roma. O bien el propio Severo o alguno de sus consejeros había pensado mucho y con atención los detalles antes de enviar esa propuesta.

El gobernador de Britania miró entonces a Léntulo.

—Dile a ese enviado que acepto.

El tribuno saludó militarmente, dio media vuelta y salió del *praetorium*. Clodio Albino miraba su mano derecha, que sostenía la carta del autoproclamado emperador Septimio Severo. Cerró los ojos al tiempo que abría su mente. Estaba pensando a toda velocidad: en aquella partida por el poder del mundo había que contar también con el augusto Juliano, que había comprado el trono imperial a los pretorianos, y, para terminar, estaba Pescenio Nigro, también autoproclamado emperador en Antioquía.

Albino abrió los ojos y miró al techo del *praetorium*. Sonrió. Que Septimio hiciera el trabajo sucio: que limpiara Roma de Juliano y sus adeptos, y que luego masacrara a Nigro si podía. Después de todo eso, ya se vería. A lo mejor o bien Juliano o bien Nigro se las ingeniaban para dar muerte al augusto Septimio Severo; él, como su césar, como su heredero, sería automáticamente un nuevo emperador. Y si aún quedaban en pie después de la guerra o guerras civiles que intuía próximas o bien Juliano o bien Nigro, estarían muy debilitados por la contienda brutal contra Septimio. Llegado el caso, él, *Decimus Clodius Septimius Albinus Caesar*, solo tendría que cruzar el *Mare Britannicum* y machacar con sus legiones a quien hubiera sobrevivido. Sí, quizá no fuera mala idea quedarse en Britania y ver cómo se mataban unos a otros.

Se levantó. Ahora saldría a luchar con sus hombres. El combate contra las tribus del norte le vendría bien para mantener a su ejército en tensión y en forma. Pronto sus legiones lucharían no ya por proteger la frontera de una remota provincia sino por obtener el control absoluto del Imperio.

Albino tenía una amplia sonrisa en el rostro. De pronto toda ella se desvaneció: ¿y si el que se imponía sobre todos era Severo?

El gobernador de Britania suspiró. Entonces aguardaría su ocasión. Seguiría siendo césar, sucesor del emperador victorioso, y se atendría a ser leal a él, con lo que no arriesgaría nada, a no ser que Severo hiciera algo que afectase a su posición de sucesor.

Ahora inspiró profundamente. Le habría gustado contar con el asesoramiento de su esposa. Salinátrix siempre lo había aconsejado bien en su dilatado *cursus honorum*, pero ya habría tiempo para sus sugerencias: aquella iba a ser una partida larga. Lo importante sería sacarla de Roma en cuanto terminara el conflicto directo entre Juliano y Severo.

El gobernador de Britania frunció el ceño.

En eso solo, aceptaba Albino, había sido Severo más inteligente que todos los demás: había sacado a su esposa Julia antes que ningún otro. ¿Cómo se le habría ocurrido esa audacia?

XXXII

UNA MUJER DIFERENTE

Extremo suroccidental de Panonia Superior
Abril de 193 d. C.

Habían salido hacía un día de Poetovio e iban en ruta hacia Emona,[26] que suponía ya el primer enclave de importancia fuera de Panonia Superior rumbo a Roma. Pero Severo había detenido el avance. Llegar a Emona con las legiones suponía no ya cruzar una frontera administrativa sino iniciar lo que Juliano interpretaría como una invasión militar; en otras palabras: una auténtica declaración de guerra.

—Llevamos dos días detenidos —dijo Julia a su esposo en el dormitorio de la tienda de campaña, no muy grande ni muy cómoda, que estaban usando en aquel desplazamiento por el sur de la provincia.

Su esposo no dijo nada. Se limitó a levantarse y buscar una túnica que ponerse él mismo.

—¿Qué esperamos? —insistió Julia—. ¿Qué hacemos aquí parados en mitad de la nada?

—Esperamos la respuesta de Albino. Sin saber si tengo la retaguardia del flanco occidental cubierta no pienso lanzarme hacia Roma.

Julia asintió.

Desayunaron en otra tienda que tampoco era muy grande y en la que hacía bastante frío. Todos se pusieron túnicas de

---

26. Actual Liubliana en la moderna Eslovenia. En la época de Severo, Emona estaría ubicada, dentro del Imperio romano, en la región administrativa de Italia. Sobre el problema de las fronteras entre el Nórico, Panonia Superior e Italia, ver Šašel Kos (2014).

lana. Los niños no. Les molestaba el tacto del tejido en la piel y llevaban otras de algodón que abrigaban mucho menos. No habían permitido que las esclavas les pusieran las túnicas que correspondían atendiendo a la temperatura de la región. Julia hizo un gesto de fastidio cuando una de las esclavas le informó de la desobediencia de los niños, pero antes de que tomara cartas en el asunto algo llamó su atención: por la puerta de la tienda acababa de entrar Leto y parecía exultante. A Julia le urgía saber, y lo antes posible, el motivo de la felicidad de uno de los tribunos militares de máxima confianza de su esposo. Las túnicas que llevaran o no puestas sus hijos era algo muy secundario.

—¡Ha aceptado! —anunció Leto firme, en pie, con el pecho henchido, mirando al emperador Septimio Severo—. Ha aceptado, augusto, quería decir.

Septimio se levantó de su *triclinium* y sin prestar atención a si Leto había usado o no convenientemente el término de *augusto* al dirigirse a su persona, pidió la aclaración que Julia también anhelaba.

—¿Albino?

—Sí, augusto. Clodio Albino ha respondido confirmando que acepta el nombramiento de césar, de sucesor. Sus legiones permanecerán en Britania y promete obediencia al emperador Severo mientras el augusto mantenga su palabra.

—Mientras mantenga mi palabra —repitió Severo, subrayando el aviso velado que envolvía aquella frase del gobernador de Britania.

—Da igual lo que diga sobre si mantienes o no tu palabra —declaró Julia—, lo esencial es que ya podemos avanzar hacia el sur.

—¿Podemos? —preguntó Septimio mirando a su esposa.

—No pienso quedarme atrás —dijo ella tajante.

Julio Leto percibió cierta tensión en el matrimonio imperial. Dio un paso atrás. Severo, sin dejar de mirar a su esposa, se dirigió al tribuno militar con instrucciones que ya tenía pensadas hacía tiempo:

—Rosio Vitulo será el intendente general de las tropas que nos acompañen hacia Roma; dile que lo nombro *praepositus annonae.* Es de Tergeste[27] y conoce bien el territorio por el que las legiones han de avanzar durante los próximos días. Valerio Valeriano irá al frente de la caballería y tú, Leto, estarás al mando de todas las tropas, solo por debajo de mi autoridad. Cilón se queda en retaguardia, controlando la provincia.

—Sí, augusto —respondió Leto marcialmente; se llevó el puño al pecho, dio media vuelta y dejó al emperador a solas con su esposa. El tribuno intuía que iba a iniciarse un debate en el que prefería no estar presente. Nadie se atrevía ya a llevar la contraria a Severo, esto es, nadie excepto su esposa Julia. Leto salió con rapidez de la tienda.

En todo ese tiempo Septimio no había dejado de mirar a su mujer.

Julia, por su parte, le había mantenido la mirada, sin muestra de enfado pero con una determinación que sabía que incomodaba a su esposo. No lo hacía con esa intención, pero no estaba dispuesta a dar su brazo a torcer en aquel punto. En la cama podía ser la amante más dócil si eso era lo que deseaba su marido, pero la sumisión Julia la reservaba solo para las noches de pasión conyugal. Cuanto antes entendiera eso Septimio, mejor, y aquel momento era tan bueno como cualquier otro para dejar las cosas claras.

Septimio, que parecía intuir cierta rebelión a sus deseos por parte de su esposa, habló con gravedad:

—He permitido que me acompañaras hasta aquí, con los niños, porque tu presencia me es muy grata, porque te quiero. Lo sabes. Y me gusta teneros conmigo; pero ahora veo que ha sido un error. Debería haberte dejado en Carnuntum con tu hermana.

—El caso de mi hermana y el mío son muy diferentes —argumentó Julia al tiempo que se levantaba de su propio *triclinium* y se acercaba a su esposo, que permanecía en pie en el centro de la tienda; los esclavos que había en las esquinas para servirles comida intuyeron, como había hecho Leto hacía unos instantes, que era mejor dejar solo al matrimonio y salieron del comedor de campaña.

27. Trieste.

—¿Diferentes? Las dos sois mujeres y hermanas. No veo la diferencia.

—Las *circunstancias* son diferentes —insistió Julia enfatizando la palabra—: Maesa acaba de dar a luz y necesita descansar, y yo no. Ella es mi hermana, pero yo soy tu esposa y mis hijos son tus hijos. No pienso separarme de ti otra vez. Estar unidos es lo que... —se corrigió—, es una de las cosas que te han hecho más fuerte frente a Nigro o Albino. Eso lo sabes. Tú mismo me lo has dicho en privado. Y tus hombres lo saben. Conmigo a tu lado, con tus hijos a tu lado, nadie puede presionarte.

—Panonia es segura. Juliano no puede llegar allí.

—Todo es posible y más en estos tiempos de incertidumbre. Tus hombres de retaguardia pueden rebelarse, pueden dejarse comprar por enviados de Juliano. Eso no lo sabes.

—Cilón es leal y te dejo con él. Te sacó de Roma.

—Lo sé, lo sé. —Julia comenzaba a desesperarse. No le gustaba tener que discutir con su esposo, pero no pensaba rendirse—. Lo más probable es que aquí estuviera bien, pero lo único que es cien por cien seguro con respecto a garantizar mi vida y la de los niños es que nos quedemos contigo, a tu lado.

—No estarás segura conmigo. Ellos tampoco. Hasta ahora te he dejado acompañarme porque nos movíamos con mis tropas dentro de una provincia que controlo, pero en cuanto cruce la frontera con Italia, en cuanto entre en Emona, habré declarado una guerra y una guerra no es el sitio para una mujer.

—¡Por El-Gabal! —gritó Julia—. ¡Yo no soy una mujer cualquiera! ¡Soy la esposa del emperador y el lugar de la esposa del emperador es siempre al lado de su marido! —Calló un instante. Con las manos abiertas hizo un gesto hacia abajo, como si buscara calmarse. Terminó con voz serena—: Estar al lado de mi esposo siempre, en la paz o en la guerra. Ese es mi deber.

Julia se sentó entonces en el *triclinium* que tenía junto a ella. Septimio seguía en pie, mirándola. Ella estaba empezando a considerar decir que también sus ideas habían sido buenas, como la de ofrecer la dignidad de césar a Albino, pero no quería argumentar en esa línea. Una cosa era que su esposo estuviera dispuesto a aceptar una sugerencia suya dentro de la estrategia de la guerra, y otra muy diferente que aceptara que ella podía ser necesaria en esa misma guerra.

—El camino no va a ser fácil —añadió Severo, pero el tono ya no era tan hostil—. Hasta ahora he podido conseguir residencias más o menos razonables para ti y para los niños, en Scarbantia, en Savaria, en Poetovio o tiendas de campaña relativamente confortables, pero a partir de ahora entro en territorio enemigo, dominado, al menos de modo formal, por Juliano. Lo más que podré ofrecerte será mi tienda del *praetorium* de campaña y no siempre con todos los lujos dispuestos. Hay que desplazarse rápido y no habrá tiempo para montar y desmontarlo todo cada jornada. No es lo mismo. Nada de baños en varios días, no sé si semanas. Y la comida será la misma que la de las tropas.

—Lo sé.

—¿Y los niños? —preguntó Septimio, que parecía haber cedido ya con respecto a su esposa.

—Los niños también vendrán. Han de aprender a ser soldados. Han de ver cómo su padre gana un Imperio. Han de ver lo difícil que puede ser. Solo así apreciarán su valor.

—Te he visto con Basiano y Geta —continuó su esposo—: Eres distante con ellos, no pareces pendiente de sus asuntos y, sin embargo, insistes ahora en que vengan.

—Es que entre sus múltiples asuntos, como dices, solo me ocupo de los importantes: su padre y el Imperio que han de heredar. Si llevan una túnica u otra, me da igual.

Septimio, dejando de lado el comentario sobre la vestimenta, veía con claridad lo que las palabras de su esposa dejaban entrever sin decirlo explícitamente.

—Tú misma sugeriste que nombrara césar a Albino.

—Tenemos que ir paso a paso.

Septimio Severo la miró abriendo mucho los ojos.

—¿Sabes que lo que me estás dando a entender es que habrá más de una guerra?

—Las que hagan falta —respondió Julia seca, pero cambió el tono y puso una voz más conciliadora—. En todo caso, Albino puede tener su papel y su parte en el Imperio en su justa medida si permanece leal a tu causa.

Septimio iba a preguntar qué quería decir aquello de «en su justa medida», pero Calidio entró en la tienda y le indicó que hablara rápido y directo.

—El tribuno militar ha regresado, augusto.

Septimio suspiró, dejó de mirar a Julia y se sentó en otro *triclinium*.

—Que pase.

La figura de Julio Leto reapareció en la puerta de la tienda de la familia imperial.

—Siento interrumpir, augusto, pero Juliano ha enviado un mensajero.

—¿Tiene nombre esta persona? ¿Es senador? —preguntó Severo.

—No parece de los *patres conscripti*, augusto. Responde al nombre de Aquilio Félix.

—¿Aquilio Félix? No me dice nada ese nombre. —Y miró a Julia—. ¿Y a ti?

Julia se sintió feliz. Su esposo se había dirigido a ella con el tono habitual, el de siempre, el que mostraba afecto. Sabía lo que eso significaba: había cedido definitivamente en lo de que ella y los niños lo acompañaran.

—No, ese nombre no me dice nada —respondió ella.

Septimio se dirigió entonces al tribuno.

—¿Dónde está?

—En el campamento militar, augusto —respondió Leto—, en la tienda del *quaestor*. ¿Lo traigo aquí?

Severo tardó un instante en responder y lo aprovechó su esposa para anticipar una propuesta.

—Creo, esposo, que sería más prudente que no trajeras aquí a un enviado de Juliano. Quizá fuera mejor que lo vieras en el centro del campamento, rodeado de todos tus hombres armados y vigilantes. Juliano no es de fiar y sus enviados, menos aún.

Septimio la miró. No dijo nada. Miró a Leto.

—Parece sensato, augusto, ser prudentes con relación a la seguridad del emperador —confirmó el tribuno.

—De acuerdo. —Severo se levantó.

Julia también lo hizo.

Leto ya había dado media vuelta y salía de la tienda.

—¿Puedo acompañarte a ver a este mensajero de Juliano? —preguntó Julia con el tono más dulce que pudo, con esa voz que sabía que tanto le gustaba a su esposo, con la mirada entregada.

—Por Júpiter, si vas a venir conmigo hasta Roma, si vas a dormir en las tiendas militares y no vas a quejarte de la comida y las privaciones del viaje militar que tenemos por delante, supongo que puedes venir también a ver a este hombre.

Ella pasó a su lado, le dio un beso muy lento en los labios, se separó levemente y acercó su boca al oído del emperador.

—No he dicho que no fuera a quejarme. Que ese intendente que has nombrado nos procure buena comida, por favor.

Y dio media vuelta, pero sintió que su esposo permanecía sin moverse.

—¿Me vas a dejar sola con ese mensajero? —dijo ella divertida.

Él no respondió a la pregunta, sino que planteó otra diferente:

—No me he casado con una mujer como las demás, ¿verdad?

Ella sonrió.

—Tú no querías una mujer como las demás.

XXXIII
—

LA DEFENSA DE ROMA

Ateneo, Roma
Abril de 193 d. C.

Juliano había convocado a todos los miembros del Senado para una sesión de especial relevancia. Así lo había anunciado, pero sin especificar el contenido exacto de los decretos que iba a proponer a votación. El emperador de la ciudad, como lo llamaban algunos *patres conscripti* en voz baja —como contraposición a los autoproclamados emperadores Septimio Severo en Panonia o Pescenio Nigro en Siria—, había enviado a los pretorianos a cada casa senatorial para asegurarse su presencia en el Ateneo aquella jornada de abril. Pocos senadores eran favorables a Juliano. La mayoría de ellos acudieron forzados, por miedo a las armas pretorianas, aunque algunos combinaban obligación y curiosidad. Entre estos últimos estaba Dion Casio, que se sentía como un observador privilegiado de una gran tragedia griega que estaba teniendo lugar en tiempo real ante sus asombrados ojos: un espectáculo del que, no obstante, su prudente ánimo lo animaba a distanciarse. Para un senador, sin embargo, salir de Roma era del todo imposible pues estaban vigilados por la guardia. Así pues, vería la tragedia hasta el final y, según las circunstancias, intentando implicarse lo mínimo en los acontecimientos que iban desarrollándose. ¿Debería escribir algún día todo aquello que estaba viendo y contarlo para que quedara testimonio de aquellos meses de locura en tiempos futuros?

Dion Casio entró en el gran complejo del Ateneo, levantado por orden de Adriano hacía más de sesenta años. Caminó por los amplios pasillos de mármol blanco y amarillo, dejando a ambos lados diferentes salas dedicadas a la lectura de poesías y otros eventos culturales, hasta llegar a la sala central, la más grande, donde debía tener lugar la reunión del Senado convocada por Juliano. Dion Casio entró en el magno auditorio y tomó asiento, como solía, al lado de Sulpiciano. Miró a su alrededor y vio que los pretorianos de Juliano se habían asegurado hasta la asistencia del anciano Claudio Pompeyano, quien lo saludó desde la distancia.

—Hasta a él lo han forzado a venir —observó Dion.

—Juliano quería un lleno completo —dijo Sulpiciano—. Ya sabes lo persuasiva que puede llegar a ser la guardia imperial.

—Sin duda.

Guardaron silencio un rato mientras iba entrando el resto de senadores.

—¿Has visto esto? —El veterano Sulpiciano le mostraba un denario[28] recién acuñado en el que podía verse la efigie de Juliano con las abreviaturas *IMP CAES M DID IVLIAN AVG* impresas alrededor del busto imperial coronado con laureles.

—Sí, claro —confirmó Dion Casio, tomando la moneda y leyendo en voz alta—: *Imperator Caesar Marcus Didius Iulianus Augustus.* Lo normal en estos casos, ¿no?

Juliano había ordenado que la ceca imperial acuñara monedas nuevas con su efigie desde el mismo día de su compra del trono. Aquello no parecía ninguna novedad.

—Dale la vuelta —le dijo Sulpiciano.

Dion Casio volteó el denario en la palma de la mano y lo miró por el anverso: en el otro lado de la moneda se podía ver al propio emperador Juliano de cuerpo entero, en pie, girado hacia la izquierda, sosteniendo un papiro en una mano y una

28. Equivalente a cuatro sestercios.

esfera representando el mundo en la otra. Las palabras *REC-TOR ORBIS*, «gobernante del mundo», rodeaban la figura.

—Es un poco patético, ¿no crees? —dijo Sulpiciano.

—Bueno —replicó Dion con una sonrisa—, con Nigro controlando Oriente y Severo el Danubio, autoproclamados ambos emperadores, el mundo al que Juliano se refiere aquí es más bien pequeño. Quizá debiera poner *rector urbis*, «gobernante de la ciudad», y no *orbis*, del mundo. A lo mejor es una errata.

Sulpiciano contuvo una carcajada. Había demasiadas miradas indiscretas alrededor, pero añadió otro comentario en voz baja.

—Por todos los dioses, será cuestión de que empecemos a tomarnos todo esto un poco a broma o las preocupaciones, solo ellas, acabarán con nosotros antes que las espadas de los unos o los otros.

—Supongo que sí —aceptó Dion al tiempo que extraía una moneda de un pequeño saco donde llevaba el dinero debajo de su toga—. Pero mira esto: también tengo yo monedas de nueva acuñación que enseñarte, ya que has comenzado con esto.

Sulpiciano tomó ahora el denario que Dion le entregaba y lo miró por un lado: podía leerse también *IMP CAES M DID IVLIAN AVG* rodeando otra efigie de Juliano coronada con laureles, pero al darle la vuelta, en vez de la imagen de la otra moneda, el nuevo denario mostraba a la diosa Concordia en pie con un águila de las legiones en una mano y un estandarte militar en la otra, rodeada por las palabras *CONCORD MILIT SC*.

—Concordia militar *SC* —leyó Sulpiciano en voz alta—. ¿Y dices que hay muchos de estos denarios?

—Muchos —confirmó Dion Casio—, pero se ve que la mayoría los han enviado al norte para que los vean las tropas de

Septimio Severo. Dicen que algunas monedas las lleva incluso un mensajero que ha enviado a parlamentar con el propio Severo.

—¡Por Cástor y Pólux! —exclamó el senador más veterano—. Muy hábil. Juliano parece más astuto de lo que pensábamos. Y el toque de *SC, senatus consulto,* es muy bueno. Está ofreciendo a los legionarios de Septimio una amnistía, una *concordia militar* total supuestamente aprobada por el Senado. Más de un legionario puede reconsiderar si seguir avanzando hacia Roma o abandonar las legiones de Severo, evitando la lucha, acogiéndose a esta amnistía que publican estas monedas de Juliano.

—Es una buena estrategia —aceptó Dion Casio—, pero todo depende de la voluntad de Septimio. Si este se retira y acepta esa amnistía, bien, pero si Severo se decide a seguir adelante, mucho me temo que sepa garantizarse la lealtad de sus tropas prometiéndoles beneficios similares a los de los pretorianos, a los que, no lo olvidemos, todos los legionarios odian.

—Es posible —respondió Sulpiciano mirando hacia la tarima central del escenario del Ateneo. El emperador acababa de llegar, como siempre rodeado por numerosos miembros de la guardia imperial armada al mando de Flavio Genial, uno de los dos nuevos prefectos del pretorio.

—A Juliano le ha ido bien comprando con dinero a los pretorianos —continuó Dion Casio—. Es normal que crea que puede comprar también a los legionarios de Severo. Pero imagino que el gobernador de Panonia habrá prometido grandes beneficios económicos para sus hombres, mientras que Juliano, al menos por el momento, solo les ofrece una amnistía. Llegados al punto de haber apoyado a su gobernador a proclamarse emperador, no creo que los legionarios de la X *Gemina,* la XIV *Gemina* y la I *Adiutrix* vayan a abandonar al emperador que han elegido ellos mismos en Carnuntum apenas hace unas...

—*Patres conscripti!* —vociferó Flavio Genial.

El murmullo de las conversaciones de los diferentes grupos de senadores se apagó. Dion Casio y Sulpiciano se intercambiaron de nuevo las monedas y las guardaron.

El emperador Juliano se levantó de la gran *sella curulis* del centro del escenario y empezó a hablar.

—*Patres conscripti* de Roma. Como sabéis vivimos en tiempos de zozobra, momentos que recordaremos todos como fantasmas del pasado en cuanto consigamos conjurar los peligros que acechan nuestra reiniciada andadura de un nuevo gobierno imperial coordinado con el Senado. Como habéis visto, procuro gobernar sin tomar represalias contra nadie. Sé que no todos estáis de acuerdo, sé que no todos podéis ver las cosas del mismo modo que yo, pero eso no ha provocado en mí ira ni he ordenado arrestar ni mucho menos ejecutar a nadie. No es ese el camino que he tomado. No lo hizo Pértinax y no lo haré yo, pero sí que pienso que es importante que superemos nuestras diferencias cuando nos jugamos cuestiones muy graves. —Guardó un breve silencio: se había ganado la atención de todos; eso le gustó. Era cierto que estaban allí forzados por las armas, pero no era menos cierto que, al menos hasta la fecha, no había dado orden de matar a ninguno de los allí reunidos y estaba convencido de que eso lo pondrían muchos *patres conscripti* en la balanza de las ventajas y desventajas a la hora de apoyar lo que iba a proponer.

»Senadores, amigos todos, pensemos o no siempre igual, lo que no podemos permitir es que, por primera vez en más de un siglo, un gobernador en rebeldía vaya a cruzar las fronteras de su provincia para dirigirse hasta Roma. ¿No habéis leído cómo se comportaron las tropas del Rin cuando Vitelio, rebelde militar como el actual Severo, invadió Italia y tomó Roma? ¿Es eso lo que queréis para vosotros, para vuestras casas, para vuestras propiedades en Roma y en toda Italia? ¿O acaso creéis que las legiones de Septimio Severo se comportarán de forma delicada, atenta y educada con vosotros, con vuestros bienes y con vuestras mujeres y familias? Pensad, pensadlo bien. Yo propongo aquí y ahora que se apruebe ofrecer una amnistía a las tropas que se acercan hacia Roma si estas deponen su actitud y regresan a sus campamentos en Panonia Superior. Una concordia militar absoluta es mi propuesta si se retiran. También sugiero, en aras del entendimiento entre todos, que Septimio Severo y su familia sean tratados con magnanimidad y se les permita vivir en paz, eso sí, lejos de Roma y sin poder militar alguno sobre ninguna otra legión. Pero, y subrayo lo que voy a decir ahora, si Septimio Severo persiste en su rebelión y se atreve a cruzar la frontera de Italia con legiones armadas, propongo que sea declarado enemigo público de Roma.

Y calló.

Los murmullos se reiniciaron.

—Es gracioso —empezó Dion en voz baja dirigiéndose a Sulpiciano—: Nos pide aprobar la amnistía militar después de haber acuñado monedas con las letras *SC, senatus consulto.*

—Es más bien triste —lo corrigió Sulpiciano también mascullando las palabras—. Solo demuestra que sabe que no podemos negarnos a nada de lo que pida. Entre nosotros, y yo me incluyo, no quedan valientes, amigo mío.

Sulpiciano llevaba razón.

—Lo que no entiendo —dijo entonces Dion Casio— es por qué solo declara enemigo público a Septimio Severo y no lo hace también con Pescenio Nigro. Del gobernador de Siria, también autoproclamado emperador, no ha dicho nada.

—Una pieza cada día, amigo mío —respondió Sulpiciano—. Y Septimio está más cerca, es más urgente detenerlo. Nigro, por otro lado, tiene más seguidores en el Senado. Imagino que una vez que Juliano neutralice a Severo, elaborará una estrategia para acabar con Nigro o pactar con él.

Dion Casio asintió.

Las votaciones se produjeron. Todas las mociones de Juliano se aprobaron por unanimidad.

Los dos *patres conscripti* salieron del Ateneo mirando al suelo.

—Si Septimio llega a Roma victorioso, y es posible que lo consiga —dijo Sulpiciano a Dion Casio una vez fuera ya del Ateneo y lejos de los oídos de los pretorianos—, más vale que lo recibamos de rodillas y con las calles bien engalanadas con guirnaldas, sobre todo después de lo que acabamos de votar hoy. No tengo a Severo por hombre magnánimo.

—Tendrá que hacerse cargo de que votamos forzados, secuestrados, rehenes —replicó Dion Casio.

—Es posible, pero reconozcamos que tampoco le hemos dado motivos a Severo para que nos considere hombres valientes. Ni uno de nosotros ha dicho ni propuesto una alternativa.

—Sulpiciano suspiró—. Amigo mío, esto pinta mal: Severo es

mejor militar que Juliano; esto es ya más una guerra que una cuestión política y estamos en el bando perdedor.

—Puede que Juliano aún tenga algo escondido, algo secreto entre manos —sugirió Dion Casio—. Lo veo muy confiado.

Sulpiciano se detuvo, miró al cielo y sentenció:

—Que los dioses te oigan.

Ese abril de 193 d.C., el Senado de Roma nombró a un poco conocido Valerio Catulino nuevo gobernador de Panonia Superior, a propuesta de Didio Juliano, y, a continuación, declaró a Septimio Severo enemigo público de Roma si entraba con legiones armadas en Italia.

XXXIV

EL MENSAJERO DE JULIANO

Praetorium militar de la legión XIV *Gemina*,
extremo suroccidental de Panonia Superior
Abril de 193 d. C.

Septimio Severo, vestido con su coraza, con la mano en la empuñadura de su *spatha* y seguido por su esposa y Julio Leto, entró dando grandes zancadas en la tienda de mando de las legiones de Panonia Superior. En el interior estaba Fabio Cilón y, a su lado, un hombre enjuto, extremadamente delgado, siniestro en su forma de mirar y vigilante en grado sumo, atento a cualquier detalle. Alrededor de ellos, más de una docena de legionarios armados observaban todo, en particular, cualquier gesto extraño que pudiera hacer el misterioso enviado de Juliano.

—Ave, gobernador —dijo Aquilio atreviéndose a saludar a Severo sin reconocer su dignidad imperial—. ¿Es necesaria la presencia de tantos soldados para parlamentar? Ya me han desarmado.

Ni la voz ni el porte ni nada de aquel hombre agradaron a Julia Domna, que se situó por detrás de su esposo, expectante y en silencio. Había algo en aquel mensajero que le resultaba sorprendentemente familiar, pero no acertaba a identificar qué. Aquello la incomodaba aún más.

—Para ti, como para todos en el Imperio, soy el emperador y, si quieres seguir vivo, espero que te dirijas a mí conforme a esa dignidad —empezó Severo recriminándole a Aquilio lo impropio de su saludo—. Si vuelves a cometer un error en ese sentido, porque voy a pensar que eso ha sido lo que ha pasado, la conversación terminará de inmediato y lo pagarás con la vida. No sé si me he explicado con suficiente claridad.

Aquilio Félix borró la pequeña sonrisa que tenía dibujada en los labios. Ya le habían dicho todos sus informadores que el gobernador de Panonia Superior era un hombre muy rígido que hacía honor a su *cognomen Severus*. La negociación no iba a ser fácil.

—Mis disculpas, augusto —respondió el jefe de los *frumentarii* e hizo una reverencia sustantiva—. No volverá a ocurrir, augusto.

Septimio Severo se sentó en la *sella* del *praetorium*. No había más asientos, de modo que Julia permaneció en pie tras su esposo. Ella no reclamó una silla. No era hora de importunar a su esposo con trivialidades. Además, seguía intentando recordar de qué conocía a aquel mensajero.

—Pero, realmente, augusto —insistió Aquilio—, ¿es necesario que hablemos ante tantos testigos? Gran parte de lo que he de proponer es... confidencial. De emperador a... emperador.

A Aquilio le habían retirado el *gladio* militar que solía llevar, pero aún tenía una daga oculta entre sus ropajes. Los legionarios de la legión XIV *Gemina* no parecían tener la destreza en la vigilancia personal de los pretorianos. Las tropas de Septimio eran especialistas en el combate, no a la hora de defender a su superior de intrigas palaciegas. En eso aún tenían mucho que aprender. Aquilio no tenía la más mínima intención de inmolarse asesinando a Severo allí, en el supuesto de que los legionarios fueran a abandonar el *praetorium*. Su insistencia en quedarse solo, además de por la confidencialidad, era también para ver hasta qué punto podía ser fácil o no conseguir momentos de intimidad y de poca vigilancia junto a Severo. Tenía que decidir, y decidirlo pronto, qué estrategia sería la mejor para acabar con Severo: si una daga o el veneno sobornando a algún esclavo de confianza, como le había sugerido el propio Juliano. Ya había visto rondando la tienda en la que habían entrado al *atriense* de la familia Severa, un tal Calidio. Incluso había recordado el nombre. Nada más verlo lo reconoció de las noches en las que él mismo había vigilado la residencia de la familia Severa en Roma durante la época de Cómodo. Viendo la desconfianza del gobernador de Panonia y los legionarios de los que parecía rodearse habitualmente, la idea de sobornar a ese *atriense* iba cobrando fuerza en su cabeza. De hecho, ya tenía un plan cuando, súbitamente, lo inesperado ocurrió. Una vez más una persona ignorada desbarataba estrategias...

—Ya sé de qué conozco a este hombre —dijo de pronto Julia. Y no esperó a que nadie le cediera la palabra. Habló mirando a Aquilio, al tiempo que ponía las manos sobre los hombros de Severo, que permanecía sentado delante de ella—. Este enviado de Juliano es uno de los espías que siempre nos vigilaban en Roma. Y lo hacía desde tiempos de Cómodo. Estoy segura. He visto esa faz cadavérica entre las sombras de las calles próximas a nuestra residencia en Roma más de una vez cuando regresábamos de una salida por la ciudad.

Severo se giró hacia su esposa y cabeceó afirmativamente una vez.

Ella calló y retiró las manos de los hombros del emperador. Severo volvió a dirigirse al mensajero.

—No pareces hombre de confianza. Para empezar no me has dicho tu nombre, tu posición, y ni tan siquiera te decides a comunicar lo que sea que Juliano desea proponerme. Como negociador eres un desastre.

—Mis disculpas, augusto. Es cierto que no soy buen negociador. Mi especialidad es reunir información. Mi nombre es Aquilio Félix y he ejercido como jefe de los *frumentarii* estos últimos años, pasando datos relevantes sobre mil asuntos diferentes a los emperadores de Roma. Y es verdad que también vigilé a Julia Domna, en tanto en cuanto que era la esposa de uno de los más importantes gobernadores, en aquel momento, del Imperio. Lo hice para el emperador Cómodo. Todos hicimos muchas cosas de las que podemos arrepentirnos cuando gobernaba Cómodo. Pido ahora disculpas por esa vigilancia, pero nunca obré de forma directa ni indirecta contra la seguridad de la esposa del emperador aquí presente —mintió Aquilio, pues Cómodo disparó aquella flecha en el anfiteatro contra Julia a raíz de las informaciones que este le había suministrado.

Por su parte, a Severo no se le pasó la matización final del jefe de los *frumentarii* sobre «el emperador aquí presente» para referirse a él y así distinguirlo de los otros dos emperadores en liza: Juliano en Roma y Nigro en Oriente. Pero Severo no estaba para debatir sobre matices.

—Bien, por Júpiter, ya has dicho tu nombre y tu cargo —replicó—. Así que lo que tenemos aquí es uno de esos misteriosos *frumentarii*. Siempre quise conocer a uno para decirle a la cara que no veo que ir de aquí para allá espiando merezca la paga que Roma os da. Vigilas a mujeres y niños. Valiente soldado.

Y Severo se echó a reír nada más terminar la frase.

Los tribunos militares y varios oficiales y legionarios presentes se unieron a aquella carcajada.

Julia, no obstante, permanecía en silencio, seria, mirando fijamente a Aquilio Félix; al jefe de los *frumentarii* no se le pasó aquel detalle: para convencer a Severo de cualquier cosa tendría que persuadirla antes a ella.

—He venido a ofrecer una amnistía para todos de parte de Juliano —añadió Aquilio en cuanto las risas empezaron a disminuir y su voz volvía a ser audible en la tienda.

—¿Una amnistía? —preguntó Severo con la frente arrugada.

El jefe de los *frumentarii* se llevó la mano debajo de la túnica y varios legionarios desenvainaron los gladios. Aquilio se detuvo y luego, muy despacio, extrajo un pequeño saco de monedas que, estirando el brazo y acercándose con mucho tiento, entregó al emperador. Septimio cogió el saco con la mano derecha y levantó la izquierda. Los legionarios envainaron las espadas. Abrió la bolsa y vio las monedas con la efigie de Juliano en un lado y con la diosa Concordia en el anverso rodeada por las palabras *CONCORD MILIT SC.* Severo pasó algunas de las monedas a sus tribunos, que las estudiaron también con atención.

—Y supongo que habrá muchas más de estas y que Juliano las habrá enviado hacia el norte de Italia para que mis hombres se las vayan encontrando por el camino, ¿cierto? —preguntó Severo.

—Así es, augusto —confirmó Aquilio—, pero la concordia, la amnistía es para todos, para las tropas, pero también para el emperador Severo y su familia, cuya vida sería completamente respetada. Solo se pediría que quedara el augusto Severo fuera de Roma y sin mando militar. —Aquilio miró por encima del emperador hacia los ojos negros y brillantes de Julia Domna—:

Es una oportunidad para evitar la guerra, una ocasión para asegurar la vida de todos, incluidos la esposa y los niños del augusto.

—Nuestros hijos solo estarán seguros cuando Juliano y toda su maldita estirpe estén muertos. —Julia irrumpió en la conversación con palabras gélidas que helaron la sangre del jefe de los *frumentarii*.

Aquilio Félix bajó la cabeza sin decir nada. Tras la rotunda afirmación de la esposa de Severo, tenía muy claro que toda negociación allí iba a ser imposible. El tiempo de parlamentar había quedado atrás para Septimio Severo y sus hombres y, muy en especial, para su esposa. Tenía que pensar mucho y rápido: Juliano y Severo iban a luchar a muerte y solo uno saldría victorioso de aquel embate de titanes. Era el momento de elegir. Si se equivocaba, moriría. Y seguramente de una forma no muy agradable.

Aquilio Félix levantó la cabeza.

—Lo cierto es que Juliano no me envió aquí para parlamentar ni para ofrecer una amnistía. Todo eso es una mentira —dijo—. En realidad, mi misión era ganarme la confianza del emperador Severo y, en la primera ocasión que tuviera, asesinarlo y luego reunirme con Juliano, quien me premiaría con generosidad. Una opción era una daga oculta. Otra, el veneno, quizá sobornando a algún esclavo de confianza del entorno del emperador.

El silencio que siguió a aquella confesión fue tan denso que uno diría que se oían los latidos de los corazones.

—¿Por qué me dices esto ahora? —preguntó Severo al fin.

—Porque he visto claro que ninguna paz es posible. Y si va a haber confrontación, prefiero estar del lado de quien, con seguridad, acabará victorioso.

Septimio Severo inspiró hondo antes de volver a hablar.

—¿Y qué te hace pensar que voy a considerarte hombre de fiar? ¡Por todos los dioses! ¿Crees que porque me hayas confesado tu vil misión ya está todo perdonado, que eso te hace persona de mi confianza?

—No, con esa confesión no basta —admitió Aquilio. Había empezado a sudar por una frente demasiado despejada, que anunciaba la calvicie incipiente—. Pero puedo ganarme la fe del emperador aportando información sobre sus enemigos.

—¿Ah, sí? —Severo se levantó y se acercó a su enjuto interlocutor que ante la corpulencia del emperador parecía aún más empequeñecido—. ¡Claro! ¡Estamos ante un poderoso *frumentarius* que vigila a mujeres y niños! ¡Se me olvidaba! —Y volvió a reír y con él todos los militares presentes. Julia no. Aquilio tampoco—. ¿Y con qué información, si puede saberse, crees que puedes ganarte mi confianza?

Aquilio palpó casi inconscientemente la daga que llevaba bajo la túnica. Hacerlo ahora sería una misión suicida, además de que se lanzarían todos contra él. ¿Suicidarse? Se evitaría la tortura, pero los legionarios se echarían sobre él antes de que pudiera ni tan siquiera herirse. No había otro camino que persuadir a Severo de que sus servicios podían ser de veras útiles.

—Juliano ha enviado a Tulio Crispino, uno de los nuevos prefectos de la guardia pretoriana, a Rávena —empezó a decir con rapidez el *frumentarius*—, para hacerse con el control de la flota imperial.

—Eso ya lo sé, imbécil —respondió Severo—. ¿Acaso crees que yo muevo mis tropas sin enviar por delante patrullas y a mis propios espías? ¿Es que crees que yo avanzo con mis legiones a ciegas, sin considerar lo que mi enemigo haría, sin anticipar sus movimientos, su estrategia? Lo que me dices de Crispino no me vale de nada. Ya me ocuparé de ese prefecto del pretorio cuando mis hombres se hagan con él. Rávena estará en mi poder mucho antes de que ese desgraciado consiga hacerse fuerte allí. ¿Algo más que aportar, algo que te haga valioso para mí, esto es, vivo?

Aquilio Félix retrocedió un par de pasos hasta que sintió que los legionarios se le acercaban por la espalda y se detuvo. El emperador también se quedó inmóvil a dos pasos de distancia.

—Tengo información sobre Albino en Britania y sobre Nigro —continuó diciendo Aquilio en busca de dar con algo que realmente interesara al emperador.

Severo sonrió. Era genial tener esta entrevista con el mensajero de Juliano después de haber recibido respuesta de Albino desde Britania.

—Con Albino tengo un pacto. ¿Qué sabes de Nigro?

—Sé los nombres de los senadores que lo apoyan en Roma.

—Eso lo sabrán también mis hombres en la urbe. Y tengo mil formas de averiguarlo: senadores amigos a los que preguntar. Lo único seguro aquí es que no vales para nada que no sea vigilar a mujeres y niños. Y ni siquiera eres senador, de modo que ejecutarte no va a perjudicar mis relaciones con el Senado. Eres prescindible. —Severo se dirigió a los legionarios—: ¡Lleváoslo ya y matadlo como os venga en gana!

Los soldados lo rodearon.

—¡Noooo! —gritó Aquilio—. ¡Sé algo que no sabe nadie y que es la clave para conseguir anticiparse a todos los demás que luchan por el Imperio!

Severo ya le había dado la espalda y se dirigía a su *sella curulis*, pero se detuvo, se giró de nuevo y encaró a Aquilio, a quien los legionarios ya arrastraban hacia el exterior de la tienda.

—¡Un momento! —gritó el emperador; los soldados frenaron en seco—. ¡Soltadlo un instante, por Júpiter! —ordenó, y lo liberaron de inmediato. El augusto miró a los ojos a Aquilio Félix y le habló en voz normal, sin mostrar aprecio ni desprecio, solo indiferencia—: Es tu última oportunidad.

Aquilio se llevó el dorso de la mano izquierda a la boca para secarse el sudor. Había llegado la hora de revelar a Severo lo que en su día estuvo a punto de decir a Juliano y decidió callar. Ahora, quizá, comunicarlo al gobernador de Panonia Superior que se había arrogado la dignidad de augusto podría salvarlo de una horrible muerte.

—Nigro, Nigro es la clave de todo. Cada día es más fuerte —dijo Aquilio.

—Tiene diez legiones bajo su mando. Es un enemigo formidable, pero hasta las legiones de Oriente tienen un límite —opuso Severo con aire de fastidio; aquel diálogo no llevaba a ningún sitio—. No veo cómo se va a hacer cada vez más fuerte. Y Albino está conmigo. Lo que dices no tiene sentido.

—¡Sí, augusto, sí lo tiene, porque Nigro, cegado por la ambición, está dispuesto a involucrar en la guerra por el control del Imperio romano a ejércitos de más allá de nuestras fronteras!

Septimio no respondió de inmediato. Dio un par de pasos hacia atrás. Se sentó. Miró al suelo. Se pasó la mano derecha por el cogote. Se acomodó bien en el asiento y se irguió de nuevo. Miró a Aquilio.

—Te escucho.

El jefe de los *frumentarii* fue directo al asunto:

—Nigro ha pactado ceder territorios romanos a Vologases V de Partia. Le entregará Osroene, Armenia y quizá ciudades como Nísibis, Dura Europos, Zeugma y alguna más. Todo lo cederá de forma permanente a cambio de apoyo militar real: tropas, arqueros y caballería parta, en el caso de que Septimio Severo o cualquier otro se atreva a acercarse a Oriente. Y Vologases ha aceptado. Tengo informadores no solo en Roma, augusto, sino en todos los rincones del Imperio. Nigro es cada día más fuerte. Todo el tiempo que dedica el augusto Severo a terminar con Juliano es tiempo en el que Nigro se hace más poderoso.

—Los partos —dijo Severo como si con esas dos palabras resumiera, y ciertamente lo hacía, lo revelado por Aquilio.

—Sí, Vologases V de Partia ha prometido ayuda militar a Nigro y también los reyes de Osroene, Adiabene y otros reinos limítrofes —repitió el jefe de los *frumentarii* algo más seguro de su supervivencia ahora que había dado con una cuestión que sí había impresionado a su interlocutor imperial.

Severo lo miró de nuevo.

—Todo esto tendrá que ser confirmado —dijo—, pero de momento permanecerás bajo arresto. Lleváoslo. El tiempo dirá si sus servicios son, en efecto, merecedores de mi clemencia.

Aquilio se inclinó ante Severo al tiempo que los legionarios volvían a rodearlo, pero esta vez no lo cogieron por la fuerza, se limitaron a interponerse entre él y el emperador. Aquilio dio media vuelta y salió de la tienda.

—Que salgan los demás —ordenó entonces Severo—. Que se queden solo Leto y Cilón.

El resto de oficiales y legionarios abandonaron el pabellón de mando. Julia permaneció tras su esposo y los tribunos militares se situaron frente al emperador.

—¿Creéis que los legionarios nos serán leales? —preguntó

Severo—. Quiero decir, cuando vean las monedas y sepan de la oferta de amnistía por parte de Juliano.

Leto y Cilón se miraron entre sí un instante. Fue el primero el que respondió:

—Todos odian a la guardia pretoriana. Acabar con esa unidad los anima. Y saben que muchos gobernadores han jurado fidelidad al emperador Severo. Sienten que están con el vencedor en este pulso. No creo que tengamos problemas, pero se les podría prometer alguna recompensa económica tras deponer a Juliano.

—De acuerdo. Pensaré en ello —aceptó Severo—. Ahora, lo primero es Juliano. Luego ya iremos viendo cómo se desarrolla todo. Pero esto de los partos y los reinos de Osroene y Adiabene es delicado.

—Lo es —admitió Leto.

—Es serio, sí, augusto —aceptó también Fabio Cilón—: Pero, si se me permite decir algo...

—Adelante —dijo Severo.

—Los partos y todos esos reinos ya han sido derrotados en otras ocasiones: por Trajano primero y, más recientemente, por Lucio Vero, y en ambos casos de forma contundente.

Septimio Severo no dijo nada pero hizo un gesto afirmativo con la cabeza. El espíritu de Cilón era el que hacía falta. Tomó nota de su disposición. Sería el primer oficial de alto rango que enviaría hacia Oriente en cuanto terminara con Juliano.

—Preparadlo todo para avanzar hacia Aquileia y de allí a Rávena —ordenó el emperador—. Si es cierto que Nigro se está haciendo cada vez más fuerte, cuanto antes eliminemos a Juliano, mejor.

Los tribunos saludaron militarmente y salieron del *praetorium*.

Julia volvió a posar las manos sobre los hombros de su esposo. Permanecieron así en silencio un rato. Ella en pie, tras él, y el emperador sentado, sus ojos mirando el suelo de aquella tienda de campaña.

Suspiró.

—Si involucramos a otros Imperios tan fuertes como Partia

en nuestras propias disputas, la lucha por el poder de Roma puede terminar en la destrucción de todos.

—Prevaleceremos —le dijo Julia al oído.

—¿Cómo estás tan segura? —preguntó él sin dejar de mirar al suelo.

—Es nuestro destino. El-Gabal nos ayudará en Oriente y los dioses romanos en Occidente. Lo conseguiremos juntos.

Septimio Severo no dijo nada, pero asintió como si aceptara que lo que decía ella sería lo que, en efecto, tendría que pasar. Puso su propia mano sobre la de su esposa.

La seguridad de Julia era adictiva.

XXXV

LA LENTA AGONÍA

Palacio imperial, Roma
Mayo de 193 d. C.

Didio Juliano estaba sentado en el trono de la gran Aula Regia.

A su espalda había media docena de pretorianos y otros tantos, a izquierda y derecha, repartidos por la sala.

Pretorianos.

En su momento había parecido un gran logro tener la guardia imperial controlada, aunque fuera a costa de grandes sumas de dinero, pero ahora todo se veía diferente.

Más allá de los pretorianos no tenía nada. E incluso estos no parecían estar demasiado vigilantes, más bien algo dormidos, aburridos de encontrarse en aquella enorme estancia. Antaño llegaban allí embajadores de todo el orbe, de Partia y hasta de India en tiempos de Trajano, pero en aquel momento la gran Aula Regia era solo un gigantesco contenedor de aire espeso, denso, asfixiante.

Juliano, con los brazos extendidos a lo largo del reposabrazos del trono y las manos aferradas a él casi de forma inconsciente, repasaba en su cabeza los últimos acontecimientos acaecidos en su tambaleante Imperio: Tulio Crispino no había conseguido el apoyo de los oficiales de la flota imperial de Rávena y apenas tuvo tiempo para escapar de la ciudad cuando las tropas de Septimio Severo se acercaban a sus murallas. El rebelde del norte —así había bautizado Juliano a Severo en su mente— había usado el gran acueducto que Trajano construyera en Rávena, una magna obra de más de cuarenta millas, para abastecer de agua a sus tropas, al tiempo que dejaba sin el preciado líquido a la ciudad durante un breve asedio. Sin agua, la resistencia de Rávena fue mínima. Eso le acababa de contar el propio Crispino, que permanecía ahora en pie frente al emperador de Roma. No era mucho lo que había conseguido su prefecto del pretorio, pero Juliano le reconocía la lealtad de regresar a Roma. Eso era algo más, bastante más de lo que se podía decir del miserable de Aquilio Félix, que lo había traicionado pasándose directamente al bando del enemigo. Ya se ocuparía de él cuando resolviera el asunto de Severo.

Con todo, pese a que el cambio de bando del jefe de los *frumentarii* y la pérdida del control de Rávena habían sido duros reveses, Juliano aún no daba su brazo a torcer. Era cierto que había propuesto al Senado que se nombrara a un senador veterano como coemperador, en un intento más de legitimarse ante todos, en particular, ante el propio Severo; eso habría hecho ver al gobernador de Panonia Superior que si avanzaba sobre Roma no era solo contra él, contra Juliano, sino contra todo el Senado. Pero Claudio Pompeyano, el más veterano de los senadores, había rechazado el nombramiento atendiendo, como en otras ocasiones anteriores, a su edad y a sus enfermedades, reales o fingidas. Era la tercera vez que aquel testarudo viejo rechazaba la dignidad de augusto. Increíble. Y ningún otro senador quiso postularse como emperador. Si no fuera por lo desesperado que estaba, Juliano se habría reído a carcajadas en aquella infausta sesión del Senado. Era grotesco: hacía unas semanas parecía que todos querían ser emperador, pero ahora, con las legiones de Septimio a punto de salir de Rávena para el asalto final a Roma, ya nadie mostraba tanto interés. El propio Sulpiciano, que había pujado por el trono imperial contra él, se negó también a ser coemperador. Y luego estaban los senadores fieles al otro rebelde, a Pescenio Nigro.

Juliano tenía los ojos fijos en Crispino, pero la mirada vacía. El prefecto derrotado en Rávena aguardaba nuevas instrucciones. Flavio Genial, el otro prefecto leal, vigilaba en el Circo Máximo que se cumplieran sus otras instrucciones.

—No pienso rendirme. Eso nunca —masculló Juliano.

—No he entendido bien, augusto —dijo Crispino pensando que se trataba de las nuevas órdenes, pero el emperador negó con la cabeza.

—Volverás al norte. Quiero que te encuentres esta vez con Septimio Severo en persona.

—Sí, augusto.

Juliano inspiraba y espiraba con intensidad. Le costaba tanto decir lo que iba a decir...

—Le ofrecerás al gobernador de Panonia Superior ser coemperador conmigo.

Ya estaba.

Dicho.

No había sonado tan mal.

A decir verdad, si aceptaba sería una solución perfecta. ¿Aceptaría? ¿Por qué no? Nadie había entrado en Italia con tropas para tomar Roma en más de cien años. ¿Quería ser Septimio recordado por semejante ultraje? ¿Se lo perdonarían los senadores?

—Sí, augusto —respondió Tulio Crispino. Y le habría gustado preguntar: «¿Y si Severo dice que no?», pero no le pareció adecuado importunar al emperador Juliano con aquella posibilidad. Si el gobernador de Panonia Superior se negaba, quizá él ya no volvería a Roma. Quizá ya no iría a ningún sitio. O solo su cabeza. Era una pregunta absurda.

Crispino se inclinó ante el emperador y echó a andar por la gran sala del Aula Regia. En su salida se cruzó con Flavio Genial, que retornaba del Circo Máximo. Los dos prefectos se saludaron sin palabras, con una pequeña inclinación de la cabeza. Se miraron a los ojos y cada uno leyó en el otro que la situación era desesperada. ¿Para qué hablar?

Flavio Genial fue quien se detuvo ahora frente al emperador.

—He enviado a Crispino al norte para parlamentar con Severo —le dijo Juliano sin saludos ni preámbulos—. Ofrecerá al gobernador de Panonia Superior ser coemperador. Veremos. En todo caso, ¿cómo van los trabajos de fortificación de la ciudad?

—De eso quería hablar, augusto —respondió Flavio Genial, pero miró a su alrededor con desconfianza—. A lo mejor al emperador le gustaría dar un paseo por los jardines de palacio.

Juliano enarcó las cejas. Estaba a punto de decir que no era momento de entretenimientos triviales cuando comprendió que Genial buscaba privacidad.

—Sí, parece una buena idea —aceptó, y se levantó. Descendió del trono y, junto con el prefecto, salió del Aula Regia y entró en uno de los grandes atrios ajardinados del palacio imperial.

Estaban solos.

—Tú dirás, prefecto —dijo Juliano.

—Aunque yo mismo sea uno de ellos, he de admitir que los pretorianos no son ya hombres de muchos esfuerzos. Contratan a otros para que los sustituyan en las tareas más penosas de fortificar las viejas murallas de la ciudad. No son un buen ejemplo. Mucho tiempo sin combatir, sin montar tiendas, sin marchas largas bajo el sol o la lluvia. No, no son un buen ejemplo. Pese a todo, los trabajos para recuperar la muralla serviana que rodea la ciudad avanzan. El problema grave lo tenemos en el circo.

—¿En el Circo Máximo? —preguntó Juliano sin entender bien.

—Allí hemos llevado todos los elefantes requisados de los que aún estaban almacenados allí mismo y en el anfiteatro para las cacerías de Cómodo.

—Son pocos, ¿no es eso?

—No, augusto, ese no es el problema. De hecho, hay muchos. Más de cincuenta. Y aún están encontrando más.

—Entonces no entiendo cuál es el problema —insistió el emperador.

Flavio Genial se lo explicó.

Juliano cerró los ojos mientras escuchaba. Cuando el prefecto terminó, se llevó las manos a las sienes y se las masajeó con fuerza. Las bajó y abrió los ojos.

—Bien, haced lo que podáis con ese asunto —dijo Juliano intentando poner orden en sus instrucciones—: Lo primero es la muralla. Que los pretorianos o aquellos a los que ellos paguen sigan con los trabajos de fortificación. Pero todo esto que me cuentas me hace ver que hemos de ser cautos y prevenirnos contra un nuevo levantamiento de la guardia imperial. Quiero que vayas a los *castra praetoria*... —Dejó la frase en el aire.

—Sí, augusto —dijo Flavio Genial para mostrar que estaba atento.

—Sí, ve allí. Quinto Emilio, el jefe de la guardia con Cómodo y luego con Pértinax, sigue preso en la cárcel del campamento pretoriano, ¿correcto?

—Así es, augusto.

—Ejecútalo. Quinto Emilio ya se rebeló contra los dos emperadores anteriores a mí y, si las cosas se complican, los pretorianos que estén descontentos lo buscarán como cabecilla para una nueva rebelión. Descabezados, los pretorianos serán más dóciles... más leales.

—Sí, augusto. —Y como vio que el emperador echaba a andar sin dar más instrucciones, el prefecto empezó a girarse para irse.

—Un momento.

—Sí, augusto.

—La amante de Cómodo, Marcia, casi me olvido de ella —continuó Juliano—. Estaba bajo arresto en la residencia de Quinto Emilio, es decir, en la casa que este había confiscado a una de las víctimas de Cómodo, ¿cierto? Eso me dijo el miserable de Aquilio Félix antes de ir al norte.

—Sí, augusto.

—Ejecútala también. Lo último que necesito es que esté embarazada, ya sea de Cómodo o de Quinto Emilio o de otro, me da igual. Podría decir que Cómodo es el padre. Solo nos falta que aparezca un heredero de la dinastía de Marco Aurelio para complicarlo todo aún más. —Juliano hablaba mirando al suelo con los brazos en jarras—: Fortificaciones y ejecución de Quinto y Marcia. Eso por el momento, sí. Y esperaremos la respuesta de Severo a mi propuesta de ser coemperador. Eso es todo, prefecto.

Juliano, esta vez sí, echó a andar hacia sus habitaciones privadas, pero evitando encontrarse con su esposa. Scantila estaba atemorizada y lo acosaba a cada instante con nuevos miedos. Y no quería añadir más preocupaciones a las que ya tenía.

Flavio Genial, por su parte, se quedó unos segundos inmóvil digiriendo las instrucciones recibidas. Inspiró profundamente. Lo de Quinto lo veía claro, pero él nunca había matado a una mujer. Exhaló el aire de los pulmones de golpe. No estaba la situación para discutir órdenes.

Circo Máximo, Roma

Los pretorianos habían elegido el gran estadio para organizar la defensa militar de la ciudad. Por un lado, se estaban reforzando las viejas murallas de Roma que, tras decenios sin que ninguna tropa asediara la urbe, habían sido relativamente abandonadas y necesitaban trabajos de reconstrucción. En segundo lugar, los pretorianos comprendieron que los marineros procedentes de la flota de Miseno necesitaban hacer instrucción si iban a actuar como legionarios de combate, y la gran explanada del circo era el mejor sitio para esas prácticas.

—Se han vuelto a equivocar —dijo Sulpiciano. Él, junto con su hijo Tito, Dion Casio, Aurelio, el hijo de Claudio Pompeyano, y otros senadores, había acudido a las gradas del gran estadio del Circo Máximo para observar la defensa que Juliano intentaba armar contra las legiones de Severo.

—Es la tercera vez que lo hacen mal —confirmó Dion Casio.

Los marineros no eran capaces de poner los escudos en alto al mismo tiempo para la formación en *testudo* y cuando conseguían tener todas las armas defensivas en posición y se les daba la orden de avanzar, unos iban en una dirección y otros en otra deshaciendo la formación por completo. Se oían risas en algunas gradas.

Cuando se oyó un estruendo, los senadores, cómodamente sentados en las gradas, justo al lado del palco imperial, no se inmutaron. Eso sí, varios miraron hacia el trono, pero ni Juliano ni nadie de la familia augusta estaba allí para presenciar aquel desastre. Se permitieron entonces reír. Los gritos ensordecedores se repetían de nuevo. Aparecieron varios elefantes por los *carceres*, en el extremo izquierdo del estadio, emergiendo por el mismo sitio reservado para las cuadrigas pero que ahora estaban usando los pretorianos para situar torres de madera y tela encima de cada bestia traída de África. Ya no iban a ser sacrificadas en las inmisericordes *venationes* de Cómodo, sino que los gigantescos paquidermos se emplearían como arma especial para el combate a las puertas de Roma. Los gritos brutales no eran tales, sino que los elefantes barritaban nerviosos e incómodos ante aquella especie de torres que les habían colocado en el lomo a cada uno de ellos.

—Realmente son imponentes —comentó Dion Casio.

—Sí —admitió Sulpiciano.

—Esto quizá pueda detener a Severo —apuntó Aurelio, el hijo de Claudio Pompeyano.

—No estoy tan seguro... —empezó a contrargumentar Dion Casio, pero calló. Uno de los animales estaba más inquieto que el resto: el elefante que encabezaba un grupo de doce más a los que ya se les había puesto una torre encima del lomo con varios pretorianos, además del conductor, barritaba sin parar.

—Algo va mal —dijo Dion.

El elefante parecía fuera de sí. Comenzó a moverse hacia un lado y hacia otro con el fin de sacudirse de encima el peso de aquella enorme torre y sus soldados.

—Yo no sé de elefantes —dijo Sulpiciano—, pero diría que los han sobrecargado.

La torre empezó a tambalearse. Los pretorianos que iban en ella gritaron al conductor y este sacó una maza y un gran escoplo de una bolsa que colgaba del costado de la bestia para intentar herir en la cabeza mortalmente al elefante antes de que el animal los arrojara de su lomo y, con toda probabilidad, los pisoteara, pero la operación fue demasiado lenta. La torre se venció hacia el lado izquierdo arrastrando incluso al propio elefante en la caída. Maderas, tela y soldados se estrellaron sobre la arena del Circo Máximo quebrándose las sogas que sostenían todo el tinglado ligado al cuerpo del animal. El elefante, pese a estar de lado en el suelo, al verse liberado de las sogas de la torre, volvió a levantarse y a barritar con más potencia si cabía y echó a correr en dirección hacia donde los marineros de Miseno intentaban, una vez más, aprender a formar en *testudo* y maniobrar sin deshacer las filas. Estos, al ver a aquella bestia desbocada abalanzarse hacia ellos, dejaron escudos y gladios sobre la arena y salieron corriendo en todas direcciones.

Entretanto, varios elefantes que habían visto cómo su compañero se había deshecho de la pesada carga de las torres comenzaron a imitarlo zarandeando las fortificaciones de madera que se les había impuesto transportar, todo sea dicho, sin el adiestramiento previo necesario. Una tras otra, las torres caían a la arena con pretorianos y conductores rompiéndose los huesos.

Era el caos total.

Dion Casio observaba con la boca abierta aquel esperpento de los elefantes, los pretorianos y los marineros de Miseno. El senador negaba con la cabeza: Juliano, Septimio, Albino, Nigro..., todos luchando por el poder, pero ¿a alguno le preocupaba Roma? ¿A alguno le preocupaba la seguridad de las fronteras, el alimento para el pueblo, la seguridad de todos? ¿Cuándo llegaría el día en el que senadores y gobernadores pensaran más en el buen gobierno del Imperio que en sí mismos, en sus pequeñas estrategias, en sus rencillas y envidias en esa maldita lucha por el poder que a todos debilitaba, rodeados como estaban de problemas dentro y fuera de los límites del Imperio?

—Todo este ridículo —dijo Sulpiciano interrumpiendo las reflexiones de Dion— por culpa de un senador corrupto y un grupo de gobernadores con ambición sin fin. ¿Habrá algún día en que esto no sea así?

—Cuando cambie la naturaleza humana, amigo mío —respondió Dion—. Si es que cambia alguna vez. Si no, te garantizo que en dos mil años, todo seguirá igual.

Un pretoriano tuvo la idea de clavar un *pilum* en el vientre de una de las bestias. Los elefantes respondieron pisoteando a discreción a pretorianos y marineros. Había tanta sangre como en la más brutal de las cacerías.

—A Cómodo le habría hecho gracia este espectáculo —concluyó Sulpiciano.

Dion Casio asintió.

—A veces pienso que su espíritu aún gobierna Roma.

La ciudad en aquellos días se transformó en un auténtico fortín militar que estuviera ubicado en campo enemigo.

Era inmenso el tumulto generado por las diferentes fuerzas que se encontraban allí dispuestas y en maniobras (hombres, caballos y elefantes), y grande también era el miedo inspirado en el resto de la población por las tropas, pues estos últimos odiaban a la plebe.

Sin embargo, había momentos en donde nos podía más la risa, pues los pretorianos no hacían nada merecedor de su nombre y su juramento, pues se habían habituado a vivir en la comodidad; por otro lado, los marineros traídos desde la flota de Miseno ni siquiera sabían cómo hacer las maniobras militares. Y los elefantes encontraban las torres que llevaban demasiado pesadas y se negaban incluso a transportar a sus conductores por más tiempo arrojándolos también de sus lomos.

Dion Casio, 74, 16

XXXVI
—

LA *THERIACA*

**Praetorium del campamento general
de las legiones de Panonia, Rávena
Mayo de 193 d. C.**

—Es ese viejo médico griego —dijo uno de los legionarios que custodiaban el pabellón de mando del ejército de Septimio Severo.

—¿Galeno? —preguntó con sorpresa el emperador.

—Así se ha identificado, augusto —respondió el soldado.

—Yo lo he convocado —apuntó entonces Julia, que acompañaba a su esposo aquella mañana.

Severo se giró hacia su mujer con la frente arrugada.

—Déjalo pasar y te explico —añadió ella.

El augusto hizo una señal y el legionario salió de la tienda del *praetorium* en busca del viejo médico. Pero Severo mantenía la mirada clavada en los ojos negros de su joven esposa.

—Ha sido por lo ocurrido con ese Aquilio Félix —empezó a explicarse Julia—: Juliano ha intentado asesinarte y puede volver a poner en marcha otra conjura, o quizá algún agente enviado por Albino o por Nigro sea el siguiente sicario. Todo está en juego, el Imperio entero, y cualquiera de ellos puede planear un ataque mortal contra ti. Has de protegerte.

—Por eso tengo legionarios apostados como centinelas por todas partes y un grupo especial de hombres que me escoltan en todo momento —argumentó Severo, que no parecía entender cómo el viejo médico podía contribuir a mejorar su seguridad.

—La *theriaca* —respondió Julia como toda explicación.

—Ah —dijo Severo. Solo eso. Pero su mente se activó con rapidez. La *theriaca* era el antídoto especial contra todo tipo de

298

venenos que supuestamente, según se contaba, Galeno administraba a los emperadores que gobernaban Roma desde tiempos de Marco Aurelio. Comprendió en ese instante la pertinencia de aquella visita—. Quizá sea buena idea —aceptó, al fin, el emperador, justo cuando entraba Galeno.

—¿Cómo está mi hermana... y su hija? —preguntó Julia al médico antes de que este pudiera ni tan siquiera saludar.

—Ambas están bien, augusta —respondió Galeno.

—Por El-Gabal, gracias. Eso son magníficas noticias —continuó la emperatriz aliviada—. ¿Y has traído lo que te pedí?

—Sí, augusta. —Acto seguido, Galeno extrajo de debajo de su túnica un pequeño frasco y, avanzando despacio unos pasos, con el brazo extendido, lo presentó al emperador, quien lo cogió con tiento, como si fuera algo peligroso. Lo cual, según la dosis, era cierto.

—Entonces... ¿estás dispuesto a proporcionarme este antídoto? —preguntó el emperador—. Creía que no eras de los que toman partido en cuestiones de política.

—No me gusta hacerlo, augusto, pero ya lo hice cuando acepté en Roma llevar el mensaje de la esposa del gobernador... —se corrigió de inmediato—, del emperador, hasta Carnuntum. Ahora solo soy consecuente con mi decisión —precisó Galeno.

—Y esperas, a cambio, recibir lo prometido: tiempo y dinero para rehacer tus escritos, tu biblioteca —comentó Severo sin dejar de mirar el pequeño frasco de vidrio que sostenía en la mano.

—Así es, augusto.

Hubo un silencio más largo de lo normal entre una intervención y la siguiente.

—¿Y cómo sé que no te equivocas en la dosis que me suministras? —preguntó Severo, con los ojos fijos siempre en el frasco.

—En cuestiones médicas yo no me equivoco nunca, augusto. Un pequeño sorbo cada día es la dosis adecuada. No más. Pero tampoco menos si queremos que la medicina sea efectiva.

—Ya... —aceptó el emperador—. Por otro lado..., ¿cómo saber que no formas parte de una trama para envenenarme?

Otro largo silencio.

Julia parpadeó varias veces. No había pensado en ello. No tenía sentido que Galeno quisiera cambiar de bando..., ¿o sí?

—Eso —respondió el viejo médico— el emperador no puede saberlo. El augusto ha de tomar decisiones a partir de ahora difíciles entre las que está saber ver de quién se puede fiar y de quién no. Este antídoto lo protegerá de la casi totalidad de los venenos conocidos, pero no de mí. El antídoto se probó eficaz con Cómodo, al que intentaron envenenar sin éxito, y por eso tuvieron que estrangularlo. Lo que yo protejo queda inmune al envenenamiento, pero el protegido ha de fiarse de mí. El emperador ha de decidir a quién teme más: ¿a mí o a las decenas de posibles conjuras que puedan intentar acabar con su vida ahora que ha sido proclamado augusto de Roma? Y esa es una decisión que el emperador ha de tomar a solas.

»Yo me quedaré unos días en Rávena a la espera de recibir instrucciones. La emperatriz manifestó su deseo de que tras entregar la *theriaca* regresara al norte para seguir cuidando a su hermana y a su sobrina recién nacida. Y eso pienso hacer, a no ser que se me instruya en otro sentido. El frasco que sostiene el augusto en la mano contiene una mezcla mínima del antídoto para que se acostumbre a la *theriaca* progresivamente. El emperador ha de tomar, como he dicho antes, un sorbo de ese líquido cada noche. Sentirá malestar de estómago unos días. Pasada una semana le entregaré un segundo frasco con la dosis normal. Se ha de ir con cuidado con este asunto, augusto.

Galeno se inclinó y, sin esperar mandato alguno, dio media vuelta y salió.

Severo y Julia se quedaron a solas, pero la emperatriz, de pronto, tuvo una duda y siguió con velocidad al griego al exterior de la tienda.

En el interior, Severo se quedó, una vez más, mirando el frasco en silencio.

—¡Médico! —llamó Julia en ese instante.

Galeno se giró.

Los centinelas estaban cerca. Julia habló en voz baja.

—¿Y la *theriaca* puede tener otros efectos no deseados? —preguntó la emperatriz.

—¿No deseados? ¿Como qué? —preguntó Galeno.

A Julia le costó hacer la siguiente pregunta.

En el interior de la tienda, Severo abrió el frasco.

Julia, fuera del pabellón, planteó su duda con más precisión:

—En la cama..., ¿el emperador seguirá activo, quiero decir, conmigo?

Galeno se mantuvo inmóvil unos instantes. En modo alguno había esperado una pregunta en ese sentido.

Severo, dentro de la tienda, se llevó el frasco a los labios e ingirió un pequeño sorbo.

—Ahhh —dijo. No sabía bien.

Fuera del pabellón, Galeno dio su respuesta:

—La *theriaca* no afectará a los deseos carnales del emperador, augusta.

Julia sonrió, se giró y, sin despedirse, retornó al interior del pabellón.

Galeno comprendió muchas cosas en aquel momento. Pero no era prudente compartirlas con nadie. Solo si alguna vez ponía por escrito todo aquello..., quizá en un diario secreto.

XXXVII

—

UN HOMBRE DIFERENTE

**Villa de Claudio Pompeyano,
diez millas al sur de Roma
Mayo de 193 d. C.**

—¿Cómo has podido volver a hacerlo, padre? —Aurelio Pompeyano hablaba fuera de sí, agitando los brazos, sin detenerse un instante, como si necesitara quemar su rabia con aquellos aspavientos sin fin—. ¿Cómo has podido rechazar, por tercera vez, ser emperador de Roma? Te lo propuso Marco Aurelio y rehusaste vestir el manto púrpura. Te lo propuso el Senado antes que a Pértinax y, de nuevo, lo rechazaste. Y ahora que te lo propone otro emperador, le dices que no a Juliano. Nadie habrá nunca en la historia que haya rechazado tres veces ser investido emperador de Roma.

Agotado por su propio parlamento, por sus energías gastadas en voces y aspavientos por el atrio de la casa de su padre, Aurelio Pompeyano se sentó al fin. Era la señal que su progenitor estaba esperando para poder explicarse, una vez más, aunque albergaba serias dudas de que fuera a ser comprendido. Las ansias propias de la juventud cegaban la cordura y la prudencia en la mente de su hijo.

—Si hubiera aceptado ser coemperador con Marco Aurelio, cuando este murió por la peste, Cómodo se habría alzado contra mí y tú y yo habríamos sido ejecutados. Luego, es cierto, rechacé el nombramiento cuando el Senado me lo ofreció tras la muerte de Cómodo. ¿Cómo aceptar ser emperador rodeado de la misma guardia pretoriana que había permitido el asesinato de su jefe? El Senado quería un emperador pero sin dotarlo de una nueva guardia. ¿Qué es lo primero que hizo Trajano cuando accedió al puesto de *imperator*? Ejecutar a todos los cabecillas de entre los pretorianos que permitieron primero el asesinato de Domiciano y que luego se rebelaron contra Nerva y, acto seguido, cambió a casi todos los miembros de la guardia imperial. Pero el Senado no hizo esto tras la muerte de Cómodo. Resultado: ¿cuántos días duró Pértinax como emperador? No llegó ni a los tres meses. Si yo hubiera aceptado el cargo, a quien habría abandonado el prefecto Quinto Emilio entregándolo a la locura avariciosa y sin límite de los pretorianos habría sido a mí. Dos negativas y dos casos en los que salvé a la familia. ¿Por qué le digo ahora que no a Juliano? Porque Juliano ha esperado demasiado para este movimiento. Ya hay otros dos emperadores en liza: Severo y Pescenio Nigro. Y Albino calla, pero ya veremos.

—Severo es el que cuenta ahora, padre —dijo Aurelio dispuesto a contrargumentar y a defender su idea de que debería haber aceptado esta vez vestir la toga imperial—. Y Severo habría visto en ti a un legítimo representante del Senado. Eso quizá lo habría frenado. Podrías haber maniobrado para aislar a Juliano y deponerlo luego por sus múltiples crímenes. Todos sabemos de los subrepticios orígenes de su fortuna. Podrías haber negociado un pacto secreto con Severo y ser coemperador, al final, con él.

Claudio Pompeyano suspiró.

—No, hijo. Un momento en la historia como el del buen gobierno de los coemperadores Marco Aurelio y Lucio Vero tardará en repetirse. Septimio Severo, muchacho, no ha salido de Carnuntum con varias legiones, no ha asediado Aquileia perdiendo legionarios en la lucha, no ha seguido avanzando hacia Roma armado hasta los dientes para compartir el Imperio. Es más, te garantizo que si llega al río Rubicón, que estará a punto de alcanzar con su ejército, y lo cruza, al igual que hizo Julio César años atrás, no será para compartir el poder, como tampoco quiso compartirlo el propio César. Si Severo cruza el Rubicón, hijo mío, lo querrá todo. Y es lógico. En eso lo respeto. Lo querrá todo porque habrá apostado todo: su vida, la de su mujer y la de sus hijos. Hay que tener una madera especial para realizar semejante apuesta y no retirarse de la partida hasta el final, sin saber si tus dados te darán o no la victoria. Yo no tengo esa madera.

—¿Y de qué material estás hecho tú, padre? ¿De la madera con la que se construye la cobardía?

Claudio Pompeyano no se tomó a mal aquel desplante de su hijo.

—Muchacho, yo estoy hecho de la madera con la que se forja la supervivencia. Es un material escaso y que no todos aprecian.

—Es un material que desprecio —le espetó Aurelio con desdén.

—Estás en tu derecho de pensar como quieras, pero solo déjame que te lo advierta por última vez: tú, Aurelio, no estás hecho de la madera de Severo o Nigro, Juliano o... Albino. No entres en su juego nunca, porque, ahora me doy cuenta, tampoco estás hecho de la madera de la supervivencia. Y si te metes en ese juego, perderás y morirás.

Su hijo se levantó y, exasperado, alzando los brazos, dándole la espalda a su padre, pero ya sin decir nada, abandonó el atrio de la familia Pompeyana al sur de Roma y marchó hacia la ciudad.

Claudio Pompeyano se quedó encogido en su asiento, abatido. Era muy penoso que su propio hijo no lo comprendiera, peor, que lo despreciara hasta el punto de tomarlo por cobarde. Él, Claudio Pompeyano, que se había hecho a sí mismo de la nada, considerado como un flojo. ¿Hasta qué extremo había olvidado su hijo sus esfuerzos y los de la familia? Originarios de Antioquía en Siria, la estirpe de los Pompeyano no consiguió la ciudadanía romana hasta tiempos del divino Claudio. De ahí tomaron el *praenomen* para los miembros de la familia, el mismo que él usaba.

Suspiró.

Claudio Pompeyano, nacido en el oriente del Imperio, empezó prácticamente desde la nada, como *tribunus laticlavius* de la legión VII *Gemina* en Hispania en tiempos de Adriano, y luego fue ascendiendo, poco a poco, por cada uno de los puestos del largo *cursus honorum* romano hasta conseguir ser un *novus homo*, el primer senador elegido entre los miembros de su familia. Su valor, pericia y eficacia en los campos de batalla, ya fuera contra partos, marcomanos o germanos, le valió el afecto del divino Marco Aurelio hasta el punto de que este le ofreció casarse con Lucila, su hija, hermana de Cómodo. Él aceptó aquel matrimonio que lo unía a la familia imperial, pero nunca el ofrecimiento tácito que iba con aquella boda de ser césar y sucesor, toda vez que el coemperador Lucio Vero había muerto por la peste. Tuvo claro entonces, como le acababa de repetir a su propio hijo, que aceptar ser heredero de Marco Aurelio habría supuesto un enfrentamiento mortal con Cómodo.

No, su vida no era la de un cobarde. Pero ahora, después de tantos esfuerzos, en los tiempos de locura que corrían, cuando lo único inteligente era permanecer en un discreto segundo plano, a no ser que tuvieras esa forja especial de los que se lanzan a por todas cuando nada está claro, como había hecho Severo, su hijo Aurelio desertaba de su lado. Temía por su vida... y él ya era mayor. No estaría allí ya mucho tiempo para protegerlo.

Se aclaró la garganta, reseca tras la disputa con Aurelio, y parpadeó varias veces. Era como si su cabeza quisiera mirar en otras direcciones para huir del dolor presente tras la discusión con su hijo. La cuestión era que nunca pensó que alguien como Septimio Severo tuviera esa energía, esa decisión para arrogarse la dignidad imperial, dispuesto a combatir contra todo y contra todos. No encajaba. Severo era muy calculador. Faltaba algo que explicara su arranque de bravura, de audacia...

Cerró los ojos.

Buscó recuerdos de juventud en su amada y lejana Antioquía. Rememoró la hermosura de las jóvenes sirias, su delgada figura, sus ojos negros, los perfumes embriagadores con los que se acicalaban y que las hacían tan irresistibles, como si fueran reencarnaciones de la legendaria Cleopatra. De pronto, Claudio Pompeyano lo entendió todo. Fue como una iluminación, como si un rayo de Apolo le hubiera encendido resquicios del mundo que estaba a oscuras y, en un instante, hubiera tenido el dibujo completo de la lucha por el poder en Roma: Septimio Severo quizá no tenía la madera de apostarlo todo a una jugada, pero su esposa siria sí.

Era Julia.

Julia Domna.

XXXVIII

EXPEDITIO URBICA

Río Rubicón, península itálica
Mayo de 193 d. C.

Los vaivenes de la carreta desaparecieron. Los niños estaban dormidos. Habían salido antes del alba. Julia se asomó descorriendo una de las telas que los protegían del frío. Las legiones se habían detenido. Hacia atrás podía ver la interminable hilera de tropas serpeando por el camino que salía de Rávena en dirección sur. La primera luz de un sol plomizo junto con las antorchas que portaban muchos legionarios le permitían identificar la larga cola del ejército expedicionario de Panonia Superior que se adentraba en Italia. *Expeditio urbica.* Así había denominado su esposo aquel desplazamiento de tropas hacia el corazón del Imperio. Giró la cabeza y miró hacia delante: un puente estrecho y un río. Justo ahí estaba la vanguardia del ejército. Pudo ver la figura de su esposo recortarse en el horizonte del amanecer. Lo vio tirar de las riendas de su caballo para hacer que el animal avanzara en paralelo a las legiones detenidas. Su esposo cabalgaba hacia ella. Podía sentirlo.

Julia, con cuidado de no despertar a Basiano y a Geta, que dormían ajenos a los cambios del mundo, su mundo, pasó por encima de ellos y salió por la parte delantera del carruaje. El *optio* que conducía el carro y los legionarios que lo rodeaban se pusieron muy firmes al verla. Ella permaneció en pie en la parte delantera de la carroza. Nadie dijo nada. El emperador estaba acercándose. Septimio trotaba rodeado por más de un centenar de jinetes armados. Eran parte de su escolta personal, que ascendía a seiscientos hombres que lo seguían a todas partes en todo momento. Septimio ni siquiera se permitía quitarse la coraza por las noches. Aquilio Félix había sido un intento de asesinar a Septimio Severo en su aproximación a Roma. ¿Quién podía asegurarles que no habría nuevos sicarios a sueldo enviados desde la urbe y pagados con el oro que aún le quedara a Juliano? La *theriaca* de Galeno lo protegía contra venenos, pero no contra un ataque de jinetes traidores.

Julia y su esposo habían acordado que dormirían separados todos aquellos días de viaje hacia el sur. Apenas hablarían. Por eso a ella la sorprendió aquella parada y que Septimio se le aproximara, entre el resonar de los cascos de los caballos. Su esposo hizo que el animal que montaba se pusiera justo al lado de la carroza, apenas a un metro de Julia.

—¿Te he despertado? —preguntó él.

—No dormía —respondió ella—. Los niños sí.

—Despiértalos.

Julia no preguntó. Obedeció sin dudarlo. Al instante apareció con los pequeños Basiano y Geta frotándose los ojos con sus pequeños puños.

—Vuestro padre quiere hablaros —dijo Julia.

Pero Septimio Severo se dirigió a ella.

—¿Ves el puente y el río?

—Sí —dijo Julia.

—Es el Rubicón —apuntó Severo.

—¿El que cruzó Julio César? Madre nos contó esa historia. —Basiano había despertado de golpe al mencionar al antiguo todopoderoso dictador de Roma.

—El mismo —confirmó Severo, mirando ahora sí a sus hijos primero y luego a su mujer con orgullo—. Pensaba que no hablabas mucho con ellos.

—De las cosas importantes sí —afirmó Julia con rotundidad.

Septimio Severo asintió.

—¿Lo cruzamos... como hizo César?

—¡Sí, sí! —gritaron los dos niños al unísono.

Septimio Severo sonrió a sus hijos, pero con tono más serio repitió la pregunta mirando a su mujer.

—¿Lo cruzamos, Julia?

Ella se dio cuenta de que su esposo aún dudaba. Pese a haberse proclamado emperador, pese a haber entrado ya en Italia con un ejército armado, aún tenía reticencias a seguir con todo lo que aquello implicaba. Julia era consciente de que una palabra suya aún podría detener a su marido y cambiar el curso de la historia. Pero Julia no quería detener nada. Lo quería todo. Pasara lo que pasase, cayera quien cayese, implicara lo que implicase.

—Eres el *Imperator Caesar Lucius Septimius Severus* —respondió en voz alta y clara, de forma que todos los legionarios que rodeaban la carroza y todos los jinetes de la escolta de su esposo y los dos niños pudieron oír la respuesta con claridad—. ¡Tienes que cruzarlo! ¡Para el emperador no hay fronteras!

—¡Por Júpiter! —exclamó Severo con potencia mientras golpeaba el vientre de su caballo con los talones, azuzando al animal al tiempo que ponía fin a todas sus dudas—. ¡Vamos allá!

Y se alejó al galope seguido de cerca por la caballería de su guardia personal.

Las legiones reemprendieron la marcha tras la estela de su líder, que fue el primero en cruzar el río. Tras él su escolta y a continuación innumerables cohortes de las legiones X *Gemina*, XIV *Gemina* y I *Adiutrix*, y entre unas unidades y otras, la carroza de la esposa del emperador acometió también la entrada en aquel estrecho puente que debía llevarlos, pasado el río, hasta la *Via Aemilia* en dirección a Ariminum, en dirección a Roma.

Julia, con sus dos pequeños a su lado, observó desde lo alto del carruaje cómo las aguas del río fluían hacia el mar reflejando la tenue luz de aquel amanecer nublado.

Doscientos cuarenta y dos años después de que lo hiciera Julio César, el cruce del Rubicón se repetía.

Era el alba de una nueva guerra civil.

XXXIX

LA MALDICIÓN DE LA *DOMUS FLAVIA*

En las afueras de Ariminum
25 de mayo de 193 d. C., hora prima

Las legiones de Panonia Superior se detuvieron ahora a la salida de Ariminum, justo donde empezaba la *Via Flaminia*, la última calzada que debían seguir hasta llegar a Roma. El motivo no era el cruce de ningún otro río legendario sino la llegada de nuevos enviados de Juliano con otra propuesta.

Severo recibió al líder de aquella embajada en el *praetorium* militar de campaña, sentado en su *sella curulis*, con la coraza puesta y rodeado por decenas de hombres armados. Solo una mujer, Julia, su esposa, a su espalda y en silencio, parecía fuera de lugar en aquel cónclave militar.

—¿Coemperador? —repitió Severo en cuanto Tulio Crispino, prefecto de la guardia imperial, terminó de exponer la propuesta de Juliano.

—Coemperador, sí, eso es, augusto —confirmó el prefecto.

Septimio Severo se acarició la barba mientras estiraba el cuello.

—Es que yo ya soy emperador —dijo, al fin, sin levantar la voz, sin mostrar ni siquiera enfado. Quizá un viso de aburrimiento.

—Pero este nombramiento lo validaría el Senado —intentó defender Crispino en un esfuerzo desesperado por salir de allí con un acuerdo.

—Ah, sí —replicó Severo—. El Senado. A eso voy a Roma: a conseguir su aval. Pero no creo que necesite a Juliano para ello.

Severo sintió la calidez de la mano de su esposa sobre su hombro. Sabía que eso significaba que lo apoyaba. Y le gustó saberlo. Así, sin que ella dijera nada.

—Pero, augusto, podemos aún evitar un enfrentamiento armado en la ciudad de Roma... —continuó Crispino.

—Esta conversación ha terminado —lo interrumpió Severo. Y miró a varios de los legionarios armados que estaban junto al prefecto—. Sacadlo fuera, luego decidiré qué destino merece el mensajero de Juliano.

—¡Por Hércules! ¡Clemencia! —gritó Tulio Crispino cuando lo arrastraban fuera.

Mientras el prefecto seguía aullando e implorando, Severo hizo una seña y la guardia personal fue abandonando la tienda, con la excepción de Julio Leto. Julia pensó que su esposo querría hablar con él sobre cómo seguir organizando el avance hacia Roma. Cilón había quedado en retaguardia y Leto era ahora el brazo derecho del emperador. Ella no dijo nada. Se agachó levemente, le dio un beso en la mejilla a su marido, que seguía sentado, echó a andar y salió de la tienda.

—Quiero que sigamos la aproximación a Roma en cuanto amanezca —dijo Severo—. Cuanto antes lleguemos mejor. ¿Sabemos algo de Plauciano o Alexiano?

—Sí, augusto —confirmó Leto—: Los dos han retornado a Roma y convocarán al Senado cuando las legiones estén a menos de cien millas de distancia. También se ocuparán de los asesinos de Pértinax. Serán la voz del emperador en Roma hasta su entrada en la ciudad.

Severo asintió.

—Quiero la cabeza de los asesinos de Pértinax.

—Sí, augusto —aceptó Leto, pero le quedaba una duda—: ¿Y de los asesinos de Cómodo...? ¿Hacemos algo sobre ellos?

Septimio Severo cabeceó también afirmativamente. No era buena inversión para su seguridad y la de su familia que anduviera suelto ningún asesino de ningún otro emperador, incluso si el asesinado lo merecía.

—Es posible que Juliano nos haga el trabajo sucio —respondió Severo—, pero aun así, aseguraos de que no queda ninguno de los que mataron a Pértinax o a Cómodo. Nadie que haya atentado contra un emperador de Roma debe permanecer vivo.

Castra praetoria, Roma
28 de mayo de 193 d. C., hora prima

Quinto Emilio, recostado sobre un lecho de paja sucia y con los ojos mirando el techo de su celda, no estaba preocupado. Todo andaba revuelto, pero eso le había beneficiado en el pasado en más de una ocasión. Cierto era que la prisión en la que lo habían metido no era agradable, pero las había mucho peores. Por otro lado, las penosas noticias sobre el emperador de Roma que le iban proporcionando unos y otros (aún tenía muchos afines a él en la guardia) le hacían ver que la caída de Juliano era cuestión de poco tiempo y Juliano era el que lo había encerrado.

El antiguo jefe del pretorio se sentó en su camastro.

Otro asunto sería negociar con Severo. Quinto Emilio estaba seguro de que cuando las legiones del gobernador de Panonia Superior, autoproclamado emperador, estuvieran a las puertas de Roma, los pretorianos se rebelarían contra Juliano, lo asesinarían y, desesperados, lo buscarían a él, a Quinto, como en los casos de Cómodo y de Pértinax, para que negociara con Severo. Y Quinto lo tenía muy claro: a Severo había que entregarle los asesinos de Pértinax. Con eso se calmaría. Tausio, el tungrio loco, y algunos más. Luego él, personalmente, se ocuparía de Flavio Genial y Tulio Crispino, a los que ejecutaría con su propia espada. Pensaba cortarles la cabeza y enviársela también, junto con la de Tausio, al nuevo augusto. Matar a los prefectos de Juliano también agradaría a Severo. Quinto no esperaba recuperar el puesto del jefe del pretorio, pero sí que estaba muy persuadido de que haciendo todo aquello Severo le permitiría un retiro tranquilo. Con Marcia.

Sonrió.

Lo tenía todo bien pensado. Es lo que te da la cárcel: días enteros para planear bien el futuro.

Era solo cuestión de un poco más de tiempo.

Pero de pronto...

Se abrió la puerta y entraron varios pretorianos a los que Quinto Emilio no conocía. Y eso le extrañó, porque hasta la fecha todos los que le habían llevado la comida y la bebida eran hombres que, de un modo u otro, había podido identificar.

¿Habrían incorporado Tulio Crispino y Flavio Genial a nuevos guardias? Eso era improbable. Más fácil era que hubieran recurrido a algunos de los que menos trato habían tenido con él... Hablando de Flavio Genial, ahí estaba.

—Levántate —dijo el prefecto, que acababa de entrar.

Quinto Emilio tardó en obedecer, pero, aunque muy poco a poco, se puso en pie.

—¿Vais a trasladarme? —preguntó.

—Sí —respondió Flavio y desenvainó su espada—. Un traslado definitivo: al Hades, al maldito reino de los muertos.

La *spatha* de Flavio Genial asomaba ya por la espalda de Quinto Emilio que, entre sorprendido y perplejo, ni siquiera había gritado al verse atravesado por el arma.

—¡Aggghhh! —rugió finalmente mientras caía de rodillas y soltaba espumarajos de sangre por la boca. No tuvo tiempo ni de maldecir a nadie.

—Vamos —dijo Flavio Genial—. Hay más trabajo que hacer.

De camino al palacio imperial, Roma

Los pretorianos de Flavio Genial, de regreso al palacio de Juliano, se detuvieron en la vieja residencia de Quinto Emilio donde la antigua amante de Cómodo seguía recluida. Los guardias de la puerta saludaron al prefecto y se hicieron a un lado.

Marcia estaba sentada en el atrio, en silencio, muy quieta. Había oído los movimientos de sandalias militares en el exterior de la casa. Nunca iba nadie a verla. Siguiendo el consejo que le diera Aquilio Félix, llevaba semanas sin salir. Se limitaba a enviar a uno de los esclavos a por comida. Aquella casa se había transformado en su cárcel. El sirviente le traía noticias sobre lo que estaba ocurriendo en Roma: las cosas no marchaban bien para Juliano. ¿Sería eso bueno o malo para ella?

Las puertas se abrían, entraban pretorianos. Si Quinto Emilio estuviera entre ellos, significaría que se había vuelto a hacer con el control de la guardia..., pero no vio a Quinto por ningún lado. Los pretorianos llevaban las espadas desenvainadas y uno de ellos, el que parecía nuevo prefecto, la blandía ya manchada de sangre. ¿A quién habrían matado? ¿Qué iban a hacer con ella?

Flavio Genial miraba a Marcia mientras ella retrocedía hasta una de las esquinas del atrio con cara de terror. El prefecto dudaba.

—¿Podemos divertirnos antes con ella un poco, *vir eminentissimus?* —preguntó Bula, uno de los pretorianos. Un desalmado sin escrúpulos que Flavio Genial había reclutado porque era uno de los resentidos con Quinto Emilio, ya que el anterior jefe del pretorio no le había pagado tan rápido como a otros las cantidades que Juliano había entregado al principio de su mandato.

—Por favor, no —dijo Marcia y se arrodilló en la esquina del atrio. Miraba hacia Flavio Genial.

Al prefecto no le gustaba aquello, pero sabía que tener contentos a sus hombres, en especial a soldados tan rencorosos como Bula, era importante.

—Haced lo que queráis, pero hacedlo rápido —aceptó Flavio Genial.

—¡No, no, por favor, por todos los dioses! —gritó Marcia.

Bula y otro pretoriano tiraban de ella con fuerza, pero la mujer se resistía con la energía que da la pura lucha por la supervivencia. Marcia estiró el brazo libre hacia el prefecto, pero Flavio Genial se retiró hacia atrás y la mano de la mujer arañó el aire.

La arrastraron a una de las habitaciones. No para ocultar el crimen, sino porque Bula pensó que en una cama estarían más confortables ellos.

—¡No, no, noooo!

Los gritos de Marcia seguían oyéndose en el atrio donde Flavio Genial se había quedado solo. Esperando. De pronto se oyó un golpe seco y terminaron los gritos.

—¡La has matado ya, imbécil! —gritó uno de los pretorianos.

—¡No, sigue viva! —respondía Bula—. ¡Aún respira!

—¡Yo voy después de ti! —dijo otro.

Flavio Genial no intervino. ¿Se mostrarían tan valientes sus hombres cuando estuvieran las legiones de Severo frente a las murallas de Roma? ¿O tendrían la inmensa fortuna, inmerecida para criminales como los que estaban ultrajando a la antigua amante de Cómodo, de que el gobernador de Panonia Superior aceptara pactar con Juliano?

En ese momento, uno de los pretorianos que se habían quedado vigilando en la puerta entró en el atrio. Tenía la cara pálida.

—¿Qué ocurre ahora? —preguntó Flavio Genial con fastidio evidente.

—Esta noche, *vir eminentissimus*, alguien ha dejado un cesto en una de las puertas de la ciudad.

—¿Y bien?

—El cesto está fuera, *vir eminentissimus*.

—¡Pues tráelo! —le espetó airado Flavio—. ¡Si he de esperar a que me expliques qué contiene ese cesto que tanto te aterra, se me hará de noche!

Lo trajeron y lo dejaron a los pies del prefecto. Estaba tapado por un paño ensangrentado. Flavio se agachó y retiró el paño: la cabeza de Tulio Crispino lo miraba desde el interior del cesto con una mueca macabra de terror y sufrimiento. El prefecto puso la tela de nuevo por encima del cesto. Estaba claro que Severo no se avenía a negociar. Era el principio del fin.

Bula y el resto de sus compañeros aparecieron en el atrio. Tenían sus uniformes manchados de sangre. Hablaban entre ellos.

—Te dije que la habías matado —decía uno de ellos.

Bula no respondía y se limitaba a encogerse de hombros y a ajustarse el uniforme sucio.

—¿Qué ocurre? —preguntó Bula al ver el rostro serio del prefecto.

Flavio Genial se sentó en un *triclinium* y señaló hacia el cesto.

Ateneo, Roma
1 de junio de 193 d. C.

El Senado estaba reunido, una vez más, en el Ateneo, pero en esta ocasión los senadores habían acudido convocados por los hombres de Severo que ya actuaban como sus agentes en la ciudad: Plauciano y Alexiano. Ambos habían presentado varias mociones: en primer lugar reemplazar a los prefectos del pretorio Tulio Crispino, ya muerto, y Flavio Genial, por los tribunos Flavio Juvenal y Veturio Macrino. En segundo lugar, propusieron que se condenara a muerte a los asesinos de Pértinax y, también, si quedaba alguno vivo, a los asesinos de Cómodo.

Todo se aprobó, como era habitual en aquellos tiempos, por unanimidad y sin debate. Podían sentir en el ambiente el aliento de las legiones de Severo.

—Queda solo una cuestión pendiente —dijo Plauciano—: Aprobar la condena a muerte de Didio Juliano por haber usurpado la posición de *Imperator Caesar Augustus* tras sobornar a la guardia pretoriana.

También se aprobó por unanimidad.

—Es curioso —dijo Dion Casio con tono sarcástico—: acabamos de votar, presionados por los amigos de Severo, que sea ejecutado el emperador que nos ordenó que lo declaráramos enemigo público apenas hace unas semanas.

—En estos tiempos se puede pasar de enemigo público a augusto en pocos días —apuntó Sulpiciano—. Como dijimos, ya no hay valientes entre nosotros, en el Senado. Te recuerdo que hay otro emperador proclamado en Oriente, Pescenio Nigro, que también tiene seguidores entre la curia senatorial. Ya veremos qué votamos de aquí a unos meses.

Castra praetoria, **Roma**

Los nuevos jefes del pretorio, Juvenal y Veturio, hicieron correr la voz entre los miembros de la guardia imperial de que Severo sería magnánimo, incluso generoso con ellos, con un nuevo *donativum*, si colaboraban con el nuevo poder. Para ello debían empezar entregando a los asesinos de Pértinax.

Tausio, el tungrio que apenas sabía latín y que había atravesado al augusto que precedió a Juliano en el trono imperial, estaba jugando a los dados en medio del campamento pretoriano cuando Veturio llegó hasta él flanqueado por varios guardias que se habían cambiado de bando lo más rápido que habían podido. Le hablaron. Le leyeron un papiro aprobado por el Senado, todo como siempre en aquel latín que Tausio no entendía bien y, al igual que mató a Pértinax sin entender lo que este decía para evitar su muerte, tampoco ahora entendió por qué de pronto lo ensartaban varias espadas de los que hasta hacía un momento eran sus compañeros. Pensó que lo habían acusado de hacer trampas en el juego y lo que no entendía de ningún modo era cómo se habían dado cuenta.

Baños de Trajano, Roma

Flavio Juvenal entró en las termas con dos docenas de pretorianos, espadas en ristre, buscando con los ojos su objetivo. Todos se hacían a un lado con cara de pánico y solo respiraban aliviados cuando aquella patrulla de soldados imperiales pasaba de largo como despreciándolos por no ver entre ellos a su presa.

Pero la encontraron.

Narciso, el atleta que había estrangulado a Cómodo, el último de los conjurados contra el hijo de Marco Aurelio que permanecía vivo, estaba en el *caldarium* sudando, desnudo, relatando por enésima vez a varios curiosos cómo había sido capaz de dar muerte a todo un emperador de Roma con sus propias manos. Los que lo escuchaban empezaron a salir a toda velocidad de la piscina de agua caliente y Narciso no entendió por qué hasta que se giró y vio a los pretorianos rodeando el estanque de agua termal. El atleta quiso decir algo, pero varios pretorianos se habían zambullido ya en el agua con los gladios en ristre. No luchó ni ofreció resistencia alguna. Fue fácil sacarlo del agua.

—¡No, por todos los dioses, no...! —rogaba el atleta de rodillas, junto a la piscina.

Flavio Juvenal envainó la espada y se agachó para ponerse a la altura del recién detenido.

—Tranquilo, muchacho. No será ni aquí ni ahora. El augusto Severo te tiene reservado algo especial.

Palacio imperial, Roma

Didio Juliano estaba sentado en el trono imperial que presidía el Aula Regia. Flavio Genial, el único de sus antiguos jefes del pretorio aún con vida, estaba frente al emperador. No había nadie más con ellos. Se habían quedado solos. El cesto con la cabeza de Crispino podrida y maloliente seguía allí, a los pies de Juliano. Nadie se había molestado en retirarlo en los dos últimos días. El propio Juliano no parecía ni percibir la peste que destilaba aquel macabro regalo enviado por Severo desde el norte.

—Ayer estaba en Interamna,[29] a unas setenta y cinco millas al norte por la *Via Flaminia*, y sigue acercándose. Debe de estar a unas cincuenta millas hoy —dijo el prefecto. Por decir algo. Era la última información que le habían dado los guardias apostados en las murallas, proporcionada por las últimas patrullas pretorianas antes de que el Senado lo destituyera y nombrara a Juvenal y a Veturio como prefectos.

—No me importa ya dónde está —dijo Juliano con una voz grave, siniestra—. Solo sé que quiero hacerle daño pero no sé cómo.

Flavio Genial miró al emperador como quien observa un espécimen extraño de animal que hubieran traído para su sacrificio en una cacería del Anfiteatro Flavio: no había forma alguna de hacer daño a Severo desde Roma. Su mujer y sus hijos estaban con él, los pretorianos se habían cambiado de bando, el Senado los había abandonado también. Solo Nigro tenía las legiones necesarias para que se tambalease el poder emergente de Severo. Pero eso ya no lo verían ellos. Ni el emperador Juliano ni él. Flavio Genial se giró.

Había oído pisadas de sandalias que retumbaban en ecos misteriosos en los altos techos del Aula Regia. Había llegado el momento.

—Ya están aquí —dijo Flavio.

—¿Quiénes? —preguntó Juliano.

A Flavio Genial aquella interrogante le pareció absurda.

---

29. Probablemente Terni, al norte de Roma.

Tanto que no se molestó en responder. Estaba considerando si suicidarse, como había oído que habían hecho en el pasado otros en su situación. Decían que el emperador Otón lo hizo cuando se vio derrotado por los vitelianos en una de las pasadas guerras civiles. Pero él solo era un prefecto. ¿También se suicidaron los jefes del pretorio de Otón o intentaron cambiar de bando? La cabeza de Crispino en el cesto le recordó que esa ya no era una opción.

Plauciano y Alexiano entraron en la sala de audiencias del palacio imperial de Roma fuertemente armados y acompañados por más de un centenar de hombres de diferentes orígenes: había *vigiles,* jinetes de los *singulares augusti,* la caballería imperial, y también pretorianos. Ahora en Roma todos querían hacer méritos que demostraran a las claras su lealtad al hombre que tenía tres legiones a menos ya de cincuenta millas de Roma y aproximándose.

Flavio Genial no se molestó en oponer resistencia y lo atravesaron con una lanza que empuñaron con fuerza dos pretorianos al mismo tiempo. Juliano seguía sentado en el trono imperial.

—¡No tenéis autoridad! —exclamó, y se levantó para hacerse oír aún con más fuerza—. ¡Por todos los dioses! ¡Por Júpiter! ¡Os ordeno que os detengáis en este mismo instante!

Los gritos, la rotundidad de las palabras, el que las pronunciara alguien con una toga púrpura desde el trono imperial de Roma hizo que el tumulto de soldados, como ya pasara en su momento con Pértinax meses atrás, se detuviera.

Plauciano no.

Él siguió andando. Y en su caso no era que no supiera latín. Él entendía perfectamente lo que se había dicho allí, pero eso no iba a frenarlo. Cayo Fulvio Plauciano subió los peldaños de la tarima de mármol sobre la que estaba el trono en el que se encontraba Juliano, se acercó a él y le clavó la espada.

Una vez.

—¡Agh! ¡Maldito seas!

Dos veces.

—¡Malditos todos!

Juliano cayó de lado, con las manos intentando frenar la hemorragia.

Tres veces.

El emperador agonizante gateaba dejando un denso reguero de sangre tras de sí.

Plauciano se agachó.

Juliano dejó de arrastrarse y cayó de lado, en posición fetal, retorciéndose en el suelo. Vio que Plauciano se acercaba de nuevo con la espada mortal en la mano.

—Han de... matarte... aquí mismo... como tú lo has hecho conmigo... como a un perro... aquí mismo...

Cuatro veces.

Didio Juliano dejó de moverse.

Plauciano se irguió.

—Esto ya está —dijo y miró a los soldados que lo observaban petrificados. Habían ido a eso, a ejecutar a Juliano por orden del Senado, por mandato de Septimio Severo, pero, de alguna forma, verlo allí sentado en aquel trono les había impactado y habían dudado.

Plauciano, sin embargo, no. Ahora buscaba a alguien con la mirada.

—¿Y Alexiano? —preguntó.

—Ha ido con otros en busca de la esposa y de la hija de Juliano —respondió uno de los pretorianos que acababa de abrazar la causa de Severo.

Plauciano asintió mientras se limpiaba la espada en los bajos de su túnica antes de envainarla con cuidado.

Habitaciones privadas del palacio imperial, Roma

Alexiano encontró a Scantila y a su hija Didia Clara abrazadas en una de las estancias privadas del complejo residencial de los emperadores de Roma.

La hija de Juliano, de gran hermosura, joven y temblorosa, tenía los ojos cerrados. La madre, no desafiante sino resignada, se dirigió a Alexiano, al que identificó como líder de aquel tumulto de hombres armados.

—Por Juno, haced lo que tengáis que hacer, pero no ultrajéis nuestros cuerpos. Nuestra dignidad no merece esa ignominia.

Alexiano no dijo nada. Scantila se mostraba ahora muy formal, muy digna, pero llevaba semanas paseándose por toda la ciudad de forma jactanciosa y petulante, haciendo ostentación del poder que su esposo había encarnado: un poder conseguido primero con negocios turbios y, luego, comprando directamente a la guardia pretoriana. Alexiano no sentía mucho respeto por aquella mujer. La hija, por su parte, no había podido elegir. En cualquier caso, las órdenes de Septimio lo habían liberado de tener que decidir él mismo sobre la suerte de aquellas dos mujeres.

—Las instrucciones que tengo del emperador Septimio Severo con respecto a vosotras son precisas —anunció con tono serio.

Los hombres que lo acompañaban desenfundaron las espadas.

Scantila negaba con la cabeza y masculló maldiciones sin dejar de abrazar a su joven hija.

—Miserables, miserables...

Alexiano levantó la mano y el resto de soldados que lo acompañaban permanecieron tras él. Todos sabían que estaban con el cuñado del nuevo emperador y nadie quería hacer nada que fuera contra su voluntad. En esos tiempos los errores se castigaban con la muerte con rapidez, como estaban comprobando todos aquella jornada sangrienta.

—Las instrucciones del emperador Severo son que os informe de que se os retira a ambas la dignidad de augusta, sin embargo se os respetará la vida a ambas bajo la condición de que abandonéis Roma y de que nunca intriguéis contra el nuevo augusto.

Scantila y Didia Clara miraron a Alexiano incrédulas y empezaron a llorar al ver que los hombres envainaban las armas. Ambas apreciaron la compasión del nuevo emperador hacia ellas en un día bastante escaso en misericordia, y su llanto conmovió a Alexiano. Y eso que Scantila había menospreciado en público, junto con Salinátrix y Mérula, las mujeres de los otros gobernadores, a su esposa Maesa y a su cuñada Julia. Pero acababan de ejecutar a Juliano. Aquel parecía suficiente castigo.

El cuñado de Severo no se acercó a ellas.

—Tomaremos un grupo de esclavos —les dijo— y os escoltaré para que podáis retirar el cuerpo de Juliano. El emperador os lo entrega para que le deis sepultura como os parezca oportuno, pero siempre fuera de los mausoleos imperiales.

Scantila y Didia Clara se levantaron despacio y, aún sollozando, siguieron a Alexiano en busca del cadáver del que había gobernado Roma durante sesenta y seis días. La duración de los reinados imperiales se iba acortando de forma sorprendente.

Llegaron al Aula Regia.

Alexiano ordenó a los hombres que estaban bajo su mando que cumplieran con la misión de proteger a la viuda y a la huérfana de Juliano y que, junto con los esclavos que portaban el cuerpo, las acompañaran hasta su casa a la espera de que las mujeres decidieran dónde enterrarlo.

La comitiva fúnebre abandonó la sala de audiencias del palacio imperial y tras ella marchó la mayor parte de los legionarios y otros hombres armados que habían entrado con Plauciano y Alexiano. Este último observó que el primero miraba hacia los altos techos de aquella sala de audiencias con la boca abierta y los ojos brillantes. Plauciano, desde el centro del Aula Regia, giraba lentamente admirando la majestuosidad de aquella magna estancia. Pese a ser un hombre influyente en Roma, nunca había entrado antes en las dependencias del palacio imperial. Sus ojos, al fin, se detuvieron sobre el gran trono que presidía la sala.

A Plauciano le gustaba todo cuanto veía en aquel lugar.

Alexiano se le acercó despacio por la espalda.

—Dicen que la *Domus Flavia*, este palacio, está maldito desde tiempos de Domiciano, quien ordenó construirlo hace más de cien años.

Pero Plauciano despreció con un gesto de la mano derecha las palabras de Alexiano.

—Tonterías —dijo, y se alejó del esposo de Maesa para poder contemplar con sosiego las excelencias de aquel vasto complejo, centro del poder de un Imperio que se extendía desde las brumas de Caledonia hasta los desiertos de Mesopotamia—. Supersticiones —añadió mientras caminaba.

Alexiano se quedó solo en el Aula Regia. Miró hacia el trono imperial. No dijo nada. En su mente lo único importante era que pronto terminara aquella locura y así poder reencontrarse con su esposa y sus hijas.

XL
—

LA FRAGANCIA DEL PODER

Interamna, al norte de Roma
Junio de 193 d. C.

Septimio Severo estaba sentado frente a una mesa vacía en el centro del *praetorium* de campaña. Los legionarios apostados como centinelas en el exterior descorrieron las telas de la entrada y la figura de Julia Domna apareció en el umbral.

Entró.

Los legionarios cerraron el acceso a la tienda.

La frente arrugada de su esposo le hizo advertir a Julia que algo no andaba bien.

—¿Hay algún problema? —preguntó ella con su voz dulce mientras se acercaba a su marido rodeando la mesa—. ¿Alguien no ha cumplido con su...? —pensó bien en qué palabra usar; había mucha sangre involucrada—, ¿con su misión?

—Todos han cumplido —respondió Severo, pero sin dejar de mirar la mesa vacía, y añadió información concreta—: Quinto Emilio y su amante están muertos. También Tausio y otros pretorianos asesinos de Pértinax. Narciso, el último de los que mataron a Cómodo, está preso y me ocuparé de él en su momento. Y Juliano fue abatido junto con su último jefe del pretorio en el palacio imperial. Su mujer y su hija han sido perdonadas. Mientras no conspiren contra mí las dejaré en paz. Todo según lo planeado.

Julia asintió despacio. Estaba ya justo detrás de su marido. Posó ambas manos en la nuca y fue ascendiendo entre los cabellos de Severo. Scantila era de las que se habían reído de ella, pero Julia sabía que solo siguiendo a la peor de todas, a Salinátrix, la esposa de Albino. Que su esposo mostrara clemencia con ella no le pareció mal ni la preocupaba. Scantila no tenía inteligencia para intrigar, solo petulancia.

De pronto, Severo suspiró e inclinó la cabeza hacia atrás. Aquel masaje de su esposa lo relajaba inmensamente.

—Entonces, si todos han cumplido, todo está bien —dijo ella sin dejar de acariciarle la cabeza— y, sin embargo, algo te preocupa.

—La guardia pretoriana —respondió él con la cabeza hacia arriba y los ojos cerrados, concentrado en sentir los dedos de Julia en su nuca—. Siguen siendo una unidad temible y demasiado acostumbrada a reemplazar emperadores mediante la rebelión y el asesinato. Es imposible confiar de nuevo en ellos. Puedo entrar en Roma con mis legiones y aniquilarlos, pero una batalla campal en la ciudad no me hará muy popular ni con el Senado ni con el pueblo. Los pretorianos se atrincherarán en cada casa de cada calle. Habrá muchos inocentes abatidos. No sería un buen principio.

Su esposa meditó unos instantes al tiempo que proseguía con el masaje relajante. Ella, al contrario que buena parte de los que rodeaban a su esposo, había leído mucha historia de Roma. Siempre pensó que saber lo que había acontecido en el pasado podía ser relevante para el presente y el futuro.

—¿No tuvo Trajano un problema similar con los pretorianos tras la muerte de Domiciano y Nerva? —preguntó.

—Sí —admitió el emperador, que también conocía la historia de Roma, solo que no la tenía tan presente.

Julia deslizó los dedos hacia lo alto de la cabeza de Severo.

—¿Y qué hizo Trajano? —preguntó ella, no porque no lo supiera, sino por recordárselo a su esposo.

Septimio abrió los ojos de golpe.

—Los engañó —dijo.

Julia se agachó un poco para hablarle al oído en un dulce susurro.

—¿Y le salió bien?

—Sí —musitó su marido extasiado por el placer de las manos de Julia en su cabeza y el aliento de su boca acariciando sus sienes.

Ella no añadió nada más.

Todo estaba ya dicho.

Separó las manos de la cabeza de su esposo. Le dio un beso en la mejilla y otro en los labios. Rodeó la mesa con sosiego, descorrió las telas de acceso y salió de la tienda del *praetorium*. Pero su paso dejaba huella. La fragancia de su perfume de pétalos de rosa inundaba el *praetorium* y el emperador inspiró aquel aire hasta llenar el último rincón de su corazón. Era una esencia tan repleta de sensualidad como de ambición. Y Septimio Severo se empapó de ella.

LIBER QUARTUS

Nigro

IMP CAES C PESC NIGER IVST AVG
Imperator Caesar Gaius Pescennius
Niger Iustus Augustus

XLI

—

DIARIO SECRETO DE GALENO

Anotaciones sobre Pescenio Nigro

Juliano, pese a todo su dinero, solo resistió como augusto de Roma poco más de dos meses. Dirigir un Imperio se manifestaba como algo más complejo que acumular una fortuna; ser el gobernante más poderoso era algo que iba más allá de ser el hombre más rico. Por otro lado, el mundo estaba cambiando velozmente y muy pocos intuían hacia qué dirección se encaminaba todo. La ciudad de Roma estaba ahora bajo el control férreo de Septimio Severo. Su pacto con Clodio Albino le permitía disponer de cierto sosiego con relación a los movimientos de tropas en la Galia, Britania, el Rin o Hispania, además de todas las provincias danubianas que estaban bajo el control de su hermano Geta. Esto es, la mayor parte del occidente y del centro del Imperio romano estaban bajo su poder. Otra cuestión era Pescenio Nigro en Siria, desplegándose por Arabia, Palestina, toda Asia Menor y hasta Egipto: Nigro no estaba dispuesto a pactar con Severo, y las diez legiones del gobernador de Siria, autoproclamado emperador, constituían una fuerza descomunal que inquietaba a Septimio. No había que olvidar que en la última guerra civil a gran escala que aconteció en el Imperio tras la muerte de Nerón, de entre todos los rivales, el que triunfó fue Vespasiano con el apoyo del ejército romano de Oriente. Era un precedente alarmante.

En el Senado las posiciones estaban divididas: Pescenio Nigro, de origen aristocrático, disponía de muchos apoyos entre los *patres conscripti*, aunque estos, por temor a las represalias de Septimio, callaban. El propio Severo sabía de esa traición latente hacia su gobierno entre muchos de los miembros de la curia senatorial, pero, por el momento, le preocupaba más la potencia militar de Nigro y no quería abrir un nuevo frente interno realizando una purga de senadores simpatizantes de aquel que pudiera terminar revolviendo a todo el Senado en su contra. Septimio Severo se sabía fuerte, pero no se le escapaba que estaba rodeado por enemigos temibles, fuera y dentro de Roma: Nigro en Oriente, junto con los partos, sus posibles aliados, ansiosos por recuperar territorio; el propio Clodio Albino, de quien no terminaba de fiarse pese a haberlo nombrado césar, y, por último, los senadores favorables a Nigro.

Severo se centró en ir poco a poco. Primero tenía que asegurarse el control efectivo de la ciudad de Roma sin hacer uso de la fuerza militar pura y dura.

Tal y como le había sugerido Julia, engañó a la guardia pretoriana con una estrategia similar a la que había seguido Trajano con la del maldito Domiciano: Severo citó a la guardia fuera de las murallas de Roma, adonde acudieron para recibir lo que ellos pensaban que iba a ser un premio por no habérsele enfrentado abiertamente. Aprovechando esta ausencia del grueso de los pretorianos, Septimio envió varias cohortes de sus tropas a los *castra praetoria*, con el propósito de confiscar todas las armas que allí había. Luego rodeó a la guardia imperial con sus propias legiones del Danubio, y los pretorianos, viéndose en franca minoría, depusieron las armas que portaban. Severo ordenó a todos los miembros de la guardia imperial que abandonaran los uniformes allí mismo, que entregaran sus dagas con incrustaciones de piedras preciosas y cualquier otra arma que poseyeran y que se dispersaran para siempre. Los que se negaban eran desarmados por la fuerza y ejecutados en el acto. La guardia pretoriana ya no era la de antaño. Tal y como había comentado Aquilio Félix, aquello de que «la guardia muere, pero no se rinde» ya no iba con ellos.

Se rindieron.

La mayoría de los pretorianos se deshicieron de sus uniformes con premura, entregaron sus puñales y dagas y, por último, abatidos, sin entender aún cómo habían podido pasar en tan pocos días del todo a la nada, se dispersaron.

No podrían acercarse a menos de cien millas de Roma bajo pena de muerte.

No lo hicieron nunca. Estos guardias defenestrados por Severo crearían, no obstante, otros problemas e incomodidades, pero no he de adelantarme a los acontecimientos y proseguiré con mi relato con orden cronológico para que quien lea estas líneas en un futuro próximo, o lejano, entienda bien las diversas ramificaciones en la lucha descarnada por el poder librada en el Imperio romano durante aquellos años de guerra.

Severo se concentró seguidamente en afrontar el poder militar de Nigro.

¿En qué modo me afectaba a mí, a Galeno, todo aquello? Vi una oportunidad: la familia imperial se desplazaba hacia Oriente para enfrentarse con Nigro. Allí estaba la gran biblioteca de mi Pérgamo natal. ¿Por qué no aprovechar la ocasión para recuperar muchos de los manuscritos perdidos en el incendio de Roma? Mejor aún: ¿por qué no intentar encontrar los libros de Erasístrato y Herófilo que, estaba seguro de ello, seguían ocultos en algún lugar de Oriente? Quizá en poder de Philistión en el mismo Pérgamo, o en manos de Heracliano en Alejandría. Todo esto, lo sé, es otra historia, pero si cabe tan importante como la lucha por el Imperio. Los avances en la ciencia médica nunca se valoran hasta que los poderosos los necesitan. Ya llegaré a este punto.

Volvamos a Roma y volvamos al núcleo de este diario: la auténtica guerra civil estaba a punto de empezar, pero ¿y Julia? He hablado mucho de Severo en esta introducción, pero ¿qué papel reservaba el emperador para su esposa en la nueva campaña de Oriente? Aunque no lo planteo bien. Esa pregunta sería pertinente si habláramos de cualquier otra mujer, pero en el caso de Julia, se requiere que reformule mi interrogante del siguiente modo: ¿qué papel había pensado la propia Julia que ella debía jugar en aquel nuevo choque de titanes en la lucha inmisericorde por el control del Imperio?

Severo había decidido que Julia permaneciera en Roma. Es decir, había tomado la determinación de que su esposa no tendría relevancia en la pugna contra Nigro. Sin embargo, esta historia no va tanto sobre las decisiones de Severo como sobre las decisiones de Julia.

Y ella no pensaba lo mismo que su marido.

Julia tenía sus propias ideas.

XLII

LA DECISIÓN DE JULIA

Palacio imperial, Roma
Agosto de 193 d. C.

Las esclavas la rodearon para quitarle las ropas de luto. Julia, como nueva emperatriz de Roma, había acompañado a su esposo en el funeral de Estado que se había organizado para deificar la figura de Pértinax. El evento había sido espectacular, con un inmenso escenario en el foro rodeado de columnas de marfil y hasta oro en cuyo centro situaron una gran imagen de cera del entonces ya casi divino Pértinax. Los desfiles fueron fastuosos: símbolos de todo tipo que representaban las provincias del Imperio y diferentes instituciones de Roma fueron en procesión por las calles de la ciudad; a continuación marcharon cohortes de legionarios y hasta jinetes de la caballería romana; todo ello salpicado por más imágenes de otros prohombres famosos de naciones de todo el mundo.

Julia vio entonces cómo su esposo ascendía al inmenso escenario y pronunciaba el esperado discurso elogiando la nobleza del malogrado Pértinax. Los senadores vitorearon a Severo, ya fuera porque el panegírico era merecido por el valor y la dignidad del fallecido, ya fuera porque todos buscaban congraciarse con rapidez con el nuevo hombre fuerte de Roma. Finalmente, varios de los sacerdotes, junto con algunos senadores entre los que Julia reconoció a Dion Casio, bajaron la imagen de cera de Pértinax y la entregaron a otros hombres del orden ecuestre que se la llevaron en dirección al Campo de Marte.

Allí se levantó una gran pira en forma de torre de tres pisos adornada por marfil y oro y varias estatuas, con una cuadriga dorada que Pértinax siempre había deseado conducir situada en todo lo alto. En el interior de la pira se introdujeron las ofrendas del funeral y las andas que hacían las veces de féretro y, a continuación, Severo y los parientes de Pértinax besaron la efigie del difunto. El emperador subió entonces a una tribuna, mientras que los miembros del Senado, excepto los magistrados, se acomodaron en unas gradas de madera para ver la ceremonia de forma segura y conveniente. Los magistrados y los pertenecientes al orden ecuestre, vestidos todos de modo adecuado según su rango, y también la caballería y los legionarios, desfilaron alrededor de la gran pira realizando complejos gestos referentes tanto a la paz como a la guerra.

Por fin, los cónsules prendieron la estructura y, una vez hecho esto, un águila voló hacia el cielo. De este modo Pértinax se hizo inmortal.[30]

El funeral de Pértinax había terminado.

Una vez que se hubo cambiado de ropa, Julia salió de su nueva habitación privada del palacio imperial de Roma y, rodeada siempre de soldados armados, avanzó por las diferentes dependencias en busca del gran atrio ajardinado donde iba a tener lugar una cena de Severo con sus más fieles colaboradores. Los legionarios que la escoltaban eran todos hombres de las legiones que Septimio se había traído consigo de Panonia Superior, con los que había creado una nueva guardia imperial totalmente fiel a su persona y su familia. A cada nuevo pretoriano, Severo le había pagado solo mil sestercios, muy por debajo de los veinticinco mil que en su momento prometiera el defenestrado Juliano a la antigua guardia. Nadie de la anterior habría aceptado una suma como aquella ofrecida por su esposo, pero Julia sabía que para los legionarios procedentes de Panonia, mil sestercios era una fortuna. Quedaron satisfechos y, al mismo tiempo, su esposo había ahorrado mucho dinero que pudo usar en reclutar nuevas tropas, por un lado, y, por otro, en distribuir un *congiarium* para la plebe. De esta forma, con el mismo dinero que habría cobrado la vieja guardia corrupta, su esposo se las había ingeniado para mantener contento a su propio ejército,

---

30. Literal de Dion Casio, 75, 3-5. Traducción del autor.

reclutar nuevas cohortes y satisfacer a un pueblo incómodo con la presencia de militares en la ciudad.

Julia apareció en el gran atrio.

Todos la miraron. Estaba hermosa como siempre, pero ahora lucía un nuevo peinado con el cabello en grandes rizos en cascada inversa, hacia lo alto. Ella también quería marcar que, al igual que Severo ya no era el Severo de antes, tampoco ella iba seguir siendo la simple esposa de quien hasta hacía unos meses era solo gobernador. Esto es, si es que alguna vez ella había sido simple.

—Aquí está la nueva augusta de Roma —dijo Severo alzándose para recibirla, cogerla de la mano y acompañarla al *triclinium* que estaba a su derecha, en posición de preferencia con respecto a todos los demás. Severo había promovido que el Senado concediera el título de augusta a su esposa en clara señal de que su familia había ido a Roma con el firme propósito de perpetuarse, de un modo u otro, en el poder, aunque fuera combinándose con la de Clodio Albino, nombrado césar y sucesor.

Julia se acomodó en el diván y, mientras su esposo hacía lo propio y los esclavos servían vino a todo el mundo, paseó los ojos por el atrio: allí estaba Alexiano, bebiendo ya de su copa con alegría; Julio Leto, más marcial y circunspecto, esperando a que el emperador hablara; Fabio Cilón, recién llegado desde Panonia para recibir instrucciones directamente de Severo. Cilón la saludó cuando su mirada se encontró con la de ella. Julia se giró entonces hacia el otro lado: en el *triclinium* a la izquierda de su esposo estaba Plauciano, exultante, mirando hacia las columnas del atrio, como si intentara valorar el precio que costaría construir un palacio semejante.

La faz serena de Julia se tornó seria al detenerse sobre él.

Su marido lo había nombrado jefe del pretorio, lo cual lo hacía inmensamente poderoso en Roma. ¿Sería eso suficiente para Plauciano? El puesto de prefecto de la guardia imperial era muy codiciado y Julia habría preferido que su marido hubiera elegido a Alexiano o a cualquier otro para ese cargo, pero Severo lo había decidido sin consultárselo. Probablemente porque intuía que ella se habría opuesto de plano. Y tenía razón.

La animadversión mutua entre Julia y Plauciano permanecía, aunque ahora, eso sí, diluida en medio de tanto poder y, al menos por el momento, en medio de tanta victoria.

La conversación de la velada la inició el emperador y pronto derivó hacia el asunto que a todos preocupaba: Pescenio Nigro.

Ya se había servido comida, hermosas bandejas de carne de cerdo y venado en salsas jugosas, grasientas pero muy sabrosas, además de platos con pescados que Julia nunca había visto ni probado antes. Todo estaba suculento. Ella era descendiente de reyes, pero tenía que reconocer que la cocina de un emperador era aún más impresionante.

—Cilón. —Septimio Severo llamó la atención del tribuno.

—Sí, augusto —respondió el militar, dejando el trozo de carne que tenía entre los dedos de nuevo en la bandeja.

—Quiero que vayas a Oriente. Te llevarás una legión entera de las que estamos reclutando —le ordenó el emperador.

—Sí, augusto.

—¿Cómo ha ido el reclutamiento de las legiones nuevas? —preguntó Julia, que algo había oído al respecto, pero sin detalles precisos. Había estado más que ocupada aprendiendo bien todo lo que se esperaba de ella en los sagrados rituales del funeral de Estado, y ubicándose en el palacio imperial, ella y los pequeños Basiano y Geta, pero lo de las nuevas tropas le interesaba enormemente. Sabía que podía ser esencial en el nuevo..., ¿cómo denominarlo? En el nuevo pulso que se avecinaba. La palabra *guerra* era tan... vulgar.

—Muy bien. Contamos con tres legiones nuevas —respondió su marido.

Ella asintió. Hacía mucho que Roma no reclutaba nuevas legiones. Aquello le abrió los ojos: el enfrentamiento con Nigro iba a ser mucho más cruento de lo que ella había imaginado.

—Una te la llevarás tú, Cilón, a Oriente —continuó Severo, mirando a los diferentes invitados a aquella cena, mientras explicaba sus planes—. Otra...

—¿No deberíamos hablar de esto con más discreción? —lo interrumpió Plauciano, mirando de reojo a uno de los esclavos, que le estaba sirviendo una bandeja de erizos.

Severo lo miró sin decir nada.

Plauciano, que seguía masticando, no terminaba de entender el sentido de aquel silencio hasta que, de pronto, se dio cuenta.

—Creo que sería mejor hablar de esto sin testigos..., augusto.

Septimio sonrió. Le había costado a Plauciano hacer uso del título correspondiente para referirse a él, pero, al final, lo había hecho. No era que le importara. Plauciano le era leal. De eso estaba convencido, pero tenía que dar ejemplo y usar la fórmula de tratamiento correcta a la hora de dirigirse a él, incluso si estaban entre los de más confianza. Otra cosa quizá fuera en privado, cuando ellos dos estuvieran a solas, pero ahora, ante sus *legati* y tribunos, debía ceñirse a lo adecuado.

—Es razonable tu sugerencia —aceptó Severo inicialmente—, pero si Nigro se entera de lo que se le viene encima, como es posible que pase, mejor. —Y continuó hablando y mirando al resto de invitados—: Cilón irá a Oriente con una de las nuevas legiones; luego enviaremos otra a África, he de decidir aún quién la comandará, para asegurar el flujo de grano a Roma. Esto es muy importante teniendo en cuenta que Egipto, de momento, se ha decantado por Nigro. Creo que esto es lo esencial... Bueno, y mantener arrestados a la mujer e hijos de Nigro.

Todos asintieron.

Parecían instrucciones sensatas.

La cena prosiguió y las preocupaciones del enfrentamiento que se intuía próximo en tierras de Asia se diluyeron en esa sensación de extraña calma que genera el vino.

Fabio Cilón fue el primero en retirarse, como si tuviera ansia por ponerse ya en marcha en dirección este para cumplir con su misión de ser el primero en enfrentarse a los ejércitos de Nigro. Su compañero Julio Leto lo imitó. Alexiano se despidió del matrimonio imperial al poco rato de la partida de los militares. Maesa no había acudido por encontrarse indispuesta y a ello hizo referencia su esposo al despedirse.

—Dile a mi hermana que espero que se mejore —dijo Julia.

Ella sabía que no era nada grave, sino que Maesa estaba en esos días especiales.

—Así lo haré..., augusta —respondió Alexiano y sonrió para, al fin, marcharse.

Todos habían ido abandonando la cena.

A Plauciano, no obstante, le costaba salir del palacio imperial. En calidad de jefe del pretorio, podría quedarse allí a pasar la noche, pero tenía asuntos pendientes en los *castra praetoria* y, al fin, muy a su pesar, se levantó y abandonó la cena.

Severo y Julia se quedaron solos. Los esclavos, eficazmente dirigidos por Calidio, retiraban las bandejas sobrantes y recogían las copas de vino y agua que estaban repartidas por las diferentes mesas.

—No pienso quedarme atrás —dijo Julia.

Pese al tono serio con el que había hablado su esposa, Severo no pudo evitar sonreír.

—¿Qué te hace pensar que te iba a pedir que permanecieras en Roma?

—Lo llevas escrito en tu forma de evitar mirarme desde hace un rato —respondió ella—. Solo rehúyes mis ojos cuando vas a decirme algo que sabes que no quiero oír.

Él cabeceó al tiempo que se ponía más circunspecto.

—De acuerdo. Voy a pedirte que permanezcas en Roma —admitió, y como veía que su mujer iba a lanzarse a exponer una retahíla de razones por las que sí debía acompañarlo, levantó ambas manos; ella se contuvo. Él siguió hablando—: Sé lo que vas a decirme, sé que vas a insistir en que juntos somos más fuertes, que tienes miedo de que te usen otra vez como rehén, pero la Roma en la que te quedas no es la Roma en la que estuviste retenida antes por Cómodo. La guardia pretoriana ha sido reemplazada. Son mis hombres los que patrullan las calles de la ciudad hoy día. Y es Plauciano el que estará al mando. Aquí estarás a salvo y segura y... Roma es tu sitio.

Julia pensó en interrumpir a su esposo para subrayar el hecho de que ella no se fiaba para nada de Plauciano, pero no quería tensar la cuerda de la paciencia de su marido y, engulléndose la rabia, siguió escuchándolo.

—Además —continuaba Severo—, ahora no vamos a una pequeña campaña de toma de una ciudad como Roma, sin protecciones adecuadas y sin las tropas necesarias para su defensa. Ahora voy hacia una guerra sin cuartel en territorios lejanos, inhóspitos, con desiertos sin fin, calor brutal, batallas de final

337

incierto, rodeado de pueblos hostiles. Voy a una guerra, Julia, y una guerra no es sitio para una mujer ni para los niños.

El tono fue tajante, categórico, inapelable.

Parecía que no quedaba nada que decir.

Parecía.

Julia estiró el brazo, cogió la copa de vino y la apuró del todo. Luego miró a Calidio y este, sin necesidad de que su ama dijera nada, se acercó rápidamente y escanció más vino.

—Vas a terminar ebria —apuntó Severo.

Ella sonrió y no bebió más, sino que dejó la copa repleta de licor sobre la mesa, con cuidado de no derramar ni una gota, en una clara exhibición de calculada serenidad y pulso firme.

—La emperatriz Faustina acompañaba al divino Marco Aurelio en sus campañas —argumentó Julia.

—Marco Aurelio luchaba contra bárbaros —replicó Septimio con seguridad en sus razones—. Yo voy hacia una guerra civil. Cuando se lucha contra bárbaros, la lealtad de las legiones es más firme, pero en una guerra civil cualquier traición es posible durante la campaña. No te quiero en medio de un motín o una rebelión.

Julia guardó silencio unos instantes. Quedaba claro que compararse con Faustina no iba a surtir el efecto que ella buscaba. Pero no se daba por derrotada. Inició otra línea de argumentación.

—Esos territorios que describes como lejanos, esposo mío —dijo entonces con tono suave—, están cerca de mi corazón. Esos lugares, que defines como inhóspitos, fueron y siguen siendo mi tierra. Esos desiertos terribles, ese sol inclemente, son los que me vieron nacer. Yo me crie en la comodidad, es cierto, de la casa de mis padres en Emesa, pero he vivido también las tormentas de arena, las sequías interminables y las lluvias torrenciales como tempestades desatadas por los dioses. Dices que habrá batallas. Sin duda. Pero confío en ti. Y sé que vencerás. Y quiero verlo con mis ojos. Y, por fin, esos pueblos que calificas como hostiles, son, en muchos casos, mi gente. Puedo resistir las penurias del asfixiante sol de Siria mejor que cualquiera de tus legionarios del Danubio. Para ti, todo es una gran guerra, pero para mí es el retorno a mi casa, a la patria de mis antepasados. Sé yo más de esas tierras que tú y todos tus tribunos y oficiales juntos. Y la única forma que tendrás de evitar que te siga, con los niños, es clavándome una daga en el corazón, en el mismo sitio donde tus palabras me han herido esta noche. —Julia se levantó y comenzó a andar, no del todo recto, pues, como había anticipado su marido, empezaban a notarse los efectos del vino ingerido a lo largo de la velada. Se detuvo. Se giró y se encaró de nuevo con él—: Y no te molestes en venir a mi habitación esta madrugada. Ni mañana ni en muchos días. Busca alguna de las esclavas, más dóciles, más sumisas y más estúpidas, con la que satisfacer tus ansias de hombre. —Se agachó desafiante, tomó la copa de vino, la llevó a sus labios y, otra vez, de un trago largo, la apuró hasta el final—. ¡Ah, por El-Gabal! ¡Ahí está! —Y tiró la copa al suelo; Calidio, que aún se hallaba en el atrio, no se acercó a recogerla sino que, prudente, desapareció por entre las columnas—. ¿Que me quede en Roma? Jamás. ¿Batallas? Claro que las habrá y para ello, como te he dicho, cuento contigo. Eres un gran militar. Eso lo saben todos. Mejor que ese petulante de Pescenio Nigro. Tú ocúpate de la maldita guerra, pero no te atrevas a creer que me puedes dejar atrás. Si piensas eso de mí, es que aún no me conoces.

Dio un paso y tropezó con uno de los *triclinia*. Cayó hacia atrás, pero quedó sentada en el diván.

—Sí, quizá he bebido demasiado —admitió Julia—, porque cuando te pones estúpido es la única forma de aguantarte. —Y tras una breve pausa, insistió—: Yo no pienso quedarme atrás.

La tensión entre ambos iba en ascenso imparable, sin que ninguno de los dos se diera cuenta de que, más allá de la fuerza del amor que sentían el uno por el otro, estaban a punto de cruzar una línea de no retorno, un Rubicón entre amantes que nunca conviene atravesar, pues el territorio más allá de esa frontera es siempre desconocido, incierto y peligroso.

—Tú harás lo que yo te diga —sentenció el emperador Septimio Severo sin ánimo de negociar nada, sino solo de zanjar aquella cuestión que él veía tan clara que le parecía estúpido e irritante seguir hablando de ello: lo más seguro para ella y los niños era permanecer en Roma y eso sería lo que harían. Por voluntad propia o impuesta. Lo que fuera necesario. Por el bien de la familia.

Pero Julia negó con la cabeza. Varias veces. Y sonrió con cierto aire de desprecio ante la rotunda afirmación de su esposo.

—Te equivocas, Septimio. Yo haré lo que quiera hacer, porque yo, Julia, sé qué es mejor para los dos. —Él fue a decir algo pero ella habló rápido, cortante, sin dejar que la interrumpiera—: Y un día, sí, llegará un día en el que me reconocerás que tenía razón, pero no solo en esto, sino en todo, incluso en cosas que tú ahora ni tan siquiera imaginas, ni ves, ni concibes posibles.

Severo se quedó solo con la primera parte de lo que su esposa acababa de decir: con la negativa de ella a obedecerlo y a permanecer en Roma; de modo que ni escuchó ni mucho menos se preguntó por las palabras finales de Julia.

—Estás ebria —se limitó a decir el emperador.

—Es posible —aceptó ella—; pero *in vino veritas*. Eso dicen en Roma.

Severo no añadió nada. Él ya había dicho cuanto tenía que compartir con su esposa y, a sus ojos, Julia no estaba en su ser. No veía sentido a continuar hablando.

La emperatriz se levantó entonces despacio, interpretando correctamente el silencio de su marido, comprendiendo que la conversación no hacía nada ya salvo alejarlos más y más el uno del otro. Una vez en pie, dio media vuelta y, con paso tambaleante pero decidido, abandonó el atrio sin despedirse de Septimio.

Él se llevó la mano al estómago. Aquella cena no le había sentado bien. Tragó saliva. Echó hacia atrás la cabeza, luego hacia delante, al tiempo que se masajeaba la nuca con la mano derecha.

Exhaló aire, exasperado, con rabia.

Si Julia pensaba que iba a ceder, se equivocaba.

Era ella la que no lo conocía a él.

Julia se quedaría en Roma.

Y no había más que hablar.

XLIII
—

LA GUERRA TOTAL

En las proximidades de Perinto, Tracia
Agosto de 193 d. C.

Las legiones IV *Scythica*, XVI *Flavia* y III *Gallica* de Pescenio Nigro habían cruzado el Bósforo, dejado atrás la ciudad aliada de Bizancio, y avanzaban hacia la próxima Perinto. Aquellas tropas eran la punta de lanza del inmenso ejército del gobernador de Siria autoproclamado emperador. Todas las legiones de Oriente le habían jurado lealtad, desde Egipto hasta Palestina, las de Asia, Arabia y, por supuesto, todas las tropas de Siria y las de las fronteras de Partia.

Nigro vio llegar al *legatus* Emiliano, su hombre de confianza, casi al galope.

—¡Era como esperábamos, augusto! —dijo el alto oficial desmontando de su caballo y situándose junto al emperador.

—Te escucho —pronunció Nigro con seriedad, pero sin aire de preocupación, invitando al recién llegado a explicarse con más detalle.

—Es Fabio Cilón el que nos espera a las puertas de Perinto —continuó entonces Emiliano—. Ha sacado todas sus tropas fuera de la ciudad. Parece que busca una batalla campal. Pero solo tiene una legión.

—Y nosotros aquí tres —afirmó Pescenio Nigro con rotundidad.

Emiliano se acercó entonces al emperador y le habló en voz baja.

—Quizá podríamos rodear Perinto, evitar el enfrentamiento directo y seguir nuestro avance hacia Mesia para luchar directamente contra Septimio Severo cuando este llegue.

341

—No —respondió Nigro categórico.

—Pero pronto pueden llegar nuevas tropas desde Oriente que se encarguen de Perinto —insistió Emiliano, que prefería que la lucha empezara lo más próximo a Roma posible, algo que consideraba un golpe de efecto importante, como hiciera Aníbal en el pasado, durante la segunda guerra entre romanos y cartagineses, cuando el general púnico rehuyó el enfrentamiento directo con las legiones hasta su entrada en Italia.

—Sé que piensas que lo esencial es que el combate sea más en el territorio controlado por Septimio que en el que controlamos nosotros en Oriente, y puede que no te falte razón, pero no pienso avanzar dejando tropas enemigas en mi retaguardia —insistió Nigro; luego calló un instante y miró al suelo antes de encarar de nuevo a Emiliano—: ¿Se puede comprar a Cilón? ¿Se pasaría a nuestro bando con su legión si le ofrecemos dinero y un puesto en mi *consilium augusti*?

Emiliano negó con la cabeza.

—Imposible. Cilón y Leto son los dos hombres más leales a Severo que hay en el ejército. Llevan años a su servicio en diferentes provincias. No se dejará comprar.

Nigro inspiró profundamente.

—Pues lo aplastaremos —sentenció el emperador—: Tres legiones contra una. No tiene ninguna posibilidad.

Ctesifonte, Partia
Agosto de 193 d. C.

Hacía calor. El fresco de las plantas de los patios y jardines circundantes al nuevo palacio no bastaba para mitigar aquella sensación de pesada asfixia. Aun así, Vologases V de Partia no estaba agobiado por la elevada temperatura. Sus planes lo tenían muy concentrado y con buen ánimo. Estaba pensando a lo grande: Roma se encontraba, por primera vez en mucho tiempo, dividida, al contrario que Partia que, también por primera vez en muchos años, estaba unida en torno a su persona. Era el momento.

—Hemos llegado, *Šāhān šāh* —dijo uno de los guardias que lo escoltaban, deteniéndose frente a la puerta del salón del trono.

—Bien —respondió Vologases V—. Que traigan a mis hijos. Rápido.

Entró en la sala imperial, corazón del poder de Partia, se sentó en el trono y esperó.

No tardaron mucho. Sus hijos intuían que su padre tramaba algo especial en aquellos días. Entraron los tres: Vologases, el mayor, que había tomado el nombre de su padre siguiendo la tradición, Artabano, el segundo, y Osroes, el tercero.

Todos saludaron al emperador de Partia y se situaron frente al trono a la espera de escuchar lo que su padre tenía que decirles.

Vologases V, *Šāhān šāh*, rey de reyes, inspiró profundamente mientras miraba, uno a uno, a sus vástagos. Tres hijos. Tres ambiciones. Un solo Imperio. Intuía el conflicto entre ellos en cuanto él muriese. Para el menor, para el joven Osroes, la solución era una satrapía o un reino colindante con Partia. Pero tenía que ser algo de relevancia. Armenia era la opción más evidente. Aprovechando la debilidad de Roma, Armenia caería de su lado como fruta madura, pero antes había que recuperar mucho territorio perdido. Y luego estaba, por supuesto, el problema principal: la competencia por el poder entre sus dos hijos mayores: Vologases y Artabano. Tanta ambición solo podría relajarse y evitar una nueva guerra intestina ampliando tanto Partia que hubiera territorio suficiente para dar cabida a aquellos dos anhelos de poder casi incontenibles.

Era momento de compartir con los tres su plan. Eso los mantendría unidos en pos de un fin común que los beneficiaría a todos y por el que lucharían juntos, al menos, un tiempo. Si todo salía bien, los únicos que sufrirían serían los romanos. E iba a salir bien. De eso no tenía él la más mínima duda.

—Os he convocado porque he decidido intervenir en el conflicto que se ha abierto en el Imperio romano —anunció Vologases V de forma contundente.

Su hijo mayor y el más joven asintieron, pero el mediano, Artabano, frunció el ceño. Su padre reparó de inmediato en aquel gesto.

—¿Acaso desapruebas mi decisión, Artabano? —preguntó el emperador de Partia.

—No soy yo nadie para desautorizar una decisión del *Šāhān šāh* —se explicó el aludido—, pero los últimos enfrentamientos con Roma no han sido favorables para nosotros...

—Eso va a cambiar —lo interrumpió su padre elevando la voz, airado, molesto porque uno de sus hijos se atreviera a tan siquiera plantear la más mínima duda sobre sus planes.

En lugar de guardar un prudente silencio, Artabano continuó hablando.

—Primero fue Trajano, que llegó hasta Cesifonte mismo, hasta esta misma sala, y nos arrebató el legendario trono de oro, padre. Y aunque luego recuperáramos la capital y los territorios del este, nos atacó entonces el emperador romano Lucio Vero y sus generales volvieron a llegar hasta aquí mismo y a saquear una vez más nuestra capital e incendiar Seleucia. Los romanos se apoderaron de toda Mesopotamia y Seleucia sigue aún destruida. No hemos podido reconstruirla; Armenia quedó también bajo su control y...

—¡Por Ahura Mazda! —exclamó su padre alzándose en el trono y gritando de modo que, al fin, Artabano bajó la cerviz y guardó silencio. Ninguno osó ya interrumpir su largo discurso—. ¡No fatigues mis oídos y los de tus hermanos enunciando todas las veces que Roma nos ha mancillado y humillado en extremo alcanzando el corazón de nuestro Imperio! ¡Trajano y Lucio Vero son el pasado! ¡Roma ya no tiene emperadores de ese nivel! ¡Aún más! ¡Roma está dividida! Hace meses que contactó conmigo el gobernador de Siria, Pescenio Nigro, que se ha proclamado emperador romano, y nos ofreció retornarnos el control efectivo de toda Mesopotamia a cambio de apoyarlo militarmente en su lucha contra Septimio Severo, el hombre fuerte de Roma en su sector occidental. Podemos cederle algunas fuerzas de combate o limitarnos a no atacarlo por la retaguardia y permitir que los osroenos y los adiabenos lo ayuden. Quizá eso baste para granjearnos su amistad y, a cambio de muy poco esfuerzo, recuperar territorios que nos pertenecen por tradición desde hace siglos y que nos fueron injustamente arrebatados. Muchos reinos y ciudades volverán a nuestro poder, con todas sus riquezas. Luego vendrá Armenia y luego... —Aquí calló un instante y se sentó de nuevo en el trono. Necesitaba recuperar el aliento.

—¿Luego qué pasará, padre? —preguntó con ingenuidad sincera el hijo pequeño, Osroes.

—Luego veremos cómo de fuertes o de débiles quedan los romanos tras la guerra civil que están a punto de iniciar entre sus legiones. Y según sean las circunstancias, puede que no me contente con recuperar Osroene, Mesopotamia y Armenia. Quizá sea la hora de llegar más lejos. Quizá sea la hora de conquistar toda Siria, como ya hicimos una vez en el pasado, victorias nuestras históricas que parece que Artabano ha olvidado. Podemos hacernos con la ciudad de Antioquía, quién sabe si aún más. Estamos en un momento de oportunidad, pero hemos de estar todos unidos. —Miró a los tres uno a uno, aunque sus ojos se detuvieron en Artabano un instante más largo que en los otros.

—Sí, padre —aceptó Vologases hijo.

—Sí, padre —respondió el joven Osroes.

Un breve silencio.

—Sí, padre —confirmó Artabano.

Perinto, Tracia
Agosto de 193 d. C.

Fabio Cilón estaba en el suelo, a cuatro patas, cubierto de sangre, gateando para recuperar su espada. Varios legionarios rodearon a su líder y el *legatus* de Severo pudo recoger el arma y ponerse de nuevo en pie. Alrededor, decenas de soldados de Nigro pugnaban por romper la línea defensiva para dar muerte a Cilón y descabezar las fuerzas romanas favorables a Severo.

—¡Retirada! —aulló Cilón en cuanto recuperó el aliento—. ¡Por Júpiter, todos a la ciudad!

La batalla había sido, como cabía esperar, un desastre para las tropas de Severo. Ampliamente superados en número por el enemigo, los flancos cedieron al poco de iniciarse el combate y a punto estuvieron de ser rodeados por completo y masacrados.

Solo el ir replegándose hacia las murallas de la ciudad y la asistencia de los arqueros que Cilón había apostado allí, en lo alto de las almenas, había permitido un reagrupamiento de la legión que, a su vez, posibilitó una posición de defensa más estable. Pero los legionarios de Nigro, una vez superada la sorpresa de los arqueros de las murallas, utilizando la formación en *testudo* para protegerse de las flechas, consiguieron ir mermando las fuerzas de las tropas de Cilón, que no disponía de legionarios suficientes para ir reemplazando la primera línea de combate con tropas de refresco con la frecuencia necesaria, algo que, por el contrario, sí podían permitirse las tres legiones de Nigro.

No fue una masacre, pero sí una lenta agonía para la legión de Cilón.

—¡Retirada! —volvió a insistir el *legatus* de Severo.

La legión se replegó en orden, una vez más apoyada por los arqueros de las murallas, pero dejaba muchos cadáveres y heridos graves en el campo de batalla. Aunque como habían combatido con furia, también habían causado numerosas bajas en las legiones de Siria. Roma acababa de clavarse una daga en su interior iniciando una hemorragia interna que la empezaba a desangrar lentamente. Solo el tiempo dilucidaría hasta qué punto aquella sangría autoprovocada la dejaría tan débil como para no poder defenderse de sus enemigos externos. Si en algún momento se cerraba esa herida, se requeriría mucho esfuerzo para recuperar el poder perdido.

Pero allí, bajo la vorágine de la batalla de Perinto, no había perspectiva para que nadie se percatara de lo que estaba pasando en el mundo a escala más amplia.

Cilón, antes de dar orden de cerrar las puertas de la ciudad, cuando las últimas cohortes supervivientes al desastre estaban entrando en Perinto, se dirigió a uno de sus jinetes.

—Lleva el mensaje al emperador Severo de que hemos sido derrotados, pero que defenderemos Perinto hasta el final —le dijo el *legatus*, y como vio cierta indecisión en el jinete le gritó—: ¡Ya, mismo! ¡Por Marte, cabalga al galope hacia el oeste y no pares hasta llegar a Mesia! ¡Has de comunicar con Geta, con el hermano del augusto Severo! ¡Cabalga veloz, vuela como Mercurio!

Cilón vio cómo caballo y jinete se perdían al fin en el horizonte de occidente. Solo entonces, junto con la última cohorte de su diezmado ejército, entró en la ciudad.

—¡Cerrad las puertas! —ordenó en alto y luego, entre dientes, masculló su rabia con palabras que presagiaban un lento sufrimiento para todos—: Será un largo asedio.

Praetorium de campaña del ejército de Nigro, Tracia
Agosto de 193 d. C.

—Es una gran victoria —proclamó el _legatus_ Emiliano, pero observó que el augusto Pescenio Nigro no parecía satisfecho con el resultado de la batalla.

—No hemos conquistado la ciudad —dijo el antiguo gobernador de Siria, ahora emperador de Oriente—, y, además, Cilón nos ha causado muchas bajas. Nos ha debilitado.

—Pero no en demasía, augusto —opuso con voz suave Emiliano—. Podemos dejar una legión para mantener el asedio y seguir hacia Mesia para atacar a Severo en el corazón de sus dominios. Y cuando lleguen más legiones de Oriente para apoyarnos, caerá Perinto y fortaleceremos nuestra posición. El Senado dudará, augusto, y empezarán a debatir si no deberían reconocer al augusto Nigro ya como el único y legítimo emperador. Aunque estén bajo el control de la nueva guardia pretoriana de Severo, los movimientos en secreto de los _patres conscripti_ a favor del augusto Nigro se iniciarán y Severo tendrá otro frente en su retaguardia.

Pescenio asintió en silencio, pero siempre mirando hacia las murallas de Perinto. Al cabo de unos instantes negó con la cabeza.

—No, Emiliano. Pese a que lo que dices tiene sentido, no avanzaré hacia el oeste dejando a Cilón a mi espalda. Nos quedaremos aquí.

Emiliano empezaba a entender ahora por qué Cilón había cometido la aparente torpeza de presentar batalla: su resistencia en el combate había hecho dudar al emperador Nigro. De entrada había detenido su avance en Perinto y quién sabía en

347

qué más podía haber influido aquella resistencia numantina que estaba planteando el maldito Cilón en la estrategia que desde ese momento siguiera Nigro.

—Lo que haremos es... —empezó el emperador, pero se detuvo.

Nigro volvía a callar.

Tenía el ceño fruncido, con toda la frente arrugada.

Emiliano respetó el silencio de su emperador.

Pescenio Nigro meditaba sobre el hecho de que una legión, solo una de Severo, había sido muy correosa y dura de pelar pese a tener él el triple de fuerzas a su mando. ¿Cómo sería un ejército de su oponente en el que hubiera no una sino varias legiones?

—Vamos a enviar un mensaje a Severo —anunció, al fin.

—¿Un mensaje? —preguntó Emiliano.

—Un mensaje —confirmó Nigro.

XLIV

REENCUENTROS

**_Domus_ de Maesa, Viminacium,[31] Mesia Superior
Septiembre de 193 d. C.**

Era un día de lluvia junto al caudaloso Danubio, pero para Maesa era una jornada hermosa. Estaba tan inquieta que no podía detenerse y llevaba la mañana entera ordenando a los esclavos prepararlo todo para un gran banquete cuando ni siquiera sabía si Alexiano se quedaría con ella a cenar. La guerra contra Nigro dominaba cada instante, pero esa misma guerra había traído a su esposo de vuelta con ella.

Maesa estaba de espaldas a la puerta de la _domus_ que habitaban en Viminacium cuando oyó la voz que más anhelaba.

—¡Por Júpiter! ¿Ya nadie recibe como es debido al _pater familias_?

Maesa se giró de inmediato.

—¡Alexiano, Alexiano! —exclamó al tiempo que se lanzaba hacia su esposo para rodearlo con los brazos.

—¡De acuerdo, de acuerdo...! —Sujetó las muñecas de su esposa con firmeza, pero con cuidado de no hacerle daño, y se zafó lentamente de aquel abrazo de bienvenida—. ¿Y las niñas?

Maesa miró a una de las esclavas, Lucia, que no necesitó recibir orden alguna. Veloz partió a por las pequeñas.

—Ahora las traen —dijo Maesa y tomó a su esposo por el brazo conduciéndolo hacia el _triclinium_ de honor sin parar de hablar—. Aquí, ponte cómodo. Esta _domus_ nos la ha asignado Publio Septimio Geta. Cuando recibimos las instrucciones en Carnuntum de dirigirnos hacia aquí, por un lado me estremecí,

---

31. Actual Kostolac en Serbia.

porque era acercarse a la guerra contra Nigro, pero en cuanto supe que venías con el emperador, ya todo me dio igual. Te he echado tanto de menos...

Él no decía nada. Tampoco tenía posibilidad de hacerlo. En ese momento la esclava llegaba con la pequeña Sohemias de la mano, de apenas dos años, que entraba por su propio pie en el atrio. Caminaba con paso algo vacilante. Hacía meses que no veía a su padre.

—¡Papá! —dijo la niña.

Alexiano se sentó en el *triclinium* y la abrazó cariñosamente.

—¡Por Hércules! ¡Cómo has crecido!

—Pues ahora viene tu regalo de bienvenida —dijo Maesa volviéndose hacia Lucia, que acababa de regresar y sostenía una criatura en los brazos. Maesa la cogió y la llevó a su padre, que la miraba con los ojos húmedos, pero conteniendo las lágrimas—. Cógela. —Y entregó al bebé a los brazos poderosos de su padre, que había dejado en el *triclinium* a la pequeña Sohemias—. Ahí tienes a tu segunda hija, Julia Avita Mamea.

Alexiano disfrutó del momento. Quizá habría sido la ocasión para el ritual de dejar a la criatura en el suelo a la espera de que el *pater familias* romano la cogiera o no en brazos, indicando que la aceptaba como hija, pero llevaban mucho sin verse, y eso unido al hecho de que Maesa era, como Julia, de origen sirio, hicieron que se saltaran aquella costumbre ancestral romana.

Cuando vio que la criatura iba a empezar a llorar, su madre la tomó de nuevo en su regazo.

—Tiene hambre —explicó—. Irá ahora con su ama de cría.

Lucia tomó al bebé, con la habilidad de la costumbre, con la mano y el brazo derechos mientras que con la izquierda tiraba de Sohemias, que no parecía querer separarse de su recién recuperado padre. Pero su madre fue tajante:

—Mamá ha de hablar con él ahora. Luego jugarás con tu padre.

Lucia desapareció con las dos niñas.

Se quedaron a solas.

—¿Y Julia? —preguntó Maesa en seguida—. Esperaba verla nada más llegar, pero igual ha preferido seguir junto al emperador. —Su esposo no decía nada; ella percibió que pasaba algo, pero no podía imaginar qué—. ¿Está bien Julia?

—Está bien —afirmó Alexiano, sin explicar a qué venía su semblante sombrío.

Maesa, intuitiva como su hermana, leyó a través de los silencios de su marido.

—¿Ha pasado algo entre ella y Septimio?

Praetorium de campaña frente a Viminacium, Mesia Superior
Septiembre de 193 d. C.

Severo no entró en la ciudad, sino que prefirió quedarse con sus tropas acampadas al sur de Viminacium. Fue su hermano Geta el que se desplazó hasta allí para recibirlo. Había acudido desde Mesia Inferior, su provincia, por petición expresa de Severo, que quería que fuera su propio hermano el que le detallara cómo estaba la situación con respecto a la guerra con Nigro.

—¡Hermano! —exclamó Septimio al verlo entrar, y se acercó para abrazarlo. Hacía más de un año que no se veían. Un año intenso, con varios emperadores diferentes de por medio.

Geta sonreía aún cuando el abrazo terminó y Severo se sentaba ya en la *sella curulis*.

—Te dejé como gobernador y te acabo de abrazar como augusto. Parece que mi hermano pequeño ha aprovechado el tiempo.

Severo sonrió también un instante mientras respondía al cumplido.

—Ya sabes que siempre he sido inquieto.

—Mucho, sin duda —rio Geta.

Fue una carcajada contagiosa. A Julio Leto y a otros oficiales que estaban presentes en aquel reencuentro entre hermanos les apetecía unirse a aquella risa, pero se contuvieron. Sabían que el emperador estaba interesado en saber sobre la marcha de la guerra y no pensaron que fuera aquel el mejor momento para una carcajada. Sin embargo, a todos les gustaba ver que el emperador contaba con un aliado fiel y fuerte en la persona de su hermano mayor. Sus dos legiones de Mesia Inferior, la I *Italica* y la XI *Claudia*, habían sido un apoyo clave en el ascenso de Septimio Severo al trono imperial de Roma.

Fue el propio Geta el que, nada más dejar de reír, decidió redirigir la conversación hacia el asunto delicado de la guerra.

—Las cosas contra Nigro no van mal, pero estamos atascados..., augusto. Se me hace raro dirigirme a ti así, pero es lo correcto. Augusto, sí —insistió Geta, delante de todos los oficiales, para que quedara bien clara su adhesión sin fisuras a la dignidad que Septimio se había arrogado, sin importarle lo más mínimo ser él el mayor en edad. Geta respetaba el mucho más brillante *cursus honorum* de su hermano pequeño y ahora lo respaldaba en todas sus acciones—. Así es desde ahora entre tú y yo y así será. —Entonces calló. Se puso aún más serio y arrugó la frente—: Aunque doblegar a Nigro va a costar. Tiene muchos apoyos.

—Te escucho —dijo Severo—. Te escuchamos todos —añadió mirando a Leto y al resto de oficiales.

Geta empezó a explicarse:

—Veamos. De forma resumida la situación es la siguiente: Fabio Cilón sufrió una derrota dura frente a Perinto. Tuvo que refugiarse en su interior, pero resistió y resiste todavía un asedio muy penoso. Aunque no consiguió derrotar a Nigro, hay que reconocer que lo ha frenado. Nigro ha establecido su campamento general en Bizancio y se ha hecho fuerte en esa ciudad. Parece que no quería avanzar más hacia nosotros dejando a Cilón armado en su retaguardia. Tenemos que aproximarnos a Bizancio con todo lo que tengamos. Y digo «todo» porque a Nigro lo apoyan en numerosas ciudades de Oriente; destacaría Antioquía. Tiene, además, el poder militar incondicional de las legiones de Siria, y el resto de las que hay en Asia parecen bastante fieles a su causa, incluidas las de Palestina, Capadocia, Arabia y Egipto. Si no conseguimos quebrar todas esas adhesiones, será muy difícil derrotarlo. Siento ser tan duro en mis apreciaciones, pero creo que no ganamos nada engañándonos sobre la magnitud de nuestro oponente. Y te conozco bien. Sé que quieres oír lo que pasa, no lo que te gustaría que pasara, augusto.

Severo asintió con la cabeza un par de veces.

—Tenemos rehenes en Roma a varios hijos de diferentes gobernadores de las provincias de Oriente y también a los hijos y las esposas de algunos *legati* de sus legiones —comentó el emperador con gravedad en la voz—. Hemos de hacer llegar mensajes a todos esos hombres sobre lo que puede sobrevenir a sus familias si no abandonan a Nigro. Sé que esta estrategia no ha funcionado mucho con el propio Nigro, a quien parece traerle sin cuidado lo que le ocurra a su mujer Mérula y a sus hijos, pero quizá otros gobernadores y *legati* sí tengan en más estima la vida de sus familiares.

—Sí, sin duda esos mensajes se han de enviar, augusto —confirmó Geta convencido de que aquella estrategia podría dar frutos, y también de que no sería bastante—: Pero...

—Pero además hemos de atacar —lo interrumpió Severo.

—Sí, eso iba a decir, augusto —aceptó su hermano con una sonrisa—. Veo que la púrpura imperial no ha amilanado al soldado que sé que habita en ti. Me alegro, porque ese militar nos va a hacer mucha falta en los próximos meses. —Y, de golpe, cambió de tema—. ¿En Roma está todo bien?

—Plauciano está allí, vigilando al Senado y con mando sobre una renovada guardia pretoriana.

—¿Y Clodio Albino se estará quieto en Britania, augusto? —preguntó Geta, buscando confirmación en ese punto delicado de la estrategia global para dominar el Imperio.

—Aceptó el nombramiento de césar —explicó Severo—. No le interesa hacer nada. Además, estoy seguro de que, en el fondo, espera que Nigro acabe conmigo. Eso le dejaría el camino libre para proclamarse emperador.

—Pero eso no va a ocurrir, augusto —afirmó con rotundidad Geta.

—Eso no va a ocurrir —repitió con seguridad Severo. Su hermano, no obstante, detectó cierto cansancio en el tono de esta última respuesta.

—Creo que el emperador lleva muchos días de marcha desde Roma. Semanas enteras sin apenas descanso. Quizá sea mejor que decidamos el plan de ataque contra Nigro mañana.

—Me parece bien —concedió Severo.

Geta iba a retirarse, como estaban haciendo ya Leto y el resto de oficiales que acompañaban al emperador, pero, de pronto, se dio cuenta de que, abrumados como estaban todos por el asunto de la guerra contra Nigro, ni siquiera había preguntado por la familia de su hermano.

—¿Julia está bien? ¿Y los niños?

Septimio inspiró profundamente antes de responder.

—Todos están bien.

—Me gustará verlos de nuevo, a los tres, a los pequeños y a Julia, por supuesto.

Septimio Severo no dijo nada. Su hermano lo atribuyó al cansancio acumulado. Sonrió una vez más y marchó con el resto de oficiales.

El emperador se quedó solo, en silencio, pensando.

Domus de Maesa en Viminacium, Mesia Superior
Septiembre de 193 d. C.

Julia llegó a la residencia de su hermana con el atardecer.

—Lo siento —se disculpó—. No he podido venir antes. Basiano no se encontraba bien y no quería dejarlo hasta asegurarme de que no fuera nada serio.

Maesa la abrazó con fuerza.

—Lo importante es que estás aquí, que todos estáis aquí. —Se separó de su hermana, pero seguía acariciándole el brazo con ternura—. Alexiano estaba tan serio cuando le pregunté por ti que, por un momento, llegué a pensar que te había pasado algo malo. A ti o a los niños. Pero dices que Basiano está bien.

—Eso parece, aunque el médico militar que lo ha visto no me ofrece mucha confianza —comentó Julia sentándose en un _triclinium_.

—Si quieres puede verlo Galeno —sugirió Maesa.

—¿Galeno está aquí? —La emperatriz estaba sorprendida. A ella le había costado tanto convencerlo para que fuera desde Roma hasta Panonia con un mensaje y, sin embargo, por lo visto su hermana no había tenido dificultad para persuadirlo de que se incorporara a la *expeditio asiatica*, la campaña contra Nigro, tal y como la había denominado su esposo—. ¿Cómo lo has hecho?

—¿El qué? —preguntó Maesa confundida.

—Convencer al viejo médico para que os acompañara.

—Bueno. Yo quería que viniera porque la pequeña Avita parece tan débil, tan frágil, que tener a Galeno cerca me daba seguridad. Pero realmente no fue complicado persuadirlo. Era como si él mismo quisiera viajar a Oriente.

Julia frunció el ceño.

—Por algo será. Galeno no es un hombre que actúe sin propósito, pero sea cual sea su motivo para querer venir a esta campaña, será buena idea que mañana mismo vea a Basiano.

—Yo me ocupo de avisarlo —dijo Maesa sentándose al lado de su hermana mayor y cogiéndole la mano—, pero ese rostro tan serio no es propio de ti. Y no me creo que sea solo por Basiano, y más aún si afirmas que lo que tiene no es serio.

Julia se levantó y se alejó de su hermana. Luego se detuvo en el centro del atrio y se volvió hacia ella.

—¿Qué te ha contado Alexiano? —Y miró a su alrededor inquieta—. Por cierto, ¿dónde está?

Maesa quería levantarse también y acercarse a su hermana y abrazarla de nuevo para reconfortarla, pero la conocía bien. Ahora necesitaba cierta distancia.

—Alexiano ha ido a revisar el campamento de la legión que le ha asignado Septimio para esta campaña. No vendrá hasta mañana. Las niñas están durmiendo y he ordenado a los esclavos que no nos interrumpan. Estamos solas, hermana. Puedes hablar con tranquilidad.

Julia asintió. Sus ojos estaban húmedos.

—Es como si lo hubiera perdido.

—¿A quién? —preguntó Maesa. No entendía bien lo que su hermana quería decirle.

—A Septimio. —Julia empezó a hablar con rapidez, andando por el atrio, alzando y bajando los brazos—: Es como si esa relación especial que yo sentía que siempre había tenido con él, con mi esposo, con el emperador, se hubiera perdido, roto. Él no quería que yo viniera a esta campaña. Estaba decidido a dejarme en Roma. Siempre que hablábamos de esto insistía una y otra vez en que esta guerra contra Nigro no sería un paseo militar como la toma de Roma contra Juliano. «Lo sé, lo sé», le respondía yo y defendía que, en cualquier caso, mi sitio y el de los niños es al lado de su padre y más en unos momentos en que no sabemos aún qué pasará, quién ganará al final. Tengo toda mi confianza en Septimio. Es un gran militar y tiene hombres leales a su lado: Fabio Cilón, Julio Leto, su hermano Geta, que siempre lo apoya en todo, y tu querido esposo Alexiano...

Maesa la escuchaba con atención, los ojos muy abiertos. Se dio cuenta de que en la lista de hombres de lealtad ciega a Septimio Severo, su hermana no había incluido a Plauciano, el nuevo jefe del pretorio por designación imperial, pero no pensó mucho en ello. Julia, además, seguía hablando.

—Yo le dije a Septimio que no quería quedarme atrás, que no permitiría que me separara de él. Cómodo me usó como rehén contra él, a mí y a los niños. Y Juliano habría hecho lo mismo si me hubiera quedado en Roma. No quería que eso pudiera volver a pasar. Le dije que Nigro tiene aún senadores que lo apoyan en secreto, que si se iba, podía haber una rebelión en Roma y que podría terminar de nuevo como rehén del enemigo, pero Septimio no paraba de decirme que Plauciano, siempre Plauciano —Julia miró al cielo oscuro de la noche al pronunciar el nombre del jefe del pretorio—, sí, que Plauciano velaría por mí, que él impediría cualquier alzamiento. Así que daba igual lo que yo expusiera. Septimio estaba decidido a dejarme en Roma. Pero yo me negué. Ya me conoces. —Miró a su hermana; Maesa asintió. Julia continuó—: Lo desafié, hermana. Le dije que por nada del mundo conseguiría dejarme atrás.

—Y no lo consiguió —apuntó Maesa, dibujando una tímida sonrisa en su rostro, un poco cómplice, un poco de consuelo.

—No. Sabía que tendría que encerrarme y no quiso usar esa violencia conmigo ni con los niños. Cedió a mis ruegos y aquí estoy. Me salí con la mía, pero desde que partimos de Roma, apenas he cruzado dos palabras con él. Si mando a un oficial requiriendo su presencia, se excusa en que está pendiente de tal o cual cuestión relacionada con el ejército. ¿Qué voy a decirle? Estamos en guerra y el enemigo es formidable. Dejé de pedir verlo hace semanas. Él, cuando le place, pide que los niños vayan a hablar con él en el *praetorium* y los pasea con orgullo por los campamentos. Basiano y Geta están encantados, como imaginarás.

—Pero a ti no te llama nunca —apostilló Maesa.

—Nunca. —Julia tragó saliva. Las lágrimas, silenciosas, empezaron a brotar y a derramarse en pequeños ríos brillantes por sus mejillas de tez suave y morena—. Sé que yace con alguna esclava de cuando en cuando. Ninguna preferida. Y me duele. Pensaba que no me importaría, pero sí me duele. Aunque eso es lo de menos. Lo esencial es que él no lo entiende. Juntos hemos sido fuertes, pero separados nos han podido manipular. Sé que estoy en lo cierto, sé que mi presencia a su lado, constantemente, es necesaria, pero él no lo ve así y se siente... como traicionado por mí. Eso es. Y no lo ve. Por mí... desobediencia. No ve que es de otras personas de las que debería preocuparse, no de mí. De mí nunca.

Julia se sentó de nuevo junto a su hermana y lloró amargamente en su hombro mientras ella la abrazaba.

Las lágrimas, al rato, cesaron.

Julia se recompuso un poco. Miraba al suelo.

—¿Qué vas a hacer? —preguntó Maesa en voz baja.

—No lo sé —respondió Julia—, pero tampoco pienso ceder. Sé que él espera que le envíe una carta en algún momento, que reconozca mi error y que acepte quedarme atrás, en cualquier ciudad de Mesia, pero no voy a hacerlo. —De pronto miró a su hermana—. Si tú me acompañaras, todo esto sería más fácil para mí.

—Cuenta conmigo —dijo Maesa.

Se abrazaron y Julia musitó unas palabras al oído de su hermana.

—Él volverá a mí. Tiene que hacerlo. En Siria, El-Gabal hará que vuelva a mí.

Cámara de los esclavos, *domus* de Maesa en Viminacium, Mesia Superior
Septiembre de 193 d. C.

Lucia estaba sentada, esperando.

Las niñas estaban acostadas. Su trabajo, por aquella jornada, había terminado. Estaba cansada, pero aun así aguardaba en silencio, entre las sombras de la única lámpara de aceite que iluminaba la estancia. Sabía que Julia Domna, la esposa del emperador, la hermana de su ama, había venido de visita, y tenía la esperanza de que no lo hubiera hecho sola, sino acompañada por algunos esclavos, además de la escolta militar que había visto en la puerta de la *domus*.

Lucia exhaló un largo suspiro. ¿Habría acudido él?

—Hola —dijo una voz, la voz que esperaba, y dio un respingo por la sorpresa, pero replicó con rapidez y con una amplia sonrisa en el rostro.

—Hola..., Calidio.

Luego hubo un breve silencio que, sin embargo, no resultaba incómodo para ninguno de los dos.

—¿Te va bien? —preguntó él—. Te veo... sana.

Ella volvió a sonreír.

—Sí. Hice lo que dijiste: cumplo bien con mi trabajo, atiendo a las niñas, sobre todo a la pequeña, que es la que está más a mi cargo, y el ama me trata bien. Como a diario, abundante, y no paso frío por las noches. Tengo mi propia manta y un lecho en una cámara pequeña, pero cálida, al lado del dormitorio de las pequeñas. Me llega incluso algo el calor del aire caliente que va por debajo de la casa. Pero así si tienen algún mal sueño por la noche, como estoy cerca de ellas, puedo atenderlas sin que despierten a su madre.

—Eso está bien —dijo él, siempre mirándola con atención—. Sí, se te ve... tranquila. Me alegro.

—Gracias.

Hubo otro silencio.

—¿Y tú? —preguntó ella.

—Bien. El amo me ha premiado con varias recompensas, con sestercios que he podido añadir a mi *peculium*. Unos premios han sido por haberte encontrado a ti, otros cuando el Senado reconoció como emperador al amo.

Pero la respuesta no llegó acompañada de una voz de completa felicidad o calma a juego con sus palabras.

—¿Pasa algo? —quiso saber Lucia.

—Va a haber una guerra —respondió Calidio—. Las guerras no son buenas para nadie. Tampoco para los esclavos. Si pierden nuestros amos, la vida que llevamos ya no será la misma. Puede que sobrevivamos a un posible desastre, pero será difícil que estemos como ahora.

—Ya —dijo Lucia y miró al suelo pensativa—; ¿perderá tu amo?

—No lo sé. De eso no entiendo. Está preocupado, desde luego, eso está claro. Por lo que oigo en las comidas, el amo tiene muchos apoyos, muchas legiones, pero Pescenio Nigro, su contrincante, es un senador poderoso y también tiene un gran ejército: todas las legiones de Oriente están con él.

—Por eso vamos hacia el este, ahora lo entiendo —dijo Lucia como si hubiera tenido una auténtica revelación.

—Por eso vamos hacia el este, sí.

Otro silencio.

Las sombras de los dos temblaban en las paredes de la estancia sin decoración ni pinturas.

—Y por eso está tu ama contrariada, ¿verdad? —preguntó Lucia—. La he visto entrar con aire triste en el atrio.

Calidio inclinó la cabeza un poco hacia un lado.

—No, creo que no. Las guerras no parecen asustarla.

—Ah. —Lucia no entendía cómo alguien podía no tener miedo a una guerra—. Entonces... ¿qué le ocurre?

—Ella y el amo están peleados. El amo quería que se quedara en Roma y ella no aceptó permanecer allí.

—Bueno, yo me alegro. Así has venido —dijo Lucia otra vez con una sonrisa en su rostro.

Calidio se acercó y se sentó a su lado. Puso, lentamente, el dorso de la mano en la mejilla de la muchacha. Luego se acercó más y la besó despacio en la boca. Ella no estaba acostumbrada a tanto cuidado. Pero le gustaba.

—¿Me quito la túnica? —preguntó Lucia.

—Sí —dijo Calidio.

Se desnudaron los dos. Luego él la tumbó en aquel lecho de paja y continuó besándola. Ella separó las piernas y dejó que Calidio hiciera lo que quería hacer.

Lucia cerró los ojos y lo abrazó con fuerza. Empezó a gemir.

—Silencio —le susurró él al oído.

Lucia, siempre sin abrir los ojos, ahogó sus gemidos en el cuello de él junto con lágrimas que no eran de tristeza.

Estuvieron así un tiempo que a ella le resultó tan intenso como indefinido. Cuando por fin abrió los ojos, él estaba echado a su lado, mirando hacia arriba. Se le veía relajado.

—Sigo sin entender por qué el ama está contrariada —dijo ella para que él hablara. Le gustaba oír su voz.

—¿Qué quieres decir? —preguntó Calidio confundido.

—El amo no quería que viniera, pero ella se ha salido con la suya y está aquí; entonces no veo por qué ha de estar enfadada —explicó Lucia.

—Porque el amo está ahora frío con ella, se ha distanciado.

—Ah —aceptó Lucia en principio, pero pronto arrugó la frente, se giró en el lecho y miró a Calido directamente a los ojos—: Pero él ya la conoce de hace mucho tiempo. Tendría que imaginarse que el ama querría hacer eso, pues me has explicado otras veces que el ama es muy decidida.

Calidio miraba hacia el techo. Estaba a gusto, allí, después de yacer con Lucia en aquel lecho de paja limpia.

—Hay algo que mi amo aún no entiende del ama —dijo él con seguridad, tanta que se sorprendió hasta él mismo, pero era como si, de pronto, todo encajara en su mente: llevaba años conviviendo con ambos y observándolos, al emperador y a su esposa, y conocía al uno y a la otra casi mejor que ellos a sí mismos—: El ama, la emperatriz Julia, tiene cuerpo de mujer, de mujer hermosa, pero en el fondo es uno más de ellos: siente y piensa como cualquiera de los senadores. Eso confunde al amo: valora la inteligencia del ama, pero la belleza de su cuerpo lo confunde.

Lucia no entendía bien de qué hablaba Calidio. La muchacha cambió de tema. No le gustaba que Calidio pensara tanto en otra mujer.

—Y... ¿mi cuerpo te confunde? —inquirió con una sonrisa traviesa.

Él le devolvió la sonrisa con otra igual, olvidando el conflicto entre su amo y su ama, y dándole un beso en la boca a Lucia al tiempo que le respondía:

—Sí, tu cuerpo me confunde...

**Praetorium del emperador, Viminacium, Mesia Superior
Octubre de 193 d. C.**

Julia acudió emocionada a la llamada de su esposo. Aun así, intentaba por todos los medios controlar sus sentimientos. Septimio no era de cambiar súbitamente de forma de pensar. Que la hubiera convocado a su tienda podría ser un buen primer paso para recuperar su amor y, al mismo tiempo, su influencia sobre él, pero no debía hacerse ilusiones. Por otro lado... Septimio era un hombre y los hombres tienen ansias que satisfacen a su antojo cuando desean, pero para ello Severo había recurrido a esclavas, de eso estaba segura. Entonces, si fuera eso, si la llamaba ahora a ella..., ¿era porque la echaba de menos junto a él, de día y, sobre todo, de noche? Julia se detuvo frente a la tienda del *praetorium* e inspiró hondo. La cabeza estaba a punto de estallarle. Los guardias que custodiaban la entrada iban a descorrer las telas pero ella negó con la cabeza. Los dos legionarios se detuvieron a la espera de que la emperatriz asintiera. Ella necesitaba unos instantes de preparación, para resituarse mentalmente. Julia asintió al fin. Descorrieron las telas y ella entró en la tienda.

Su esposo estaba sentado en un *solium* solitario en medio del *praetorium*. No había ningún asiento dispuesto para ella. Solo una mesa con una jarra y una única copa de oro y, eso sí, el lecho donde su esposo descansaba. Julia pensó en sentarse en la cama, pero lo consideró demasiado directo. Optó por permanecer en pie.

—He recibido un mensaje —dijo Severo, así, sin un saludo, sin una pregunta, sin un reconocimiento particular, pese a todos los días transcurridos sin apenas hablar entre ellos.

—Un mensaje —repitió ella, como muestra de que lo escuchaba.

—Pescenio Nigro me ofrece compartir el Imperio con él —explicó Severo, directo, sin rodeos.

Julia asintió un par de veces.

—Coemperadores —dijo ella.

—Coemperadores, sí —ratificó él.

—Juliano también te lo propuso y cuando lo hizo era porque estaba prácticamente acabado, derrotado, sin apoyos —comentó Julia con seguridad.

—Sí —admitió Severo—, pero Nigro lo hace cuando está en posición de fuerza: ha derrotado a Cilón, algo de esperar por otro lado porque lo mandé sin fuerzas suficientes, solo para entretenerlo, para ralentizar su avance, pero sea como sea, Nigro ha cruzado el Bósforo, asedia Perinto, domina Asia, Siria, Capadocia, Palestina, Arabia, tiene un pacto con los partos, muchas legiones, y los dos sabemos que la mayor parte del Senado, si pudiera hablar libremente, lo elegiría como emperador único del Imperio.

—¿Y Egipto? —preguntó la emperatriz.

—No tengo noticias aún de Sabino —le informó el emperador—. Lo envié para asegurar que esa provincia se pasara a nuestro bando, pero aún no sé nada, y lo mismo de los mensajeros que hemos enviado a Palestina y otros lugares de Oriente para negociar con *legati* y oficiales de quienes tenemos rehenes. De momento nada. Nigro permanece sólido y fuerte como una roca.

—Ya veo —dijo Julia, y empezó a pasear por la habitación. Se percató de que su marido no la miraba, solo la escuchaba. Bueno, había esperado más interés por su persona, pero era un principio; tenía que serlo...

—¿Qué opinas? —preguntó Severo.

Julia se detuvo y se encaró con su esposo.

—Quieres saber lo que pienso sobre la oferta de compartir el Imperio, pero ni siquiera me dedicas una mirada —dijo sin poder ocultar su orgullo de mujer herida.

Septimio levantó los ojos y la miró.

Ella sonrió.

Él no.

Julia suspiró y borró aquel amago de alegría latente de sus labios.

—No funcionará —dijo, al fin, la emperatriz—. Dos augustos, tú y Nigro, y un césar, Albino en Britania. Demasiado complicado. Para empezar, aceptar sin consultar a Albino puede enemistarte con él y el problema lo tendrías entonces en Occidente. Y consultarlo requiere tiempo que ganaría Nigro, además de que Albino dirá que no, porque desea que tú y Nigro luchéis en el campo de batalla para, según queden las cosas, comportarse de un modo u otro.

—Sí, todo eso pienso yo también —confirmó Severo; luego calló y se quedó mirando, de nuevo, al suelo.

Julia se tragó el orgullo.

—¿Hay algo más que quieras de mí? ¿Algo que pueda hacer por ti, para ti?

Severo, sin mirarla, negó con la cabeza.

La emperatriz inspiró aire, llenó los pulmones de todo aquel abismo que parecía seguir separándola del corazón de su esposo, dio media vuelta y, sin despedirse, abandonó la tienda.

En el exterior el aire fresco del atardecer la recibió y resultó un alivio para ella. Septimio seguía rechazándola, pero había solicitado su opinión en algo importante y, al menos, las cuestiones claves las seguían viendo del mismo modo.

Empezó a andar.

Días atrás Galeno había visto al pequeño Basiano y le había restado importancia a la poca fiebre que detectó en el niño. O sea que ese asunto ya estaba encauzado.

Julia suspiró.

Más complejo parecía lo de su esposo.

Aún quedaba mucho camino que recorrer hasta recuperar la relación que tenían antes de que ella, contra el criterio de Septimio, decidiera acompañarlo en esta nueva campaña, pero aquel era un camino que, por tortuoso y difícil que fuera, recorrería hasta el final, hasta un reencuentro de verdad, no como el de aquella noche. Sin embargo, aquella breve charla con su esposo tenía que ser un nuevo principio. Ya se cuidaría ella de que así fuera. Septimio y ella volverían a estar unidos, y unidos podrían con todo, con todos. En su cabeza la derrota era inconcebible.

XLV

LA BATALLA DE ISSUS

De Bizancio a Ancyra[32]
Invierno de 193 d. C.

Severo rechazó compartir el Imperio con Pescenio Nigro.

La guerra se recrudeció.

Las legiones de Severo liberaron el cerco que sufría Cilón en Perinto e hicieron retroceder a las cohortes de Nigro hasta Bizancio.

Bizancio, no obstante, se mostró como una plaza muy fuerte y resistió el asedio de las tropas de Severo, pero, al contrario de lo que hizo Nigro con Perinto, Severo decidió no permanecer atascado en aquella posición, sino que optó por dejar a su hermano Geta y al *legatus* Cilón con un contingente de tropas allí mismo, que mantuviera el cerco a la ciudad, y él, por su parte, cruzó a Asia con la mayor parte de sus legiones de Mesia y Panonia junto con Alexiano, Leto, otros *legati* y, por supuesto, Julia, que en modo alguno aceptaba quedarse atrás. Y con ella, Maesa, su hermana y los niños y niñas de ambas.

Nigro, por su parte, antes de que Severo consolidara su posición para asediar la ciudad de Bizancio, la abandonó, eso sí, dejando la plaza bien provista con numerosos soldados y bien pertrechada de armas y alimentos. Pero él se retiró hacia el este. Sabía que Severo lo seguiría y eso, exactamente, era lo que quería.

Llegaron entonces las batallas de Cícico y Nicea. Las cohortes balcánicas se impusieron en ambas contiendas, lo que le valió a Severo, por un lado, tener el control total de las provincias

---

32. Actual Ankara.

de Bitinia y Asia y, por otro, ser aclamado *imperator* por segunda y por tercera vez por sus tropas,[33] certificando la unión entre las legiones danubianas y el destino, fuera el que fuere, del antiguo gobernador de Panonia Superior proclamado emperador en Carnuntum el año anterior.

Severo, quizá influido por sus supersticiones, decidió adentrarse ahora hacia Galacia,[34] pues, de ese modo, reproducía al menos en parte la misma ruta que Alejandro Magno había seguido en su lucha contra Darío III quinientos años antes. La pasión de Severo por el gran macedonio era de todos conocida, pero como además dominar la meseta central de Anatolia parecía relevante para asegurar las posiciones conseguidas con las recientes victorias, ninguno de los *legati* del ejército se opuso a aquella ruta. Los legionarios también se sentían más seguros repitiendo la ruta de Alejandro.

Pero llegó el invierno.

Y sus inclemencias. Muy duras en aquella región elevada y agreste de Asia Menor alejada del mar. Severo tuvo, no obstante, el buen criterio de refugiarse con su ejército en la ciudad de Ancyra, una vez más como hiciera Alejandro Magno en el pasado, lo que les permitió pasar la estación invernal relativamente bien pertrechados y guarnecidas sus tropas de las incomodidades más duras del viento.

Nevaba casi a diario.

No era extraño, en aquellos días pesados y plomizos del invierno, que los habitantes de Ancyra y los legionarios allí concentrados vieran al propio Severo acercarse con frecuencia al templo levantado en honor del divino Augusto para pasarse allí horas enteras leyendo la reproducción que en las paredes de dicho templo había de la inscripción que el propio Augusto había ordenado poner en su mausoleo de Roma. En esta copia, tanto en latín como en griego, podía uno leer la casi interminable lista de todas y cada una de las hazañas del primer emperador

33. La primera aclamación como *imperator* fue cuando sus tropas lo proclamaron emperador en Carnuntum.

34. Región que se corresponde con el territorio central de la actual Turquía.

de Roma, con una descripción pormenorizada de cada suceso. Severo empezó desde el principio, fijando los ojos en los primeros párrafos, y leyendo con atención:

Rerum gestarum divi Augusti, quibus orbem terrarum Imperio populi Rom. subiecit, et inpensarum, quas in rem publicam populumque Romanum fecit, incisarum in duabus aheneis pilis, quae sunt Romae positae, exemplar subiectum. Annos undeviginti natus exercitum privato consilio et privata impensa comparavi...

[Abajo hay una copia de las hazañas mediante las que el divino Augusto puso el mundo entero bajo el control del pueblo de Roma, así como de las cantidades que entregó al Estado y al pueblo romano, tal y como están grabadas en las dos columnas de bronce que se levantan en Roma: a la edad de diecinueve años, por mi propia iniciativa y a cargo de mi propia fortuna, recluté un ejército...]

Al cabo de un largo rato, después de leer numerosas gestas de Augusto, se alejaba caminando con los hombros algo encogidos, unos pensaban que por el frío, otros que por las preocupaciones de la campaña militar contra Nigro. Solo Severo sabía que lo que le ocupaba la mente tras leer aquel descomunal relato de glorias pasadas eran sus dudas sobre si, alguna vez, alguien se ocuparía de relatar sus propias gestas, si es que, al fin, se imponía sobre las legiones de Nigro. ¿Habría alguna vez algún monumento similar que recordara a las futuras generaciones algo de todo lo que él estaba haciendo? ¿Acaso sería él merecedor de recibir un trato similar? ¿Estaba legitimado para actuar como lo estaba haciendo? Él sentía que sí: Juliano había sido un miserable que se había hecho con el poder de forma subrepticia. Albino y Nigro se habían quedado callados, sin actuar; solo él había ido directo hacia Roma, librado la ciudad y el Imperio del usurpador y restablecido a Pértinax en su dignidad con un majestuoso funeral de Estado deificándolo y, de nuevo, solo él, había resuelto de una vez por todas el problema de la guardia pretoriana corrupta. Y ahora, hecho todo el trabajo sucio, Nigro quería cosechar los frutos de sus esfuerzos. Eso no iba a ocurrir. Solo por encima de su cadáver...

Los pasos del Tauro, entre Capadocia y Cilicia
Primavera de 194 d. C.

Las semanas se sucedieron y con ellas el invierno, pero el *interim* dio tiempo para que Nigro se fortaleciera, pues pensara lo que pensase Severo de él, Pescenio Nigro no estuvo ocioso durante aquellos meses, sino que ordenó fortificar los pasos de la cordillera del Tauro, por donde Severo tendría que descender hacia el mar en cuanto llegara la primavera.

Nigro también sabía de historia, conocía la ruta que Alejandro había seguido y era consciente de la pasión de su oponente por las hazañas del antiguo emperador macedonio. Estaba convencido de que Severo intentaría cruzar aquella cordillera y fortificó cada paso con enormes empalizadas donde dispuso a miles de legionarios para impedir su avance.

Y el plan habría resultado si no hubiera sido porque Nigro no contó ni con las lluvias de la primavera ni con el deshielo de las montañas. Ambos fenómenos se tradujeron en caudalosos torrentes de agua desbocada que descendía por las montañas hasta los valles y desfiladeros de los pasos del Tauro, llevándose por delante la mayor parte de las fortificaciones construidas por los hombres de Nigro durante el invierno.

El golfo de Issus, Cilicia

Aquel error de cálculo permitió que Severo y sus legiones cruzaran aquella cordillera y se plantaran en las costas del golfo de Issus en abril dispuestos a volver a combatir, preparados todos los soldados de Mesia y Panonia para derrotar una vez más a las legiones de Oriente.

Además, habían llegado mensajeros desde Egipto: Sabino, el enviado de Severo a aquella provincia, certificaba que las tropas romanas allí establecidas abandonaban la causa de Nigro para pasarse al bando de Severo. Adicionalmente, la lealtad de las tropas de Palestina podía también oscilar pronto y unirse asimismo a las legiones de Mesia y Panonia.

Todo parecía perfecto para que Septimio Severo consiguiera la victoria final sobre su enemigo más peligroso hasta la fecha y, sin embargo, se le veía preocupado. Su cuñado Alexiano, que se preciaba de conocerlo bien, lo percibía sombrío, deprimido. ¿Era porque temía por el desenlace final de aquella campaña contra Nigro o por su soterrado enfrentamiento con Julia, que ya se alargaba varios meses? Nadie lo sabía.

Praetorium militar del ejército del Danubio desplazado a Oriente
Abril de 194 d. C.

El emperador los había convocado a todos en el *praetorium*. Se tenía que decidir la estrategia para la batalla que pronto se libraría frente a la costa del golfo de Issus.

Había muchos oficiales en la tienda de mando de Septimio Severo: los *legati* y tribunos Valeriano, Anulino y Cándido de las legiones de Mesia; el *legatus* Leto de Panonia; Alexiano, a quien el emperador también había designado como líder de una legión; y otros oficiales de las legiones, las tropas auxiliares y la caballería. De entre los hombres de confianza de Severo solo faltaban Plauciano, que seguía en Roma, y su hermano Geta y Fabio Cilón, que habían quedado en retaguardia asediando Bizancio, que seguía sin rendirse, fiel a Nigro.

Quien sí estaba presente, por orden expresa de Severo, era su esposa Julia. No la había invitado por interés personal; de hecho, como la última vez que hablaron en la ya lejana Viminacium, no le había dedicado ni una sola mirada desde que ella entró en la tienda. La había llamado al *praetorium* para dar una sensación de unidad en el seno de su familia imperial ante todos sus hombres. Más allá de sus diferencias, Severo tenía claro que la apariencia de unión y solidez familiar era un elemento de relevancia política e, incluso, militar. Julia accedió a acudir sin plantear condiciones ni quejas, como si, tácitamente, más allá de sus diferencias, compartiera esa visión con su marido.

Severo, sentado en una *sella curulis*, se dirigió a su cuñado.

—Alexiano —dijo el emperador—, resume la situación para todos.

El aludido dio un paso al frente y, señalando el golfo de Issus sobre un mapa de la región en la que se encontraban, iba marcando con el dedo las unidades que mencionaba según tenía información sobre su emplazamiento:

—Sí, augusto: Nigro ha traído las legiones IV *Scythica*, XVI *Flavia* y III *Gallica* de Siria, que suponen su fuerza central y más leal; pero a ellas ha añadido muchas *vexillationes* de la XII *Fulminata* de Capadocia y de las legiones III *Cyrenaica* de Arabia y la VI *Ferrata* y la X *Fretensis* de Palestina. Y a este contingente hay que sumar un gran número indeterminado de auxiliares que se han alistado procedentes de Antioquía, ciudad que apoya ciegamente a Nigro. Parece que tras la defección de Egipto, Nigro ha prometido que la lealtad de Antioquía a su causa será recompensada y ha prometido también convertirla en la capital de todo el Oriente en detrimento de Alejandría. Eso ha animado a los antioqueños a alistarse en su ejército. Nigro, además, dispondrá, seguramente asesorado por Emiliano, su militar más experimentado, las legiones en *triplex acies* aquí, en lo alto de esta pequeña meseta, lo que le da una posición de ventaja contra nosotros, que estamos aquí abajo. Nigro y Emiliano situarán también con toda probabilidad muchos auxiliares con arqueros y hondas y otras armas arrojadizas por detrás de las legiones. La caballería está ya hoy mismo acampada en retaguardia, justo donde creemos que está el *praetorium* enemigo, y contamos con que permanezca mañana allí mismo. —Alexiano suspiró y tomó aire de nuevo; ahora tenía que describir las fuerzas de las que disponían ellos, que eran inferiores en número, pero no debía dar sensación de miedo al presentarlas:

»Nosotros tendremos nuestras propias tropas también dispuestas en *triplex acies* frente a las legiones de Nigro. Contamos con las legiones X *Gemina* y XIV *Gemina* de Panonia, y con la VII *Claudia* y la I *Italica* de Mesia junto con bastantes unidades de otras legiones del Danubio. Es cierto que estaremos en inferioridad numérica, pero nuestros hombres son más experimentados que, por ejemplo, las nuevas levas de antioqueños que han reforzado las unidades de auxiliares de Nigro. Además hemos dejado nuestras nuevas legiones menos curtidas en el combate, la I, II y III *Parthica* en retaguardia, en el asedio de Bizancio, de forma que aquí tenemos a los hombres más veteranos. Eso, pese a ser menos, nos da una ventaja táctica que puede ser fundamental durante el desarrollo de la batalla. Y creo que eso es todo, augusto.

Severo asintió. Alexiano dio un paso atrás y se reintegró entre el resto de oficiales. Julia lo observaba todo muy seria. Podía leer el temor en los ojos de muchos de los presentes, pero no dijo nada. Ya había desairado demasiado a su esposo forzando su presencia, con su ejército en la campaña contra Nigro, como para atreverse a decir palabra alguna en presencia de sus oficiales. Tenía que ser su esposo el que insuflara valor y ánimos a sus hombres. Julia confiaba por completo en la inteligencia militar de su marido para saber arengar a sus oficiales, por un lado, y para discernir un plan de ataque adecuado para derrotar al enemigo. Ella percibía limitaciones en la capacidad de su esposo a la hora de pensar a lo grande, pero le concedía que era excelente en lo puramente militar.

Severo inspiró hondo, se levantó y dio una vuelta alrededor de la mesa sobre la que estaba el plano con las posiciones de los dos ejércitos. Se detuvo cuando llegó de nuevo junto a la *sella curulis*, pero no tomó asiento, sino que se dirigió a todos sus hombres con voz seria y firme.

—Es cierto: somos menos en número, pero como muy bien ha explicado Alexiano, nuestras legiones están más experimentadas. Mas no hemos de confiarnos. Nigro ha preparado esta batalla con tiempo al habernos detenido durante semanas en los pasos del Tauro hasta que las lluvias destrozaron sus fortificaciones en aquellos desfiladeros. El caso es que ahora tiene la mejor posición en lo alto de esa meseta. Tendremos que luchar cuesta arriba y eso no será de ayuda. Lo sé, y sé que a todos os preocupan estas ventajas del enemigo, en número y posición, por eso vamos a aprovecharnos de un error de Nigro y, además, vamos a preparar un movimiento táctico para facilitar nuestra victoria. Si queremos vencer, ya sabéis lo que se dice: *audentis Fortuna iuvat*.[35] —Severo miraba detenidamente la faz de sus

35. La (diosa) Fortuna ayuda a los valientes (literamente: a los que se atreven). De Virgilio, *Eneida*, X, 284. Con frecuencia se cita con la forma *audentes*, que también es correcta, pero *audentis* es la cita original de la *Eneida*.

oficiales y pudo ver que había captado toda su atención; eso le dio ánimos; continuó:

»Bien; el error de Nigro es precisamente aquello que yo intento evitar: su exceso de confianza. Está persuadido de que nos va a vencer; hemos de luchar con una tenacidad que haga flaquear esa confianza que habrá transmitido a sus hombres en una victoria fácil; además, sabemos que nuestros legionarios están con la moral alta por las victorias que hemos conseguido contra otros ejércitos de Nigro en las batallas previas de Cícico, Nicea y en los pasos del Tauro. Son tres victorias seguidas. Si, pese a estar ahora en peor posición para luchar y en inferioridad numérica, mostramos gran resistencia, ¿cuánto creéis que tardarán los legionarios de Nigro en empezar a pensar que quizá Issus pueda ser no su primera victoria, sino su cuarta derrota desde que entramos en Asia?

El emperador calló. Vio cómo Valeriano, Cándido y otros oficiales asentían. Iba por el camino correcto.

—Y el movimiento táctico, augusto, ¿cuál será? —preguntó Leto.

—Sí, muy bien —aceptó Severo y se acercó al mapa para señalar en él como antes había hecho Alexiano—: Nigro se ha situado con sus tropas aquí, en la meseta ligeramente elevada y, además, protegiendo sus dos flancos por barreras naturales. A su izquierda está el mar y a su derecha tenemos este denso bosque que dificulta cualquier aproximación por aquel lado. Bien, pues tú —y señaló a Valeriano—, al mando, y tú —y ahora dirigió el dedo hacia el propio Leto—, como su segundo, cogeréis todas nuestras fuerzas de caballería y rodearéis este bosque. Será difícil, será costoso, pero daréis toda esta vuelta hasta aparecer por la retaguardia de Nigro y sorprender al enemigo por donde menos lo espera. Este ataque creará una confusión en sus tropas que nosotros aprovecharemos para arremeter aún con más energía con nuestras legiones y tomar la meseta. Luego los masacraremos entre dos frentes de ataque simultáneos. Ese es el plan. ¿Preguntas?

Nadie dijo nada. Asentimientos entre todos los oficiales. Severo los observaba de nuevo con atención. No parecían entusiasmados, pero sí razonablemente satisfechos con una estrategia de ataque lo bastante sensata como para romper la resistencia que plantearía, sin duda, el enemigo en aquella posición elevada fácil de defender, difícil de atacar. Por elemental que fuese, había un plan. Y todos sabían, por experiencia, que en combate no era necesario diseñar una estrategia retorcida o muy compleja, sino disponer de una táctica sencilla pero valiente, que aportara la iniciativa en la batalla, y combinar ese plan con disciplina y resistencia en el cruento cuerpo a cuerpo.

Todos saludaron militarmente y empezaron a abandonar la tienda.

—Alexiano, Leto, vosotros esperad —dijo Severo, y ambos se detuvieron y aguardaron a que el resto abandonara la tienda para aproximarse de nuevo al emperador.

Julia seguía allí.

Severo se dirigió a ella sin mirarla.

—He de hablar a solas con Alexiano y Leto —indicó él.

—Yo también quería hablar contigo a solas —contestó ella.

—Hablaremos después de la batalla —replicó Severo, siempre sin mirarla.

Julia no se movía.

—Después de la batalla —insistió el emperador.

Julia apretó los labios, pero no dijo nada. Inclinó la cabeza ante su esposo y salió de la tienda. La emperatriz sabía que no era el momento. Una cosa era enfrentarse a su marido en la soledad, en privado, pero hacerlo delante de sus oficiales de más confianza y justo antes de una batalla clave era un desatino. Y ella no estaba loca. Pensaba por sí misma y llegaba a sus propias conclusiones sobre todo. Eso muchos hombres lo confundían con imprudencia, cuando no con pura locura. ¿Sería eso lo que pensaba Septimio de ella? En el exterior de la tienda, Julia se habría permitido llorar a gusto para dar rienda suelta a su rabia si no hubiera sentido las miradas de muchos oficiales y legionarios sobre ella. La observaban porque era muy hermosa y porque era la esposa del emperador. Una mezcla de belleza y poder que los atraía y los admiraba a partes iguales. Julia sabía que conducirse entre aquellos hombres con el cuerpo erguido, mostrando seguridad, no vanidad, exhibiendo fuerza y unidad de la familia imperial, era lo que procedía ahora. Y así, digna y magnífica, caminó entre todos aquellos hombres que en apenas unas horas estarían combatiendo por su esposo, por Roma, y por un proyecto que, curiosamente, ninguno era capaz de comprender por completo.

Pero para eso estaba ella.

Hombres... tan fuertes y tan simples. Tan valientes y tan sencillos.

Julia suspiró mientras se alejaba.

En el interior del *praetorium*, Severo permanecía junto con Alexiano y Leto.

El emperador tomó la palabra de nuevo con rapidez, como si así pudiera borrar aquel instante de tensión con su esposa cuando esta había insistido en hablar a solas y él la había emplazado a hacerlo solo después de la batalla.

—Leto, he puesto a Valeriano al mando de la caballería, porque la mayor parte de los jinetes que tenemos aquí son de las legiones de Mesia, y Valeriano ha sido su líder en aquellas provincias del Danubio. Pero tu misión es aún más importante que la suya.

—¿Más importante, augusto? —preguntó Leto algo confuso.

—Más, sí —insistió el emperador—: Valeriano tiene mi orden de rodear ese bosque y atacar a Nigro por la retaguardia y eso es clave para la batalla que se avecina, pero tu orden es que Valeriano no retroceda en ningún momento. No importa las dificultades que encontréis allí, no importa cómo de difícil pueda ser avanzar por entre las rocas de ese sector de las montañas ni lo espeso que pueda ser el bosque. La caballería ha de pasar por entre las rocas y árboles y atacar la retaguardia del enemigo. Necesitamos a Valeriano porque sus hombres lo seguirán, pero si él flaquea, haz lo que sea para que no se eche atrás nunca.

—¿Lo que sea? —preguntó Leto, que buscaba determinar con exactitud las implicaciones de aquellas palabras.

—Me da igual lo que hagas en ese bosque, Leto; me da igual quién muera. Lo único que me interesa es que la caballería ataque a Nigro por su retaguardia; ¿me has entendido, por Júpiter? ¿Está clara mi orden?

—Sí, augusto. La caballería ha de atravesar ese bosque y atacar por sorpresa al ejército de Nigro..., caiga quien caiga. —Y Leto se llevó el puño al pecho.

Severo suspiró.

—Bien, eso es todo —dijo y acompañó sus palabras con un gesto de la mano derecha para señalar a Leto la puerta del *praetorium*.

Leto saludó de nuevo y salió de la tienda.

Alexiano y Severo se quedaron a solas.

—Lo tenemos difícil —comentó el cuñado del emperador.

—Sí —admitió Severo—; al principio de esta guerra pensaba que Nigro se equivocaba al replegarse en Asia; lo hemos ido derrotando una y otra vez. Ni siquiera pasó de Perinto cuando pudo hacerlo y adentrarse en Mesia para que nos jugáramos el Imperio combatiendo en provincias mucho más cercanas a Roma, pero ahora me doy cuenta de que, sin saberlo, le hemos estado siguiendo el juego.

—No entiendo lo que quieres decir.

Alexiano omitió el «augusto», pero Severo no se lo tuvo en cuenta. Eran familia. Incluso si ahora él se sentía indispuesto con Julia, Alexiano era familia, y se fiaba de él tanto como lo hacía de su propio hermano Geta.

—Al replegarse, Nigro ha hecho que tengamos que avanzar nosotros sobre él —se explicó Severo, aliviado de poder exponer a alguien de confianza plena sus dudas; antes lo habría hecho con Julia, pero con su actual distanciamiento, no quería compartir con ella sus preocupaciones más acuciantes. Hablar con Alexiano lo calmaba, incluso si lo que exponía eran peligros y, quizá, errores de cálculo—. Sí, amigo mío, Nigro se ha replegado hacia sus bastiones de Siria. Combate a pocas millas de Antioquía, su campamento general, por lo que sus líneas de aprovisionamiento no están en tensión alguna. Tiene todos los recursos que necesita al alcance de la mano. Los antioqueños se han volcado en apoyarlo. Nosotros, sin embargo, hemos tenido que estirar nuestro ejército desde Roma hasta aquí. Aparentemente vamos ganando esta guerra, pero la batalla de mañana es la decisiva, ¿y cómo llegamos cada uno a ella? Sí, lo sé, me dirás que nosotros con varias victorias y él solo con derrotas. Y que Egipto se ha pasado a nuestro bando, probablemente por esas victorias y por los rehenes que tenemos. Y eso hemos argumentado ante nuestros oficiales y eso hemos de transmitir a los legionarios, pero tú y yo sabemos que estamos en inferioridad numérica porque hemos tenido que ir dejando tropas de Panonia Superior y Mesia Inferior a lo largo de todo el Danubio para defender esas fronteras contra marcomanos, germanos, roxolanos y otros pueblos bárbaros que esperan cualquier síntoma de debilidad para atacar el Imperio. Hemos tenido que dejar también tropas de las nuevas legiones asediando Bizancio y así, poco a poco, se han mermado nuestras fuerzas. La defección de Egipto puede que debilite la retaguardia de Nigro, pero no su vanguardia, que tiene aquí concentrada en Issus. Por el contrario, Nigro, con su estrategia, ha conseguido reunir aquí a todas sus legiones fieles, y puede añadir además a miles de hombres que se han alistado en Antioquía y otras ciudades que le son propicias y están próximas. Y, además, con su pacto con Vologases V, se ha permitido no dejar muchas fuerzas en la frontera oriental. Yo pensaba que estábamos siendo mucho más inteligentes y audaces que Nigro en esta campaña, pero ahora me doy cuenta de que quizá solo podamos presumir de lo segundo.

Septimio Severo calló.

Alexiano no supo qué decir. No había mucho que hablar. Solo una pregunta.

—¿No crees entonces en la victoria mañana? —preguntó, al fin, el esposo de la hermana de Julia.

—No sé qué creer ya —respondió Severo—. Tengo la sensación de ser un nuevo Pirro, el rey de Epiro que consiguió tantas victorias contra Roma, victorias *pírricas* que no le valieron nunca para ganar la guerra. Quizá eso sean nuestras victorias de Cícico, Nicea, el Tauro...

—Ya... —Alexiano quería infundir ánimos al emperador: si el líder de un ejército no cree en la victoria de sus tropas, todo está perdido antes incluso de entrar en combate—. Bueno, aquí, en esta misma llanura y meseta consiguió Alejandro Magno una gran victoria contra Darío III en su guerra contra los persas —argumentó con tono esperanzador.

—Lo sé, junto a este mismo golfo de Issus —aceptó Severo—, pero la cuestión es: ¿quién será mañana Alejandro y quién Darío?

Frente al *praetorium* militar del ejército romano de Oriente

Nigro contemplaba desde lo alto de la meseta las hogueras de las legiones de Severo.

—Somos bastantes más —aseguró Emiliano, que estaba junto a él.

—Muchos más —confirmó Nigro con una amplia sonrisa de autocomplacencia—. Me pregunto si Septimio se habrá dado cuenta ya de que ha llevado su ejército demasiado lejos de su territorio, que las provisiones le llegan con dificultad y que sus tropas están extenuadas después de cruzar Panonia, Mesia, Tracia y gran parte de Asia. Me pregunto si se habrá dado cuenta de que las otras jugadas de la partida, Perinto, Bizancio, Cícico, Nicea o el Tauro eran solo una distracción. Me pregunto si se habrá dado cuenta ya por fin de que la partida de verdad empieza y termina mañana y que se lo juega todo a una tirada de los dados. Y me pregunto si ya se habrá percatado de que yo juego con dados que no me van a fallar.

—Es posible, augusto —concedió Emiliano—, que Severo esté pensando en eso, pero ya llega tarde para cambiar su estrategia. Todo está en manos de los dioses.

Pescenio Nigro aún infló más el pecho.

—No, Emiliano. Está en nuestras manos —lo corrigió, con cierta petulancia que quizá molestó a alguien en el cielo; aunque pudiera ser que no estuvieran atentos los dioses..., ¿o sí? En cualquier caso, Nigro continuó hablando—: Mañana lo machacaremos y luego quiero que se ejecute a su esposa y a sus hijos. No debe quedar nadie, absolutamente nadie descendiente de Severo vivo. Y al resto de sus familiares también los quiero muertos: su hermano Geta, su cuñado Alexiano, sus esposas y los hijos e hijas de estos. Todos. Una vez derrotado Septimio en Issus, avanzaremos sobre Bizancio y enviaremos mensajes a Clodio Albino para pactar con él. Le ofreceremos, como hizo el propio Severo, que sea césar, que mantenga su estatus pero ahora como mi sucesor, y aceptará de igual forma que lo hizo con Severo. Además, él sabe que yo tengo más apoyos en el Senado de los que ahora tiene Severo.

Emiliano estaba serio. No sabía si apuntar un comentario o no, pero al final se decidió:

—El hermano de Severo podría tomar represalias con Mérula y con su descendencia. Según se nos ha informado, los retiene ahora él, frente al asedio de Bizancio. Si ejecutamos a Julia Domna y a los hijos de Severo, Geta podría corresponder matando a su vez a la esposa y a los hijos del augusto Nigro.

Pescenio Nigro carraspeó primero y luego escupió en el suelo.

—Es posible —aceptó—. Por otro lado, si no tengo esposa ni hijos para cuando plantee el pacto a Albino, mi propuesta de nombrarlo heredero, césar, aún resultará más creíble, ¿no crees? Siempre puedo volver a casarme y tener más hijos.

Emiliano se tomó unos instantes antes de responder.

—Sí, augusto. Veo que el emperador lo tiene todo pensado —dijo el *legatus* apreciativamente.

—Todo, en efecto. —Nigro se giró para entrar en el *praetorium*, pero cuando pasó junto a su hombre de confianza, se detuvo y le puso la mano sobre el hombro derecho al tiempo que le hablaba—: Y no te preocupes de los dioses. Las deidades de Roma no se inmiscuirán. Es una guerra civil. No sabrían de qué bando ponerse. Severo está solo.

Praetorium militar de las legiones del Danubio

Las telas de la entrada a la tienda se descorrieron y un *optio* de la guardia imperial entró despacio.

—Hay un mensaje para el emperador —dijo el oficial.

—¿Un mensaje de quién? —preguntó Severo, sin levantarse de la *sella curulis* situada junto a un brasero con el que calentarse aquella noche previa a la batalla. Se encontraba solo, esto es, acompañado por sus preocupaciones. Alexiano se había ido hacía un rato.

—Un mensaje de su esposa, augusto.

Septimio Severo suspiró mientras el oficial extendía el brazo con un pequeño papiro doblado en la mano.

Cumplida la misión, el *optio* salió de la tienda.

Severo se llevó los dedos de la mano izquierda a la frente mientras miraba el papiro doblado que sostenía en la derecha. Respiró varias veces profundamente. El solo hecho de que ella insistiera en comunicar con él en un momento tan tenso y difícil como aquella noche previa al combate lo irritaba y lo indisponía contra ella todavía más, pero, aun así, se armó de paciencia infinita y desplegó con ambas manos el mensaje sobre la mesa. Solo había unas pocas palabras escritas:

Non solus es. El-Gabal te adiuvabit.[36]

Septimio volvió a doblar el papiro.

Su primer impulso fue el de arrojarlo al brasero donde los tizones incandescentes lo quemarían, pero algo detuvo su brazo. Quizá un fino hilo de pasión que aún le unía a su esposa; quizá un miedo casi supersticioso a quemar un mensaje con el nombre de un dios escrito en él, aunque fuera un dios sirio, no romano; quizá fuese que, en lo más hondo de su ánimo, deseaba que, en efecto, aquello fuera cierto y que al día siguiente durante la batalla no estuviera realmente solo.

Llanura junto al golfo de Issus
Final de la primavera de 194 d. C., al amanecer, hora prima

Altozano de observación del emperador Severo

Las legiones estaban maniobrando.

Las órdenes del emperador eran que formaran las tropas en vanguardia en *triplex acies* con los auxiliares por detrás. Desde un pequeño altozano en retaguardia, donde se había situado junto con Alexiano, Severo podía ver cómo se desplazaban los miles de legionarios de su ejército, así como los movimientos de las legiones enemigas. Algo no marchaba bien.

—Al ser más, presentarán un frente más amplio de primera

36. No estás solo. El-Gabal te ayudará.

línea y corremos el peligro de que nos desborden por los extremos... —empezó a decir Alexiano, poniendo palabras a las preocupaciones del emperador.

—Y que nos rodeen en una maniobra envolvente descendiendo por los flancos de la meseta que ocupan —lo interrumpió el propio Severo, completando la idea de Alexiano—. Lo sé. Están disponiendo las tropas también en *triplex acies* con tres cohortes adelantadas de cada legión, lo que hacen en su caso veintiuna cohortes en vanguardia.

—Pero si hacemos la misma formación, como tenemos menos legiones, solo dispondremos de unas doce cohortes en primera línea —completó ahora Alexiano.

El emperador suspiró.

—No nos queda otro remedio que ordenar que las cohortes de la segunda línea avancen también a primera posición —admitió, al fin, Severo—. Eso nos dejará con una primera línea de veintidós cohortes que puede encararse perfectamente contra sus veintiuna, aunque tendremos solo dieciséis cohortes en reserva mientras que Nigro dispondrá de más de cuarenta. Pero no veo otra forma de equilibrar el combate en su inicio. —Miró a Alexiano.

—No hay otra forma, augusto —confirmó el esposo de Maesa.

Severo echó la vista atrás, a uno de los tribunos de su guardia, y le transmitió las órdenes.

—Que Anulino y Cándido intercalen las cohortes de segunda línea con la primera para igualar el frente de combate con el del enemigo —dijo el emperador.

El tribuno partió al galope hacia las posiciones de los dos *legati* al mando de las legiones imperiales del Danubio.

—No podremos resistir mucho tiempo —añadió Severo en voz baja—. Todo dependerá de la rapidez con la que Valeriano y Leto rodeen el bosque y ataquen la retaguardia de Nigro.

Alexiano no dijo nada. Se limitó a asentir. Notaba la garganta seca. Por primera vez en mucho tiempo tenía miedo. ¿Tendría esa misma sensación el emperador? Miró de reojo hacia Severo. Este permanecía también en silencio, inmóvil, en lo alto de su caballo, como una perfecta estatua ecuestre, mirando hacia el frente.

Praetorium *del ejército romano de Oriente*

El gobernador de Siria, autoproclamado emperador en Oriente, observaba con una sonrisa los movimientos de las legiones enemigas.

—Se ven obligados a reducir sus cohortes de reserva para poder presentar un frente de combate igual al nuestro —dijo Emiliano.

—En efecto —confirmó Nigro siempre con una amplia sonrisa—. Severo no podrá resistir más allá del mediodía. Por la tarde estaremos masacrando a su ejército, que correrá a la desesperada para salvarse de la aniquilación total. Hoy va a ser un gran día.

Caballería del ejército de Severo

Valeriano y Leto cabalgaban al frente de la larga hilera de miles de jinetes que serpeaba por un estrecho desfiladero, rodeando el bosque. Habían partido antes del amanecer para que la luz del alba no revelara su movimiento hacia el interior de las montañas y que así el enemigo no pudiera intuir sus intenciones de rodear el bosque o, si era más extenso de lo que imaginaban, atravesarlo como fuera. Llevaban ya un buen tiempo trotando y Valeriano había ordenado que se prosiguiera el avance al paso.

—De lo contrario llegaremos con los caballos agotados a la batalla —dijo.

Leto se sentía incómodo por aquella ralentización en el avance, pero quizá Valeriano tuviera razón. De pronto, una duda entró en su mente como una daga afilada penetra en el cuerpo de un hombre traicionado: ¿habría comprado Nigro la voluntad de Valeriano? ¿Sería aquella una estrategia de Valeriano para retrasar la intervención de la caballería en la batalla?

—Quizá deberíamos volver a cabalgar al trote —sugirió Leto al cabo de un rato, mirando con intensidad a Valeriano—. Este rodeo parece mucho más largo de lo que esperábamos y no debemos retrasarnos. El sol ya ha salido por completo y la batalla debe de estar a punto de iniciarse.

Valeriano lo miró muy serio. No estaba acostumbrado a que nadie pusiera en duda sus instrucciones, pero miró hacia el cielo y observó que el sol, en efecto, estaba ya ascendiendo.

—De acuerdo —dijo.

Leto suspiró algo más tranquilo y azuzó su caballo para que empezara a trotar de nuevo.

Praetorium *del ejército romano de Oriente*

—Lo que no entiendo —comentó Emiliano— es dónde está la caballería de Severo.

—Sí, ya he reparado en ello —replicó Nigro—. Es posible que al encontrarse en inferioridad numérica haya dado orden de que sus jinetes luchen a pie, con las legiones, para fortalecer su frente de combate en vanguardia, y que haya retirado los caballos a algún punto de retaguardia que no divisamos.

—Es posible, augusto —admitió Emiliano, aunque no lo dijo con tono seguro.

Aquello no le gustaba, pero el emperador Pescenio Nigro estaba tan tranquilo, tan convencido de la victoria, que Emiliano no se atrevió a aventurar posibles peligros, por otro lado tan indefinidos. La explicación del emperador podía ser verdad y quizá él veía fantasmas donde no los había. Lo único evidente era que tenían superioridad numérica y mejor posición. Severo no conseguiría revertir el curso natural que debía tomar aquella batalla.

Altozano de observación del emperador Severo

—Formación en *testudo* de todas las cohortes de vanguardia —ordenó Severo.

—Sí, augusto —contestó Alexiano, y se fue ahora de inmediato a los tribunos que los acompañaban para que estos hicieran llegar las órdenes a los diferentes mandos intermedios, de modo que, al poco, *tibicines* y *buccinatores* hacían sonar sus instrumentos de forma que todos los legionarios de la vanguardia imperial entendiesen lo que tenían que hacer.

Más de diez mil legionarios, a bloque, como una máquina de guerra perfecta, alzaron sus escudos: a modo de tortugas blindadas, ciento treinta y dos unidades empezaron a avanzar y a ascender por la pendiente que conducía a la meseta en la que los esperaba el enemigo.

Praetorium *del ejército romano de Oriente*

—¡Largad! —ordenó Nigro.

Ahora eran los oficiales del gobernador de Siria y todas las trompetas de sus *buccinatores* los que resonaban.

Al instante, miles de piedras de los honderos, jabalinas, lanzas y *pila* de las tropas auxiliares situadas por detrás de las legiones y miles de flechas de los arqueros surcaron el cielo sobre sus tropas en busca de las cohortes enemigas que ascendían por la ladera.

Primera línea de cohortes del ejército de Severo

—¡Agggh!

Centenares de gritos, conmoción por todas partes y un creciente desorden se apoderaron de las ciento treinta y dos tortugas blindadas de las centurias que intentaban aproximarse a la meseta. La lluvia de armas arrojadizas era inclemente, indiscriminada y continua.

—¡Por Júpiter! ¡Caen con demasiada fuerza, caen con demasiada fuerza! —aullaba un oficial refiriéndose a las lanzas y dardos que no dejaban de llover sobre los legionarios a su mando.

Muchas flechas por todas partes, y con tal fuerza que atravesaban los escudos hiriendo a los legionarios. Los alcanzados sangraban profusamente y casi todos soltaban los escudos, dejando así claros en la protección de la unidad, por donde se adentraban más y más armas arrojadizas.

—¡Mantened la formación!

—¡Escudos en alto!

Los centuriones aullaban sus órdenes en un intento desesperado por conseguir que los legionarios siguieran avanzando con las protecciones en alto, para minimizar el impacto de los proyectiles, pero pese a los esfuerzos de los oficiales algunas de las unidades se estaban descomponiendo ante la intensa lluvia de lanzas y flechas.

Altozano de observación del emperador Severo

—¡Que nuestros arqueros disparen también, por Júpiter! —ordenó Severo—. ¡Y que lo hagan ya!

Alexiano fue raudo a difundir las nuevas instrucciones del emperador y al poco los dos pudieron ver desde el altozano cómo los arqueros respondían a la lluvia de armas arrojadizas enemigas con varias andanadas de flechas propias.

—Esto ayudará a nuestros legionarios en su aproximación a la meseta —valoró Alexiano.

Pero Severo callaba. Era evidente lo que acababa de comentar su cuñado, pero también empezaba a resultar muy claro que la posición desde la que disparaban los arqueros y honderos de Nigro —elevada y con una caída más larga de lo habitual para los proyectiles— imprimía aún más potencia a los dardos y flechas en su trayectoria mortal y, pese a la formación en *testudo*, muchos de los legionarios de las cohortes de Panonia y Mesia caían heridos o muertos. La ubicación de los hombres de Nigro estaba resultando, al fin y al cabo, aún más decisiva de lo pensado inicialmente. Severo veía cómo sus sueños de dominar todo el Imperio empezaban a resquebrajarse.

—¿Se sabe algo de la caballería de Valeriano y Leto? —preguntó.

Alexiano miró hacia los tribunos del alto mando que, como él, habían oído la pregunta del emperador. Todos negaron con la cabeza.

—Nada aún, augusto —suspiró Alexiano.

Campamento general de Severo,
dos millas al oeste del campo de batalla

Maesa se acercó a su hermana, que permanecía en pie, muy quieta, con el rostro vuelto hacia la batalla. Iba a preguntarle si podía ver algo, pero cuando se puso a su altura vio que Julia tenía los ojos cerrados y que movía los labios en silencio, como si estuviera rezando.

Maesa dio un par de pasos hacia atrás, respetando la concentración de su hermana. Miró entonces hacia las tiendas donde estaban los niños: los hijos de Julia y las hijas de ella jugando bajo la atenta mirada de los esclavos. Al girarse para asegurarse de que todo estaba bien con los pequeños, vio que el cielo se oscurecía casi por completo por el oeste, como si se acercara una gran tempestad, como si viniera el fin del mundo. Maesa había visto otras tormentas horribles, pero aquella visión, sumada a los nervios por la batalla en curso, la descompuso y sintió pánico y volvió a aproximarse a Julia, que permanecía en pie, orando en plegarias mudas. Maesa empezó a llorar. Por el oeste una tempestad, por el este una batalla en la que se lo jugaban todo..., y Julia rezando... Maesa intuía que todo iba mal.

La caballería de Valeriano y Leto

Avanzaban ya por el bosque. Atrás habían dejado el arroyo de aguas tranquilas que discurría en paralelo al mar en aquella región y que había resultado fácilmente vadeable antes de adentrarse en la espesura. En aquel momento ni Valeriano ni Leto dieron importancia a cruzar aquel arroyo de aguas plácidas. Les preocupaban otros asuntos: los árboles se extendían mucho más allá de lo que habían imaginado y Valeriano había optado al fin por girar hacia el sur y atravesar lo que debía de ser la parte última del bosque: confiaban en salir a la altura de la retaguardia del ejército enemigo. Pero volvió a ordenar que se avanzara despacio para no sobrecargar a los caballos con esfuerzo adicional al ya de por sí complicado avance por aquel denso bosque.

A Leto aquella decisión lo había incomodado de nuevo. En su fuero interno estaba convencido de que si hubieran cabalgado más velozmente habrían tenido tiempo suficiente para rodear toda aquella vegetación, sin necesidad de adentrarse en el bosque más profundo, pero ahora el tiempo apremiaba y el problema era otro: lo espeso, lo denso de la maleza que crecía entre los árboles. Avanzar era casi imposible: había tantas ramas que muchos jinetes se golpeaban contra ellas; varios habían acabado en el suelo por no estar lo bastante atentos.

—¡Por Hércules, hay que desmontar y seguir a pie tirando de los caballos! —ordenó Valeriano, y sin esperar a ver cuál era el parecer de su segundo en el mando, de un salto, plantó pie a tierra y cogió las riendas de su montura, adentrándose aún más en el corazón del bosque.

Leto lo imitó casi por inercia. Era cierto que las ramas entorpecían mucho el avance y que, en consecuencia, aquella idea parecía razonable, pero, una vez más, se retrasaban en llegar a la retaguardia enemiga. Las dudas de Leto sobre la lealtad de Valeriano volvieron a su mente.

Altozano de observación del emperador Severo

Severo y Alexiano seguían observando muy atentamente el desarrollo de la batalla sin recibir noticia alguna de su caballería.

Las centurias de los septimianos llegaron diezmadas a la primera línea de combate enemiga a causa de la intensa lluvia de dardos y lanzas de los auxiliares y arqueros de las tropas de Oriente. La lucha en el linde superior de la meseta era encarnizada.

—Los hombres han llegado exhaustos y muchos heridos a lo alto de la meseta —dijo Alexiano—. Tendríamos que sustituirlos por las cohortes de reserva.

Severo miraba la lucha con un rictus grave. Las cosas iban peor de lo esperado. Alexiano tenía razón, pero eso implicaba quedarse ya sin tropas de refresco cuando Nigro dispondría aún de una segunda y tercera línea de cohortes de reserva que ni tan siquiera habían entrado en combate. Y, sin embargo, no había otra opción. Tenían que resistir, jugárselo todo a la espera de que la caballería de Valeriano y Leto rodease aquel bosque del infierno.

—De acuerdo —aceptó Severo. Lo dijo en voz baja, pero lo dijo.

La segunda y última línea de cohortes de las legiones de Panonia y Mesia empezó a reemplazar a las cohortes de vanguardia. Severo se lo apostaba todo en una tirada de los dados.

Al principio, la estrategia surtió efecto y los septimianos comenzaron a ganar algo de terreno en la meseta, pero entonces Nigro dio la orden de que la segunda línea de reserva suya reemplazara a su vanguardia y todo volvió a quedar igualado, solo que Severo sabía que ya no tenía más infantería de la que echar mano para un nuevo reemplazo de legionarios. Todo dependía de la caballería, de la que, hasta el momento, seguían sin saber nada.

El emperador suspiró, desmontó de su caballo y se paseó por el altozano de un lado a otro. Los nervios lo estaban atenazando. ¿Se había equivocado en la estrategia de toda la campaña? ¿Debería haber esperado a reunir más tropas para aquella batalla?

—Tendríamos que haber acabado con el asedio de Bizancio, reagrupado todo el ejército, todas nuestras legiones disponibles, y haber atacado a Nigro directamente el año que viene —dijo en voz alta, deteniéndose y volviendo los ojos de nuevo hacia la batalla.

Alexiano no dijo nada. Se limitó a desmontar de su caballo y a quedar en pie, firme, junto al animal, escuchando al emperador.

—Eso deberíamos haber hecho —continuaba Severo—. Ahora lo veo claro. Ahora. ¡Por todos los dioses, menudo error!

Alexiano permaneció en silencio. A la luz de los acontecimientos, tal vez Severo tuviese razón, pero eso, como tantas cosas en la vida, era fácil verlo ahora, en medio de la dificultad inesperada. Antes de la batalla, acabar con Nigro rápidamente antes de que, por ejemplo, le llegaran refuerzos de Partia parecía una buena idea...

—Si hubiéramos esperado ese año, augusto, Nigro habría

tenido tiempo de recibir soldados partos enviados por Vologases V y habría crecido más su fuerza —dijo Alexiano, en un intento de hacer ver al emperador que su estrategia, incluso si fallaba, también había tenido sentido y en modo alguno podía considerarse un desatino.

—Quizá —admitió Severo sin dejar de mirar hacia la meseta donde continuaba la lucha—, pero esa posibilidad que imaginamos no evita que estemos empezando a perder en esta llanura olvidada por los dioses.

Y es que el desastre comenzaba a tomar forma clara: Nigro, en un alarde de audacia, había ordenado un nuevo reemplazo en su vanguardia haciendo entrar a la tercera línea de cohortes, totalmente frescas, contra la segunda línea del ejército oponente. Los nuevos legionarios estaban recuperando todo el terreno de la meseta y provocando una retirada desordenada de los septimianos, que se veían superados por el empuje de los legionarios de Oriente. Aquello olía a derrota para las tropas de Panonia y Mesia, y los centuriones tenían problemas para mantener las formaciones y evitar una desbandada completa que, lo sabían bien, supondría la derrota total y absoluta y una masacre para todos ellos.

Septimio Severo observaba con impotencia.

—Que entren en primera línea los auxiliares —ordenó el emperador y sus órdenes se transmitieron a toda velocidad.

Tanto Alexiano como el propio Severo sabían que los auxiliares no eran enemigo suficiente para contener las cohortes regulares de las legiones de Nigro, pero sí que era posible que su intervención diera algo de tiempo a las cohortes de Panonia y Mesia para reorganizarse y realizar un repliegue táctico ordenado, a la espera de nuevas instrucciones de atacar o de retirarse por completo.

Severo se volvió hacia el esposo de Maesa.

—Alexiano, envía un mensajero al campamento general: Julia, tu mujer y todos los niños han de huir hacia Bizancio y buscar refugio con las legiones de mi hermano Geta y de Cilón.

Alexiano, pálido, comprendió la magnitud del desastre.

—Sí, augusto. —Tragó saliva y fue caminando hacia uno de los tribunos, al que le habló en voz baja.

El oficial asintió, se separó de Alexiano y regresó al poco con tinta y papiro y todo lo necesario para que el *legatus* escribiera un mensaje. Alexiano se aplicó con rapidez a la tarea y entregó el papiro doblado al tribuno para que lo hiciera llegar a Julia y a Maesa. No era cuestión de hacer ver a todos los demás cómo de mal veía el emperador el próximo desenlace de aquella batalla, y el mensaje escrito preservaba la información. Si los legionarios llegaban a saber que el emperador estaba enviando a su mujer e hijos hacia Bizancio, sería funesto para la ya muy débil moral de las tropas. De hecho, los próximos en huir tendrían que ser ellos mismos; cómo y cuándo y hacia dónde era algo que Severo tendría que decidir pronto. Alexiano estaba sorprendido del giro terrible de la guerra. En una sola mañana.

Praetorium *del ejército romano de Oriente*

Pescenio Nigro había pedido vino a los esclavos y estos habían traído ya una mesa, habían puesto varias copas de oro y plata en la misma y habían ido en busca de una jarra del mejor vino que hubiera disponible para el emperador.

A Emiliano aquella celebración le parecía un poco prematura, aunque era muy evidente que las legiones de Severo estaban en repliegue, cuando no en franca retirada. Aún no habían perdido la formación, lo que evitaba su masacre, pero no parecía nada probable que todo aquello pudiera cambiar.

Los esclavos trajeron una jarra y escanciaron dos copas.

—Brinda conmigo —ordenó el emperador mirando a su segundo en el mando.

Emiliano aceptó la invitación, cogió otra copa y la levantó mirando al augusto Pescenio Nigro.

—Por *Gaius Pescennius Niger Imperator Augustus* —dijo e iba a llevarse la copa a los labios cuando el augusto lo corrigió:

—Y *Iustus*, no te olvides de eso —dijo Nigro haciendo referencia al adjetivo que subrayaba que era el único emperador legítimo, término que había empleado en numerosas monedas acuñadas con su efigie por orden suya.

—Por *Gaius Pescennius Niger Imperator Iustus Augustus* —repitió y completó ahora Emiliano para, en esta ocasión sí, beber al tiempo que Nigro.

El emperador se volvió entonces hacia la batalla.

—Siguen retrocediendo —comentó y estiró el brazo para que un esclavo le rellenara la copa de vino.

Nigro había ordenado que sus auxiliares, apoyados por las cohortes que habían descansado ya más tiempo, reemplazaran a su tercera fila de cohortes para repeler a los auxiliares de Severo, de modo que, poco a poco, iban forzando a los danubianos a perder más y más terreno.

Emiliano, por su parte, se consintió al fin soñar a lo grande. ¿Qué puesto le asignaría el que pronto sería ya único emperador de Roma? ¿Sería él, Emiliano, el nuevo jefe del pretorio de la nueva guardia imperial que Nigro, muy pronto, crearía a su medida?

Pescenio Nigro, entretanto, se alejó unos pasos de su segundo en el mando para adelantarse y ver mejor el progreso de la batalla campal que tan bien respondía a sus intereses. Echó otro largo trago de vino, sonrió y se permitió musitar palabras dulces repletas de venganza y desdén.

—Severo, no quisiste compartir el Imperio conmigo, ¿verdad? Pues comparte y mezcla ahora la sangre derramada de tus legionarios con la tuya.

En ningún momento pensó Nigro en las consecuencias que todo aquello pudiera tener para su esposa Mérula y sus hijos. Sus prioridades eran otras.

Caballería de Valeriano y Leto

—¿Qué es eso que se oye? —preguntó Valeriano en voz baja, y levantó el brazo derecho para dar el alto a la tropa.

Se oía un murmullo poderoso, intenso, fuerte.

—Es un torrente de agua —dijo Leto.

Valeriano bajó el brazo y prosiguió el lento avance de los jinetes tirando de las riendas de los caballos para atravesar aquel denso bosque. A los pocos pasos, la espesura desapareció y se dieron de bruces con un arroyo de agua turbulenta. No era muy ancho, pero la profundidad era una incógnita y la fuerza del agua, mucha. Las mismas lluvias torrenciales que habían ayudado a los hombres de Severo a desbaratar las defensas de Nigro en los pasos del Tauro hacía apenas unas semanas, ahora parecían haberse aliado con el gobernador de Siria, pues aquella torrentera violenta impedía el avance de la caballería.

—Pero... ¿de dónde sale toda esta agua? —preguntó Valeriano confundido.

—Es el arroyo que cruzamos antes de entrar en el bosque —respondió Leto con clarividencia y desazón al mismo tiempo—. Varias millas abajo era más ancho, por ello más tranquilo y poco profundo y vadeable, pero aquí, encajonadas sus aguas entre las rocas de la montaña, discurre con furia. No pensé que aguas arriba nos lo fuéramos a encontrar de nuevo y menos que pudiera ser tan turbulento. Va a ser difícil cruzarlo ahora en este punto.

—No podemos pasar —sentenció Valeriano.

Y no le faltaba razón. La última esperanza de Severo para dar la vuelta a aquella batalla parecía esfumarse en la espuma blanca de las aguas que se estrellaban sin control contra las rocas de aquel barranco tan inesperado como decisivo.

Campamento general de Severo,
dos millas al oeste del campo de batalla

Julia leía el mensaje que había traído un jinete desde el lugar de la batalla. El rostro de preocupación del oficial, quien intuía por el desarrollo de la contienda que las cosas no marchaban bien, ya había puesto sobre aviso a la emperatriz, pero aun así Julia leyó con atención plena toda la misiva.

—¿Qué hay? ¿Se sabe algo del desenlace de la lucha? —preguntaba Maesa al observar la faz grave y de tensión de su hermana—. ¿Está bien Alexiano? ¿Y Septimio?

—Dicen que nos retiremos. Creo que es la letra del propio Alexiano, pero tú lo sabrás mejor que yo. —Y le entregó la nota a su hermana.

Maesa la leyó con rapidez.

—Sí, es la forma en la que Alexiano escribe —confirmó esta—. Al menos, sabemos que están bien. Vivos —añadió, por decir algo positivo, algo que sonara a pequeño alivio en medio del desastre—. Pero si quieren que nos retiremos hacia Bizancio, con Geta y Cilón, es que la batalla debe de ir muy mal.

—Muy mal —repitió Julia, mirando al suelo mientras daba vueltas a algo; de pronto levantó la cabeza y se dirigió a su hermana—: Coge a todos los niños y ve con los jinetes que nos han enviado hacia Bizancio.

—¿Y tú? —preguntó Maesa confusa.

—Yo me quedo —respondió Julia.

En medio de aquel debate, ninguna de las dos reparó en que el cielo se había tornado aún más oscuro, que el viento se estaba levantando y que la tempestad que se acercaba por el oeste ya estaba casi sobre ellas. Probablemente, la furia del aire y aquel cielo pardo, casi negro, encajaban tan bien con sus sentimientos que, de forma inconsciente, les parecía normal aquel cambio brusco en el tiempo.

Julia se dirigió entonces hacia Calidio que, al ver llegar a un mensajero, había acudido a la posición de su ama por si esta ordenaba algo a partir de la información que pudiera haber portado aquel jinete. Uno de los rasgos por los que Calidio sabía que era apreciado por sus amos era porque sabía anticiparse a sus necesidades.

—Prepara el carruaje y que los niños suban a él de inmediato —le ordenó la emperatriz.

Calidio dio media vuelta en el acto para cumplir las órdenes, pero otra voz se dirigió a él.

—¡No, esclavo, detente! —gritó Maesa.

El *atriense* se paró. No sabía bien qué hacer. Aquella no era su ama, pero era la hermana del ama. Su intuición le hizo esperar a que las dos amas se pusieran de acuerdo.

—Si tú te quedas, yo también —continuó Maesa encarándose ahora con Julia—, y los niños, todos nos quedamos.

Maesa pensaba que estaba siendo astuta al incluir a los niños. Estaba segura de que, aunque solo fuera por la seguridad de los pequeños, su hermana entraría en razón y aceptaría obedecer las órdenes del emperador.

Pero no.

Maesa, pese a los muchos años juntas, aún no había calibrado bien el carácter de su hermana ni las transformaciones en su pecho respecto a la ambición que, día a día, crecía en su ser.

—Bien —dijo Julia con una sorprendente serenidad—. Nos quedaremos todos.

Maesa enmudeció.

Empezó a llover.

Julia miró hacia el cielo: la tempestad estaba sobre ellos y pronto la lluvia sería torrencial. ¿Sería eso bueno para la batalla? ¿Favorecería la tormenta más a unos que a otros?

—¡En cualquier caso...! —continuó Julia, levantando la voz para hacerse oír por encima del fragor de la tormenta—, ¡que nos quedemos no quiere decir que tengamos que sufrir esta lluvia al aire libre! ¡Por El-Gabal, refugiémonos en las tiendas, con los niños!

Y las dos hermanas, seguidas de cerca por Calidio, corrieron en busca de un techo bajo el que guarecerse del viento y la lluvia.

Campamento general de Severo
Carruaje de la emperatriz Julia Domna

No se había levantado ninguna tienda para los esclavos. Lo normal era que durmieran a la intemperie en aquella campaña militar, pero, aprovechando la confusión de la tormenta, Calidio cogió a Lucia y la condujo al interior del carruaje imperial.

—Aquí estaremos bien —dijo él—. Las amas y los niños están en sus tiendas. No se darán cuenta.

—¿Y si nos ven los legionarios? —preguntó ella preocupada por si la descubrían y la castigaban por haberse introducido en la carroza imperial sin permiso expreso de la emperatriz o de su hermana.

—Los soldados han buscado también refugio. Y, en todo caso, también es deber de un esclavo procurar no ponerse enfermo o en riesgo de forma innecesaria. No es buena idea permanecer quietos, de pie, bajo esta tormenta. Y siempre podemos decir que estamos preparando el carruaje para las amas y sus hijos en previsión de que se nos ordene partir. La batalla no parece ir bien.

Se oyeron truenos y vieron el resplandor de los primeros relámpagos a través de la tela que cubría el carruaje.

—¿Qué pasará? —preguntó Lucia.

—Al final saldrá el sol —respondió él y sonrió.

—Me refiero con la batalla.

—Ah, eso no lo sé —dijo Calidio más serio.

—¿Qué será de nosotros si matan a nuestros amos?

—Seremos esclavos de los que ganen. En esta batalla tienen más que perder los amos que nosotros, pero no creo que estemos con otros amos tan bien como estamos ahora. Recemos a los dioses por que el amo salga victorioso.

Ella no lo dijo, pero se puso a rezar a aquel nuevo dios que le habían enseñado en Panonia, a ese tal Cristo, una creencia que había adquirido recientemente y que aún no se había atrevido a revelarle a Calidio. Los cristianos tenían mala fama. Ella no entendía por qué.

Altozano de observación del emperador Severo

A dos millas de distancia, todo marchaba mal para Septimio Severo: las legiones de Nigro seguían ganando terreno, la caballería de Valeriano y Leto estaba detenida por un torrente de aguas turbulentas y ahora una tempestad se cernía sobre ellos.

XLVI
—

LA VANIDAD DE GALENO

Biblioteca de Pérgamo
Final de la primavera de 194 d. C.

Galeno ascendió la colina que conducía a la acrópolis de Pérgamo y, una vez allí, caminó hacia el norte en busca de la gran biblioteca de la ciudad. El viejo médico entró en el magno edificio que, no obstante, decepcionaba algo en su interior. No porque la arquitectura no fuera majestuosa, sino porque las hileras interminables de estantes estaban medio vacías. La gran biblioteca de Pérgamo, la más importante del mundo solo por detrás de la de Alejandría, no se había recuperado nunca de los saqueos de las guerras intestinas libradas en la región durante siglos. La decisión de Marco Antonio de entregarle a la legendaria Cleopatra los doscientos mil volúmenes de la biblioteca de Pérgamo, como forma de compensarla por el incendio sufrido en el museo y la biblioteca de Alejandría, había supuesto la condena final de la que otrora fue uno de los centros neurálgicos del pensamiento. Aun así, desde entonces, Pérgamo había ido intentando recuperar su antiguo esplendor y había vuelto a adquirir numerosos volúmenes escritos. De este modo se veían muchos rollos de papiros y, sobre todo, pergaminos, a un lado y otro, en los *armaria* de las paredes. Eran los huecos vacíos los que le hacían comprender a uno que la biblioteca ya no era para nada lo grandiosa que fue en otros tiempos.

Galeno paseó la mirada por las mesas donde varios jóvenes, en su mayoría aprendices de medicina o filosofía, leían algunos textos bajo la supervisión de un par de bibliotecarios de rostros serios y caras de pocos amigos.

El griego se permitió una sonrisa. Lo había reconocido de

inmediato. Uno de los bibliotecarios era Philistión, su antiguo colega en estudios médicos en Alejandría.

—Buenos días —dijo Galeno en voz baja.

Philistión se giró. Vio la sonrisa afable del viejo compañero, pero eso no se tradujo en una sonrisa propia.

—No finjas que no me conoces —continuó Galeno.

—Precisamente porque te conozco no sonrío —replicó Philistión al tiempo que se alejaba del grupo de lectores.

Galeno suspiró y lo siguió. El viejo médico sabía que su vanidad en el pasado y, por qué no admitirlo, en el presente, no le hacía acreedor de muchos amigos entre otros estudiosos en su disciplina. Más de una vez había escrito Galeno en contra de las apreciaciones y de las ideas médicas de sus colegas cuando entendía que estos erraban, especialmente a la hora de interpretar a Hipócrates o cuando decían barbaridades en anatomía. Sin duda, tanta crítica había satisfecho su ego personal al demostrar que era mucho mejor que cualquier otro médico de su tiempo, pero también le había granjeado la enemistad de casi todos sus colegas, empezando por el propio Philistión, a quien ahora tenía delante.

—¿Qué vienes a buscar? —preguntó este cuando se hubo alejado lo suficiente del resto de los presentes en la sala central de lectura de la biblioteca.

—¿Ni siquiera piensas que haya podido venir solo por verte? —sugirió Galeno.

Philistión dibujó en su rostro, ahora sí, una sonrisa, pero sarcástica.

—Por Asclepio, eso tiene gracia. —Pero en seguida volvió a poner su faz seria—. Para empezar, eso en ti, sencillamente, no es posible. Siempre quieres algo. Buscas, como explica Aristóteles muy bien, y este texto lo conoces, solo la amistad por interés. ¿Cómo crees que puedo pensar que te preocupas por mí, cuando me pusiste como ejemplo de médico inútil hace años para humillar a mi maestro Metrodoro?

Galeno calló unos instantes mientras repasaba aquel lejano episodio: Philistión intentó curar a una mujer que padecía infertilidad haciéndole ingerir sepia prácticamente cruda que esta vomitó de inmediato, todo eso después de haberle cobrado una enorme suma por el supuesto magnífico tratamiento reco-mendado por Metrodoro y que Philistión intentó aplicar con pésimos resultados.

—Bueno, de eso hace mucho tiempo. Yo era joven, impul-sivo —intentó justificarse Galeno—. Todos competíamos por ser el mejor.

—Sí, pero tú lo pusiste todo por escrito —opuso Philistión con evidente rencor en cada una de sus palabras—. En *Hippo-cratis Epidemiarum librum secundum commentarius*, por si no re-cordabas el título. Y cada vez que alguien lo lee, ya no es un error que cometí hace tiempo, sino que se vuelve algo presente, actual. ¿Por qué crees que estoy aquí de bibliotecario?

Galeno no respondió.

Philistión continuó:

—Nadie quiso contratar mis servicios como médico después de aquello, pero mi error se habría olvidado si no lo hubieras puesto tú por escrito para atacar a mi maestro. Conseguiste da-ñar el prestigio de Metrodoro, pero al mismo tiempo terminas-te con el mío. Puede que seas un fantástico médico, pero como persona no eres gran cosa.

Galeno dejó, por fin, las sonrisas. Era evidente que Philis-tión no iba a ayudarlo. Habló a continuación sin ninguna espe-ranza de obtener nada, pero ya que había ido hasta Pérgamo, al menos, indagaría.

—Ya sabes lo que busco.

—Lo imaginaba, pero esos libros peligrosos —respondió Philistión— ya no están aquí. —Pareció regodearse con aquel anuncio.

—Estaban cuando estudiábamos juntos —contrargumentó Galeno en busca de más datos.

Philistión se sentó en una de las sillas.

—¿Por qué tendría que ayudarte en tu búsqueda?

Galeno, a la vista de que apelar a la vieja amistad no iba a darle frutos, optó por un ataque directo, certero y sin margen de defensa.

—Soy médico de la nueva familia imperial. Si les digo que has cruzado el límite sagrado de la piel, te prenderán y será tu fin. No tu fin como médico o bibliotecario. El fin de tu vida.

Philistión no se mostró especialmente sorprendido por aquella terrible amenaza. Sabía del ansia de Galeno por conseguir aquellos libros. Ya le había escrito más de una vez pidiéndole copia de los mismos cuando estaban aún en Pérgamo y él siempre se negó a hacer esas copias por motivos de seguridad personal. No era bueno estar con aquellos libros demasiado tiempo seguido. Y copiarlos requería muchos días de trabajo.

—Hay más de un emperador en Roma —comentó entonces Philistión para sorpresa de Galeno—. Tu augusto es Septimio Severo, pero Pescenio Nigro le está disputando la púrpura.

—Severo ha ganado las últimas batallas y se impondrá —sentenció Galeno.

—Yo no estaría tan seguro de ello. Nigro puede ser muchas cosas, pero es astuto: aparentemente ha ido retrocediendo, pero ¿es eso lo que ha estado haciendo o solo ha conducido a Severo a una trampa mortal en Issus, cerca de Antioquía, en el corazón del territorio donde el propio Nigro es el más fuerte?

Galeno suspiró.

—No he venido aquí a discutir de estrategia militar.

—Pues deberías —le replicó Philistión—, porque Heracliano se llevó los libros, los que buscas, junto con todos los de Numisiano, su padre, de vuelta a Alejandría. Ya sabes que hay una larga tradición desde que Roma domina el mundo en esquilmar los fondos de nuestra biblioteca en favor de la de Alejandría. A Heracliano no le fue difícil persuadir al gobernador de turno sobre lo adecuado de concentrar todos los libros supuestamente más valiosos de medicina en Alejandría.

—Heracliano... —repitió Galeno pensativo. Podría ser. Lo que decía Philistión tenía sentido, aunque le asaltó una duda—; pero ¿por qué insinúas que debería interesarme por la estrategia militar de la guerra entre Severo y Nigro?

Philistión volvió a sonreír.

—Porque Alejandría está en Egipto y Egipto está más por la causa de Nigro que por Severo. De modo que o tu querido emperador se impone por completo o me parece que el que ha sido hasta ahora su médico, es decir, tú, no será muy bienvenido en la biblioteca más importante de un imperio que quizá en unos días sea solo de Nigro, ¿no crees? —Se levantó—. No puedo decir que haya sido agradable verte de nuevo, pero saber que sigues sin ver los libros secretos me hace... feliz.

—Egipto ha cambiado de bando —replicó Galeno sin moverse de donde estaba.

Su respuesta hizo que el semblante de su interlocutor perdiera la sonrisa.

—Incluso si lo que dices es cierto —Philistión se sentó de nuevo—, Egipto es una veleta y girará según sople el viento. Todo depende de la batalla que deben de estar librando Severo y Nigro en Issus. Y en cualquier caso...

Pero calló.

—En cualquier caso, ¿qué? —lo interpeló Galeno.

—Pues que Heracliano no te dejará ver los libros secretos de su padre —continuó Philistión, volviendo a recuperar la sonrisa—. ¿O has olvidado cómo humillaste también a Juliano, uno de nuestros maestros, un buen amigo?

Galeno guardó silencio, pero su mente repasaba lo ocurrido: Juliano, médico como tantos otros, había malinterpretado textos de Hipócrates, al igual que Metrodoro, así que él, Galeno, pronunció varios discursos públicos en su contra destrozando las conclusiones médicas de Juliano. En seis días seguidos.

—Lo de los seis días es lo de menos —comentó entonces Philistión como si leyera sus pensamientos—. Lo peor es que, como hiciste en mi caso, también lo recogiste todo después por escrito y lo publicaste. ¿Recuerdas?

—Para despreciarme tanto, llevas buena cuenta de mis libros —dijo Galeno por toda respuesta.

—No desprecio tu obra en su conjunto. Tu trabajo es bueno, pero tu soberbia te pierde.

Los dos callaron un rato.

Se podían oír las pisadas de los estudiantes paseando frente a los *armaria*, leyendo las etiquetas de los volúmenes almacenados en busca de algún texto que les interesara para su preparación como médicos futuros.

—De todas formas, lo que buscas en esos libros que guardó primero Numisiano y que ahora custodia su hijo Heracliano, los textos de Herófilo y Erasístrato sobre las disecciones que se hicieron de seres humanos y que supuestamente se creían tan relevantes, ya lo refutaron los médicos de Marco Aurelio en su campaña contra los marcomanos. Lo que buscas es una quimera. Es nada. Aire. No tiene sentido ver el interior de los muertos. Su anatomía nada tiene que ver con la de los vivos. Es un camino a ninguna parte.

—Los médicos que llevó Marco Aurelio a aquella maldita campaña militar en el norte eran unos inútiles. No sabían qué buscar, qué encontrar. Habría dado lo mismo si esas disecciones que consintió el augusto Marco Aurelio las hubiera llevado a cabo un ciego.

—Ah, claro. De nuevo tu vanidad —replicó Philistión levantándose—. Solo el gran Galeno sabe ver, solo el gran Galeno puede entender lo que los demás no comprendemos.

—Es envidia lo que sientes hacia mí, como todos los demás, como los que me apartaron en su momento de aquella campaña de Marco Aurelio. Sí, si yo hubiera estado allí, si yo hubiera podido ver... —le espetó entonces Galeno con despecho—: En el fondo, sabes que no eres capaz de entender lo que esos libros explican, de ver lo que esos libros muestran. Por eso no sabes apreciar lo importantes que son.

—Puede que no los entienda, pero sí sé lo peligrosos que son; pese a que médicamente sean inútiles. ¿Sabe acaso tu emperador que vas tras ellos? ¿Cómo crees que reaccionará cuando sepa lo que esos libros contienen? Yo los vi una vez. Cuando insististe tanto en que querías una copia, los revisé con detalle: no sé si lo que muestran será relevante médicamente o no, pero rompen todos los límites y eso no le gustará a ningún emperador. Severo, además, es muy supersticioso. No es un nuevo Marco Aurelio. No permitirá que se retomen las disecciones de cadáveres como hizo el divino padre de Cómodo. En resumen: si Nigro gana, nunca verás los libros, y si se impone Severo, te jugarás la vida si persistes en intentar acceder a ellos. Tú mismo.

Y Philistión echó a andar hacia el interior de la biblioteca sin mirar atrás.

Galeno se quedó allí, en pie, paseando la vista por los estantes medio vacíos de la vetusta biblioteca de Pérgamo, pensando en las palabras de Philistión.

El veterano médico se decidió también al fin y echó a andar

hacia la salida, hacia la gran puerta abierta por la que entraba un inmenso haz de luz blanca. Se detuvo un instante en el umbral, su figura bañada por aquel gigantesco rayo de sol. Galeno miró al suelo y cerró los ojos. Tenía que conseguir llegar a Alejandría y entrevistarse con Heracliano. Tenía que persuadirlo, de una vez por todas, por las buenas o por la fuerza, para que le entregara los libros que Numisiano custodió, los escritos de Herófilo y Erasístrato... Pero en lo único que llevaba razón Philistión era en que en la batalla de Issus se iba a dilucidar mucho del futuro, quizá todo. Inspiró profundamente. Ni Nigro ni Severo podían imaginar lo que había en juego en aquella batalla que libraban. El Imperio era lo de menos. En el aire estaba que la medicina diera un paso de gigante o que se detuviera durante décadas, siglos tal vez. Los que gobiernan son tan cortos de miras... ¿Acaso creen que no enfermarán nunca? Luego, cuando el poderoso cae presa de una infección, busca en los médicos una solución; consulta entonces a los mismos sabios a los que, durante años, les puso todo tipo de impedimentos para investigar, para aprender, para avanzar. Solo entonces los poderosos entienden, pero siempre llegan tarde. Tarde para ellos, tarde para todos.

Sintió que la luz del sol desaparecía.

Galeno abrió los ojos.

El cielo se había nublado. Se acercaba una tormenta.

¿Llovería también en Issus?

XLVII

LA DERROTA DE UN EMPERADOR

Llanura junto al golfo de Issus, Cilicia
Final de la primavera de 194 d. C.

La caballería de Valeriano y Leto

—No podemos pasar —repitió Valeriano aún más categórico que la primera vez que lo había dicho, y a punto estaba de dar la orden de retroceder para buscar otro lugar por donde llegar hasta la retaguardia del enemigo cuando sintió algo puntiagudo en su espalda.

—Vamos a cruzarlo, aquí y ahora —dijo Leto a Valeriano al oído, en un susurro sibilante apenas audible en el tronar de aquellas aguas desbocadas, pero perfectamente claro para Valeriano, que giró la cabeza lentamente hacia su segundo en el mando.

—¿Estás loco? —le espetó.

Pero para Leto el tiempo de las consideraciones y las preguntas ya había pasado. Ni siquiera le importaba. ¿Era Valeriano un traidor? Eso ya no era relevante. Leto solo pensaba en que habían perdido mucho tiempo y que, con toda seguridad, el ejército de Severo necesitaría de la intervención de toda aquella caballería por la retaguardia de Nigro de inmediato. Así que apretó más la punta de la daga contra la espalda de Valeriano. Ninguno de los jinetes que los rodeaban intervino en aquella disputa entre el primero y el segundo al mando, porque Leto había tenido la habilidad de rodear a Valeriano solo de jinetes de las legiones de Panonia. Los de Mesia, más fieles a él, aunque mayoría, venían por detrás.

—Por todos los dioses, vamos a cruzar ese torrente y tú, Valeriano, serás el primero para dar ejemplo. Y yo te seguiré de cerca. Y te lo advierto: o cruzas o te atravesaré con mi espada. —Se volvió hacia un decurión de Panonia—: Desarmadlo.

Contra su voluntad, Valeriano entregó la *spatha* al oficial que se la reclamaba con la misma cara de no atender a razones.

—El emperador sabrá de tu rebeldía —le dijo Valeriano a Leto.

—Espero que haya emperador a quien informar cuando crucemos ese maldito torrente y lo que queda de bosque, porque si Severo muere, tú le seguirás al inframundo por mi propia mano.

Valeriano vio los ojos inyectados de rabia de Leto y decidió dejarse de charla. Además, la daga de este no dejaba de raspar su espalda.

El jefe de la caballería romana sacudió las riendas de su caballo y lo forzó a enfilar hacia el torrente. Leto se guardó el puñal bajo la coraza militar e imitó a Valeriano. Ambos se adentraron a pie en el torrente. La fuerza del agua era enorme, pero solo los cubría hasta la mitad del cuerpo de los caballos. Las bestias relinchaban. El caballo de Valeriano, nervioso por la fuerza del torrente, se alzó sobre sus cuartos traseros, pero su jinete tiró de las riendas con decisión y el animal se avino a seguir cruzando el agua que le pasaba por debajo del vientre. El caballo de Leto parecía que resbalaba por las piedras del fondo del torrente, pero como su amo también tiraba de él con energía, el animal cedió y pese a sus dudas se adentró en aquel iracundo río de primavera lluviosa.

El resto de jinetes —primero los hombres de Leto, y luego decenas, centenares, de todas las legiones de Mesia— imitaron a sus mandos. Hubo alguna caída, muchos relinchos, algunos hombres o bestias, cuando no ambos, que también resbalaron entre las piedras y se hirieron, algunos de consideración, pero la mayor parte de la caballería cruzó el torrente y con cierta premura, pues veían que tanto el primero como el segundo en el mando empezaban a trotar al otro lado del arroyo turbulento. Y es que en la otra orilla del río, el bosque era mucho menos espeso y parecía que, por fin, se podía cabalgar de nuevo con cierta velocidad.

Praetorium *del ejército romano de Oriente*

—Allí —dijo Emiliano señalando hacia el cielo del oeste, por encima de las legiones enemigas.

—Nubes, sí —comentó Nigro, pero relajado, con su copa de nuevo llena de vino—. Brindaremos por la victoria bajo la lluvia. —Y echó la cabeza hacia atrás mientras se reía a carcajadas.

Emiliano sonrió, pero no pidió que los esclavos le rellenaran su copa. Se estaba levantando mucho aire. El viento que empujaba aquella tormenta venía del oeste y eso implicaba que los hombres de Severo, que ahora retrocedían, lucharían a favor de aquel aire, si intentaban mantener la posición y no se retiraban desordenadamente. Emiliano frunció el ceño mientras oteaba el horizonte a medida que iba oscureciéndose.

Altozano de observación del emperador Severo

Septimio Severo se palpaba el cuerpo. De pronto sentía frío. Al percibir algo entre sus ropas se llevó la mano derecha al bolsillo de su túnica militar, por debajo de la coraza, y allí encontró algo olvidado: el papiro de la nota que su mujer le había enviado por la noche. «No estás solo. El-Gabal te ayudará.» Eso le había escrito Julia Domna. Miró entonces hacia atrás. Enormes nubes negras estaban sobre ellos y el viento era violento, poderoso, inclemente. La temperatura había descendido de forma notable en poco tiempo y la lluvia empezaba a caer sobre ellos en gotas grandes que incomodaban en la cara si mirabas hacia el oeste, hacia el lugar desde el que avanzaba la tormenta.

El emperador, muy serio, se dirigió a Alexiano.

—No vamos a huir. Al menos, yo no voy a hacerlo —aseguró—. Es cierto que podríamos replegarnos con la guardia de caballería que tenemos aquí y rehacernos en Bizancio con las legiones allí apostadas, pero no pienso hacerlo. Un imperio no se conquista desde la retaguardia. En su lugar, amigo mío, te propongo que nos lancemos con estos jinetes hacia el corazón de la batalla. El viento y la lluvia van de oeste a este. El enemigo tendrá las gotas de lluvia en la cara. Es una oportunidad. Es arriesgado, pero esa es mi propuesta. No te lo ordeno porque cuando se cabalga hacia la victoria o la muerte, prefiero que se me siga por voluntad propia. Eres el esposo de la hermana de mi mujer. Eres mi familia. ¿Qué me dices? Si te retiras, solo te pido que vayas con Julia y Maesa y las cuides por mí.

Alexiano miró hacia la tormenta.

La lluvia arreciaba ya con vigor. El viento era cada vez más fuerte. Cabalgar a su favor sería bastante más fácil que luchar en su contra, pero aun así, las legiones de Panonia y Mesia, superadas en número, no disponían de tropas de refresco y estaban agotadas, mientras que el enemigo seguía siendo más numeroso y conservaba mejor posición... La intervención de los auxiliares había permitido un repliegue organizado pero poco más.

—Si atacamos —añadió el emperador—, ganaremos algo más de tiempo para que lleguen Leto y Valeriano. Esto no pretende ser una *devotio*, no tiene que ser un suicidio, pero es posible que perdamos la vida en este último intento por revertir el curso de la batalla. Quizá la caballería no llegue nunca. La decisión de acompañarme o no es tuya.

Alexiano asintió lentamente. Estaba claro que el emperador aún no había perdido la esperanza de conseguir una victoria. Pero, como decía Severo, quizá Leto no llegara nunca y el viento podía cambiar de dirección en cualquier momento... Y aun así...

—¡Maldita sea! ¡Por todos los dioses! —exclamó Alexiano montándose en su caballo de un salto.

Severo lo imitó al instante.

—¡Por Hércules! Entonces... ¿vamos allá?

—¡Vamos, augusto! —confirmó Alexiano.

Severo se volvió entonces hacia los quinientos jinetes de su guardia personal.

—¡Caballería imperial de Roma! ¡Vamos a lanzarnos sobre el frente de batalla! ¡Por Júpiter y Marte, vamos a primera línea de combate! —Para hablar tenía que girarse contra la tormenta y la lluvia golpeaba con violencia en su cara, en sus brazos, en la coraza, pero cuanto más duro y más potente era el aguacero, más ánimos tenía—. ¡Los dioses están con nosotros! ¡Los dioses de Roma nos envían esta tormenta, esta lluvia y este viento que lo mueve todo, este aire que va a barrer a nuestro enemigo! ¡La tormenta viene para ayudarnos, para deshacer al enemigo! ¡Pasad esa información a los tribunos de las legiones! ¡Tú y tú y tú! —Y siguió señalando a varios decuriones más—. ¡Id por delante y comunicad a los tribunos y centuriones de las legiones de Panonia y Mesia ese mensaje: que los dioses nos ayudan, que la tormenta es a nuestro favor, que toda la furia de los dioses de Roma se ha desatado contra Nigro! ¡Solo tienen que mirar la dirección en la que sopla esta tempestad!

Los oficiales señalados por el emperador salieron a toda velocidad a cumplir la orden y, en poco tiempo, las palabras del emperador corrían de boca en boca por entre las diezmadas filas de las legiones de Panonia y Mesia. Los legionarios de Severo estaban agotados, exhaustos, tras dos horas de combate sin tregua, pero era cierto que el viento y la lluvia que venían por su espalda eran tan fuertes que parecía que los empujaban contra el enemigo. Y, al mismo tiempo, se empezaban a dar cuenta de que los legionarios de Oriente luchaban con menos fuerza, con menos convicción. Fuera como fuese, comenzaba a resultarles evidente que los legionarios de Nigro habían detenido su avance, pues la lluvia los cegaba y el viento los empujaba hacia el este. Al contrario que a ellos. Y en esas estaban, dudando aún los legionarios de Panonia y Mesia, estancados, cuando la caballería imperial, con el propio Severo al mando, llegó y, pasando por los pasillos que abrían los centuriones, alcanzó la primera línea y atacó sin misericordia y con furia desatada a los legionarios enemigos.

La figura del emperador, acompañado por el *legatus* Alexiano, familia directa del *Imperator Caesar Augustus*, los enardeció aún más. Nadie quería quedarse por detrás de Septimio Severo. Se diría que la lluvia los llevaba a todos en volandas contra un enemigo ahora entre confuso y acobardado por aquella tormenta que no dejaba de estallarle en la cara.

Costaba ver lo que ocurría en la batalla. La lluvia les daba en el rostro y estaba tan helada que parecía casi como si los pincharan con cuchillos. Pero Emiliano acertó a vislumbrar el desorden en las filas de su ejército e intuyó el desánimo y la confusión de sus tropas, obligadas a combatir contra aquella inesperada e inoportuna tormenta que se cernía sobre ellos, contra ellos. Era muy desafortunado que el viento soplara de oeste a este, pero así era. Eso estaba pasando y tenían que reaccionar o lo perderían todo. Aún disponían de cohortes de reserva.

—¡Hay que reemplazar la primera línea con las cohortes que han descansado y están más recuperadas para la lucha! —aulló para hacerse oír por encima del estruendo de la tormenta.

Pescenio Nigro había dejado de beber. Los esclavos, ante la llegada de la tempestad, habían retirado a toda prisa el vino, las jarras y copas y la mesita que habían dispuesto para la celebración del gobernador de Siria, del emperador de Oriente, del emperador de Roma.

—¡De acuerdo! —aceptó Nigro, pero en ese justo instante, un tribuno se acercó a ellos y les llamó la atención señalando hacia la retaguardia.

Emiliano y Nigro se volvieron: una caballería de varios miles de hombres se aproximaba al galope contra ellos.

—¿Quiénes son? —preguntó Nigro confundido—. ¿De dónde han salido?

Emiliano no necesitaba que nadie le explicara algo para él evidente: Severo no había dejado en retaguardia su caballería ni había incorporado a sus jinetes como refuerzo de la infantería, sino que había ordenado que rodeara el espeso bosque o que lo atravesara para sorprenderlos por la retaguardia. La mala fortuna había querido que, además, aquel inteligente movimiento táctico del enemigo coincidiese con la llegada inesperada de aquella potente tormenta. Emiliano pensó con rapidez: aún tenían su propia caballería con ellos. Podría lanzarla contra la de Severo y, en este caso, el factor lluvia y viento jugaría a su favor, pues los jinetes de Mesia y Panonia llegaban desde el este.

—¡Por Júpiter, augusto, es la caballería de Severo! —gritó Emiliano—. ¡Hemos de lanzar nuestros propios jinetes para detenerlos! ¡En esto el viento que nos perjudica en el corazón de la batalla, sin embargo, nos ayudará aquí!

Pescenio Nigro dudaba. Emiliano no entendía en qué otra alternativa podía estar pensando el emperador.

—¡No! ¡No pienso quedarme sin protección en medio de esta locura! —exclamó al fin Nigro—. ¡Que las cohortes de reserva detengan la caballería de Severo!

Emiliano negaba con la cabeza. Aquello era un error. Las cohortes que habían descansado eran necesarias para detener el avance de las legiones de Panonia y Mesia que seguían recuperando terreno con el apoyo de la tormenta y con su propio emperador luchando en primera línea de combate. Emiliano no pudo por menos que admirarse del arrojo personal de Severo.

—¡Ya me has oído! —insistió Nigro.

El *legatus* sabía que al emperador de Oriente no le gustaba que nadie cuestionara sus órdenes y, seguramente, en mitad de una batalla no era el momento para mostrar desavenencias en la cadena de mando.

—¡Si es preciso, intervendremos con la caballería! —le aseguró Nigro, como si intuyera algunos de los pensamientos de su tribuno de confianza.

En efecto, aquella afirmación le dio cierto sosiego a Emiliano. Quizá la idea del emperador no fuera mala del todo. La maniobra les permitía encarar los dos frentes de la batalla y guardarse aún una unidad importante, su propia caballería, preparada para dar la puntilla final allí donde fuera necesario.

—¡Sí, augusto! —aceptó Emiliano.

—¡Ve tú a donde están las cohortes de reserva y detén su caballería! —ordenó Nigro a su hombre más leal—. ¡Quiero que asumas tú el mando personal de esas fuerzas! ¡De ello depende el curso de la batalla! No me fío de ningún otro para esto.

—¡Sí, augusto!

Emiliano, henchido su pecho por el aprecio que le acababa de hacer el emperador, envalentonado por sus palabras, montó en su caballo y se lanzó al galope hacia las tropas de reserva para ordenar la maniobra de dar media vuelta y detener el ataque de los jinetes de Severo que galopaban ya contra ellos desde retaguardia.

La caballería de Valeriano y Leto

Cabalgaban ya en un galope sin retorno. La lluvia los fustigaba con brutal rabia y los jinetes se agachaban intentando pegarse lo máximo posible al cuerpo de los caballos. Los animales, con un arrojo y una potencia muy superiores a los de los hombres de a pie, eran capaces de enfrentarse a la tempestad.

Leto se situó al lado de Valeriano.

—¡Tu *spatha*! —aulló el tribuno.

Valeriano lo miró confundido.

—¡Ya solucionaremos nuestras diferencias tras la batalla! —le explicó a voces Leto—. ¡No entrarás en combate desarmado!

Valeriano no dijo nada, pero estiró el brazo y tomó el arma que le ofrecía Leto. No era una operación sencilla pasarse una espada mientras se avanzaba al galope contra una tempestad desatada por los dioses, pero ambos hombres eran expertos jinetes y valientes soldados. Valeriano se hizo con el arma y la blandió con energía cortando el aire enfurecido de la tormenta.

—¡A por ellos, por Marte! —bramó exhibiendo su espada en alto, y los jinetes de Mesia lo siguieron aunque fuera casi con los ojos cegados por la lluvia y el viento.

—¡A por ellos, por el augusto Severo! —exclamó Leto dirigiéndose a sus propios jinetes, y la caballería de Panonia hizo que los cascos de sus caballos parecieran truenos de la tormenta que emergían desde el corazón de la tierra.

Llanura junto al golfo de Issus

Tras una lenta hora de sangre y violencia y lluvia, el desenlace de la batalla seguía indeciso. Poco a poco, la presencia de Severo en primera línea, el viento a su favor y la lluvia en los rostros de las legiones de Oriente hicieron que las cohortes de Nigro cedieran terreno hasta empezar a replegarse hacia el centro de la meseta. Los centuriones de Oriente de primera línea no entendían por qué no llegaba el reemplazo de combate de las tropas de reserva. No sabían que estas cohortes estaban en lucha directa con la caballería del emperador Severo.

Cohortes de reserva del ejército de Oriente

Emiliano miró hacia un lado y hacia otro. Las cohortes de reserva que sostenían desde hacía rato una dura pugna con la caballería enemiga comenzaban a dar muestras de agotamiento. El choque había sido despiadado. Los enemigos se veían favorecidos por combatir desde lo alto de los animales, pero aquí el viento y la lluvia estaban a favor de los legionarios de Pescenio Nigro.

Así durante un tiempo.

Hasta que toda la primera línea de combate se transformó en un cuerpo a cuerpo desorganizado donde unos pugnaban contra otros en melés de bestias y hombres, donde ya no estaba claro si uno luchaba contra el este o el oeste, o, lo que era lo mismo, a favor del viento y la lluvia o en su contra, hasta el extremo de que pronto la tormenta dejó de ser un factor clave en aquella sección de la batalla. El pulso entre la infantería de reserva de Oriente y la caballería de Mesia y Panonia estaba estancado.

Emiliano buscó con los ojos al emperador. La caballería del augusto Nigro tenía que intervenir en su ayuda. Una parte atacando por un flanco a la caballería de Severo y el grueso reforzando las legiones de la meseta que empezaban a retroceder ante el propio Severo y sus hombres. No fue eso lo que vio. El tribuno se quedó pálido: Pescenio Nigro, gobernador de Siria, autoproclamado *Imperator Caesar Augustus*, daba media vuelta y se alejaba de la batalla con toda su caballería rehuyendo el combate, dejando sin asistencia a sus tropas, ya fueran las cohortes que intentaban detener el empuje de su contrincante, Septimio Severo, o a los legionarios que se estaban inmolando contra la caballería enemiga.

Sin dar crédito a sus ojos, Emiliano vio cómo su emperador

lo abandonaba a él y a todos sus hombres de la misma forma en que el emperador Darío III abandonó a sus tropas frente al ejército de Alejandro Magno. Quinientos veintisiete años antes. Justo en el mismo sitio, la historia se repetía. Ya estaba claro quién, aquella larga y sangrienta jornada de 194 d. C., era un nuevo Alejandro y quién otro Darío.

XLVIII

LAS ANSIAS DE SEVERO

Campamento general de las legiones de Panonia y Mesia,
golfo de Issus, Cilicia
Final de la primavera de 194 d. C.

La batalla había terminado.

La lluvia aún caía en abundancia, pero el viento había amainado. El agua iba lavando poco a poco la sangre que cubría a Severo y a Alexiano; se escurría por sus corazas, resbalaba por sus brazos y piernas. El emperador envainó la *spatha* y se palpó el cuerpo. Pese al líquido rojo oscuro que aún lo cubría, no detectó ninguna herida de gravedad ni sentía dolor punzante alguno. Tenía arañazos, pero ningún enemigo lo había asaeteado o atravesado con una flecha o un gladio.

—Nigro ha huido —dijo Alexiano cuando terminó de comprobar también si estaba o no herido, aliviado de que, como el emperador, no tuviera nada grave—. ¿Qué hará ahora?

—Supongo que irá a Antioquía a buscar refugio —comentó Severo mirando hacia el este—. En cuanto deje de llover, levantaremos el campamento y avanzaremos hasta la ciudad, hasta su capital, hasta su guarida, y la arrasaremos. Pero envía tropas de caballería ya mismo, por delante. Encomienda esto a Leto.

—Sí, augusto —aceptó Alexiano—. Leto, por cierto, ha cumplido. Su aparición con los jinetes de Panonia y los de Mesia de Valeriano ha sido una gran ayuda en el desenlace final.

—Sí, Leto ha cumplido —confirmó el emperador al tiempo que montaba de nuevo sobre el caballo y empezaba a cabalgar en dirección al *praetorium.*

Alexiano lo siguió, al igual que el resto de jinetes supervivientes de la guardia imperial.

En poco tiempo llegaron a la tienda de campaña principal donde varios tribunos esperaban instrucciones concluida ya aquella victoriosa batalla. Una más de la serie de aquella larga campaña contra Nigro.

Severo entró en el *praetorium* y, junto con Alexiano, explicó qué debía hacerse: retirar a los heridos, como prioridad, y que fueran atendidos en el *valetudinarium* militar de inmediato; luego recoger armas y flechas de ambos ejércitos y asegurarse de que no quedaran unidades de las legiones enemigas escondidas en las inmediaciones del campo de batalla, por ejemplo en el bosque; y, por fin, detener la masacre de las tropas enemigas que estuvieran diseminadas por el golfo de Issus.

—¡Por Júpiter! —exclamó Severo—. ¡A fin de cuentas son legiones como las nuestras y no podemos permitirnos el lujo de aniquilarlas! En breve necesitaremos a esos legionarios de Nigro para asegurar, de nuevo, las fronteras frente a Partia. Preciso saber también cuántos han caído, nuestros y de ellos. He de saber cuántas legiones ha perdido hoy Roma en esta maldita rebelión de Nigro.

Los tribunos salieron de la tienda.

—¿Y con Nigro qué haremos? —preguntó Alexiano.

—Si Leto da con él... que lo mate. Que salga esta misma noche en su busca. Que lo persiga hasta donde haga falta. Hasta los confines del Imperio.

—De acuerdo —dijo Alexiano.

En ese momento entró el mencionado Leto en la tienda. Como el propio emperador y Alexiano, también estaba cubierto de sangre, aunque caminaba con aplomo. No parecía herido. Acudía con orgullo por haber cumplido con la misión encomendada pese a todas las dificultades, pero el emperador, que se acababa de sentar en la *sella curulis*, suspiraba.

—Estoy agotado, Leto —le dijo Severo al verlo entrar—. Has cumplido bien y quiero saber cómo fue todo en el bosque, pero ahora no. Alexiano te informará de tu nueva misión. Pero que sepas que las legiones mismas te harán entrega en mi presencia, en cuanto terminemos con Nigro, de una *corona graminea* por salvar al ejército. A ti y a Valeriano. Las legiones de Mesia han de ver que valoro también sus esfuerzos.

—Sí, augusto —respondió Leto marcialmente llevándose el puño al pecho, enorgullecido y agradecido en extremo, pues aquella era una de las máximas condecoraciones militares que un romano podía recibir.

Tampoco le parecía mal que Severo condecorase a Valeriano. Quizá tuvo dudas a la hora de la ruta por el bosque, pero en el momento final, en la lucha cuerpo a cuerpo contra las legiones de Oriente, lo había visto batirse con auténtico arrojo. De este modo, aún abrumado por el reconocimiento que le acababa de hacer el augusto, Leto salió de la tienda del *praetorium*.

—Esas condecoraciones están bien, augusto —dijo Alexiano—. Y bien también ese equilibrio a la hora de premiar a hombres de Panonia, por un lado, y a los altos oficiales de Mesia, por otro.

Severo suspiró.

—Sí, hemos de ir buscando estos equilibrios. El divino Pértinax supo hacerlo repartiendo cargos importantes en Roma. A mí me corresponde hacerlo con los oficiales de las legiones. El mundo está cambiando muy rápido... —reflexionó Severo en voz alta, antes de mirar a Alexiano—: Tú también te has hecho acreedor de condecoraciones, y Anulino y otros *legati*.

Alexiano hizo, a su vez, una propuesta:

—Y el emperador merece una nueva aclamación imperial por esta gran victoria.

—Es posible, pero prefiero esperar a tener Antioquía bajo nuestro control y, a ser posible, la cabeza de Nigro en un cesto a mis pies. Entonces celebraremos.

—Leto traerá esa cabeza.

—No lo sé. Nigro escapó en la fase final de la batalla y le lleva un tiempo de ventaja —contrapuso el emperador—. Temo que se atrinchere en Antioquía o, peor, que huya hacia Partia. Nigro vivo nos debilitaría, sobre todo frente al Senado, donde cuenta con tantos apoyos. Un senador rebelde fugado es mala cosa. Cuanto antes se le corte la cabeza mejor. Hay ciertos asuntos donde la clemencia es debilidad y la debilidad, estupidez.

Alexiano no dijo nada. El emperador tenía razón. Todo dependería de la pericia de Leto en la captura de Pescenio Nigro.

—¿Alguna orden más? —preguntó Alexiano cambiando de tema.

—Sí —respondió Severo, pero guardó un rato de silencio antes de emitir una orden que no le agradaba, pero que sabía inevitable, dadas las circunstancias—: Envía un mensajero al asedio de Bizancio, a Geta. Dile a mi hermano que ejecute a Mérula, la esposa de Nigro, y a sus hijos. Nigro no se ha avenido a negociar nunca sobre ellos y, al igual que no lo quiero vivo a él, su descendencia sería un constante peligro en el futuro. No veo otra solución. El caso de Scantila, la mujer de Juliano, y su hija era diferente: a Juliano le odiaba el Senado, pero a Pescenio no. No tenemos otra opción. No podemos dejar un heredero de Nigro en torno al que se pueda armar una conjura senatorial contra mí.

Alexiano tragó saliva antes de aportar su opinión. Severo lo estaba mirando, y sabía que quería su parecer al respecto. Nunca era agradable condenar a muerte a mujeres y niños.

—No, no hay otra opción —ratificó—. Si hubiera ganado él, habría hecho lo mismo con Julia, los hijos del emperador y, seguramente, con el resto de la familia imperial.

—Eso pienso —apostilló Severo—. Ahora necesito descansar.

Alexiano saludó militarmente y salió del *praetorium*.

Septimio Severo se llevó la palma de la mano izquierda a la sien e inspiró hondo. Necesitaba dormir. De pronto, las telas de acceso a la tienda se descorrieron de nuevo.

—¡Por Hércules, no estoy para na...! —empezó a decir Severo, cuando vio que quien había entrado era Julia. Hubo un instante de silencio extraño, hasta que él reaccionó—: Tú no tendrías que estar aquí.

Ella dio un par de pasos hasta situarse en el centro de la tienda. Cuando habló eludió el asunto que planteaba su esposo.

—¿Estás bien? ¿No te han herido?

Él tampoco respondió a lo que su mujer le planteaba, sino que retornó al mismo tema que le recriminaba.

—Te envié un mensajero con instrucciones precisas: tú y los niños y Maesa y sus hijas tendríais que estar ahora mismo de camino hacia Bizancio. ¿O acaso el mensajero no llegó a entregar estas instrucciones?

—El mensajero llegó —admitió Julia, en pie, frente a él—, pero decidí quedarme y permanecer al lado de mi esposo.

—¡Por Cástor y Pólux y todos los dioses! —exclamó Severo enfurecido y levantándose de la *sella*, andando de un lado a otro frente a ella, sin mirarla—. ¡Esta insubordinación tuya ha de terminar! ¿Acaso no te das cuenta de que mis oficiales, que los legionarios, que todos ven que no me haces caso, que te rebelas? —Se detuvo en seco, encarándose con ella, apenas un paso de distancia entre ambos—. Si no me obedeces tú, ¿por qué tendrían que obedecerme los legionarios? ¿Es ese el mensaje que quieres transmitir a todos mis subordinados?

Julia no retrocedió ni un ápice. Se mantuvo erguida, con la cara bien alta, desafiándolo con la mirada.

—El mensaje estaba escrito y era privado —le dijo—. Nadie sabe lo que me decías en esa misiva excepto Alexiano, que la escribió. Lo único que ven los legionarios es que yo, Julia, la esposa del augusto Septimio Severo, no retrocedo nunca, no abandono nunca y no me rindo nunca, y que permanezco siempre al lado del único y verdadero augusto de Roma. Eso es lo que sin duda concluyen decenas de miles de legionarios al ver mi comportamiento, pero eso tan sencillo es algo que, a lo que se ve, mi propio esposo es incapaz de apreciar.

Estaban muy juntos. Él podía sentir su olor, la fragancia de miles de pétalos que usaba ella, embriagándolo, encendiendo su deseo. Julia estaba tan hermosa... pero Severo sentía un enorme nudo de orgullo hinchando su pecho con tal fuerza que era imposible dar ese último paso que los separaba y abrazarla y besarla y poseerla allí mismo, en aquel momento, en aquel instante..., que era lo que más deseaba en el mundo.

Julia sintió el ansia de su esposo. La leyó con claridad meridiana en los ojos brillantes de Septimio, pero también percibió su tozudez, su cerrazón y, muy lentamente, dio media vuelta y salió del *praetorium*. Tras ella solo quedó aquella fragancia intensa que Severo inspiró como quien ha estado bajo el agua mucho tiempo y emerge casi ahogado, desesperado por tomar aliento.

—¡Calidio! —aulló el emperador, seguro de que si ella estaba allí, el esclavo *atriense* de la familia imperial estaría también allí mismo.

En efecto, Calidio entró de inmediato en el pabellón de mando. Iba a acompañar a su ama de regreso a las tiendas donde estaban los niños, pero al oír aquella llamada implacable del amo no dudó en dejar a su señora y entrar en el *praetorium*.

—Sí, mi señor —dijo el esclavo con el tono más humilde que pudo. Podía percibir la irritación desaforada de su amo ante la nueva desobediencia de su ama. Algo había intuido él sobre el asunto, pero al haber oído parte de la airada conversación entre ambos, Calidio tenía claro que el ama había vuelto a desafiar al amo.

—Tráeme una esclava. Rápido —ordenó Severo, bajando algo la voz, pero aún con crudeza extrema—. Joven y guapa. Creo que Alexiano tiene una que cuida a las niñas. Me he fijado en ella. Es bella. Esa misma me iría bien. Y ya hablaré con Alexiano sobre esto. No te preocupes de eso. Tú simplemente tráemela.

Calidio se quedó inmóvil. El emperador quería yacer con Lucia para saciar su pasión desatendida, su orgullo humillado por el ama.

—¿No me has entendido, esclavo? —preguntó el emperador irritado ahora porque Calidio no hubiera salido ya presto a cumplir su mandato. ¿Se iban a rebelar acaso ahora hasta los esclavos más leales? ¿A eso conducía el ejemplo de Julia?

Calidio estaba pensando a toda velocidad. Sabía que apenas había margen de maniobra y que no había tiempo.

—El ama, mi señor —dijo al fin Calidio—, tiene una nueva ornatriz, muy joven y hermosa. No es necesario recurrir a la esclava que cuida a los niños del cuñado del emperador. Esta otra, estoy seguro, satisfará aún mejor al augusto amo.

Severo sacudió la cabeza y exhaló aire al tiempo que volvía a sentarse en la *sella curulis*.

—Sea. Me da igual a quién me traigas, pero que venga rápido.

—Sí, mi señor. —Y salió veloz a cumplir con el mandato recibido.

Fuera ya no estaba el ama. Julia había partido de regreso a la tienda donde estaban sus hijos escoltada por una docena de soldados armados. Calidio fue corriendo tras ellos y los adelantó. El ama caminaba cabizbaja. Ni siquiera reparó en él. El *atriense* llegó a la tienda donde estaban las esclavas personales de Julia Domna y se aproximó a la más joven. Era una esclava adquirida ya en Asia para que la emperatriz estuviera mejor atendida durante la larga campaña en el este. Pese a que el emperador estaba en contra de la presencia de su esposa con el ejército de campaña, había dado orden de que se atendieran todas las peticiones de la augusta, como una muestra más de unidad en la familia imperial, como una señal de autoridad.

Calidio habló al oído de la joven ornatriz.

—El emperador desea verte —le dijo—. Cumple bien y no te pasará nada.

La muchacha, de apenas dieciséis años, asintió. Desde que la compraron la habían tratado bastante bien y no tenía intención de hacer nada que cambiara aquello. Tenía decidido obedecer y callar. Calidio vio reflejada aquella actitud en la faz de la muchacha y aquello lo tranquilizó. La cogió de la mano y la condujo al exterior de la tienda, donde había soldados de guardia. El *atriense* de la familia imperial se dirigió a uno de los legionarios de la guardia:

—El emperador ha solicitado la presencia de esta esclava en su tienda. Llévasela con rapidez. ¿No querrás hacerle esperar?

El legionario le habló a la joven con voz grave:

—Sígueme.

La muchacha obedeció.

En ese momento llegó Julia Domna y se cruzó con el soldado y la ornatriz. La emperatriz giró el cuello para ver hacia dónde iban, pero no se detuvo, sino que siguió andando. Cuando estuvo a la altura de Calidio se volvió hacia él y le preguntó de forma muy directa:

—¿Adónde lleva ese soldado a... la nueva esclava? —No se había aprendido el nombre.

Calidio sabía que no podía mentir.

—El emperador ha reclamado su presencia en el *praetorium*. —Y por primera vez en mucho tiempo, mintió a su ama—: Ha pedido a esa esclava en concreto.

Silencio.

El silencio más duro que una mujer puede crear a su alrededor: el del despecho.

—¿Cómo se llama esa furcia? —preguntó Julia Domna.

—Adonia, mi ama —respondió Calidio sin sentirse orgulloso de lo que estaba haciendo, seguro de que acababa de condenar a aquella muchacha.

La emperatriz no necesitaba más. Ni, por ahora, quería saber más. Se grabó bien el nombre en la cabeza, se volvió y entró en la tienda de los niños.

Calidio suspiró aliviado. Entonces oyó la voz de Lucia a su espalda.

—¿Pasa algo? Te veo preocupado.

—No, todo está bien.

Pero Lucia no se daba por satisfecha con aquella respuesta que sonaba a evasiva.

—A mí no me engañas. Te conozco bien y eso no es cierto. La emperatriz parecía muy airada. Algo pasa.

Calidio sonrió.

—Está claro que no sé mentir.

—No, no sabes —sentenció Lucia—: ¿Qué ocurre?

—El emperador sigue enfadado con su esposa y ha pedido que la joven Adonia vaya al *praetorium*.

—Ah. —Lucia necesitó algo más de tiempo que la emperatriz para atar bien todos los cabos, pero lo hizo—. Pobre Adonia. ¿Se portará mal el emperador con ella? ¿Le hará daño?

—Bueno, el emperador se acostará con ella, pero si no opone resistencia, nada más le pasará. —Calidio se giró hacia Lucia—. Créeme: yacer con el emperador de Roma es el menor de los problemas que tiene esa muchacha ahora.

Lucia frunció el ceño.

—No te entiendo.

Calidio se aclaró la garganta antes de responder. No sabía bien por qué, pero se le había quedado seca. ¿Sería por correr... o por haber mentido a su ama?

—El problema que ahora tendrá que afrontar Adonia es el rencor de la emperatriz. Eso no es bueno.

—Claro —dijo Lucia—. No me gustaría haber sido la elegida por el augusto.

Calidio no dijo nada. Pero sentía que su corazón latía con una fuerza insospechada. En su fuero interno continuaba sin entenderse: ¿por qué había mentido al amo... y al ama? Lucia le sonrió y luego se alejó para retornar con las niñas. Él le devolvió la sonrisa. Tan hábil como era para algunas cosas, aún tardó, sin embargo, toda la noche en entender sus propios sentimientos. Pero, al fin, en mitad de un largo duermevela, comprendió y se dio cuenta también de que tendría que hacer algo respecto a ellos. Y pronto. No podría salvar a Lucia siempre. En especial, si el amo y el ama seguían enfrentados. Tenía que encontrar una solución más... definitiva.

XLIX

LAS LEGIONES DE JULIA

**Entre el golfo de Issus y Antioquía
Final de la primavera de 194 d. C.**

Caballería de Nigro

El augusto de Oriente ya no disponía del consejo de Emiliano, a quien había abandonado a su suerte en medio de la batalla. El caso era que le habrían ido bien ahora sus opiniones. Nigro se sentía confuso y presionado. Casi podía percibir el aliento de los jinetes que los perseguían a sus espaldas. Les llevaban una cierta ventaja pero no podían detenerse ni un momento o caerían sobre él. No tenía idea de cuántos serían los perseguidores, pero Nigro estaba seguro de que Severo no habría escatimado en recursos para darle caza.

La gran duda de Nigro era si ir hacia Antioquía, su primer objetivo, para atrincherarse allí, o... buscar otra alternativa.

Caballería de Leto

Leto cabalgaba a toda velocidad al frente de una poderosa fuerza de mil jinetes de todas las *turmae* de Mesia y Panonia. Pese a la condecoración prometida por el emperador, sabía que atrapar a Nigro era una prioridad y que si fallaba en este cometido todo lo ganado ante el augusto en Issus se vendría abajo. Se sentía orgulloso de ser el elegido por Severo para la tarea, como cuando fue designado para asegurar la maniobra envolvente de la caballería en la batalla de Issus, pero, por otro lado, la responsabilidad era enorme.

Leto utilizó toda su experiencia. Se empleó a fondo: envió a jinetes al galope por delante para intentar divisar la caballería de Nigro en huida hacia Antioquía, de forma que cuando los exploradores vislumbraran el polvo de los caballeros del emperador de Oriente podrían marcar la ruta que debía seguir el grueso de las tropas de Leto.

—Son unos setecientos jinetes, quizá algo más —le dijeron las patrullas a Leto.

—Por ahora no se han separado —musitó él. Esa era su mayor preocupación. Si se dividían, no sabría a quién seguir, no podría estar seguro de con qué grupo iría Nigro y cazar a Nigro era lo único importante—. Mientras sigan todos juntos, no hay problema —apostilló entre dientes.

Campamento general romano del ejército del Danubio,
golfo de Issus

—¡Aggh! —aulló Emiliano mientras un centurión le volvía a pisar una de las heridas sufridas en combate.

Alexiano se agachó para hablarle.

—Te lo preguntaré una sola vez más —dijo el cuñado del augusto Severo—. ¿Hacia dónde cabalga Nigro?

—No... lo... sé. Lo pactado era que intervendría en la batalla allí donde fuera necesario... no que huyera... No sé qué piensa hacer...

—Va a Antioquía, ¿no es cierto?

—Es posible... ¡aggh!

—Aparta un momento —ordenó Alexiano al centurión que pisaba una vez más la herida del *legatus* enemigo, y luego se dirigió de nuevo al interrogado—: ¿Acaso hay otra posibilidad? ¿Hay otro lugar hacia el que pueda haber huido Nigro?

Emiliano callaba.

Alexiano se irguió y suspiró. Aquel era un hombre valiente. Eso saltaba a la vista. A Alexiano aquel interrogatorio no le gustaba. Lo hacía porque entendía, como Severo, que neutralizar a Nigro era esencial, pero preferiría terminar con todo aquello. No era bueno para la moral de las tropas ver cómo se torturaba a un alto mando de otra legión. Aunque, por otro lado, era un mensaje de fuerza para futuras posibles rebeliones contra Severo.

Se agachó de nuevo.

—Mira, Emiliano, no voy a mentirte. Sabes que te vamos a ejecutar, pero no tengo interés en torturarte. Nadie lo tiene. Has combatido con honor. En el bando equivocado pero con bravura. Eso no te lo niega nadie. Mereces una muerte digna de tu valor en el campo de batalla y un funeral correcto con una moneda en la boca para pagar a Caronte tu paso al reino de los muertos. Puedo permitir que te quites tú mismo la vida, aquí y ahora, y te prometo proteger a tus familiares aquí y en Roma. Te puedo ofrecer eso, pero has de decirme todo cuanto sabes de Nigro.

Emiliano, sudando, sangrando, tumbado de costado en el suelo, intentando detener con una mano la hemorragia de una herida de lanza en el muslo, aumentada por la tortura a la que había sido sometido, asintió. Nigro lo había abandonado como a un perro. Nada le debía.

—Lo lógico sería que fuera a Antioquía... —empezó a decir—, pero viendo su actitud en la batalla, quizá haya decidido ir más lejos y abandonar Antioquía también frente a Severo..., como nos traicionó a nosotros aquí en Issus...

—Y si hubiera decidido hacer eso, olvidar la defensa de Antioquía, ¿hacia dónde iría? —insistió Alexiano, contento de que Emiliano se sincerase. La promesa de respetar luego la vida de su familia era cierta y se atendría a ella. Y estaba seguro de que si Emiliano le daba algo de información relevante, el propio emperador Severo se avendría a honrar también aquella palabra empeñada.

El emperador estaba detrás de Alexiano, asistiendo al interrogatorio, en pie, en silencio, mientras bebía agua de una copa. Atento. Expectante.

—La otra alternativa es que Nigro haya huido... hacia Oriente, hacia Zeugma, hacia Partia.... —continuó Emiliano, a espasmos—. Los partos le prometieron mucha ayuda... Nigro y sus oficiales saben mucho de nuestras legiones. Alguna vez dijo, medio en broma, medio en serio, que si todo salía mal se refugiaría en Partia... buscaría apoyos en el Senado desde allí y retornaría... Sabe que Severo... —Emiliano vio al aludido por detrás de Alexiano, serio, firme, sin decir nada, y se corrigió—; sabe que... el augusto Severo no es... popular en el Senado... Nigro cuenta con el apoyo senatorial en Roma y con respaldo militar de Partia para... revolverse contra él. Ese es su plan si todo sale mal. No creo que vaya a Antioquía.

Alexiano se volvió hacia Severo.

—Creo que dice la verdad.

—Yo también —confirmó Severo, y echó el resto del agua fuera del vaso en un gesto violento de rabia—. Que salgan mensajeros para Leto y que le informen de que Nigro puede haber ido hacia Partia.

—De acuerdo —aceptó Alexiano—, ¿y qué hacemos con Emiliano?

Severo suspiró.

—Cumple lo que has prometido —dijo el emperador—. Ofrécele una daga y confírmale que si se suicida respetaremos la vida de su familia.

A Alexiano le entró, de pronto, una duda. Le habló al emperador al oído:

—¿Y lo haremos? ¿Respetaremos nuestra promesa? —Para él era importante que se cumpliera la palabra dada a un moribundo. Lo veía como una cuestión de honor.

—Tú mismo lo has dicho —le respondió Severo—: Emiliano ha combatido con bravura, en el otro bando, pero con valentía. Respetaremos lo que le has prometido.

Alexiano asintió con alivio.

Una vez que Severo se alejó rodeado por su escolta, Alexiano se agachó de nuevo junto a Emiliano y le ofreció una daga.

—¿Mi familia? —preguntó el herido. Aunque hubieran hablado junto a él, su mente, aturdida por el dolor, no estaba para escuchar las conversaciones que tuvieran lugar a su alrededor.

—La respetaremos. Tienes mi palabra y la del emperador.

Emiliano tragó saliva.

Tomó la daga.

Todos se hicieron a un lado.

Emiliano, con decisión y habilidad, se cortó las venas de una muñeca. De la otra. Arrojó el puñal al suelo y se tumbó con los ojos abiertos mirando el cielo repleto de estrellas mientras sentía cómo su vida fluía y se desparramaba sobre la agreste tierra del golfo de Issus. Fue rápido. Ya llevaba mucha sangre perdida.

Caballería de Leto

Leto había detenido las *turmae* de la caballería imperial del Danubio. Antioquía quedaba hacia el sur, pero los rastreadores discutían entre ellos: parecía que los jinetes de Nigro se habían dividido en dos grupos: uno que seguía en dirección sur hacia la gran ciudad de Siria y otro que se alejaba de allí hacia Oriente, hacia el desierto, hacia Cirro en la ruta a Zeugma.

El *legatus* estaba consternado. Lo que más temía acababa de acontecer: a la excesiva lentitud en la persecución del fugado se le unía el terrible hecho de que ahora ni siquiera sabía en qué dirección habría ido Nigro. Lo lógico sería que el emperador perseguido buscara refugio en las murallas de Antioquía...

—Ha llegado un mensajero del augusto Severo —dijo uno de sus oficiales.

Leto fue a su encuentro.

—El *legatus* Alexiano dice que es posible que Nigro, en lugar de ir hacia Antioquía, busque huir hacia el este, hacia Partia —explicó el mensajero. Se le veía exhausto después de cabalgar sin descanso durante horas, cambiando de caballo para no detener nunca el galope.

Leto se pasó la palma de la mano por la barbilla mal afeitada. Eso cuadraba con lo que habían detectado los rastreadores. Dos grupos. Unos doscientos, habían calculado aproximadamente los exploradores, habrían ido hacia Antioquía, pero el resto, quizá unos quinientos, habían girado hacia el este, hacia la ruta que llevaba a Partia. ¿Hacia dónde habría ido Nigro? ¿En cuál de los dos grupos de jinetes estaría el emperador de Oriente? Si se había encaminado a Antioquía, el augusto Severo lo acorralaría allí y él mismo se ocuparía del asunto, pero si Nigro había optado por escapar hacia el este, era obligación suya asegurarse de que esa huida no consiguiera su objetivo.

El tiempo apremiaba.

Doscientos jinetes enemigos hacia Antioquía.

Quinientos hacia Partia.

Él disponía de mil.

Se pasó ahora el dorso de la mano por debajo de la nariz.

—¡Quinientos jinetes pie a tierra! —ordenó Leto mirando hacia las *turmae* del final de la columna de caballería—. ¡Coged víveres y agua y armas! ¡Estos quinientos jinetes se quedan aquí a la espera de reunirse con el grueso de las legiones del emperador Severo, que llegarán en pocas horas! ¡Entregad cada uno vuestro caballo a otro jinete de los quinientos que seguirán cabalgando conmigo!

Las instrucciones se siguieron con precisión. Todos respetaban a Leto. Se había ganado aquella fidelidad en el campo de batalla. Además, todos estaban entendiendo lo que pretendía el tribuno: quería que cada uno de los jinetes que siguieran con él hacia el este dispusiera de dos caballos: uno sobre el que cabalgar y otro de refresco para poder hacer relevos entre ambos. La idea se la había dado el mensajero enviado por Alexiano, que había hecho eso precisamente para darles alcance. Esto permitiría mantener un ritmo de persecución del enemigo huido muy superior al habitual. Se reducía el número de efectivos a la mitad, pero Leto se aseguraba de dar caza al enemigo. Luego el combate estaría igualado. Excepto en una cosa. Leto contaba con aquella diferencia.

—Hemos de coger a ese miserable antes de que llegue al Éufrates —masculló entre dientes, montando sobre su caballo y azuzando al animal para ponerse al frente de la nueva columna militar que ya trotaba hacia Oriente. Ya no eran un ejército propiamente dicho. Eran una partida de caza. Y cazaban carne de emperador.

Antioquía
Final de la primavera de 194 d. C.

Severo y Alexiano, junto con sus *legati* Anulino y Cándido y otros oficiales, avanzaron hacia el sur con las legiones de Mesia y Panonia. De camino a Antioquía recogieron a los jinetes que Leto había dejado sin caballo y los incorporaron al resto de las tropas. A Severo le pareció buena la idea que había tenido Leto para acelerar el ritmo de la persecución de Nigro si es que este había ido hacia Oriente.

—Le dará caza —dijo Alexiano.

Severo no dijo nada, pero asintió. Y si Nigro había optado por ir hacia Antioquía, serían ellos los que lo atraparían.

Cabalgaron sin descanso y los legionarios avanzaron a marchas forzadas.

En pocas horas se plantaron frente a los muros de Antioquía, la capital de lo que Severo calificaba «la rebelión de Nigro», pero este no se encontraba allí. Leto había tenido la intuición correcta y ahora su captura dependía de aquella persecución rumbo a Oriente. El emperador ordenó que otro mensajero partiera hacia Zeugma para informar a Leto de la ausencia de Nigro en Antioquía.

Severo sabía que lo que a él le correspondía era rendir la urbe que hasta ese momento había sido el corazón del poder de su enemigo. Su primer impulso era someter la ciudad a un brutal asedio a sangre y fuego, pero reunió a su *consilium augusti* para dilucidar entre todos cuál podía ser la mejor forma de actuar.

Hubo división de opiniones: Anulino y Cándido estaban por llevar a cabo el más terrible de los cercos militares como ejemplo para el resto de ciudades de la región; Alexiano callaba, pues, como Julia, era sirio, y Severo percibía que no estaba de acuerdo con una acción tan violenta. A fin de cuentas, aquellas tierras eran sus tierras. El emperador comprendía que su cuñado tuviera sentimientos encontrados al respecto.

—¿Puedo decir algo? —preguntó Julia, a quien, como siempre, pese al resquemor existente entre ambos, el emperador había convocado al *consilium augusti* en su política de mostrar una familia imperial unida. Otra cosa era cómo de buena o de mala fuera en aquel instante la relación entre ellos en privado.

—Te escuchamos —dijo Severo, con voz grave, algo distante, pero serena.

Julia, que estaba a su espalda, rodeó la *sella curulis* donde se sentaba su esposo y se situó en medio del cónclave.

—Antioquía se ha entregado a la causa de Nigro y debe ser castigada —empezó Julia, granjeándose varios asentimientos de Anulino y Cándido—, sin embargo, no toda Siria está tan entregada a Nigro como pudiera parecer. Estas son mis tierras, y también las de Alexiano. Y aunque él guarde un prudente silencio, estoy segura de que siente, como yo, que un castigo excesivo sería un error. —Aquí la emperatriz consiguió un asentimiento de su cuñado. Se giró hacia su esposo—. Creo que lo esencial es que el emperador emplee una dosis adecuada de castigo y de magnanimidad. Eso haría que Oriente no viera al augusto Septimio Severo como un sanguinario conquistador vengativo, sino como un gobernante con el que se puede pactar, con el que se puede colaborar, un gobernante bajo el que se puede vivir bien. Incluso un gobernante al que se puede llegar a admirar y, lo más importante, al que se quiera ser leal.

Hubo un silenció en el *consilium augusti*.

—Son palabras hermosas, Julia —admitió Severo—, pero ¿cómo se traducen al momento que nos ocupa aquí y ahora?

La emperatriz se explicó:

—Ofrece a Antioquía que respetarás las vidas de sus ciudadanos y sus casas si abren las puertas de las murallas, pero a cambio negocia que abonen una cantidad elevada de oro y plata. Necesitarás dinero para satisfacer los salarios de las legiones y unas recompensas que hagan sentirse a tus soldados satisfechos con la campaña. En la ciudad deben de temer lo peor. Saben que Bizancio, que se entregó por completo a la causa de Nigro como ellos, está sometida a un interminable asedio donde el hambre y las penurias hacen ya mella en sus habitantes. Estoy segura de que esperan el mismo trato y, sin embargo, si les ofreces esta salida, pueden aceptar pagar mucho dinero. Antioquía es una ciudad rica.

—Ese oro y esa plata los podremos conseguir de todas formas tras un asedio —contrapuso Anulino—. No veo que ganemos nada con negociar. No necesitamos pactar.

—No estaría tan segura de ello —replicó Julia—. Conozco el orgullo de los antioqueños. Son capaces de fundir el oro y la plata antes que entregarlo, y arrojarlo al mar o enterrarlo en mil sitios diferentes y luego quitarse la vida. Pueden incendiar sus propios bienes para evitar que el emperador Severo disponga de sus riquezas cuando se haga con la ciudad. Y, además, un asedio supondría un enorme coste de legionarios y recursos: dinero, víveres, armas. Y mientras las legiones están ocupadas en este asedio, los partos, los árabes, los osroenos y los adiabenos, entre otros, pueden actuar sin oposición. En cuestión de meses se puede perder toda Mesopotamia por un cerco a Antioquía del que al final, creedme, sacaremos poco.

Anulino iba a intervenir de nuevo, pero Severo levantó el brazo derecho y todos callaron.

—No perdemos nada por ofrecer una negociación —dijo el emperador a modo de conclusión de aquel debate—. Si los ciudadanos de Antioquía se avienen a pagar una considerable suma de dinero, ser magnánimo puede resultarme aceptable. Alexiano, te encomiendo esa negociación. Si no hay resultados en dos días, atacaremos la ciudad y ya no habrá clemencia alguna. Morirán todos. Puedes decírselo a los antioqueños. Eso quizá los haga entrar en razón.

El cónclave terminó. Todos salieron de la tienda. Julia se esperó a ser la última. Severo temía un nuevo acercamiento de ella hacia él, y él, la verdad, no estaba de humor. Pese a la victoria de Issus, con Nigro escapado y con el asunto de Antioquía sin resolver, no estaba aún de ánimo para discusiones familiares y tampoco predispuesto a reexaminar sus sentimientos con relación a su esposa. Otra cuestión era que sus opiniones sobre la región de Siria, su región, pudieran ser útiles. Por eso la dejaba hablar. Por eso la escuchaba. Ya que se había empeñado en venir, que valiera para algo su permanente rebelión.

—Solo quiero pedirte algo —dijo ella, sin acercarse a él.

—Dime.

—Me gustaría que, una vez que se resuelva lo de Antioquía, las legiones avancen hacia mi ciudad natal, hacia Emesa.

—¿A Emesa? ¿Por qué? No es un enclave de relevancia militar en este momento.

—Hemos de ir a Emesa; para que entiendas.

Severo frunció el ceño algo exasperado.

—¿Para que entienda qué?

—Has de ir allí —insistió ella sin desvelar más. Y se dio la vuelta, dejando solo e intrigado a su esposo en aquella tienda militar frente a la gran ciudad de Antioquía.

Al sur de Zeugma
Final de la primavera de 194 d. C.

Caballería de Leto

La caballería de Leto, recibido el mensaje de Severo que le confirmaba que a quien perseguían era, sin duda alguna ya, a Nigro mismo, voló sobre el desierto. Cabalgaron sin apenas descanso durante días, durmiendo unas pocas horas por la noche, cambiando cada jinete de caballo para que los animales no estuvieran tan agotados como los propios soldados por el sobresfuerzo de aquella persecución casi al galope.

El duro empeño dio sus frutos.

—¡Allí! —exclamó uno de los jinetes de vanguardia.

Estaban llegando al mismísimo Éufrates siguiendo el rastro de los perseguidos. Nigro y sus hombres habían ido siempre rumbo a Zeugma, pero en el último momento —apercibidos de que en la ciudad del Éufrates, bajo dominio romano, quizá las tropas pudieran haber oscilado ya en su lealtad y haberse pasado al bando de Severo— viraron hacia el sur para intentar vadear el gran río por fuera de sus murallas. Eso les impedía hacer uso del puente de Zeugma, pero era mejor arriesgarse a cruzar sus aguas en paz, aunque fueran a depender de la capacidad de nado de sus caballos, que arriesgarse a que la guarnición de la ciudad fronteriza los detuviera.

—¡Allí, allí! —repetían otros jinetes de Leto.

El tribuno los divisó entonces.

—¡Son Nigro y sus jinetes! —le dijeron otros caballeros de las *turmae* de Mesia y Panonia.

—Así es —dijo Leto como quien saborea un bocado jugoso de carne bien sazonada con una salsa sabrosa. Se había dejado la piel en aquella persecución y, sobre todo, había temido durante días verse forzado a regresar ante Severo sin la cabeza del enemigo. Eso le había quitado hasta las pocas horas de sueño que había permitido para sus hombres y para sí mismo.

—¡Van a cruzar! —exclamó de pronto otro de los hombres de Leto.

—No lo sé —dudó Leto entre dientes—. Son muchos. Tantos como nosotros, cuatrocientos o más. Pueden hacernos frente.

Se dio cuenta de que había arriesgado mucho: al dejar a quinientos de sus hombres atrás, había conseguido acelerar la persecución y dar alcance al enemigo, pero ahora las fuerzas entre perseguidos y perseguidores estaban muy igualadas.

Caballería de Nigro

—¡Mantened la formación! —gritó Nigro a sus jinetes.

El emperador de Oriente encaraba con su propio caballo a los perseguidores que no le habían dado descanso ni uno solo de aquellos malditos días de huida y reclamaba que todos sus hombres se posicionaran con él en formación. Sabía que juntos podían detener el avance de los enemigos, plantarles cara, incluso derrotarlos. Estaban igualados.

Pero había olvidado un par de detalles.

Caballería de Leto

—¡Preparaos para cargar, por Júpiter! —aullaba con todas sus fuerzas—. ¡Recordad que sus caballos están el doble de agotados que los nuestros! ¡Eso juega a nuestro favor!

Y era cierto. Esa era la pequeña gran diferencia con la que Leto contó cuando decidió dejar atrás la mitad de sus jinetes para, a cambio, disponer de caballos de refresco durante toda la persecución.

Y aquella diferencia enardeció a los hombres de Leto.

Y el tribuno lo repitió varias veces, a pleno pulmón, como si quisiera no ya solo hacerse oír por sus hombres, sino también por los del enemigo, pues apenas los separaban trescientos pasos de distancia y el viento podía llevar su voz hasta los jinetes del emperador de Oriente.

Caballería de Nigro

Se miraban unos a otros. Las palabras del tribuno del Danubio habían llegado a los oídos de los hombres de Nigro y estaban causando el efecto deseado por Leto: los jinetes de Nigro veían a sus caballos resoplando, agotados; no estaban para presentar batalla. No sin un descanso previo, pero no había tiempo para eso: era del todo evidente que los perseguidores estaban a punto de cargar.

Aquel era el primer detalle que había olvidado Nigro.

—¡Mantened la formación! —insistió el emperador de Oriente.

El segundo detalle era que hay que predicar con el ejemplo.

Los jinetes de Nigro vieron que los perseguidores se lanzaban contra ellos.

Combate junto al Éufrates

Muchos de los caballeros romanos de Nigro dieron media vuelta y se lanzaron con sus caballos hacia el río intentando huir de aquella contienda que, para ellos, no era ya la suya. La cuestión era solo sobrevivir. Al otro lado estaba Partia, y en Partia podrían darles un buen recibimiento como soldados mercenarios o como asesores militares en una futura guerra contra nuevas legiones romanas que se aventuraran a cruzar el Éufrates. Era su única salida: huir abandonando el campo de batalla. Y lo hicieron bien, sin complejos ni mala conciencia. Habían tenido el mejor de los maestros posibles en semejantes lides: su emperador, el propio Pescenio Nigro, les había enseñado cómo hacerlo en la batalla de Issus. Ahora, sus jinetes, como buenos alumnos, se aplicaban en la disciplina que les había inoculado su señor: la cobardía.

Pronto, Nigro se vio prácticamente solo, protegido apenas por unas decenas de incondicionales a su causa. Pocos para defenderlo de forma efectiva. Fue rodeado, su caballo herido, él también y ambos, hombre y bestia, derribados por fin.

Pescenio Nigro, *Imperator Caesar Augustus*, se arrastraba gateando por el suelo de Mesopotamia en dirección al río por el que la mayoría de sus hombres se habían adentrado en busca de la libertad, sin importarles abandonar a su superior a su suerte. Le habían pagado con la misma moneda con la que él había pagado a Emiliano y a todo su ejército en Issus.

—¡Volved, malditos! ¡Regresad! —aullaba impotente mientras los últimos jinetes fieles a su causa caían atravesados por las armas de los caballeros de Leto.

Leto dio orden de que sus hombres se concentraran en acorralar a Nigro y que se olvidaran del resto. Asegurar la captura y ejecución del emperador rebelde era lo esencial. Los otros jinetes o bien morirían ahogados intentando cruzar el Éufrates o bien alcanzarían la otra orilla. Pero si llegaban al otro lado del río, Leto sabía que no disponía de hombres suficientes para seguirlos por territorio enemigo. Y sus instrucciones eran las de hacerse con Nigro y matarlo. E iba a cumplirlas al pie de la letra. Los que escaparan ya caerían a los pies del ejército de Severo en su momento, de eso no tenía duda alguna el tribuno.

Nigro seguía huyendo como un perro en dirección al agua.

Julio Leto desmontó y se acercó despacio a Pescenio Nigro que, casi como un niño que no supiera aún andar, continuaba gateando por el suelo de arena de la orilla del río, dejando tras de sí un reguero de sangre que manaba de sus heridas abiertas.

Leto llegó a su lado.

No se molestó en hablarle ni en anunciarle su fin. Lo mató como se mata a los rebeldes, a los traidores: clavándole la espada por la espalda, la muerte propia de los cobardes que solo saben huir cuando la lucha se pone difícil.

—¡Aggh! —gritó Nigro en su último estertor, por el que se esfumaba el aliento final de su poder, un dominio sobre todas las legiones romanas de Oriente; otro emperador que caía en la brutal lucha desatada tras el asesinato de Cómodo.

Nigro dejó de arrastrarse.

Leto le sujetó entonces por el cabello y levantó la cabeza del suelo.

—¡No, nooo...! —gritó el agonizante emperador, que aún seguía con un hilo de vida.

Pero Leto no atendió a ruegos: fue cortando metódicamente la cabeza del enemigo abatido hasta que consiguió, no sin un gran esfuerzo, separarla del cuerpo derribado. No fue un corte limpio. Las espadas romanas no se caracterizaban por un buen filo. Estaban diseñadas para pinchar. Pero la fuerza del tribuno y su ansia por cumplir la orden de Severo fueron estímulos suficientes para hacerlo.

Alzó entonces la cabeza de Nigro y la exhibió ante sus hombres.

Antioquía
Final de la primavera de 194 d. C.

La ciudad abrió sus puertas. Las vidas y los bienes principales de sus ciudadanos se respetaron, pero a cambio estos tuvieron que pagar una muy elevada suma de dinero que enriqueció las arcas del tesoro del emperador Severo. Esto le dio un amplio margen de maniobra a la hora de pagar salarios, tal y como había dicho Julia, y de dar recompensas y considerar posibles nuevas campañas militares en la región que no solo dependieran de la rapiña o los saqueos.

Las legiones del Danubio, junto con *vexillationes* de diferentes tropas de Oriente, aclamaron a Severo como *imperator* por cuarta vez. Todo un mensaje para el Senado. En el gran circo de Antioquía —un imponente edificio reconstruido por el divino Trajano después de que un terremoto destruyera el anterior hipódromo—, el propio emperador Severo entregó diferentes condecoraciones a sus más destacados oficiales; desde Leto, que ya había regresado, hasta Alexiano, pasando por otros *legati* y tribunos. Durante todo el desfile militar hubo dos detalles que Severo, una vez más, quiso subrayar. En primer lugar la constante presencia de Julia a su lado: su esposa permaneció, con los pequeños Basiano y Geta, en el gran palco del hipódromo de Antioquía, situados los tres apenas a unos pasos de Severo, bien visibles para todos; y es que ya que Julia había ido allí, al menos aprovecharía su presencia, no deseada pero inevitable por la testarudez de su esposa, para transmitir a todos que había una familia imperial fuerte y unida. Otra cosa eran las tensiones internas. En segundo lugar, Severo quiso dejar también clara su victoria absoluta sobre Nigro con una estaca clavada en medio de la arena, ante la que desfilaban sus legiones y oficiales condecorados, que exhibía el desfigurado rostro de la cabeza cortada de Pescenio Nigro que Leto había traído desde el Éufrates.

Las celebraciones terminaron con la caída del sol. La familia imperial salía del palco. Alexiano se acercó por detrás al emperador.

—¿Qué hacemos con la cabeza de Nigro?

Severo ni siquiera se detuvo para responder. Habló mientras se alejaba.

—Envíala a Bizancio y que Geta la arroje por encima de sus murallas. Eso quizá les haga ver lo absurdo de su resistencia.

Ese sería el destino final de la cabeza de quien había sido autoproclamado emperador de Roma durante apenas trece meses. Cómodo, Pértinax, Juliano y Nigro. ¿Había terminado ya la pugna? Esa era la interrogante que bullía en la mente de Septimio Severo mientras abandonaba el circo de Antioquía.

De Antioquía a Emesa
Inicio del verano de 194 d. C.

Pasaron los días.

La ciudad no acogía a las tropas de Severo: las soportaba. Aquella urbe era un lugar desagradable incluso en la victoria.

Por fin, tras dejar una fuerte guarnición en la ciudad, Severo condujo las legiones hacia Emesa.

Julia le había insistido de nuevo en que deseaba ver la casa de sus padres y Severo accedió. Era difícil negarle a su mujer visitar su ciudad natal estando a tan poca distancia. Haber evitado Emesa habría mostrado que había algo extraño entre ambos, entre augusto y augusta, y Severo, por encima de todo, en medio aún de una situación incierta en la lucha por el control pleno del Imperio, quería guardar bien las formas en público.

No tenía ni idea de lo que iba a encontrar allí ni de cómo lo recibirían en Emesa, pero imaginaba que de forma similar a Antioquía o el resto de ciudades de Siria: con miedo cuando no desprecio, si no ambas cosas.

En cualquier otro momento, si las circunstancias hubieran sido diferentes entre ellos, Julia le habría advertido, pero estando todo como estaba, con aquel gélido distanciamiento entre ambos siempre presente, decidió callar y no avisarlo de nada.

De Antioquía, en paralelo por la costa, fueron a Laodicea. Allí Severo habló con todas las autoridades imperiales y locales sobre ideas que tenía para el futuro próximo de aquella ciudad que siempre estaba en competencia directa con Antioquía. Sabía que tras la guerra con Nigro, tendría que reorganizar el gobierno de la provincia, de todo Oriente, pero, por ahora, el emperador no concretó nada sobre sus planes con nadie.

De Laodicea fueron más al sur, ya separándose del mar, hasta Raphanea y de allí a Epifanía, para, finalmente, vislumbrar las murallas de Emesa.

Las puertas estaban abiertas y había numerosos habitantes situados a ambos lados del camino ya desde varias millas de distancia de la ciudad.

—No parecen armados —dijo Leto al emperador en voz baja.

Severo buscó con la mirada a Alexiano. Él era de allí y sabría interpretar mejor qué significaba aquello. No pensó en Julia. Se habían distanciado tanto que le costaba leer sus pensamientos. Su cuñado, al ver que el emperador quería hablar con él, azuzó su caballo y se situó a su lado.

—Adelántate con unos jinetes y averigua qué ocurre —le ordenó Severo.

Alexiano obedeció y cabalgó por delante de la larga columna militar de las legiones imperiales. Pasó por entre el largo pasillo de aquel numeroso gentío y llegó hasta las puertas de la ciudad flanqueado por un centenar de jinetes de la guardia imperial. Severo lo observaba todo detenido sobre su montura. Miró una vez hacia atrás, hacia la carroza en la que Julia, junto con los niños, permanecía sentada con las cortinas descorridas por completo. Seguramente querría ver su ciudad natal.

—Alexiano regresa —anunció Leto.

Severo se volvió hacia su cuñado.

—Es un recibimiento glorioso, triunfal, diría yo —proclamó Alexiano.

El emperador se sorbió los mocos en un acto reflejo. La diferencia de temperatura entre el día y la noche lo había constipado.

—¿Nos podemos fiar? —preguntó aún mostrando dudas.

—Yo creo que sí, augusto —respondió Alexiano—. Las máximas autoridades de la ciudad están en la puerta. Emesa nunca se mostró favorable a Nigro; tampoco lo combatió, eso es cierto, pero aseguran que porque no tenían suficientes recursos para ello. Parece que quieren mostrar al emperador Severo que están felices de que sea él y no Pescenio Nigro el que entre en la ciudad con sus legiones.

—Sea, pues —convino al fin Severo y sacudió las riendas de su caballo. Se mostraba escéptico sobre lo efusivo que pudiera ser aquel recibimiento, pero cualquier cosa sería mejor que la constante desconfianza que había sentido cada día que pasó en Antioquía, donde el rencor hacia su persona y su ejército era patente en cada esquina.

Las legiones del Danubio se pusieron en marcha, aproximándose poco a poco a la ciudad de Emesa, hasta llegar a la altura de la puerta. Allí, tal y como había explicado Alexiano, las máximas autoridades se arrodillaron ante Severo en señal de sumisión y lealtad. El emperador solo podía ver una muchedumbre de gente desarmada, vestida toda ella con sus mejores galas y, en cuanto entraron en la ciudad, calles y calles majestuosas repletas de guirnaldas en balcones y ventanas.

Emesa había florecido combinando su amistad con Roma con el desarrollo del comercio entre el Mediterráneo y Palmira.

Se convirtió en un lugar de tránsito para las especias y mercancías que llegaban de Oriente y la urbe había sabido prosperar y, con habilidad, asumir que bajo el gobierno de Roma se podía crecer. En su mayoría, desde Julio César en adelante, unos y otros, gobernantes romanos y propios, habían permitido la pujanza de una ciudad que se mostraba hospitalaria y leal a Roma y que, en el presente conflicto entre Severo y Nigro, había mantenido un perfil bajo: Emesa estaba en territorio formalmente de Nigro, pero Severo estaba casado con una mujer de Emesa de la apreciada familia descendiente de los reyes locales de antaño, una estirpe emparentada con los sacerdotes del gran templo de El-Gabal, la deidad sagrada de la región. Aquella alianza entre el emperador y Julia era algo que despertaba enormes simpatías hacia Severo, más allá de lo que el propio augusto pudiera haber imaginado nunca. Y es que allí todos tenían claro que el actual *imperator* podría haber elegido como esposa a cualquier patricia romana hija de algún poderoso senador y, sin embargo, había decidido, por propia voluntad, casarse con Julia Domna, con la Julia de Emesa. Si ahora el matrimonio estaba bien avenido o quizá no tanto, era algo que la población no podía saber. Ellos solo veían que el augusto Severo entraba victorioso en su ciudad y que apenas a unos pasos de él, en una gran carroza, iba la propia Julia junto con sus dos hijos, descendientes del nuevo emperador de Roma, pero, al mismo tiempo, también descendientes de Emesa. Para toda la ciudad, aquella visita de Septimio Severo con su esposa Julia, sus hijos, todas sus tropas y su séquito era una gran fiesta.

Por fin, Severo se permitió sonreír. Después de ver solo caras de miedo y desconfianza en las murallas de Bizancio, en Nicea, en Issus, en Antioquía y tantos otros lugares de su periplo por Oriente, ahora lo recibían con felicidad, como si se tratara de un auténtico libertador. El contraste era, cuando menos, reconfortante. ¿A quién no le gusta sentirse un poco querido?

—¿Qué dicen? —preguntó Leto, pues todo el pueblo congregado alrededor de la gran comitiva imperial había empezado a clamar al unísono unas palabras en algún idioma que el *legatus* no entendía.

—No sé —respondió el emperador—. Creo que hablan en arameo.

Pero como si la población comprendiera que no podían hablar solo para Julia, para su Julia, empezaron a entonar aquel cántico constante, aquellos vítores que lanzaban al aire, también en griego. Querían hacerse entender.

—Ahora parece que lo dicen de otra forma —continuó Leto.

Severo aguzó el oído. Leto era un gran militar, pero su conocimiento de griego era susceptible de mejora. Empezó a identificar con claridad lo que el gentío gritaba una y otra vez.

—Ἀι τῆς Ἰουλίας λεγεῶνες! Ἀι τῆς Ἰουλίας λεγεῶνες!

Septimio Severo no tradujo nada. Ya tenía él bastante con digerir lo que allí estaba pasando. Se limitó a volverse hacia su esposa que, en pie, en el centro de la carroza, con los pequeños Basiano y Geta a su lado, saludaba sonriente a un lado y a otro a todos aquellos hombres y mujeres que no dejaban de clamar sin descanso, en griego y en arameo:

—¡Las legiones de Julia! ¡Las legiones de Julia!

L

LA LLUVIA DEL NORTE

Eboracum, Britania
Otoño de 194 d. C.

Salinátrix veía aquella impenitente lluvia caer sin pausa sobre los confines de las colinas que se divisaban al norte del Muro de Adriano.

—¿Siempre es así? —preguntó.

—Siempre —le confirmó su esposo, el gobernador Clodio Albino.

Estaban cobijados en una de las tiendas de los centinelas levantadas en lo alto de la muralla fronteriza.

—¿Y dices que están en rebelión entre este muro y el de Antonino más al norte? —continuó Salinátrix.

—Así es —le ratificó él—. Tendría que concentrar todas las legiones de Britania en este punto para intentar dominar la situación por completo, pero como te dije, mantengo una legión entera, la II *Augusta*, en el sur preparándolo todo por si Severo nos traiciona y hemos de cruzar hacia Germania, hacia Roma. En mi jerarquía de prioridades, tener capacidad de combatir por el Imperio, si es necesario, es más importante que imponerme sobre un puñado de bárbaros en territorios donde no hay ni oro ni plata. Solo esta maldita lluvia que no cesa nunca.

—Tu jerarquía de prioridades es correcta.

Salinátrix acababa de reunirse con su esposo en Eboracum, con el beneplácito de Septimio Severo. Una vez que Albino hubo aceptado el pacto que lo convertía en césar y sucesor de Severo, al augusto no le quedó más remedio que mostrarle su confianza con este gesto: si hubiera mantenido como rehenes a

Salinátrix y a sus hijos, Albino se habría tomado aquello como una falta en su acuerdo.

El matrimonio seguía mirando hacia el agreste territorio húmedo del norte del Muro de Adriano.

—¿Qué crees que pasará ahora? —preguntó ella.

Habían llegado ya las noticias de la defenestración y ulterior decapitación de Pescenio Nigro y de cómo Severo se había impuesto en todo Oriente hasta quedar como único emperador de Roma.

—Ha terminado con Juliano y con Nigro —respondió Clodio Albino—. Se sentirá muy fuerte. Sé que avanza ahora hacia el este. La guarnición romana de Nísibis, más allá del Éufrates, casi en el Tigris, está bajo el asedio de los adiabenos que se rebelaron contra el poder de Roma aprovechando la guerra civil entre las legiones. Severo aún tendrá más combates y peligros a los que hacer frente en aquellas tierras.

—Eso nos va bien, ¿no es así? —dijo ella con una sonrisa.

—Eso nos va muy bien —confirmó su esposo con otra.

Seguían mirando hacia el norte, aunque sus pensamientos estaban concentrados en el sur y en el este. Los rodeaba la lluvia incesante de aquella isla del fin del mundo, pero sus mentes anhelaban recibir más noticias de los desiertos de Mesopotamia.

LI

EXPEDITIO MESOPOTAMICA

De Emesa a Osroene
Primavera de 195 d. C.

Nigro había sido aniquilado.

En Emesa, Severo, tranquilo, disfrutaba de ser, al menos por el momento, el único emperador de Roma. Pero la felicidad iba a durar poco. Pronto llegaron mensajeros de Oriente con noticias preocupantes: los guerreros de Osroene y Adiabene, aprovechando la debilidad romana en la región por causa de la guerra civil, se habían rebelado y atacado las guarniciones romanas en ambos reinos. La situación de Nísibis, en particular, era muy delicada. Se trataba del destacamento romano más importante al este del Éufrates y estaba bajo asedio enemigo. Los partos, dirigidos por Vologases V, aún no habían intervenido directamente, pero observaban a la espera de la reacción de Severo para decidirse a atacar y apoderarse de toda Mesopotamia norte, que durante los últimos decenios había estado, de un modo u otro, bajo dominio o, como mínimo, bajo la influencia del Imperio romano. Solo necesitaban ver una muestra de debilidad por parte del emperador romano para decidirse a lanzar una ofensiva a gran escala. Severo sabía que no podía permanecer inactivo mucho tiempo.

El augusto escuchó a todos los mensajeros con el rostro muy serio y en silencio, pero cuando habló fue rotundo:

—¡Atacaremos, por Júpiter! ¡No podemos permitirnos abandonar a toda una guarnición romana sin hacer nada!

No dijo más, pero también pensaba que aquella podía ser una buena oportunidad para restañar heridas entre las legiones del Danubio y las de Oriente, pues al obligarlas a luchar juntas contra un enemigo exterior común se fortalecería, de nuevo, lo que las unía a todas: Roma. Y, al tiempo, se diluirían más las recientes diferencias que las habían forzado a enfrentarse unas con otras. Severo intuía, además, que los senadores favorables al defenestrado Nigro aprovecharían una derrota romana en la región frente a los osroenos y los adiabenos para criticar la posición del emperador. Aunque fuera en comentarios solapados, entre dientes, crearían un caldo de cultivo para futuras rebeliones. «Con Nigro ni los osroenos ni los adiabenos ni los partos atacaban», dirían entre las sombras de las columnas del foro de Roma. Severo sabía que debía actuar, tanto para fortalecerse ante el enemigo exterior como para reafirmarse ante sus enemigos en el corazón del Imperio.

El primer movimiento de Severo fue hacia Edesa, la capital de Osroene. La ciudad y su reino pronto sucumbieron a la fuerza de las armas legionarias, muy envalentonados los soldados imperiales del Danubio en particular con la larga acumulación de victorias desde que habían entrado en territorio de Oriente. Por otro lado, las diversas *vexillationes* de las legiones derrotadas en la guerra civil se sintieron, tal y como había intuido Severo, algo ilusionadas al verse incorporadas al grueso del ejército del nuevo emperador que, por cierto, pagaba sus salarios con regularidad y generosidad, gracias al dinero de los antioqueños derrotados.

Severo castigó a Osroene reduciendo su reino a la mínima expresión y proclamando el resto de su antiguo territorio como una nueva provincia romana sujeta a la autoridad de un gobernador.

Edesa, capital de Osroene
Junio de 195 d. C.

Recuperado el territorio de Osroene y con gran número de legiones acumuladas en Edesa, Severo no entendía por qué la vecina Adiabene no deponía su rebelión liberando el cerco a la guarnición romana de Nísibis.

—¿Por qué no desisten? —preguntó Severo una tarde en

Edesa a todos los miembros de su *consilium augusti* reunidos en el *praetorium*.

Ni Alexiano ni Leto ni Valeriano ni ningún otro de los altos oficiales tenía una respuesta clara. Lo lógico habría sido que los adiabenos, a la vista de la victoria absoluta de Severo en el reino fronterizo de Osroene, cambiaran de actitud y se retiraran dejando libre Nísibis. Aquella obcecación en un asedio que las legiones desbaratarían en cuanto llegaran, y que además castigarían con brutalidad, parecía un sinsentido.

—Son fanáticos, quizá —aventuró, al fin, Leto.

—O quizá el emperador parto Vologases V les ha prometido refuerzos —apostilló Alexiano.

Un nuevo silencio.

Julia, como ya era habitual, estaba presente en la reunión. Aunque la tensión entre ella y el emperador se había relajado en el último año tras el gran recibimiento que Emesa, su ciudad natal, había brindado al emperador, ella procuraba no intervenir en público y menos en asuntos militares, pero había veces que la ceguera de los oficiales de su esposo la irritaba tanto...

—No son fanáticos ni necesitan a los partos —dijo—. Los adiabenos cuentan con otro aliado tan o más poderoso incluso que Vologases V.

Septimio Severo se volvió hacia ella.

—Si tienes algo que decir, dilo —comentó no con desdén, pero sí con incredulidad. No pensaba que Julia tuviera una explicación para la persistencia de aquel asedio en Nísibis contra la debilitada guarnición romana más allá del fanatismo que había propuesto Leto.

—Los adiabenos conocen el desierto —se explicó Julia, y se acercó al mapa de la región que había sobre la mesa para posar un dedo en el espacio que separaba Edesa de Nísibis—. Todo este territorio es terrible, sin agua en muchas millas, pedregoso, árido y con un calor asfixiante en estos días cercanos ya al verano. Los adiabenos están seguros de que las legiones del emperador no se atreverán a intentar esta travesía en estas fechas. Por eso no se retiran. Y no necesitan a los partos, porque su aliado es ese desierto que se interpone entre las fuerzas del emperador de Roma y la ciudad que asedian. Y Nísibis, eso lo sabemos según los mensajeros que han llegado desde allí, no podrá resistir ya muchas semanas sin ayuda. Están seguros de su victoria y no les faltan motivos para ello.

Severo no cuestionó el conocimiento del terreno que su esposa manifestaba. Ella era de allí. El resto eran extranjeros en aquel territorio, excepto Alexiano, a quien el augusto dirigió la mirada un instante para encontrar o bien un asentimiento que confirmaría que aceptaba lo que decía Julia, o bien un gesto que indicaría su desacuerdo.

Alexiano asintió.

Severo también lo veía así, pero faltaba la respuesta a la pregunta clave:

—¿Y qué hacemos, Julia? —preguntó entonces, mirando fijamente a los ojos de su esposa—. ¿Dejamos que los adiabenos masacren a los legionarios de Nísibis sin hacer nada, ya que cruzar el desierto en estas fechas, como dices, es muy arriesgado? ¿Es ese el mensaje que he de transmitir a mis hombres: que si los cerca el enemigo y hay un desierto entre ellos y su emperador, este no los asistirá?

Julia percibió el tono de desafío en su marido, pero lo recibió con alivio: no había hablado ni con desprecio ni ridiculizándola. Le había hablado como lo hacía con cualquier otro *legatus*, planteando, eso sí, una duda importante, buscando una solución. Le pareció un buen síntoma en el camino de la reconciliación entre ambos. Septimio quería una solución. Bien. Ella la tenía.

—Hay que cruzar el desierto, por supuesto —dijo Julia—. Y hay que hacerlo rápido. Pero será duro. El desierto es un oponente más formidable que un ejército armado.

Severo asintió, como si aceptara el desafío que ahora le lanzaba su esposa.

—Lo cruzaremos —dijo el emperador y luego miró a Alexiano—. Haced acopio de toda el agua posible y víveres y todos los pertrechos necesarios. Mañana, al alba, partimos hacia Nísibis.

La travesía de Edesa a Nísibis
Junio de 195 d. C.

El avance desde Edesa hasta Nísibis empezó bien, pero, poco a poco, fue complicándose: el sol estaba en lo alto del cielo cada día más horas; sus rayos parecían derretirlo todo; los legionarios obtuvieron el permiso para retirarse los cascos de metal, que se calentaban en demasía, y cubrirse la cabeza con pañuelos protectores. Y el agua, pese a haber salido bien pertrechados desde Edesa, escaseaba. Todos los pozos de la ruta estaban secos.

Julia miraba desde el interior del carruaje en el que viajaba junto con los pequeños Basiano y Geta. Severo ya no se molestaba en sugerir que se quedara en retaguardia, en Edesa. El hecho de que ella y los niños lo seguirían a todas partes parecía algo que ambos, más allá de estar de acuerdo o en contra, aceptaban como un hecho sobre el que ya no se debatía.

Los niños dormían plácidamente en el carro. Se acostaban tarde aprovechando las horas del anochecer para jugar y correr sin sentir el sol abrasador sobre ellos y luego dormitaban en el carruaje por las mañanas. A Julia no le parecía mal. Su objetivo esencial seguía siendo que ni los niños ni ella supusieran molestia alguna para su esposo, y si esa dinámica funcionaba con los pequeños para que estuvieran tranquilos en las penosas marchas hacia el corazón de Mesopotamia, perfecto.

Pero aquella mañana Julia estaba inquieta. Se había asomado un par de veces por entre las cortinas que los protegían del sol y había visto ese cielo de un azul extraño en medio de una absoluta y peculiar calma. Un sosiego en mitad del desierto que ella conocía bien. Su marido también sabía de desiertos, como los que había al sur de su Leptis Magna natal, pero quizá no leía con su misma clarividencia los cielos más orientales del mundo, unos horizontes que ella conocía mejor. Lo había visto en Siria y además estaban las decenas de historias de los dueños de las grandes caravanas que se paraban antaño en casa de sus padres y relataban las terribles fuerzas que asolaban el desierto en aquella región.

Y todo encajaba.

Podía sentirlo.

Sacó una mano del carruaje y percibió el aire potente que se había levantado. Y era solo el principio.

Volvió a asomarse fuera. Las legiones avanzaban en paralelo a unas colinas. No eran grandes montañas, pero, sin duda, eran un punto elevado con respecto al valle desértico por el que transitaban.

Julia se dirigió a uno de los jinetes que escoltaban el carruaje de la familia imperial.

—¡Decurión, ve a donde está el *Imperator Caesar Augustus* y dile que su esposa ha de hablarle!

El jinete la miró confuso. Al oficial se le hacía un mundo abandonar las proximidades del carruaje, pues las órdenes recibidas de sus superiores eran no hacerlo nunca, y además hacerlo para ir a donde estuviera el emperador e interrumpirlo en su avance hacia Nísibis parecía una osadía imperdonable.

—¡Por El-Gabal, oficial, es urgente! —insistió Julia con tanta autoridad, sin dar opción alguna a réplica, que el decurión sacudió las riendas de su caballo, lo azuzó con los talones e inició un galope intenso. En su mente cobraba fuerza la idea de que si iba y volvía rápido, sería como incumplir menos las instrucciones recibidas.

En cualquier caso, cuando llegó a la altura del emperador estaba sudando. Y no era solo por el calor.

Severo sintió que había movimientos en los jinetes de su propia escolta, en la vanguardia del ejército.

—¿Qué ocurre? —preguntó.

—Es uno de los caballeros del cuerpo que protege a la emperatriz, augusto —respondió Julio Leto, que cabalgaba junto al emperador a modo de jefe de la guardia imperial de campaña. Plauciano, el jefe del pretorio, permanecía en Roma—. Dice que la augusta Julia solicita hablar con el emperador. Parece que es urgente. Así lo ha planteado la emperatriz.

Severo mantuvo el paso de su caballo sin detenerse mientras pensaba. Julia había venido a toda aquella campaña contra su criterio. Era cierto que, sobre todo en la parte final de la contienda contra Nigro, se había probado una aliada importante para que diferentes ciudades de Siria, especialmente Emesa, recibieran con menos hostilidad a sus legiones, y eso había supuesto un alivio en el final de la campaña contra Nigro y había facilitado el abastecimiento del ejército sin tener que recurrir al uso sistemático de la fuerza. Y también era indiscutible que su esposa nunca había demandado nada en todo aquel tiempo, excepto ir a Emesa, que se probó como un acierto. Incluso había sobrellevado con paciencia su enfado por no haber aceptado su criterio de que ella debería haber permanecido en Roma. Julia había callado también cuando se acostaba con esclavas. Y solo había intervenido muy esporádicamente en el *consilium augusti*. Y cuando lo había hecho, había sido con criterio. Pero pedir, lo que era pedir, no lo había hecho nunca desde que salieron de Roma. Desobedecer sí. Eso siempre, como cuando le ordenó que se retirara de la batalla del golfo de Issus y no lo hizo..., pero se estaba perdiendo en los reproches de siempre. Era verdad que Julia en varias ocasiones a lo largo de la campaña había solicitado verlo, pero más como un ruego que como una demanda urgente. La cuestión era que aquella era la primera petición precisa que hacía Julia en todo el viaje desde que salieron de Emesa. Tiró de las riendas y detuvo el caballo. Pensó en los niños. ¿Estaría alguno enfermo? Galeno estaba lejos: seguía en Pérgamo, con sus investigaciones, según había informado por carta. Tenía que reclamar su incorporación al séquito imperial en cuanto regresaran de Mesopotamia, pero ahora era tarde para eso...

Severo dio media vuelta y galopó en paralelo a las legiones hacia el carruaje de la emperatriz. Los soldados podían verlo todo y era muy evidente que el emperador iba a hablar con su mujer. Eso no había pasado en todos aquellos meses de campaña. La curiosidad de los legionarios, aburridos y agotados por aquellas largas marchas hacia Nísibis, era inmensa. ¿Qué estaría pasando?

Septimio Severo detuvo su caballo junto al carruaje e hizo que reiniciara un lento avance al paso para cabalgar en paralelo con el vehículo que transportaba a su familia.

Julia entreabrió la tela que la protegía del sol del desierto e iba a hablar, pero su esposo se adelantó.

—¿Están bien los niños? Si se encuentran mal es normal. Ya te dije que una guerra no era lugar para mujeres o niños.

Julia, con la faz seria, engulló el enésimo reproche con aplomo.

—Los hijos del emperador duermen y están bien —comentó.

—Entonces... ¿por qué me has llamado?

Julia estuvo tentada de decir: «¿No lo ves?». Pero su esposo estaba rodeado de oficiales, entre otros el mismísimo Leto, y no quiso decir nada que pudiera dejarle en evidencia. Él debería darse cuenta, como ella, por su propia experiencia en los desiertos de su África proconsular natal, pero seguramente Septimio estaba demasiado centrado en los aspectos militares de aquella larga marcha como para prestar atención a los vientos del desierto. Si hubiera estado Alexiano, también podría haber recurrido a él para que corroborara lo que ella intuía, pero Severo había preferido que el leal Alexiano permaneciera en Edesa con el mandato de mantener abiertas las líneas de comunicación y aprovisionamiento entre el ejército que se adentraba en Mesopotamia y la retaguardia imperial.

—Se acerca una tormenta de arena —dijo Julia al fin—. Una tormenta grande.

Severo miró entonces hacia el cielo, percibió de pronto la intensidad del viento.

—Es cierto —admitió el emperador.

No añadió más. No tenía claro cómo actuar. Andaban escasos de víveres y agua y detener la marcha si luego no había tormenta sería una pérdida de tiempo que no podían permitirse.

—Hay que llevar las legiones a un lugar elevado —dijo Julia con seguridad—. Esas colinas de allí parecen el mejor sitio. Y luego deben prepararse todos para la tormenta. Los legionarios tendrán que acuclillarse detrás de sus escudos. Han de protegerse el rostro, sobre todo la boca y los oídos, con un pañuelo. Si está mojado mejor.

—Apenas tenemos agua para malgastarla mojando paños —apuntó Leto.

Severo miró a su oficial y asintió. La cuestión del agua era clave.

—¡Por El-Gabal, haced lo que queráis! —continuó Julia—, pero si la arena reseca la nariz, los legionarios al final morirán de asfixia. Otra alternativa es que usen aceite. De hecho, además del paño húmedo, es buena idea mojarse la base de la nariz con aceite. Eso ayudará a respirar. ¿Tenemos aceite?

—Aceite queda bastante —admitió Leto.

—Lugar elevado, protegidos con los escudos, los pañuelos húmedos en el rostro, aceite en la base de la nariz y respirar agachados tras los escudos —resumió la emperatriz con rapidez.

El lento avance del carro y los jinetes siguió unos instantes entre los crujidos de las ruedas al pisar, una tras otra, piedras y pequeñas rocas esparcidas por el camino arenoso y polvoriento.

—¿Qué hacemos? —preguntó Julio Leto mirando al emperador.

Severo continuaba con la mirada fija en el horizonte, escrutando aquellas nubes que se veían en la distancia, percibiendo en el rostro aquel viento que, poco a poco, parecía ganar intensidad. Cerró los ojos y cabalgó en silencio unos segundos, como si intentara sentir el desierto a su alrededor. Los abrió de golpe.

—Haremos exactamente lo que ha sugerido la emperatriz —concluyó tajante.

Leto se llevó el puño al pecho y se alejó cabalgando para dar las órdenes a todos los oficiales. Ni él ni los tribunos allí presentes tenían claro que fuera a haber una tormenta, pero nadie se atrevió a cuestionar la orden directa del emperador.

Severo siguió cabalgando junto al carro.

—¿Estaréis bien? —preguntó.

—Sí —respondió Julia, contenta de que por primera vez en mucho tiempo su esposo manifestara en voz alta preocupación por ella y los niños. Julia sabía que el afecto de su esposo hacia ella no había desaparecido por completo en ningún instante, pero también era muy consciente de que haberlo contravenido al insistir en acompañarlo en aquella campaña lo había irritado como nunca hubiera imaginado, y la gota que colmó el vaso fue su negativa a retroceder hacia Bizancio durante la batalla de Issus—. Sí, estaremos bien —confirmó—. Tengo agua y aceite suficiente para los tres y en el interior del carruaje estaremos bien protegidos.

Severo no la miró en ningún momento a los ojos, pero asintió antes de tirar de las riendas de su caballo para volver a las posiciones de vanguardia.

El emperador cabalgó rodeado por los hombres de su escolta, sin hablar con nadie durante un rato, mirando a un lado y a otro, observando cómo las tropas empezaban a cambiar de dirección en su avance y se dirigían ahora hacia las colinas que Julia había señalado. Leto se reincorporó a las posiciones avanzadas del ejército y se reunió de nuevo con el emperador.

—Augusto, entiendo lo de los paños húmedos, lo del aceite en la base de la nariz y lo de protegerse con los escudos —empezó a decir el *legatus*—; incluso comparto la idea de detener las legiones, pues, si en efecto viene una tormenta de arena, mejor que nos encuentre a todos prevenidos. De lo que no estoy seguro es de llevar a las legiones a lo alto de las colinas. ¿No estaríamos más seguros, más resguardados de la arena, al pie de las mismas?

Severo miró hacia el horizonte.

—La tormenta vendrá por allí. —El emperador señaló hacia oriente—. ¿Ves aquellas nubes? Yo las tendría que haber visto antes. No, la emperatriz no se equivoca en que se acerca una tempestad de arena. Y tampoco yerra en lo de ir a una posición elevada. —Y se volvió hacia el *legatus*—. La arena, Leto, pesa. Cuanto más alto menos arena, cuanto más bajo más arena. Lo he visto en África en mi niñez. Y aquí será igual.

Julio Leto ya no dijo nada más. Parecía que tanto el emperador como la emperatriz sabían más de desiertos que él y no tenía sentido plantear más dudas.

Las legiones se situaron en las cimas de las colinas. Los centuriones empezaron a distribuir las cohortes como si fueran a levantar un campamento, pero dieron la orden de que no se alzara tienda alguna, sino que cada hombre excavara un pequeño agujero en el suelo, no muy profundo, pero sí lo suficiente para hundir en él el escudo y colocarse detrás agachado. Se distribuyó algo de la poca agua que había con la orden expresa de que no era para beber, sino para humedecer los paños con los que protegerse el rostro. También se distribuyó aceite de oliva y se dieron las indicaciones a todos sobre cómo usarlo.

Hubo algunas bromas con relación a esto último, pero los

legionarios fueron disciplinados y todo se ejecutó según ordenaban los oficiales al mando.

—Dicen que es la emperatriz la que ha detectado que viene una tormenta de arena —decían algunos centuriones.

—Ella es de estas tierras —comentaban muchos legionarios—. Conoce el terreno.

El viento arreciaba con más fuerza a cada momento

Los soldados podían ver cómo la arena que los rodeaba comenzaba a elevarse ligeramente. Al principio, eran solo unos granos los que se levantaban del suelo y eran arrastrados por la furia de Subsolanus, el dios del viento del este, pero al poco tiempo todos se encontraron envueltos en una nube, aún no muy densa, a través de la cual podían vislumbrar en el horizonte un enorme muro de tierra en suspensión que se aproximaba hacia ellos.

Julia observaba desde el interior del carruaje. La emperatriz había ordenado que quitaran las telas que lo cubrían, pues podrían inflarse como velas por la fuerza del aire y volcar el carro poniendo en peligro la vida de los niños y la suya propia.

—Nos quedaremos dentro —les explicó a los pequeños Basiano y Geta mientras mojaba sendos pañuelos con agua y se los ataba ella misma por detrás del cuello asegurándose luego de que les taparan bien el rostro y las orejas—. Nos apoyaremos en las maderas del lateral del carro y estas serán nuestro escudo. ¿Me habéis entendido?

—Sí, madre —respondieron los dos niños al unísono.

Los sintió nerviosos. Julia les habló entonces con una sonrisa en los labios.

—Va a ser vuestra primera tormenta de arena. Es un espectáculo grandioso.

Sus palabras sirvieron para transformar el incipiente miedo de sus hijos en emoción, pero en cuanto ambos se giraron para otear el horizonte y ver el muro de tierra que se les acercaba a toda velocidad, la faz de Julia se tornó muy seria.

—Y para ti, madre, ¿es esta también tu primera tormenta de arena? —preguntó Basiano sin dejar de mirar hacia la amenaza.

—No, hijo. Yo he visto otras tormentas —respondió Julia—.

Lo esencial es agacharse y cerrar los ojos cuando yo os diga, ¿de acuerdo?

—Sí, madre —respondieron los dos niños.

—Yo no tengo miedo —añadió el pequeño Geta.

—Sí que tienes —replicó Basiano, y le pegó un puñetazo en el hombro para apartarlo de su lado—. Siempre tienes miedo.

—¡Eso no es cierto, no lo es! —gritó Geta en su defensa, pero Basiano no lo escuchaba. El hermano pequeño dedicó una mirada repleta de rabia al hermano mayor. ¿De odio?

Julia no estaba para riñas de niños. La tormenta se cernía ya sobre ellos.

—¡Por El-Gabal, agachaos, ahora! —gritó Julia—. ¡Y por lo que más queráis, cerrad los ojos!

La tormenta pasó sobre el desierto con la furia brutal de un Subsolanus desbocado y sin control. Los soldados sintieron cómo, poco a poco, los enterraba un mar de arena. Solo los pañuelos húmedos y el aceite en la base de sus fosas nasales ayudaban a respirar. Muchos tuvieron claro que sin aquellos preparativos, protegidos tras sus escudos, quizá o no hubieran sobrevivido o, con seguridad, lo habrían pasado aún peor.

Pero hasta la más devastadora de las tempestades tiene un fin.

El viento se arrastró por el desierto alejándose de aquellas colinas.

Los soldados empezaron a desenterrarse a sí mismos. La mayoría de ellos estaban cubiertos de arena por completo, pero emergían, como un ejército que surge de las entrañas de la tierra. Y estaban furiosos por las penurias sufridas, estaban rabiosos por aquella tormenta, por la falta de agua y por las largas marchas que aún tenían por delante. Pero todos odiaban al mismo enemigo: a los adiabenos que seguían asediando la fortaleza de Nísibis.

A los pocos días, cuando las legiones de Panonia, Mesia y Siria terminaron la travesía de aquel infinito desierto y sus miles de legionarios se vislumbraron en el horizonte de Nísibis, los adiabenos que cercaban la ciudad no podían dar crédito a lo que veían: nadie había cruzado el desierto con un ejército tan grande en medio del verano en años. Simplemente era una locura. Pero los romanos estaban allí.

Las legiones no tuvieron casi ni que recibir órdenes. Solo querían masacrar a los adiabenos, destrozarlos, aniquilarlos del todo. No buscaban prisioneros, no sentían misericordia. Mataron y mataron durante toda una larga tarde de estío sangriento. Hasta que no quedó ni un guerrero enemigo en pie, hasta que la guarnición romana de Nísibis fue completamente rescatada de aquel largo asedio.

Solo entonces se permitieron los legionarios sentarse, a veces sobre cadáveres, y reclamar agua. Y el preciado líquido llegó en abundancia, desde la ciudad y también desde los pozos que hasta hacía poco habían controlado los sitiadores, y también acarreado por partidas de aguadores enviados por Severo a los torrentes próximos.

Y los legionarios del emperador de Roma, saciados en sus ansias de venganza y en su sed, supieron que su emperador velaría por el resto de cosas importantes: sus salarios, el reparto del botín, y una distribución adicional de víveres y vino para todos.

LII

MATER CASTRORUM

**Praetorium de campaña de Severo frente a Nísibis
Verano de 195 d. C.**

Septimio Severo estaba contento. Había decidido permanecer fuera de la ciudad por si aún había traidores en su interior que pudieran atentar contra su vida, pero, por lo demás, estaba tranquilo y muy satisfecho: había derrotado a Nigro, lo había aniquilado; se había paseado triunfalmente por Siria; en Emesa, la patria de su esposa, los habían recibido como libertadores, como héroes. Y, por si eso fuera poco, había culminado una campaña victoriosa contra los reinos de Osroene y Adiabene, que se habían sublevado contra Roma. Había castigado las ciudades rebeldes y había salvado las guarniciones que se habían mantenido fieles a Roma, como Nísibis, y había anexionado dos nuevas provincias al Imperio: Osroene, primero, y ahora, tras la última victoria, la de Mesopotamia. Solo Trajano había llegado más lejos, pero después de muchos años de gobierno y tras muchas campañas. Su *imperium*, sin embargo, apenas había comenzado. Quizá, después de todo, sí que terminaría habiendo algún monumento en Roma que declarara al mundo presente y futuro sus grandes gestas, como el Mausoleo de Augusto o la Columna de Trajano. Aún tenía frescas en la memoria las líneas de las hazañas del primer emperador reproducidas en el monumento que había visitado en Ancyra.

Septimio, sentado en su *sella curulis* de campaña, apuró la copa de vino que tenía en la mano hasta que no quedó ni gota. Estiró el brazo y el esclavo de cámara que lo acompañaba rellenó el vaso con rapidez. A Severo le costaba borrar la sonrisa de su rostro. Nada podía amargarle el placer de aquellas copas aquella noche de verano en el corazón de Mesopotamia, junto a la liberada Nísibis.

Nada ni nadie.

Además, celebraba a sabiendas de que sus propios legionarios también estarían degustando el vino que extraordinariamente, a su cargo personal, habían distribuido entre las tropas.

Y es que había mucho y bueno por lo que beber.

Había adquirido los nuevos títulos de *parthicus arabicus* y *parthicus adiabenicus*. Había sido cuidadoso al no aceptar el de *parthicus* a secas, o *parthicus maximus*, lo que habría implicado que asumía una victoria sobre el emperador de Partia. No quería soliviantar, al menos no aún, a Vologases V. Eso podría llegar, pero tenía primero que afianzarse en el poder, volver a Roma, asegurarse de que todo estaba bajo control. Luego, ya se vería. Más adelante todo podría ser. ¿Por qué no avanzar hasta donde llegó Trajano? ¿Por qué no conquistar toda Partia y resolver de una vez para siempre el problema de aquel incómodo y belicoso vecino de Oriente?

Echó otro largo trago de vino.

—¡Aaaahh! —exclamó de pura satisfacción. Estaba bueno. El vino sabía mejor con la victoria.

Además, aquella campaña había servido, ciertamente, como había planeado, para unir a las legiones que hasta hacía poco habían estado enfrentadas a muerte, en bandos opuestos, unas con él y otras con Nigro; había llevado a Mesopotamia sobre todo fuerzas de Panonia y Mesia, pero también había incorporado *vexillationes* de legiones de Siria para que lucharan todas estas tropas unidas contra un enemigo común y extranjero, que es lo que más une a los soldados y a los pueblos. El enemigo exterior había sido el bálsamo perfecto para restañar las heridas entre legionarios de Oriente y del Danubio. Todo había salido tal cual lo había diseñado.

Echó otro trago.

El vino cada vez sabía mejor.

Era bueno. No ya el vino, sino él mismo. Era buen militar y no mal político. Por eso se había impuesto sobre Juliano y sobre el Senado y sobre Nigro y hasta sobre los osroenos y los adiabenos. Sí, era muy bueno. Con esta última victoria llevaba acumuladas ya siete aclamaciones como emperador por sus tropas, eso en apenas dos años. La quinta, la sexta y la séptima tras la victoria sobre Nísibis y los últimos núcleos de resistencia en la región. Pocos emperadores podían exhibir una lista de aclamaciones como esa. Tenía casi hasta ganas de llorar de pura felicidad. No, nada ni nadie, de ninguna manera, podría aguarle la fiesta absoluta de aquella velada a solas en su *praetorium*, la tienda de campaña desde la que dirigía un Imperio casi infinito, desde Caledonia hasta más allá del Éufrates, ahora hasta el Tigris, desde el Rin y el Danubio hasta los desiertos de su tierra natal en África.

De pronto se separaron las telas de la entrada al *praetorium* y las figuras de Leto, Valeriano, Anulino y Cándido, sus *legati* de confianza, los hombres con quienes había conseguido todas aquellas victorias, aparecieron ante él.

—¿Ocurre algo? —preguntó Severo, pero relajado, sin suponer que pudiera haber surgido el más mínimo problema, sin imaginar que pudiera haber contratiempo alguno en toda Mesopotamia, en todo Oriente, en todo el Imperio romano, capaz de alterar su paz perfecta en medio de la victoria absoluta sobre todos sus enemigos.

Valeriano, Anulino y Cándido miraron a Leto. Este no necesitó volverse hacia ellos para saber qué esperaban de él. Era el que más tiempo llevaba con Severo, desde Panonia Superior e incluso antes. Era quien había entregado a Severo la cabeza de Nigro. Lo que iban a decir era delicado. No tenían ni idea de cómo se lo iba a tomar el emperador, así que habían acordado que Leto, que tenía más confianza con el augusto y era a quien este más valoraba, fuera el que tomara la palabra.

—Augusto... —empezó Leto, pero no continuó.

—Sí, dime —replicó Severo—. La verdad es que llegáis en buen momento para compartir algo de vino conmigo. —Se volvió hacia el esclavo—. Copas y más vino para todos.

Calidio salió raudo a por todo lo necesario.

En apenas unos instantes, los cuatro altos oficiales romanos tuvieron copas de oro repletas de vino. El emperador se había levantado y tenía la suya dispuesta para brindar.

—¡Por Roma unida! ¡Por la derrota de todos nuestros enemigos y por Júpiter! —exclamó levantando su copa.

—¡Por Roma unida, por el emperador Severo, por Júpiter! —dijeron los cuatro oficiales al unísono, como si lo tuvieran preparado. Les salió del corazón. Se sentían muy identificados con Severo y con su forma de hacer las cosas, en Roma, en las fronteras del Imperio, contra los enemigos..., pero habían venido a manifestar una cuestión, a reclamar algo.

Leto apuró su copa y la dejó en la mesa que había en un lateral de la tienda. Volvió al centro del *praetorium* y se encaró con el emperador.

—Veníamos, augusto, porque hay un asunto del que no dejan de hablar los legionarios.

Septimio Severo borró un poco la sonrisa de su rostro. Por su cabeza empezaban a pasar muchas ideas sombrías, pero la felicidad de las victorias aún hacía que las percibiera como posibilidades muy lejanas. ¿Habría algún problema con el reparto del botín de guerra? ¿No se estaba atendiendo a los heridos correctamente en el *valetudinarium* militar? ¿Se acercaba algún nuevo ejército? ¿Había decidido Vologases contraatacar? Pero ¿no estaba ocupado en Media con una rebelión? ¿No se habían satisfecho los pagos de los salarios convenientemente?

—¿De qué hablan los legionarios? —preguntó, aún relajado, pero intuyendo un problema. ¿A quién debería el final de su feliz noche de victoria?

Leto tragó saliva.

—Es sobre la emperatriz —dijo, al fin, el *legatus*.

Septimio Severo dejó de sonreír.

Desde un principio sabía que, pese a sus indudables contribuciones positivas, la presencia de su esposa originaría conflictos con sus tropas. No podía imaginar ahora qué podría ser, pero, después de batallas y viajes, al final de todo, ahora llegaban los problemas. Pensaba que los soldados se habían acostumbrado ya a la presencia de su esposa en campaña, pero quizá no.

Severo se sentó despacio en la *sella curulis*.

—¿Qué dicen los legionarios de Julia?

Leto se explicó.

Con detalle.

Septimio Severo escuchaba mientras se masajeaba las sienes con las yemas de los dedos de ambas manos.

Tienda de la emperatriz Julia Domna, frente a Nísibis

La emperatriz de Roma se había soltado el pelo. Las esclavas lo habían lavado, cepillado y perfumado. De hecho, Julia había aprovechado la abundancia de agua, ahora que estaban junto a una Nísibis reconquistada, para bañarse por completo. Llevaba una *palla*, una *stola* y una fina túnica de algodón, pero todas eran prendas finas y algo ceñidas, de modo que bajo las mismas podía adivinarse la hermosura de las curvas de su silueta esbelta, de su piel tersa, de sus senos firmes. Se mantenía hermosa. Y ella lo sabía. Y contaba con ello. Se sentía esperanzadoramente bien. La victoria total conseguida en Oriente tendría que relajar a su esposo.

Suspiró.

Echaba de menos a su hermana, pero Maesa se había quedado en retaguardia, en Edesa, junto con Alexiano, a quien Severo había pedido que velara por la seguridad en el reino vecino de Osroene mientras él mismo se adentraba en Mesopotamia. Aquello tenía un sentido estratégico, pero le había privado a Julia de su mejor compañera en aquel viaje sin fin.

Se oyeron voces en el exterior de la tienda. Julia reconoció de inmediato la poderosa voz de mando de su esposo. Las telas de la puerta se descorrieron con rapidez y su marido entró sin pedir permiso ni dar aviso previo alguno.

Julia se giró para recibirlo de frente.

—Salid —dijo ella, y todas las ornatrices dejaron los frascos con ungüentos, cremas y aceites y abandonaron la tienda velozmente.

Septimio Severo, que había entrado con tanta brusquedad, se hizo a un lado para ceder el paso a las esclavas de su esposa. Una vez que estuvieron solos, empezó a caminar en círculo alrededor de Julia. No podía evitar, como hombre, admirar la figura delgada, espigada, el contorno suave de las formas, la piel morena de su mujer siria, el largo pelo lacio recién peinado y todo envuelto en aquel embriagador perfume de pétalos de rosa que la emperatriz gustaba de repartir por toda la estancia antes de acostarse.

—Los hombres..., mis oficiales, Leto al frente de todos, han venido a hablar conmigo..., sobre ti, sobre tu presencia en el ejército de campaña —dijo, al fin, el emperador.

Julia asintió, pero no entendía. Durante toda la campaña contra Nigro, Septimio había tolerado su presencia en el ejército, casi como un bagaje más que transportar. Tampoco es que la hubiera tratado con desprecio: con rabia sí, tras la batalla de Issus. Pero cuando llegaron a Emesa y él permitió que ella se mostrara tras él, con los niños, en aquella entrada triunfal en su ciudad natal, tuvo la sensación de que las cosas marcharían mejor entre ambos. Y con el propio ejército. Pero... ¿ahora los oficiales se quejaban de ella? Por primera vez en mucho tiempo, Julia se sentía en la oscuridad sobre lo que estaba pasando a su alrededor, y era algo que la incomodaba mucho.

—¿Sobre mi presencia? —repitió para ganar tiempo y pensar.

Su marido seguía rodeándola y mirándola con ojos encendidos. Esa mirada sí sabía interpretarla Julia, pero le extrañaba detectarla en su esposo cuando los oficiales de las legiones habían ido a quejarse de ella.

—Me han sugerido, no, mejor dicho, me han pedido —se corrigió Severo—; sí, mis *legati* me han pedido que seas nombrada *mater castrorum*.

Y el emperador, tras haberla rodeado por completo, se detuvo frente a su esposa.

Julia respiraba con aparente sosiego, pero su corazón latía con fuerza.

—¿*Mater castrorum*, madre del ejército, como Faustina, la mujer de Marco Aurelio? —preguntó ella.

—Sí.

—Eso no es..., no parece malo.

—No.

—Eso significa que las legiones están contentas conmigo, con mi presencia en esta campaña —continuó Julia, despacio, en voz baja. No tenía por qué levantar la voz. Su marido se estaba acercando.

—Sí —dijo Severo. Y dio un paso más hacia ella. Apenas estaban separados por un espacio mínimo. Él frente a ella. Los dos en pie.

—Eso quiere decir... —susurró ahora ella al oído de él, pues Septimio había acercado el rostro a su cuello para olerla, para sentir su fragancia, su esencia—; eso quiere decir que yo tenía razón cuando insistí en acompañarte en esta campaña.

Septimio Severo se separó un poco, apenas un pequeño paso hacia atrás, pero sin dejar de mirarla con los ojos brillantes.

Ella, a su vez, tenía las pupilas clavadas en él, esperando.

Severo tardó en decirlo, pero lo dijo.

—Sí.

Julia Domna cerró entonces los ojos un instante. Luego los abrió para volver a hablar.

—¿Y qué vas a hacer? —preguntó ella.

—Nombrarte *mater castrorum*.

—Además de augusta.

—Sí. En esta campaña yo he añadido a mi dignidad de augusto los títulos de *parthicus arabicus* y *parthicus adiabenicus*. Parece justo que mi esposa añada también a su dignidad de augusta otro título, y más aún si es por petición de mis tropas, ¿no crees? —especificó él—. He venido a informarte.

—Ya me has informado.

—Sí.

Pero él no se movía.

Ella tampoco.

—¿Hay algo más que retenga al emperador en mi tienda? —preguntó Julia.

—Sí.

—¿Qué?

Pero Severo no respondió.

—¿Puedo hacer algo por el emperador?

—Podrías desnudarte —respondió él.

Julia Domna no dijo nada.

El tiempo de hablar había terminado.

El tiempo de no hablarse entre ellos también.

La emperatriz se llevó la mano izquierda al hombro derecho y soltó la fíbula de su *palla*, que cayó al suelo suavemente, sin hacer ruido alguno. Luego se retiró la *stola* de resplandeciente lana azul. Acto seguido, siempre sin moverse un ápice del lugar en el que se encontraba frente a su esposo, estiró hacia abajo y con fuerza de su túnica interior, de modo que dejó al descubierto el hombro. Después hizo lo mismo con su mano izquierda, estirando de la túnica en el lado opuesto.

La fina tela de algodón cayó al suelo dejando a Julia completamente desnuda ante su marido. Él le tendió la mano y ella la cogió con la suya. Él tiró de ella hacia el lecho y ella lo siguió con docilidad, sin oposición alguna. Su marido ya no yacería con esclavas. Todo volvería a ser como antes. No. Mejor. Como antes pero con poder absoluto.

Hicieron el amor con ansia, con dulzura, con pasión, con cariño.

Sin prisa.

Un rato largo.

Al final, él quedó con el pecho desnudo, sus ojos mirando hacia el techo de la tienda. Lo veía moverse por el viento del desierto que agitaba la tela.

Julia reposaba la cabeza en su cuerpo.

—¿En qué piensa el emperador de Roma?

—En que ahora me doy cuenta de cuánto te echaba de menos.

—Yo también —admitió ella.

Severo pasaba la mano izquierda por el pelo lacio azabache de su mujer. Le gustaba el tacto de sus cabellos limpios.

Julia sonrió.

—Somos un matrimonio imperial extraño —dijo ella.

—¿Por qué dices eso?

—Porque nos queremos. Incluso nos enfadamos como novios y luego nos reconciliamos en la cama. Eso solo lo hacen los amantes de verdad.

—Llevas razón —aceptó él.

Estuvieron así, echados el uno junto al otro, abrazados, escuchando cómo el viento del desierto agitaba las telas de la tienda, sin decirse nada, un tiempo.

—¿Quieres repetir? ¿Tiene el emperador de Roma fuerzas para repetir? —dijo ella con tono entre travieso y desafiante. Ciertamente ella también lo había echado mucho de menos.

—El emperador de Roma tiene fuerzas para eso y mucho más —replicó él con aplomo, girando su cuerpo hacia el de ella.

—A ver si es verd...

Pero Julia no pudo decir más, pues los labios de su esposo estaban ya sobre su boca.

LIII

—

DIARIO SECRETO DE GALENO

Anotaciones sobre el final de la expeditio mesopotamica

A mi entender, Julia podría haberlo dejado ahí.

Podría haberse conformado.

Pero no.

Muchos la han criticado luego por ambiciosa. Es posible que lo fuera. Mas acaso, si era culpable de esa debilidad, ¿no es esa misma ambición la que ha movido a tantos hombres que tenemos en tan alta estima, como Alejandro, Julio César o Augusto?

Sí, lo acepto, Julia era muy ambiciosa. Como muchos de los que la rodeaban. Solo había una diferencia sustancial entre ellos y ella. Bueno: dos diferencias. En primer lugar, ella era mujer y ellos hombres. En segundo lugar: ella era más inteligente.

Tras la recuperación de Nísibis, pasaron el invierno en Laodicea, la pequeña ciudad al sur de Antioquía que Severo había designado, finalmente, como nueva capital en detrimento de su gran vecina del norte. Antioquía había actuado de cuartel general para Nigro y la ciudad abrazó esa causa con pasión. Demasiada pasión. Incluso muchos antioqueños se alistaron en el ejército de Nigro para ayudar al gobernador rebelde de Siria en la batalla de Issus. Severo, conseguida la victoria sobre su enemigo, muerto este y su mujer y sus hijos, no se conformó con la enorme cantidad de dinero que se vieron obligados a pagar los ciudadanos de la antigua capital de la poderosa provincia oriental, sino que la castigó también quitándole el rango cívico, rebajándola a la categoría de mero distrito de su rival del sur, Laodicea, a la que, por el contrario, el emperador otorgó el *ius italicum* y la designó como nueva capital de la provincia. Por eso la había elegido ahora Severo para descansar unas semanas tras su periplo por Mesopotamia y Osroene, mientras terminaba de reorganizar todo el Oriente del Imperio romano.

Julia, no obstante, una vez más, intercedió para evitar que la ira de su esposo se desatara sobre todo el territorio sirio. Él, en parte por complacerla y en parte también porque comprendía que debía ser ejemplar en castigar pero al tiempo contenido, tomó nota de sus sugerencias y la sangre no corrió a mares por toda la región. El emperador decidió dividir Siria en dos mitades: la nueva provincia de Celesiria al norte, con la nueva capital de Laodicea en perjuicio de una Antioquía caída en desgracia, y, al sur, Siria-Fenicia, con Tiro como principal ciudad. Era una medida humillante, pero no sangrienta y, sin duda, efectiva, para evitar o dificultar nuevos levantamientos.

Al augusto le habría gustado ser aún más duro, pero la contención era importante. Severo era un gran militar, pero Julia era la cabeza que regía, sin ser él consciente, su política. O quizá sí se daba cuenta, aunque, en el fondo, Severo deseaba lo mismo que ella: el poder total y sin discusión en el Imperio romano. Solo necesitaba que alguien lo empujara en esa dirección un poco. Y Julia se le acercó y le dio ese empujón final que faltaba para que Severo se lanzara ya a por todo, a por el último cabo suelto. Fue al final de una cena, si no me falla la memoria, a principios del nuevo año después de la reconquista de Nísibis.

LIV

UN NUEVO CÉSAR

Laodicea, Celesiria
Enero de 196 d. C.

—Aún tienes enemigos en el Senado —le dijo Julia al final de la larga *comissatio* que habían celebrado en su residencia de descanso en el centro de Laodicea.

—Lo sé —aceptó Severo—. Por eso opté por una reorganización administrativa de toda la región antes que por una sangrienta venganza. Siguiendo, entre otros, tus consejos.

—Sí —concedió Julia—, pero lo de autoproclamarte hijo adoptivo del divino Marco Aurelio lo has hecho sin consultarme. ¿Crees que era necesario? —preguntó ella, cogiendo con su mano de dedos finos algo más de queso de la mesa que tenía delante de su *triclinium*.

Todo el mundo se había marchado y ella apenas había probado bocado durante la cena, atendiendo a unos y a otros, escuchando o participando en las conversaciones, valorando, sopesando, observando a los *legati* de su esposo, a Leto, a Alexiano, a su propia hermana, con los que se habían reunido en Laodicea tras la separación impuesta por la *expeditio mesopotamica*. Una vez solos se dio cuenta de que tenía hambre.

—Aparecer como hijo de Marco Aurelio me legitima ante el ejército, ante el Senado, ante todos —afirmó Severo con rotundidad. Era cierto que no había consultado a Julia sobre aquel punto, pero nunca pensó que le pareciera mal—. Sé que es un nombramiento que me he arrogado yo, no que hiciera el divino Marco Aurelio en vida, pero al proclamarme como hijo suyo reafirmo mi autoridad, y si será un modo de averiguar si hay alguien que se atreva a manifestarse en mi contra de forma pública, en caso de que lo vea como un sacrilegio.

—Tras siete aclamaciones como *imperator* por parte de las legiones no creo que muchos alcen la voz contra ti —comentó ella, siguiendo la corriente a su esposo. Julia quería introducir otro tema en la conversación, pero esperaba el momento oportuno—. ¿Has ordenado acuñar monedas que reflejen esta nueva relación entre el divino Marco Aurelio y tú?

—Sí —confirmó el emperador al tiempo que asentía con la cabeza—. Tiene que saberlo todo el mundo. Desde aquí hasta Britania, pasando por Roma.

—Ahora que mencionas Roma, ¿cuándo regresaremos allí?

Él sonrió.

—Me sorprende esa pregunta de tu parte.

—¿Por qué? —inquirió Julia con curiosidad sincera.

—Imaginaba que te gustaba estar aquí, en tu tierra. Apenas estamos a unas decenas de millas de Emesa, tu ciudad natal. No pensaba que tuvieras interés en regresar a la capital del Imperio.

—No, esposo mío. Es más bien al contrario. Quería saber cuánto tiempo más me queda de disfrutar de este dulce retorno a mi patria.

—Ah. Eso ya lo entiendo mejor. Pues, la verdad, no depende de mí.

—¡Oh! ¡Por El-Gabal! —exclamó la emperatriz sorprendida—. Esto sí que es inesperado. ¿Hay alguien que decide por el emperador?

—No —respondió él serio y tajante—. Eso no debe ocurrir nunca. Son nuestros enemigos los que aún nos retienen aquí.

—Creía que todos estaban derrotados —replicó Julia algo confusa.

—En gran medida sí, pero Bizancio sigue sin rendirse y no me parece prudente retirarme de Oriente sin tomar y, en su caso, castigar convenientemente a todas las ciudades que en su día apoyaron a Nigro. Bizancio es un núcleo de resistencia débil, pero no me iré de la región hasta que esté conquistada. Mi hermano Geta y Cilón siguen allí. Hace más de un año que arrojaron con una catapulta la cabeza de Nigro al interior de las murallas de Bizancio, pero aun así la ciudad sigue sin rendirse. Y, bueno, luego queda el asunto de Vologases V de Partia.

—¿También quieres enfrentarte a Vologases?

—Partia es una cuestión pendiente desde hace mucho tiempo. Si Adriano no se hubiera retirado en su momento, si hubiera terminado lo que inició Trajano, quizá no habríamos tenido todas las guerras que hemos padecido desde entonces. Lucio Vero los castigó, pero tampoco resolvió el asunto y Vologases ha jugado a apoyar a Nigro. Quizá de modo indirecto, soliviantando a Osroene y a Adiabene contra mí, pero su actitud merece castigo. Sin embargo, es cierto también que hemos de ir a Roma lo antes posible y comprobar que tenemos el control de la capital y del resto del Imperio antes de lanzar una campaña a gran escala contra los malditos partos. Por eso, en cuanto caiga Bizancio, iniciaremos el retorno a Roma. Por las últimas noticias que he recibido de Fabio Cilón, es cuestión de semanas que la ciudad abra sus puertas. Llevan casi dos años de asedio. El hambre los tiene muy debilitados. Mi hermano Geta también parece convencido de que la victoria es ya inminente.

Julia escuchó las explicaciones de su marido y no dijo nada durante un rato. Los dos esposos compartieron el silencio del atrio bebiendo vino entre las sombras, a la luz titilante de las lámparas de aceite distribuidas por aquel patio entoldado y al abrigo del frío nocturno.

Severo miró al techo elástico que el aire de la noche agitaba sobre ellos y pensó en salir al exterior un instante para ver las estrellas y comprobar si podría leer en la posición de los astros qué le tenía deparado el futuro para los próximos años.

—Creo que hay algo más que deberías hacer mientras esperamos a que Bizancio caiga —se aventuró a decir Julia.

Septimio Severo miró a su esposa directamente a los ojos. Ella no rehuyó la mirada sino que la mantuvo. No en actitud desafiante, no pretendía serlo, pero era una mirada encendida, pasional. La forma en la que le brillan los ojos a quien cree con vehemencia en lo que está pensando.

—¿Y qué es eso que crees que debería hacer? —preguntó el emperador.

—Nombrar a Basiano césar —respondió Julia.

Severo no reaccionó de inmediato. Se quedó contemplando a su esposa mientras meditaba sobre sus palabras.

—¿César? ¿Mi sucesor, mi heredero? —preguntó, buscando confirmación.

—Sí —respondió Julia, sin más.

—Tiene ocho años —contrapuso Severo.

—Pero un día tendrá catorce y vestirá la *toga viril* —argumentó Julia—. Seis años pasan rápido.

—Ya —dijo el emperador al tiempo que dejaba de mirar hacia su esposa y se centraba en examinar el fondo de su copa vacía—. Te recuerdo que ya hay un césar, un heredero oficial.

—¿Te refieres a Clodio Albino, el gobernador de Britania con sus tres malditas legiones que tanto miedo parecen dar a todo el mundo? —replicó ella con rapidez.

—Sí, por supuesto. A él me refiero. Y el problema no son sus tres malditas legiones, como las llamas, que también, pues la legión II *Augusta*, la XX *Valeria Victrix* y la VI *Victrix* están muy bien entrenadas y en permanente combate con las tribus del centro y el norte de Britania. Lo esencial es que Albino puede reunir más apoyos en torno a su persona si me enfrento con él.

—Tus legiones acaban de derrotar a Nigro primero y luego a los guerreros de Osroene y Adiabene —dijo Julia, ignorando el último comentario de su marido.

—No es lo mismo —opuso Severo muy tajante en este punto—: Nigro era un inútil como militar y un cobarde. Solo un necio pudo dejarse derrotar en Issus como lo hizo él. Si hubiera intervenido con su caballería en la parte final de la batalla, seguramente aún estaríamos en guerra y, con toda probabilidad, yo con mis legiones agotadas y pensando en pactar con él. Albino, sin embargo, es más hábil. Y en cuanto a las conquistas de Osroene y Adiabene, estábamos en franca superioridad numérica. Son buenas victorias, pero algo que siempre he procurado hacer es calibrar lo que se puede hacer y lo que no. Albino, además, puede conseguir adhesiones del ejército del Rin, de la legión VII *Gemina* de Hispania, me consta que el gobernador de allí es amigo suyo desde hace años, y quién sabe si alguna legión más se podría adherir a su causa. Puede reunir un ejército muy poderoso en poco tiempo. ¿Aún no hemos terminado una guerra, Bizancio agoniza pero ahí está, y ya me estás sugiriendo que provoque otra nueva? ¿Es eso lo que quieres? Y si pensabas en nuestro hijo como heredero, ¿por qué me pediste que nombrara a Albino como césar?

—Para que tuvieras la retaguardia segura mientras resolvías la rebelión de Juliano, primero, y luego la de Nigro. Y ha funcionado: Albino ha estado quieto.

—Sí... —admitió Severo en voz baja, pensativo—. Pero es más difícil suprimir un nombramiento como el de césar que otorgarlo.

La emperatriz miró al suelo. Sentía los ojos de su esposo clavados en ella. Julia había esperado a que pasaran varios meses desde la feliz reconciliación con su esposo en Nísibis antes de atreverse a pedir aquello. No quería tensar la cuerda con su marido de nuevo, como lo hizo en Roma cuando insistió una y otra vez, contra el criterio de Septimio, en acompañarlo a Oriente. Pero su reciente proclamación como *mater castrorum* había sido la prueba irrefutable de que sus intuiciones eran buenas. Y ella tenía un plan. Una estrategia mucho más grande y compleja de lo que el propio Severo acertaba a vislumbrar. ¿Era el momento de desvelárselo todo a su esposo? Quería hacerlo, pero en su fuero interno sentía que él aún no estaba preparado para comprender lo que había en juego. Septimio era un buen marido, un gran militar y un correcto administrador de todos los territorios bajo su mando, pero le faltaba perspectiva. Como a todos los hombres. No, no podía revelarle su plan completo. Aún no. Le sorprendía que él no lo viera, pero esa no era la cuestión. Tenía que intentar defender su postura de otra forma, sin enfrentarse directamente a su esposo.

—No digo que retires el nombramiento de césar a Albino, sino que añadas un segundo césar. Y das por hecho que Clodio Albino se levantará en armas contra ti si nombras sucesor a tu hijo mayor —apuntó entonces ella volviendo a mirar al emperador.

—Lo verá como un desafío. Concluirá que me he burlado de él. Pensará que nuestro pacto fue solo para que pudiera ocuparme de Juliano y de Nigro sin tener que estar mirando constantemente hacia mi espalda, tal y como tú misma acabas de expresar.

—Pero puedes enviarle mensajeros que le expliquen lo que ese nombramiento significa. Ha habido otras ocasiones en la historia de Roma en las que se nombró a más de un césar para garantizar la sucesión en caso de que un único heredero pudiera fallecer dejando en el aire la cuestión del relevo imperial y creando la posibilidad de una guerra civil. Augusto mismo nombró a dos césares. Tú lo sabes. Y Tiberio y Claudio también optaron por esa fórmula. No sería algo nuevo. Ha ocurrido antes. Y eso lo sabe Albino. Y el Senado.

—El Senado preferirá siempre a Albino. De hecho, lo prefiere a mí, como prefería a Nigro. Ambos son de origen aristocrático, patricio. Yo solo soy un rudo militar que ha ascendido en el *cursus honorum* por méritos propios, sin ese pasado noble que tanto gusta a los demás senadores. Mis aliados naturales en Roma son los *equites*, la clase inferior de los caballeros.

—Lo sé, pero no estamos hablando ahora de las preferencias del Senado, sino de nombrar a Basiano, a tu hijo, a nuestro primogénito, césar —insistió Julia, que veía que su marido empezaba a introducir demasiadas variables en el debate.

—Y ¿por qué ahora? —preguntó Severo—. ¿Cómo justificar eso ante Albino justo ahora?

La conversación se había encendido. Hablaban en voz alta, fuerte, aunque no había tensión entre ellos. Era un diálogo intenso, pero limpio. Eso le dio energías a Julia.

—Porque has ganado, porque has derrotado a Juliano y a Nigro tú solo; porque te mereces cobrarte un premio después de tantos esfuerzos. Veamos: Albino pacta contigo, acepta ser nombrado heredero, césar, a cambio de ser leal y no atacarte mientras tú avanzas, primero sobre Roma, para deponer a Juliano, y, después, hacia Oriente, para terminar con la amenaza de Nigro y su alianza con reyes extranjeros. ¿No lo ves? ¿De veras que no lo ves?

—¿Qué he de ver, mujer?

—Tú haces todo el trabajo sucio: tú te ves obligado a cruzar el Rubicón, transgrediendo la ley, con legiones armadas para acabar con el corrupto de Juliano; luego eres tú el que ha de ingeniárselas para desarmar y desmantelar la guardia pretoriana que se rebeló contra Pértinax; tú reorganizas Roma, Italia entera, y también tú eres el que tiene que combatir directamente, cuerpo a cuerpo, contra las tropas de Nigro. ¡Por El-Gabal! ¿Quién estaba en la batalla de Issus arriesgando su vida para derrotar a Nigro? ¿Tú o Albino? El maldito gobernador de Britania no hace nada y tú lo haces todo. Justo es que te cobres el premio de nombrar a tu hijo mayor como césar, en el mismo rango que Albino. No rompes tu acuerdo con él. No lo desafías. Basiano aún es pequeño. No es una amenaza inmediata para la posición de Albino. Hay años por medio en los que se puede hablar con él y afianzar el pacto que tenemos. Podrían acabar gobernando juntos. Eso también ha pasado. Marco Aurelio compartió el poder con Lucio Vero durante años y funcionó.

Julia calló. No podía decir nada más sin volver a perder la confianza de su esposo. Sabía que no podía ni quería permitírselo de nuevo. O lo que había argumentado bastaba para convencer a su marido o tendría que esperar otro momento.

—Tienes razón en todo lo que dices —admitió Severo hablando muy despacio. Sonrió a la vez que volvía a mirarla—. Se ve que llevas tiempo pensando en esto. Reconócelo.

Ella también sonrió.

—Sí, lo reconozco. Tú estás muy distraído derrotando enemigos, de batalla en batalla. Como no me dejas combatir, me entretengo pensando.

Severo echó la cabeza hacia atrás y lanzó una sonora carcajada.

—Quizá, mejor sería que te dejara luchar en una batalla campal. En retaguardia piensas mucho —apostilló el emperador cuando terminó de reírse.

—Por lo menos no te has enfadado conmigo. Temía que volvieras a dejar de hablarme durante meses.

Severo suspiró.

—No, no me enfado contigo. No me gustó hacerlo en el pasado y no tengo deseo alguno de repetir lo que nos pasó meses atrás. Y tiene mucho sentido todo lo que has dicho. ¿Crees que yo no he pensado en más de una ocasión que ese miserable de Albino está allá, cómodamente en Britania, mientras que yo, como decías, he tenido que desalojar a Juliano, a los pretorianos y a Nigro? Claro que lo he pensado. Y con rabia. Pero intento protegeros a ti y a los niños —continuó Severo—. Una guerra contra Albino no sería fácil. —Y le costó, pero añadió unas palabras finales—: No tengo claro que pueda conseguir la victoria contra él.

Los dos callaron un rato.

Se oía a algunos esclavos que, ante el silencio de sus amos, dirigidos por Calidio, se atrevieron a aparecer para retirar algunas bandejas de comida con viandas que no se habían consumido durante la velada y así también se dejaban ver por si el emperador y su esposa demandaban algo. Ni Severo ni Julia pidieron nada. Ambos tenían los pensamientos en otras cuestiones.

—Entonces... ¿nombrarás a Basiano césar? —preguntó la emperatriz en voz baja.

—No lo sé.

—No tiene por qué suponer una rebelión de Albino. Recuerda todo lo que hemos hablado. Ya ha habido dos césares, incluso dos emperadores alguna vez y...

Severo levantó la mano y Julia calló.

—Clodio Albino, querida, no es Marco Aurelio. No tiene su amplitud de miras ni su contención. Y conoces a su mujer..., ¿cómo se llamaba?

—Salinátrix —dijo Julia.

—Sí, exacto —continuó Severo—. Igual que tú hablas conmigo, ¿qué crees que le dirá su esposa a Albino? ¿Que confíe en mí, en nosotros? Tú misma me has dicho más de una vez que crees que te odia, por no ser romana.

Julia no respondió nada. Lo que comentaba su esposo sobre lo que Salinátrix sugeriría a Albino era muy cierto, sin duda alguna.

La emperatriz ya no volvió sobre el asunto.

—¿Nos retiramos? —preguntó ella.

Él sonrió. Esa era la frase que Julia empleaba últimamente, desde su reconciliación en Nísibis, para hacerle saber que le estaba invitando a yacer con ella. Él, por su parte, no era un ingenuo y sabía que ella, en el lecho, iba a insistir, entre beso y beso, en el nombramiento de Basiano como césar. En el fondo, le gustaba que Julia le rogara, le pidiera, le reclamara algo que anhelaba mientras yacían juntos. En esas ocasiones la entrega de su esposa a la pasión era de una intensidad que no había sentido con ninguna otra mujer, ni con su primera esposa ni con ninguna de las esclavas o heteras orientales con las que hubiera estado en su vida.

—Sí, me parece bien: retirémonos.

Septimio se levantó, ella también lo hizo y lo siguió en dirección a la cámara imperial del palacio que ocupaban en Laodicea.

En el atrio, Calidio y el resto de esclavos se apresuraron a recoger las mesas. Calidio se quedó mirando a la pareja imperial. Quería solicitarles algo, pero era tan difícil para un esclavo, incluso aunque fuera un *atriense*, el más veterano en el servicio de aquella familia, encontrar el momento adecuado para formular una petición...

En ese instante, de entre las sombras de las columnas que circundaban el patio, emergió la figura del pequeño Basiano, que pasó por entre los esclavos sin dirigirse a ellos. Los sirvientes, por supuesto, empezando por el propio Calidio, no osaron decir nada al hijo del emperador, sino que se limitaron a continuar con sus tareas de limpieza en silencio.

Basiano avanzó siguiendo la ruta que habían tomado sus padres para entrar en la cámara imperial. Se detuvo. No podía espiarlos allí. Miró a su alrededor. Los esclavos continuaban retirando platos y bandejas. Basiano frunció su pequeño ceño arrugando toda la frente: ¿conseguiría su madre persuadir a su padre?

Duroliponte,[37] **Britania**
196 d. C.

—Es esa zorra, esa maldita zorra —dijo Salinátrix, hablando con pasión, con furia mal contenida, sin levantar la voz, del modo en el que amenaza quien realmente va a cumplir lo que anuncia—. Julia no parará hasta tenerlo todo, hasta acabar con

37. Cambridge.

todos. Tienes que enfrentarte a Severo. Tienes que derrotarlo en batalla y acabar con su puta siria. Solo así tendremos paz y se podrán cerrar por largo tiempo las puertas del templo de Jano en Roma. Es esa maldita zorra —insistió—. Hay que matarla, pisotearla como a una cucaracha, como a la mísera araña que es, que no deja de tejer y tejer para enredarnos a todos en sus telas de mentiras. Te prometieron que tú serías el César, el sucesor de Severo, y mira cómo pagan tu lealtad.

Las noticias de que Septimio Severo había nombrado césar al mismo nivel que el propio Albino a su primogénito Basiano, apenas un niño de ocho años, acababan de llegar a Britania y Albino ya había iniciado un traslado de tropas hacia el sur. Unos días atrás, él mismo y su esposa habían comenzado el viaje hacia el *Mare Britannicum* partiendo desde Eboracum. Se habían detenido aquella jornada en Duroliponte, una pequeña fortaleza junto a un puente que permitía cruzar un estrecho pero caudaloso río.

Clodio Albino miraba y escuchaba a Salinátrix con atención. Decidió completar lo que su mujer decía repasando una vez más los detalles expresados por Severo en su última misiva:

—Septimio explica en su carta, e insiste en ello varias veces, que ya ha habido otras ocasiones donde han coexistido dos césares y luego dos coemperadores.

Pese a que Albino había puesto en marcha su maquinaria bélica, aún dudaba y buscaba un resquicio por donde salvaguardar la paz y mantener su pacto con Severo.

—¿Y tú crees de verdad que Severo ha nombrado a su hijo para que luego tú compartas el poder con su familia? —casi escupió la pregunta Salinátrix—. ¿Realmente crees lo que te dice en esa carta? Ayer te prometía el Imperio entero, hoy solo la mitad. ¿Y mañana? ¿Qué será? ¿Un cuarto del poder o solo, como ahora, gobernar esta maldita isla del fin del mundo donde no deja de llover y llover hasta que nos volvamos todos locos mientras esperamos, mientras otros, ellos, Severo y Julia, disfrutan de todo el poder de Roma? ¿Es eso lo que vas a ser siempre? ¿Su vasallo?

—Lo que me pides es una guerra —dijo Albino.

—Lo que te pido es justicia para ti, para mí y para nuestros hijos y para Roma entera. ¿Acaso el Imperio merece que lo gobierne un hombre que ni siquiera es de la alcurnia de la mayoría de los *patres conscripti*? El Senado, sin embargo, ve en ti al candidato óptimo y tú lo sabes. Tienes muchos más apoyos que Severo en Roma. Úsalos y emplea todos tus contactos con las legiones del Rin y con el gobernador Rufo en Hispania. Puedes conseguir un potente ejército en pocos meses. Habla con el único lenguaje que entiende Severo.

—Severo se sabe fuerte, mujer —opuso aún Albino—. Se siente potente. Ha conseguido muchas victorias. Eso es innegable.

—Ha conseguido muchas victorias —aceptó Salinátrix—; pero tiene sus tropas al borde de la extenuación: *expeditio urbica, expeditio asiatica, expeditio mesopotamica...*, estarán exhaustos. Y tiene que cruzar de nuevo todo el Imperio para traerse a sus legiones de Panonia y Mesia desde Siria. Sin descanso y agotados ya no valdrán tanto. ¿Cuántas guerras crees que querrán luchar esas legiones por Severo y por Julia?

—Eso es cierto —admitió él—, aunque... —Aquí Albino dudó unos instantes antes de decir lo que iba a decir, pero lo hizo, pese a que sabía que con ello irritaría aún más a su esposa—. Aunque a ella, a Julia, esas legiones la han nombrado *mater castrorum*.

—Porque ella es como una bruja que a todos engaña y a todos hechiza —replicó Salinátrix—. Incluso a ti da la impresión de haberte infundido miedo. No pareces el hombre que conocí, el hombre con quien me casé que no se detenía ante nada ni ante nadie. Pareces paralizado por el poder de esa maldita Circe extranjera. Pero yo estoy aquí para recordarte quién eres, los apoyos que tienes en el Senado, para hacerte ver que quien tiene derecho a regir Roma eres tú y no ese africano y su hetaira siria. Así que haz el favor, por Júpiter Óptimo Máximo, de escribir a Rufo, el gobernador de la Tarraconense en Hispania, y a Virio Lupo en Germania, de quien dependen las legiones de aquella frontera. Haz el favor de empezar a organizar la campaña. Si quieren guerra, habrá guerra.

Clodio Albino sabía que, aunque las formas de su esposa fueran bastante bruscas, todo cuanto decía tenía sentido. Intuía, además, que Severo realmente no tenía intención de compartir el poder. El plan había sido bueno: dejar que Severo se desgastara contra Juliano y Nigro, con la esperanza adicional de que cayera en combate en alguno de esos dos empeños por controlar el poder. Esto último no se había conseguido, pero, tal y como repetía Salinátrix una y otra vez, las tropas más fieles a Severo, las legiones de Panonia y Mesia, las que habían sobrellevado el peso de estas acciones militares en Roma y en Oriente, estarían cansadas. Una nueva guerra en tan poco tiempo no debía de resultarles plato de buen gusto. Sus legiones britanas, aunque hostigadas intermitentemente por los pictos, meatas y otros pueblos britanos, no estarían ni mucho menos tan agotadas, al igual que las legiones de Germania e Hispania. Si reunía esos apoyos, era muy posible, muy factible, derrotar a Severo, y derrotado este, toda Roma sería suya. A decir verdad llevaba meses esperando alguna excusa, alguna muestra de deslealtad de Severo para rebelarse, y el propio Severo le acababa de servir la excusa que buscaba en bandeja de plata con aquel nombramiento del pequeño Basiano, ahora llamado Marco Aurelio Antonino, como césar.

—De acuerdo —dijo Clodio Albino—. Habrá guerra.

Su mujer, por fin, sonrió, se inclinó ante su esposo y salió del atrio de la casa en la que descansaban aquella noche.

Salinátrix paseó por los pasillos de aquella vieja *domus* en Duroliponte mascullando entre dientes palabras casi inaudibles, pero que en su cabeza sonaban altas y claras:

—Maldita seas, Julia, una y mil veces. Has sobrevivido a la locura de Cómodo y a la debilidad de Pértinax y has acabado con Juliano y Nigro, pero ahora va a ser distinto. Ahora, Julia, no lucharás contra un hombre. Tus encantos y tus hechizos no te valdrán de nada. Ahora será mujer contra mujer.

LIBER QUINTUS

ALBINO

IMP CAES D CLO SEP ALB AVG
*Imperator Caesar Decimus Clodius Septimius
Albinus Augustus*

LV

DIARIO SECRETO DE GALENO

Anotaciones sobre el levantamiento de Clodio Albino

Retomo el relato del imparable ascenso de Julia.

El Imperio, una vez más, siguiendo los ejemplos de Augusto, Tiberio o Claudio, contaba con un emperador que había nombrado a dos sucesores. Augusto lo hizo señalando a Cayo y a Lucio, sus dos nietos mayores, como césares. Tiberio, con Druso y Germánico. Claudio, con Británico y Nerón. El hecho de que, de aquellos seis césares, solo uno, Nerón, consiguiera en efecto ser emperador —tras intrigar contra Británico—, no fue obstáculo para que Septimio repitiera la operación nombrando a su hijo Basiano, ahora denominado Antonino, césar, igualándolo en dignidad y derechos sucesorios a Clodio Albino. Y estaba, ciertamente, el ejemplo también de los coemperadores Marco Aurelio y Lucio Vero, que gobernaron de forma equilibrada y respetuosa el uno con el otro. Podía ser que Albino aceptara el nuevo *statu quo*.

Los días pasaban y no llegaban noticias de los mensajeros que Severo había enviado a Britania para informar a Albino sobre aquel nombramiento clave en la sucesión del poder imperial. Nadie lo decía, pero todos pensaban que aquel prolongado silencio del gobernador de Britania no presagiaba una reacción positiva.

Nadie hablaba del tema ni en las comidas ni en las largas sobremesas tras las cenas en las que se reunían en torno al emperador para debatir del asedio de Bizancio, de las fronteras del Danubio, el Éufrates o el Rin o de cualquier otro asunto relevante o mundano con el que entretener el tiempo en aquella tensa espera.

La emperatriz también evitaba el tema.

¿Hemos de entender que Julia maniobró de forma ingenua, sin prever o calcular bien la posibilidad de una reacción violenta del gobernador de Britania? No lo creo. Cada día que pasa, y a la luz de los acontecimientos sobrevenidos tras el nombramiento de Antonino como césar, tengo claro que Julia tenía prevista una nueva guerra. Simplemente la juzgaba tan necesaria como inevitable.

En cuanto a mí, mi proyecto de viaje a Egipto para conseguir acceso a los libros secretos de Herófilo y Erasístrato (si es que estos aún seguían en manos de Heracliano en Alejandría, tal y como me había desvelado Philistión en Pérgamo, y suponiendo que Heracliano aceptara mostrármelos) se vio truncado. La familia imperial no quería prescindir de mis servicios en momentos de tanta tensión política y militar. Severo tenía pánico a ser envenenado y quería que siguiera suministrándole mi muy mejorada *theriaca* con regularidad. En general, Severo deseaba que yo estuviera siempre cerca del entorno de la familia imperial, por si él mismo, la propia Julia, el recién nombrado césar Antonino o su hermano Geta eran objeto de alguna intriga contra su vida. Así, mi petición de viajar a Alejandría fue rechazada de plano. Dinero y tiempo para escribir o reescribir mis obras perdidas en el incendio de los últimos meses de Cómodo, tal y como me había prometido la emperatriz, todo el que deseara. Desplazarme a Egipto, no.

Una vez más, el destino me hurtaba la posibilidad de tener en mis manos los libros más secretos de la medicina más audaz, de aquellos que se habían atrevido a quebrantar la gran frontera de la piel humana. A veces pensaba que a lo mejor todo era pura leyenda y que ni Erasístrato ni Herófilo fueron personas reales, que quizá nunca existieron. Pero mi fuero interno se rebelaba contra semejantes elucubraciones que, si me detenía a pensarlo con calma, sabía que solo eran un burdo intento de mi mente para consolarme ante mi imposibilidad de acceder a aquellos volúmenes misteriosos. En cualquier caso, todo aquello tendría que esperar. Y a nadie interesaban mis anhelos.

El único asunto que ocupaba a todos los que me rodeaban era qué pasaría con el resto de teselas de aquel gran mosaico que era ahora el Imperio romano. En caso de que Albino se rebelara contra Severo, ¿de qué lado estaría el gobernador Novio Rufo de la Tarraconense con su legión VII *Gemina* de Hispania? Y en ese supuesto caso de una nueva guerra civil, el ejército del Rin, controlado por el oscuro Virio Lupo, ¿a qué bando apoyaría? ¿Se declararían las cuatro legiones de las fronteras germanas a favor o en contra de Albino? Y las legiones danubianas, ¿mantendrían su adhesión total a Severo o agotadas tras enfrentarse con Juliano, primero, luchar contra Nigro después y realizar una dura campaña de castigo contra los osroenos y adiabenos, abandonarían a su líder hartas de una concatenación de guerras que parecía no tener fin? Todo, de nuevo, estaba en el aire. El propio Severo empezó a tener dudas.

Solo Julia, como siempre, se mostraba segura sobre lo que debía hacerse. La emperatriz era muy consciente de que al persuadir a su esposo para que nombrara a Antonino césar había forzado una nueva guerra, probablemente la más dura de todas. Pero Julia no pensaba retroceder ni un paso. En su mente, en sus planes, la palabra *rectificar* no existía cuando se había hecho un movimiento de ataque en la lucha sin cuartel por el poder absoluto de Roma.

LVI
—

CAÍDA DE BIZANCIO

Praetorium de campaña de Severo, frente a Bizancio
Otoño de 196 d. C.

Bizancio, el último foco de resistencia de Nigro en Oriente, al fin cayó. Había soportado un asedio de varios años sin ceder. El saqueo y el pillaje empezaron. Ningún centurión tenía orden de detener la voracidad y la brutalidad de los legionarios que habían pasado meses y meses luchando en aquel interminable cerco, viendo cómo muchos compañeros caían heridos o muertos en las proximidades de las murallas por las flechas de los defensores.

En cuanto vio las puertas de la ciudad quebradas, y a sus legiones entrando en las entrañas de la población, Severo se retiró a su tienda de campaña y envió mensajeros para que su hermano Geta y los tribunos y *legati* Leto, Cilón, Alexiano, Cándido y otros altos oficiales acudieran a un *consilium augusti* urgente.

Lo que pasara en el interior de Bizancio no le concernía demasiado, más allá de esperar que sus hombres se vieran satisfechos en sus esfuerzos con el botín que obtuvieran del pillaje y la destrucción completa de la ciudad enemiga.

A Severo, sentado ya en su *sella curulis*, a la espera de que llegaran sus hombres de confianza, le preocupaban otros asuntos que para él, sin duda, eran de más enjundia.

Julia se posicionó tras su esposo.

Todos los oficiales, según entraban, mostraban que estaban exultantes. Severo, Julia y Geta, el hermano del emperador, no. Eran las únicas notas discordantes en aquel cónclave de rostros felices por la victoria total contra el último bastión del ya fallecido Pescenio Nigro.

Alexiano fue el primero en detectar aquella diferencia de ánimos entre unos y otros.

—¿Qué ocurre, augusto? —preguntó el esposo de Maesa.

Severo inspiró profundamente antes de hacer el anuncio público.

—Clodio Albino ha interpretado mi nombramiento de Basiano como césar como un quebranto de nuestro acuerdo y se ha declarado augusto en Britania, y las tres legiones de la provincia lo han aclamado como emperador.

Todos comprendieron el alcance de aquel anuncio. Una nueva guerra parecía inevitable.

—Le envié mensajeros insistiendo en que el nombramiento de mi hijo no pretende ser una amenaza a su posición, pero no ha habido forma de hacerlo entrar en razón. Os he citado aquí para valorar las opciones.

Y calló, pero se sobreentendía que también los había reunido para comprobar cuál era el nivel de adhesión de cada uno de ellos a la familia imperial Severa en el caso de que se desatara una nueva guerra civil.

Leto se adelantó.

—Creo, augusto, que hablo por todos si afirmo que estamos con el emperador Severo hasta el final. Venga una nueva guerra o siete, o mil más.

Severo sonrió.

—Tu seguridad es gratificante, Leto —dijo el emperador—, pero creo que, en este caso, debe ser cada uno el que se reafirme en persona en la adhesión a nuestra causa. El que no quiera embarcarse en una nueva contienda puede decirlo. Todos aquí me habéis servido bien, con honor y valor, y siempre os tendré en estima. Si alguno quiere retirarse y no tomar partido entre Albino y yo, me basta con que se aparte del todo y ni conspire contra mí en el Senado, donde sé que Albino tiene muchos adeptos, ni empuñe armas o dirija tropas contra mis legiones. Los que me sigan, por supuesto, saborearán nuevas recompensas tanto en forma de dinero como de cargos y poder en cuanto domine por completo todo el Imperio y termine con esta nueva rebelión. Pero cada uno debe decidir por sí mismo. Mi hermano Geta, el único al que anticipé la rebelión de Albino, además de a mi esposa Julia, ya se ha reafirmado, como Leto, en seguir a mi lado. Falta el resto. Insisto en que nadie será mal visto por mí ni su familia se verá maltratada si decide dejar mi causa ahora. Pero que cada uno lo piense bien, porque luego ya no aceptaré cambios de opinión, y al igual que hoy estoy dispuesto a mostrarme generoso y magnánimo, en el futuro próximo pienso ser implacable y demoledor con cualquier disenso una vez iniciada la lucha contra Albino.

Hubo un silencio largo y nervioso, en el que se oían las respiraciones de todos los presentes.

Julia, con las manos sobre los hombros de su esposo, sin darse cuenta, apretaba con fuerza. A Severo no le incomodaba aquel gesto inconsciente de su esposa. De hecho, apenas se percataba de aquella dulce presión de las manos de Julia, pues su atención estaba puesta en cómo reaccionaría cada uno de aquellos hombres.

—Yo soy familia —se adelantó Alexiano—. Así lo acordamos en Issus, augusto, y la familia permanece unida.

Severo asintió.

—El emperador puede contar conmigo —dijo Fabio Cilón.

—Y conmigo —continuó Cándido.

Y así con el resto de oficiales presentes. Nadie se retiró del *consilium*.

Severo miró a Leto.

—Me corrijo, Leto —dijo el augusto—: Tu lealtad no es solo gratificante sino también, a lo que se ve, contagiosa. —Y se echó a reír y todos acompañaron al emperador en la carcajada.

Julia dejó de apretar los hombros de su esposo. Muy despacio, retiró las manos. Había percibido que su marido iba a levantarse. Ella dio un paso atrás. Severo, en efecto, se puso en pie, se acercó a la mesa de los mapas y comenzó a dar instrucciones.

—Bien, pues empecemos: permitiremos a nuestros legionarios que satisfagan todas sus ansias saqueando Bizancio. La ciudad no merece clemencia alguna. Luego partiremos hacia Occidente, pero quiero que Cilón y Alexiano vayan por delante reasegurando la lealtad de las provincias del Danubio y otras regiones: Cilón, tú irás a Bitinia, donde ya ejerciste como gobernador, y de ahí a Mesia Superior. Tú, Alexiano, marcharás a Singidunum[38] directamente. Quiero confirmar que la legión IV *Flavia Felix* permanece a nuestro lado. El resto, conmigo al frente, iremos a Viminacium, donde está la legión VII *Claudia*. Allí nos aseguraremos de su fidelidad y luego la del resto de tropas del Danubio. A partir de ahí, veremos cuáles han sido los movimientos de Albino, con qué fuerzas y adhesiones cuenta, y decidiremos si marchamos ya contra él o si vamos primero a Roma. En el Senado he dado orden a Plauciano de que sondee la posibilidad de declarar a Albino enemigo público, lo que, sin duda, se puede conseguir por la fuerza, pero eso no quiere decir que vayan a votar en ese sentido porque los senadores me apoyen frente a Albino. Sé que a muchos de ellos les gustaría vernos derrotados. No entienden que el poder ya no reside en ellos sino en vosotros, los que de forma única y efectiva protegéis el Imperio de invasores extranjeros. Por eso ahora me preocupa más el asunto de confirmar la lealtad de las legiones del Danubio. ¿Preguntas?

Nadie dijo nada. El espinoso asunto del ejército de cuatro legiones del Rin o de la legión VII *Gemina* de Hispania, que podían unirse a las tres legiones de Albino constituyendo un formidable ejército de ocho legiones en total, estaba en la mente de todos, pero nadie pensó que hubiera que comentarlo a un emperador como Severo, que, si había algo de lo que sabía, era de tropas, legiones y estrategia. Estaban convencidos de que el augusto maniobraría con astucia con relación a aquellas tropas, en especial las del Rin.

—Bien, por Júpiter —dijo el emperador—. Pues cada uno a trabajar.

El cónclave terminó. Severo se despidió de su esposa con un beso.

—Voy a dejarme ver por las tropas —dijo él—. A los legionarios les gusta sentir a su emperador cerca.

—Haces muy bien. —Julia le devolvió el beso de forma efusiva.

—Si sigues así —dijo él cuando ella se separó—, preferiré quedarme.

Ella se rio.

38. Belgrado.

—No, ahora mejor que el ejército te vea. Luego, por la noche, ya sabes dónde está mi tienda, pero... —y aquí ella dudó un instante—, pero no regresarás a mí por la noche para pedirme, como en otras ocasiones, que me quede en retaguardia con los niños, ¿verdad?

Septimio Severo, que ya estaba a punto de abandonar la tienda, se detuvo y se giró de nuevo hacia su esposa.

—No, no te pediré eso. —Se puso muy serio—: Esta, Julia, más que ninguna otra, es tu guerra. Tú la has buscado y aquí la tienes. La verás en primera línea.

Ella comprendió la gravedad de las palabras de su marido, aunque no estaba segura de si había rabia o rencor hacia ella por, ciertamente, haber provocado aquella situación al insistir en el nombramiento de Antonino como césar.

—¿Estás enfadado conmigo? —preguntó la emperatriz.

Él negó con la cabeza.

—No. Pero no va a ser fácil —se explicó Septimio Severo—. Albino es un militar muy capaz. No es cobarde como Nigro. Sabe de estrategia y no rehuirá el combate. Lo va a poner más difícil que ningún otro.

—Confío en ti plenamente —dijo Julia con la máxima convicción que pudo transmitir en sus palabras.

—Lo sé. —Sonrió de nuevo un segundo, pero ladeó la cabeza cuando añadió un comentario final—: Lo que no sé es si yo confío en mí mismo tanto como tú lo haces.

Hubo un breve silencio.

—En fin, esta noche, cuando te visite en tu tienda... —prosiguió el emperador, mirándola—, no te pediré que te quedes en retaguardia. Te pediré otras cosas.

Julia sonrió.

—Y yo te obedeceré en todo lo que me pidas, esposo mío —respondió para satisfacción absoluta de él.

Severo no dijo más y, al fin, salió.

Julia se quedó sola.

«Esta, más que ninguna otra, es tu guerra.»

Las palabras de su marido y sus dudas sobre el desenlace la dejaron pensativa. Se sentó, sin darse cuenta, en la *sella curulis* reservada solo para el emperador de Roma.

Calidio entró para ordenar el *praetorium*. La emperatriz, entonces sí, muy rápidamente, se levantó de la silla imperial y se acercó a la mesa con el mapa del Imperio romano desplegado. Iría a su propia tienda en un momento, pero antes quería repasar una cosa: su marido controlaba el ejército del Danubio, que era más poderoso que el de Britania, de eso ella estaba segura, pero luego estaban la legión VII *Gemina* de Hispania y, por encima de todo, las cuatro legiones del Rin. El *exercitus germanicus* imponía miedo entre los otros grupos de legiones. Llevaba siglos defendiendo con eficacia la frontera del Rin. De hecho, cuando se había abierto una gran brecha en el *limes* del norte —cuando los marcomanos llegaron hasta el *Mare Internum* y Marco Aurelio tuvo que emplearse a fondo, reuniendo hasta dieciocho legiones para obligarlos a retirarse—, la frontera no se rompió por el Rin, sino por el Danubio.

—Sí, las legiones del Rin son la clave —musitó ella, y tan concentrada estaba que Calidio tuvo que carraspear varias veces para captar su atención—. ¿Quieres decirme algo? —preguntó al fin, pero sin dejar de mirar el mapa.

Calidio llevaba meses esperando una ocasión como aquella, a solas con su ama, para poder plantear una petición. Mientras el ama había estado enfrentada al emperador no pensó que fuera oportuno, pero ahora Bizancio había caído y el matrimonio imperial parecía de nuevo bien avenido y pensó que era el momento indicado. Él, por supuesto, nada sabía aún de la rebelión de Clodio Albino y su autoproclamación como emperador.

—Siento importunar al ama con una trivialidad, pero quería solicitar permiso para casarme.

Julia seguía mirando el mapa. Parpadeó un par de veces. Se volvió hacia el *atriense*.

—¿Casarte? —repitió ella—. ¿Con quién? —Sentía curiosidad. Los esclavos se casaban, pero era la primera vez que uno a su servicio solicitaba permiso para hacerlo.

—Esa es la cuestión... delicada —continuó Calidio con mucho tiento—. No es con una esclava de la familia imperial. Es con una esclava que pertenece a otra ama.

Julia se sintió auténticamente intrigada. Aquello empezaba a interesarla de veras. ¿De quién podía estar hablando Calidio?

—Querría desposarme con Lucia, la esclava que cuida las niñas de la hermana del ama. —Y como sabía que lo que planteaba no era posible en el actual estado de cosas, siguió hablando para formular el conjunto total de su planteamiento—: Me ofrezco a aportar el dinero necesario para que el ama pueda comprar a esta esclava. He calculado que mil sestercios es un precio bueno, con ganancia para la hermana de la emperatriz, que en su momento desembolsó cuatrocientos sestercios por ella. De ese modo sería un buen negocio para la otra ama. Creo. Pero no quiero molestar, no está en mi ánimo semejante cosa. Si esto no es posible, me disculpo, mi señora. Solo quería decir que nunca he pedido nada. Bueno, ya sé que un esclavo no puede pedir nada, en cualquier caso. En fin, no me atrevería a molestar a la augusta con esto si no fuera muy importante para mí, aunque lo que sea importante para mí comprendo que no tiene relevancia. Apelo a la magnanimidad del ama y del emperador.

E hizo una larga reverencia. Luego se retiró unos pasos, acercándose a la puerta, dispuesto a salir a toda velocidad si el ama mostraba el más mínimo enfado.

Julia, sin embargo, sentía una curiosidad infinita por todo aquello. Los esclavos. Nunca reparaba en ellos, pero allí estaban. A veces creaban problemas. Había oído muchas veces a otras matronas quejarse de tal o cual ornatriz, de tal o cual ama de cría. O al emperador y a sus oficiales contar historias de esclavos que se habían fugado o rebelado. O que, simplemente, eran de una incompetencia absoluta. Pero Calidio se había mostrado siempre leal y muy eficaz: en Roma, en Panonia, en Oriente. Alguna vez había oído a su esposo elogiar el valor del *atriense* diciendo que era una suerte tenerlo. Y ahora ese esclavo acudía con aquella inusual petición.

—¿De verdad tienes mil sestercios? —preguntó Julia.

—Sí, mi ama —respondió Calidio algo aliviado por que la emperatriz no lo echara a gritos ni planteara una oposición frontal, al menos de entrada, al asunto—. Son todos los ahorros de mi *peculium*.

—¿Cómo has podido reunir tanto dinero? —indagó Julia, pero sin ningún tinte de sospecha en la pregunta. Seguía teniendo más curiosidad sobre la forma en que aquel esclavo se manejaba.

—El emperador es muy generoso y con frecuencia me ha dado premios y recompensas cuando ha estado especialmente satisfecho con mis servicios, como cuando acompañé al ama desde Roma hasta Carnuntum. También me dio bastante dinero cuando se proclamó emperador. Estaba muy feliz ese día. El ama también ha sido muy generosa conmigo en más de una ocasión.

Julia asintió. Eso era cierto. Aun así era una suma enorme la que había conseguido reunir aquel esclavo.

—¿Y no gastas nada del dinero que te damos?

—No mucho. Lo ahorraba casi todo para comprar mi libertad más adelante —respondió Calidio.

—Entiendo... —Pero Julia estaba asombrada; Calidio la había sorprendido y eso era algo que un hombre no solía conseguir casi nunca, fuera esclavo o un ciudadano libre—. ¿Y vas ahora a gastarte todo ese dinero que destinabas a tu libertad para que compremos a esa esclava y casarte con ella?

—Sí, mi ama. —Como veía los ojos muy abiertos de la emperatriz, añadió—: Yo soy el primer sorprendido con mi decisión.

—Seguramente no volverás a reunir tanto dinero otra vez. ¿Lo has pensado bien? —insistió la emperatriz.

—Sí, mi ama. —Percibía que en la mirada de su señora había ahora más que sorpresa cierta admiración, y se sintió en la necesidad de explicarse por completo—: Me siento solo, mi ama. Pero cuando ella está conmigo, en la misma casa, ya no me siento así. No es que pueda verla todos los días. A veces sus tareas y las mías nos separan, pero cuando la emperatriz y su hermana están juntas, mi vida me parece diferente. Me gustaría que esa diferencia fuera permanente. Ofrezco todo el dinero que tengo. Si tuviera más, lo ofrecería. Espero no haber molestado a la emperatriz con algo tan pequeño, tan...

—Insignificante —apostilló ella, pues ciertamente el deseo de matrimonio de Calidio no importaba nada en el devenir de la historia, en la lucha por el control de Roma, en los asuntos de sustancia y, sin embargo, había cierta épica en la petición del esclavo: estaba dando todo lo que tenía por una mujer.

—Insignificante, sí —corroboró Calidio agachando la cabeza. Ya veía que su petición, quizá no de una forma furiosa, sino con calma, iba a ser desestimada.

—Hablaré con mi hermana —dijo la emperatriz—. No es necesario que molestemos al emperador o a Alexiano con estas cuestiones.

—No, por supuesto, augusta —respondió Calidio con rapidez, sin dar crédito a lo que acababa de oír—. Muchas gracias, mi señora, muchas gracias. Que los dioses de Roma y que su dios El-Gabal, que todos los dioses bendigan a la emperatriz.

Julia iba a levantar la mano para indicarle que se marchara, cuando, de pronto, toda aquella conversación de esclavos y esclavas le recordó algo que tenía pendiente.

—Una cosa —dijo la emperatriz.

—Sí, augusta —respondió el *atriense* muy solícito, más de lo habitual, si eso era posible, tras haber visto que el ama se había comprometido a interceder por él ante Maesa.

—Adonia...

—Sí, augusta...

—Véndela hoy mismo —sentenció Julia y, en verdad, era una sentencia—. No quiero volver a verla nunca.

Era algo que quizá debería haber hecho antes, pero no quiso que su esposo percibiera ni sus celos ni su rabia porque él hubiera yacido con aquella ornatriz en la época en que estuvieron enfrentados. Ahora, una vez reconciliados, y con una nueva guerra en ciernes, su marido no caería en la cuenta de la desaparición de aquella esclava.

—Sí, augusta —aceptó Calidio.

Ella hizo un gesto con la mano derecha indicando que podía marcharse y el esclavo, veloz, salió de la tienda. Calidio había conseguido mucho más de lo que había imaginado.

Julia levantó las cejas. Suspiró. Aquella conversación había sido... curiosa. No creía haber hablado tanto con un esclavo en su vida. Era una sensación extraña descubrir que ellos también tenían..., ¿qué? ¿Deseos, sentimientos, intereses? Empezó a andar por la tienda.

Pasó junto al mapa del Imperio romano. Sus ojos se volvieron a posar en la frontera de Germania Superior.

**Campamento de las legiones de Panonia y Mesia,
frente a Bizancio**

Fue improvisado. Los legionarios reaccionaron sin necesidad de que ningún oficial les ordenase nada. Salían de las murallas contentos tras horas saqueando la derrotada ciudad de Bizancio. Todos llevaban oro, copas de plata, utensilios de todo tipo, alhajas, anillos..., algunos aún manchados con la sangre de sus anteriores propietarios. El botín era cuantioso y parecía haber para todos, por eso cuando vieron al emperador Severo paseando por las tiendas del campamento, fue empezar uno y todos los demás legionarios lo siguieron en los vítores.

—*Imperator, imperator, imperator!*

Era la octava vez que las legiones de Panonia y Mesia aclamaban a Septimio Severo como emperador.

El propio Severo no pudo evitar sentirse orgulloso: ocho aclamaciones imperiales por sus tropas en menos de tres años. Y había derrotado a Juliano y a Nigro, conseguido las victorias de Cícico, Nicea o Issus, entre otras. Castigado también a los reinos de Adiabene y Osroene, liberado Nísibis, cruzado el desierto con las tropas, sobrevivido a tormentas de arena y a la escasez de agua y a las brutales temperaturas de aquellos territorios remotos y, por fin, había conseguido que Bizancio cayera en sus manos. De pronto se acordó de Clodio Albino y su faz se ensombreció un poco. Ocho aclamaciones, sí, pero... ¿sería acaso esta la última?

Tienda de los esclavos imperiales, frente a Bizancio

Lucia hablaba en susurros con Calidio. No querían que el resto de esclavos pudieran oír su conversación.

—¿Y por qué no se lo has pedido directamente al emperador? —preguntaba ella algo confundida.

—Porque quien consigue las cosas en esta familia es la emperatriz —se explicaba él también en voz muy baja—. Ellos no se han dado cuenta, pero yo sí.

—¿Quiénes son ellos? —preguntó ella con curiosidad.

—Ellos son todos: los oficiales de las legiones, los senadores, el propio emperador, sus amigos y sus enemigos. No se dan cuenta, pero es siempre ella. El ama es el centro de todo —aclaró Calidio—. Por eso se lo he pedido a ella. Porque esto quiero conseguirlo.

—Y ahora... ¿qué hemos de hacer? —Lucia hablaba entre admirada e impaciente.

—Ahora esperaremos. Parece que los amos tienen una nueva guerra por delante. Tendremos que esperar.

—Pero si tu ama y la mía se van a lugares diferentes del Imperio, nos volverán a separar.

—Sí, pero solo podemos esperar —insistió Calidio—. El ama ahora tiene otros asuntos en la cabeza, pero volverá a esto. Ya lo verás. Nunca olvida nada. A veces lo parece, pero no. Siempre lo recuerda todo.

Calidio estaba pensando en el caso de Adonia. Él también había llegado a creer que la emperatriz se había olvidado de aquella joven ornatriz amante de su esposo, pero acababa de comprobar que no. El ama Julia, para lo bueno y para lo malo, tenía una memoria muy entrenada.

Tienda del *praetorium*, frente a Bizancio

Julia Domna aún no había abandonado la tienda de mando del ejército que comandaba su esposo. Seguía con los ojos clavados en el mapa del Imperio romano donde se podía ver la distribución de todos los acuartelamientos de las treinta y tres legiones de Roma.

—El ejército del Rin —repitió una vez más en voz baja.

LVII

MARE BRITANNICUM

Costa sur de Britania
Otoño de 196 d. C.

—¿Qué sabemos del otro lado del mar? —preguntó Salinátrix a su esposo, mientras ambos miraban hacia el océano que separaba el sur de Britania del norte de la Galia.

Clodio Albino había desplazado hasta la costa meridional de la isla la casi totalidad de las tropas de Britania. Las legiones II *Augusta*, XX *Valeria Victrix* y la VI *Victrix* se afanaban en embarcar en la gran flota reunida en aquel punto para dar el salto hacia las provincias continentales del Imperio romano.

Albino estaba muy serio. Aún sostenía en la mano las últimas cartas recibidas en el correo de la mañana y por cuyo contenido preguntaba insistentemente su esposa, y de las que aún no había podido departir con ella, centrado como había estado toda la jornada en la organización de aquel gigantesco desplazamiento de tropas...

—Novio Rufo ha cumplido su palabra —empezó Albino—. Ya está en el sur de la Galia y pronto llegará al objetivo que le asigne de Lugdunum. Allí se hará fuerte y nos esperará con la legión VII *Gemina* que ha traído desde Hispania.

—Eso son buenas noticias y no explican tu cara de preocupación —apuntó Salinátrix.

Albino inspiró aire. Mucho aire antes de volver a hablar.

—El gobernador de Germania, Virio Lupo, tiene a bien, no obstante, anunciarme que se muestra fiel a Severo. No podemos contar con él y sin el ejército del Rin todo va a ser muy complicado.

—¿Por eso has decidido traer las tres legiones de Britania al sur, aunque quede desprotegida la frontera del Muro de Adriano? —preguntó Salinátrix.

—Así es —confirmó Albino—. Necesito todo lo que pueda reunir. Ya recuperaremos Britania si cae en manos de los meatas y los pictos. Ahora derrotar a Severo es mi única prioridad.

Su esposa asintió. Aquel orden de prelación sobre lo que era más urgente le parecía correcto.

—¿Que Lupo te anuncie que se mantiene fiel a Severo y que no podemos contar con él implica a la fuerza que piensa luchar activamente al lado de las legiones del Danubio, las que sabemos que Severo sí controla por completo? —planteó ahora Salinátrix, en busca de algún mínimo margen de maniobra para poder resolver la crisis.

—No lo sé. Imagino que Severo lo forzará a luchar contra mí. Lo lógico sería que envíe al ejército del Rin para interponerse en mi ruta hacia Lugdunum, donde quiero reunirme con Rufo, su legión y las tropas adicionales que haya podido reclutar en la Galia. Eso es lo que haría yo, si fuera Severo.

Salinátrix volvió a asentir. Severo era un militar calculador y buen estratega y, sin duda, aquella parecía la opción prudente en una táctica para contener el avance de su esposo desde Britania hasta Lugdunum. Luego quedaría marchar desde Lugdunum a Roma, pero antes, claro, habría que aniquilar a Severo... y a su esposa.

—¿Es Lupo amigo personal de Severo? —preguntó entonces Salinátrix.

—Que yo sepa no.

—Ni familia.

—Ni familia —confirmó Clodio Albino.

—Es decir, que la supuesta lealtad de Lupo a Severo no se fundamenta en ningún vínculo personal, sino en que piensa que Severo ahora es el más probable vencedor, ¿no es así?

—Seguramente, sí —aceptó Albino. En su tono, Salinátrix percibió el amargo sabor de quien prevé una derrota próxima. Aquella muestra de debilidad por parte de su esposo le hizo ver que debían resolver el asunto de las legiones del Rin de una forma u otra.

—Podríamos comprar la voluntad de Virio Lupo con oro —sugirió ella como alternativa.

Su marido sonrió, pero con aire trágico.

—No creo disponer del suficiente oro como para persuadir a Lupo de que combata a mi lado contra Severo —contrapuso con cierto sarcasmo ante la incapacidad de su esposa de ver que los planes que habían diseñado juntos para hacerse con el poder supremo en Roma estaban resquebrajándose. Pese a que a sus pies tenía la imponente visión de tres legiones enteras embarcando en una impresionante flota, aquello podía ser el preludio de un desastre de magnitudes ciclópeas.

—No hace falta persuadir a Lupo de que combata a nuestro lado —continuó Salinátrix—. Basta con que no luche contra nosotros con toda el ansia que a Severo le gustaría.

Albino se giró hacia su esposa. Había captado su atención de verdad por primera vez en toda aquella conversación.

—No entiendo bien lo que quieres decir, pero me interesa.

—Puede que no tengamos suficiente oro para comprar su completa lealtad a nuestra causa —se explicó Salinátrix—; puede que no tengamos bastantes sestercios para que se decida a convencer a las cuatro legiones del Rin para que luchen a nuestro lado, pero a lo mejor con un buen soborno, uno que sí esté a nuestro alcance, podríamos persuadirlo de que, de algún modo, no ponga todo su empeño en cumplir las órdenes de Severo. Por ejemplo: cuando se le den instrucciones de detener tu avance por la Galia, puede obedecer, pero puede dejarse... derrotar por ti.

—Supongo que eso podría intentarse —admitió Albino frunciendo el ceño, pensativo—. De hecho, eso le permitiría a Lupo mantenerse públicamente leal a Severo, pero, al mismo tiempo, colaborar conmigo. Le deja un margen amplio para luego ser premiado por uno u otro sin importarle demasiado quién haya vencido, porque Severo pensará que Lupo estuvo con él en la guerra y yo, por otro lado, sabré que, en el fondo, me ayudó a derrotar a Severo, si conseguimos nosotros la victoria final. Esto, en realidad, puede interesar a Lupo, quien, en cualquier caso, además se llevaría el dinero del soborno que le enviásemos por dejarse derrotar y no frenar así de forma efectiva nuestro avance. —Albino alzó la cara y miró a su esposa sonriente—. Me gusta este plan.

—Y no solo eso —continuó Salinátrix encendida al ver que su esposo empezaba a tomarla en serio a la hora de planificar la guerra—. Pese a que Lupo pueda ser derrotado, Severo lo convocará al campo de batalla final, probablemente en Lugdunum, pues querrá reunir a todas las fuerzas posibles contra ti, ¿no crees?

—Imagino que sí. Yo lo haría. Ciertamente, si no tuviera información sobre nuestro soborno, sin duda convocaría a Lupo a una batalla final.

—Y en esa batalla puedes ofrecer un nuevo soborno a Lupo —apostilló Salinátrix—. Quien se ha dejado comprar una vez siempre repite luego. ¿Te imaginas si las legiones del Rin se retiraran en medio de la batalla o si cedieran terreno de forma pactada durante el combate? ¿Podría negociarse esto también con Lupo?

—Tendremos que ir paso a paso, pero sin duda puede intentarse y es un plan adicional que me gusta en grado sumo. Cualquier cosa que debilite la unión del ejército del Rin con el del Danubio nos da enormes posibilidades de éxito. Voy a escribir a Lupo ahora mismo.

—¡No! —le espetó Salinátrix rotunda, con voz potente.

Albino se detuvo.

—No, no te dirijas a Lupo por escrito —aclaró Salinátrix—. Una carta es una prueba que puede volverse en contra tanto de quien la escribe como de quien la recibe. Envía a Léntulo, tu tribuno de más confianza, a hablar con Lupo directamente. Que no quede nada por escrito de todo esto. Eso le dará a Lupo más seguridad. Le compromete menos ante Severo.

Clodio Albino miraba a su esposa con una mezcla de extrañeza y orgullo. Se había casado con ella por dinero y ella lo tuvo claro. Forjaron un matrimonio de conveniencia: ambos eran de origen aristocrático y compartían ese sentimiento de superioridad de clase. Salinátrix nunca fue hermosa. Luego la edad no la favoreció mucho. Los años no fueron clementes con ella y envejeció a edad temprana, pero, por otro lado, en aquel momento de tensión, Albino no podía sino admirarse del ingenio de su mujer en aquella grave prueba, la guerra total contra Severo.

—Enviaré a Léntulo —dijo y, sin saber bien cómo despedirse de ella, pues hacía mucho tiempo que no se besaban, le puso la mano en el hombro un instante y luego marchó en busca de su tribuno de confianza. Léntulo tendría que cruzar el *Mare Britannicum* antes que las legiones de Britania.

Salinátrix se quedó mirando hacia el mar, regocijándose con el plan que acababa de poner en marcha para desactivar la alianza entre el ejército del Rin y el de Severo, sonriendo malévolamente y dedicando un último instante de sus pensamientos a Julia.

—Resuelve eso, maldita zorra siria —murmuró—. Resuélvelo.

LVIII

RESOLVIENDO

**Viminacium, Mesia Superior, en ruta hacia Roma
Otoño de 196 d. C.**

Julia intuía que algo se le escapaba, pero seguía sin identificar qué era exactamente. En ese instante solo alcanzaba a percibir desasosiego en su interior. Quizá por eso se le ocurrió aquel plan definitivo. Cortar por lo sano. Ir al origen de todas las preocupaciones y solucionarlo todo de una vez por todas.

Su esposo yacía medio desnudo a su lado. Acababa de llegar al éxtasis y estaba a punto de dormirse, pero ella sabía que no había mejor momento para persuadir a su marido de algo que los instantes posteriores a haber yacido juntos. Y disfrutado. Ambos. Y ella ni siquiera tenía que fingir. La pasión era mutua. El objetivo final que anhelaban ambos también. Estaban unidos de tantas formas... De esa unión nacía su fuerza.

Julia se tumbó de costado, ella desnuda por completo, y pasó una de sus piernas de piel tersa y suave por encima de uno de los muslos de su esposo.

—He tenido una idea —le susurró.

Septimio no abrió los ojos. Estaba sumido en ese sopor dulce que llega tras el acto sexual, pero respondió.

—¿Una idea? —La voz llegó como si hablara desde el más lejano de los mundos gobernados por Morfeo.

Ella acercó sus labios dulces y carnosos aún más a su oído.

—Un plan definitivo.

Él continuó con los ojos cerrados, pero siguió respondiendo.

—Te escucho.

Julia se pasó la lengua por el labio superior un instante y, en

498

seguida, empezó a hablar, siempre en voz baja, pero sin detenerse, un buen rato, desgranando los detalles de su plan:

—Dices siempre, insistes en ello una y otra vez, que Albino es mucho mejor militar que Nigro y que no te gusta la idea de encontrártelo frente a frente en un campo de batalla. Sé que eres un gran soldado y aún mejor *imperator* de las legiones, así que tengo claro que tus apreciaciones en ese terreno deben de ser totalmente correctas y... temo por ti. Por nosotros. Creo que sería prudente evitar esa batalla entre Albino y tú.

Severo seguía con los ojos cerrados.

—¿Ahora quieres negociar con él, después de que hayamos nombrado césar a nuestro hijo, por petición tuya, poniendo a Albino en nuestra contra? Es un poco tarde para todo eso, ¿no crees?

—No, no quiero negociar nada con Albino... —Y calló, pero en su mente completó aquella frase con unas palabras que solo quedaron en su cabeza: «Ni con esa miserable de su esposa Salinátrix».

—Pues si no quieres negociar —continuó Severo siempre con los ojos cerrados, sintiendo el cuerpo caliente de su esposa a su lado—, no veo qué otra opción hay para evitar esa batalla final entre ambos.

—Podríamos enviar a alguien a asesinar a Albino —dijo Julia.

Septimio Severo abrió los ojos.

—Juliano lo intentó conmigo y salió mal —contrargumentó el emperador que, para ser sincero, no veía ninguna posibilidad a aquel plan.

—Porque quien diseñó la estrategia para ese asesinato no fui yo, sino el inútil de Juliano —opuso Julia con rotundidad—. Solo por recordar algo: envió a alguien a quien yo pude reconocer como espía. Que eligiera a Aquilio Félix fue una torpeza completa.

Severo suspiró. Se tumbó también de costado. Las piernas de ambos estaban entrelazadas, algo que les resultaba agradable a los dos.

—Es una misión suicida —dijo el augusto—. No es fácil encontrar voluntarios para una misión de ese tipo. Podría obligar a alguien, con rehenes, imagino, pero alguien forzado a ese límite es imprevisible y en algo tan grande se necesita convicción por parte del ejecutor del plan.

—De la forma en la que yo lo tengo pensado, no es una misión suicida —replicó Julia—, pero sin duda necesitaremos a alguien valiente, leal y decidido. Alguien con ambición, que quizá haya visto su carrera truncada y vea en este plan una posibilidad de ascenso y reconocimiento. Porque si lo consigue tú serías muy generoso con ese hombre, ¿verdad?

—Muy generoso —confirmó Severo, intrigado por lo que hubiera pergeñado su preciosa mujer, pero aún persuadido de que fuera lo que fuese no resultaría. Su curiosidad, no obstante, se había despertado del todo.

—¿Y cómo vamos a asesinar a Albino? ¿Acaso crees que podré conseguir que uno de mis hombres llegue a su lado y lo apuñale pese a estar rodeado de los legionarios más fieles de su guardia personal?

—Se hará con veneno. Uno que sea mortal pero que no actúe de inmediato. Así el mensajero que envíes con una supuesta oferta de negociación tendrá tiempo de partir del lado de Albino y emprender su regreso hacia Roma antes de que el veneno inicie su acción letal.

Severo parpadeó unas cuantas veces.

—¿Eres ahora una experta en venenos? —preguntó, al fin, el emperador—. Un veneno así no existe. No uno que se controle en sus efectos con tanta precisión.

—No, yo no soy experta en venenos, pero sé quién lo es. El mismo que te protege de un ataque similar.

—¿Galeno? ¿Y por qué crees que nos ayudará en semejante empeño? Es un gran médico, y no digo que no conozca algo como lo que describes, pero es muy particular y siempre se ha mantenido a distancia de cualquier intriga palaciega desde tiempos de Cómodo. Nos es leal, mas no creo que se avenga a involucrarse en algo así. Podríamos obligarlo, claro.

—No —contrapuso Julia categórica—. Como bien has dicho antes, en algo tan grande un colaborador obligado no es un colaborador. Es solo un eslabón débil en la larga cadena de un plan complejo. No, no lo obligaremos, pero Galeno colaborará.

Todos tenemos un precio. Yo averiguaré cuál es el suyo. Tú solo encuentra a alguien que se atreva a semejante misión. Alguien valeroso y capaz y ambicioso. Y te repito que puedes garantizarle que regresará vivo.

—Si todo sale como planeas.

Julia sonrió y le dio un dulce beso en los labios. Luego se separó apenas un dedo de su rostro y le dio su última réplica antes de volver a hacer el amor:

—Todo sale siempre como planeo, esposo mío. Desde hace más tiempo del que imaginas.

LIX

LA NEGOCIACIÓN

Colonia Claudia Ara Agrippinensium,[39] **Germania Inferior**
Otoño de 196 d. C.

Léntulo se dirigió a Colonia Claudia Ara Agrippinensium cabalgando sin apenas descanso, cambiando caballos en las postas militares que colaboraron con él por su alto rango y por presentarse como un correo de Clodio Albino para el gobernador de Germania Inferior, a quien decía ir a visitar con relación a un posible pacto con el emperador Septimio Severo. Nadie quiso interponerse en su camino. En los puestos fronterizos, ya fuera en la costa del mismísimo *Mare Britannicum* o a lo largo de todo el curso del Rin, todos los oficiales de guardia concluyeron que un hombre solo no suponía amenaza militar alguna y que si su mensaje era inapropiado, ya se ocuparía el propio gobernador de Germania Inferior de eliminar a aquel correo de Albino decapitándolo o de la forma letal que se le antojara. Virio Lupo, hacia quien cabalgaba Léntulo, tenía fama de implacable e inmisericorde con quien consideraba enemigo del Imperio. Por otro lado, si realmente Albino y Severo llegaban a un acuerdo a partir del mensaje que portaba aquel jinete, eso evitaría una nueva guerra civil, y si hay algo que un legionario no desea es luchar contra otros legionarios. Así, posta militar tras posta militar, Léntulo iba avanzando.

Del mismo modo, las tropas de la legión XXX *Ulpia Victrix*, acantonadas en Castra Vetera,[40] no hicieron nada más que concederle un salvoconducto que le permitía seguir cabalgando

---

39. Se corresponde con la actual ciudad alemana de Colonia.
40. Xanten, en Baja Renania, Alemania.

hacia el sur, hasta llegar a Colonia, la capital de la provincia, una bulliciosa ciudad de unos veinte mil habitantes, elevada a categoría de colonia romana hacía tiempo.

Léntulo miraba los imponentes edificios del foro, camino de la sede del gobernador, recordando aquellos viejos pasajes de la historia del Imperio: ¿realmente Agripina envenenaría al emperador Claudio? Difícil saberlo. Pero fuera como fuese, Agripina la Menor, hija de Germánico, hermana de Calígula y cuarta esposa del emperador Claudio, había nacido en aquella ciudad y ella, ambiciosa sin fin, madre de Nerón, el último emperador de la primera dinastía imperial, no dejó de insistirle una y otra vez a su esposo Claudio para que elevara a categoría de colonia romana a su población natal. Colonia era, pues, una urbe de rancio abolengo dinástico. Un lugar apropiado entonces para intrigas que tuvieran que ver con el control de un Imperio heredado de augusto a césar desde hacía casi ya doscientos años.

Léntulo siguió cabalgando despacio por entre los edificios, mirando a un lado y otro, mientras pensaba. La ciudad no parecía muy militarizada. La legión XXX *Ulpia Victrix* había quedado atrás, al norte; y la legión I *Minerva*, la segunda unidad militar de Germania Inferior, estaba acuartelada unas millas más al sur de Colonia, en la fortaleza de Bonna.[41] Y siempre más hacia el sur y el interior, estaban las legiones VIII *Augusta* y la XXIII *Primigenia* en la vecina Germania Superior, cuyos mandos miraban de reojo, muy atentos, al gobernador Lupo. Este, atendiendo a su mayor rango y experiencia, ejercía el control también sobre aquellas unidades en los momentos de lealtades volubles. Así, Colonia en sí no parecía muy militarizada, pero todo el *exercitus germanicus* se controlaba desde aquella mansión, sede del *legatus augusti pro praetore*.

Léntulo arrugó la frente mientras esperaba para ser recibido. ¿Cómo alguien tan oscuro como Lupo, sin apenas *cursus honorum* previo, había llegado a un puesto de tanto poder? ¿Tan preocupado estuvo Cómodo en sus últimos años controlando a los tres gobernadores principales, que se olvidó de que, de

41. Actual Bonn.

algún modo, quien controlaba Germania Inferior influía también en Germania Superior, y que tenía entonces a su disposición no ya tres sino cuatro legiones? O, quizá, Cómodo no fue tan descuidado: los gobernadores de Britania, Panonia Superior y Siria —Albino, Severo y Nigro respectivamente— eran todos hombres de carreras políticas y militares imponentes que desde luego había que vigilar, pero Virio Lupo no había sido nunca nadie ni tenía apoyos en el Senado.

Léntulo asintió en silencio. Cómodo sí supo lo que hacía cuando seleccionó a Virio Lupo para aquel puesto. Lo que nadie pudo prever es que, asesinado el hijo de Marco Aurelio, de pronto la historia situaba a ese desconocido y gris Virio Lupo en el centro de la disputa por el poder absoluto entre los dos antiguos gobernadores supervivientes a la primera guerra civil tras la muerte de Cómodo: Lupo estaba ahora entre Severo y Albino y era la llave para decantar la nueva guerra en ciernes en favor de uno u otro autoproclamado augusto.

—Ya puedes pasar —dijo uno de los legionarios de guardia.

Lupo recibió a Léntulo sentado en una gran *cathedra* adornada con remates de oro y plata que era cualquier cosa menos discreta. El hombre de confianza de Albino interpretó de forma correcta que, más allá del pasado oscuro del actual gobernador de Germania Inferior, ante sí tenía a un hombre de gran ambición. Y, en tanto en cuanto que no era ni familia ni amigo personal de Severo, por mucho que hubiera proclamado públicamente su lealtad a este, había margen para la negociación.

Léntulo explicó el plan del augusto Clodio Albino.

—Entonces... ¿no se trata de que me pase de un bando a otro? —preguntó Lupo, enarcando las cejas como quien no termina de estar seguro de haber entendido bien.

—No —insistió Léntulo—. Basta con que la oposición que las legiones del Rin muestren al avance de nuestras propias legiones hacia el corazón de la Galia sea..., digamos..., que poco efectiva.

Y sin esperar a una respuesta definitiva del gobernador de Germania Inferior, Léntulo extrajo de debajo de su uniforme varias bolsas pequeñas, pero todas repletas de oro y piedras preciosas, que puso a los pies del propio Virio Lupo, abriéndolas de forma que el brillante contenido de cada una fuera evidente a los ojos de quien lo observara con atención.

El gobernador de Germania Inferior no dijo nada durante un rato. Miró un par de veces a su alrededor. Solo estaban sus guardias de más confianza, hombres leales; esto es, leales al oro, pero ahora parecía que de eso iba a disponer con cierta abundancia.

—¿Eso es todo? —preguntó Lupo.

—Habrá dos entregas más como esta en función de que se nos permita el avance hacia el sur de la Galia —precisó Léntulo.

—Dos pagos más. Entiendo —masculló Lupo pasándose la mano izquierda por una faz sudorosa. Una idea le cruzó la mente—: Podría quedarme este dinero y matarte. Y luego seguir mi alianza con Severo.

Léntulo tragó saliva, pero replicó con audacia:

—Sí, pero si gana Albino la guerra, ¿cuánto tiempo durará tu cabeza sobre los hombros? Derrotado Severo, será solo cuestión de tiempo que el ejército del Rin sea masacrado por el de Britania, la legión de Hispania, las tropas reclutadas en la Galia y otras legiones que, con el apoyo del Senado, se habrán adherido por entonces al victorioso Albino. Te recuerdo que entre los senadores, Albino es el candidato preferido, no Severo. Y no deberías infravalorar el poder de influencia que aún tiene el Senado en la lucha por el control del Imperio. Por el contrario, si coges el dinero aceptando el pacto que te propone el augusto Albino, gane quien gane, te garantizas salir airoso. El augusto Albino recordará que, aunque en secreto, lo ayudaste y te estará agradecido. Severo, si venciera, no sabría de todo lo que aquí se ha hablado y solo pensará que, aunque no consiguieras ninguna deslumbrante victoria contra sus enemigos, siempre luchaste a su lado y seguirás como gobernador aquí en Germania cómodamente mucho tiempo, o en cualquier otro destino similar. Aceptar el pacto te asegura tranquilidad y fortuna pase lo que pase en la guerra. A muchos les encantaría estar en la posición del *legatus augusti pro praetore* de Colonia.

Hubo un nuevo tenso y largo silencio durante el cual Virio Lupo siguió pasándose la palma de la mano izquierda por la frente arrugada y luego por la barbilla.

—De acuerdo, por todos los dioses —dijo al fin Lupo con

decisión—: Dile a Albino..., al augusto Albino —se corrigió con rapidez—, que las legiones XXX *Ulpia Victrix* y la I *Minerva* saldrán al encuentro del ejército de Britania unas millas al oeste de Colonia. El combate será breve. Empezaremos por la mañana. *Triplex acies.* No opondré mucha resistencia y al mediodía, de forma ordenada, me replegaré. Quiero el segundo pago esa misma noche aquí mismo. Como es lógico, informaré a Severo de esa derrota y de que recurro a las dos legiones adicionales de Germania Superior para volver a enfrentarme a Albino. Concentraré entonces mis tropas en Augusta Treverorum.[42] En este segundo combate también me retiraré de forma ordenada a la fortaleza e informaré nuevamente a Severo indicándole que estoy asediado. Esa noche querré el tercer pago. Esto permitirá el avance de Albino hacia Lugdunum, pero si Severo me reclama para unirme con todo su ejército, no tendré otra opción que seguirlo uniendo las legiones del Rin a sus tropas del Danubio.

Léntulo asintió. Todo estaba encajando a la perfección.

—Si eso ocurre, en tal circunstancia, estoy autorizado por el augusto Albino a anunciarte que se te ofrecerá un cuarto pago, superior en oro y plata a los tres anteriores, si en la batalla definitiva te retiras del campo de combate en el momento clave de la contienda.

Virio Lupo no pudo evitar sonreír e incluso iniciar una carcajada nerviosa.

—Eso sería divertido —dijo y continuó riendo un largo rato.

Léntulo, de forma forzada, se unió a aquella risa, aunque él no veía nada gracioso en todo aquello. En cualquier caso, lo esencial era que Virio Lupo, extraño y oscuro, riendo donde no procedía, ambicioso y taimado al tiempo, se avenía a seguir al pie de la letra el plan propuesto por Albino. Léntulo lo tenía claro: los días de Severo como emperador de Roma tocaban a su fin, aunque el antiguo gobernador de Panonia Superior no pudiera aún ni imaginar ni concebir la traición que iba a terminar con él, su mujer Julia y sus hijos, muertos en algún lugar del corazón de la Galia en cuestión de unos meses.

42. Tréveris.

LX

EL PLAN DEFINITIVO

Poetovio, Panonia Superior
Otoño de 196 d. C.

Quinto Mecio esperaba junto a los centinelas del *praetorium* de campaña del emperador Severo para que lo recibiera el augusto. Mecio había sido gobernador de Asia con solo veinticinco años, pero de eso hacía ya más de una década. Era cierto que Asia era una provincia sin legiones, sin fuerza militar relevante, pero fue un prometedor salto en su *cursus honorum* personal siendo tan joven. Sin embargo, desde entonces, nada. No quiso entrar en el juego de compra de cargos políticos y militares en que los prefectos del pretorio de Cómodo convirtieron la asignación de cargos en el Imperio. Demasiados escrúpulos y sin apoyos en el Senado. La carrera de Mecio quedó truncada hasta ser ese eterno tribuno que era transferido de legión en legión, eso sí, siempre con una excelente hoja de servicios. Había llegado a su madurez estancado, sin ascensos militares o políticos.

En el interior de la tienda de mando hablaban de él.

—Pero la ambición, la que tenemos todos, augusto, la mantiene intacta —afirmó Leto, que era quien había propuesto a Mecio para la misión de intentar envenenar a Albino—. Estará a la altura de lo que se le...

—No saldrá nada bueno de todo esto —lo interrumpió Plauciano, recién llegado desde Roma, quien, junto con Leto, Cilón y Alexiano, acompañaba a Severo en aquella reunión.

No había nadie más. Severo no quiso ampliar a más oficiales aquel cónclave secreto. El plan de intentar asesinar a un oponente, si bien interesante e inteligente, sobre todo si funcionaba, no era demasiado honorable, aun cuando pudiera salvar la vida de miles de legionarios de uno y otro bando y, en consecuencia, si al final se evitaba la guerra con la muerte del oponente, también se podría salvar al propio Imperio al mantenerlo fuerte y sin desangrarse internamente en un conflicto civil de desenlace desconocido.

En cuanto supo que su esposo había convocado a Plauciano para que acudiera desde Roma a esa reunión, Julia se desvinculó con rapidez del cónclave arguyendo un dolor de cabeza intenso.

Severo sabía que era una excusa, pero aceptarla le permitía evitarse un nuevo enfrentamiento entre su esposa y su jefe del pretorio.

Plauciano se opuso al plan en cuanto Severo se lo explicó.

El augusto guardó silencio un rato. En su mente sopesaba la advertencia de Plauciano sobre la poca viabilidad del plan, frente a la determinación que Julia tenía en que se llevara a cabo. ¿Quién de los dos estaría en lo cierto? Pero más allá de esa cuestión había algo que atraía a Severo enormemente: la posibilidad de evitar una gran batalla campal contra Albino. Severo sentía que tuvo suerte, o la ayuda de los dioses romanos y El-Gabal o todo junto, en Issus. No convenía forzar a la diosa Fortuna para que una vez tras otra se pusiera de su parte.

—Seguiremos adelante con el plan —dijo el emperador—. Que ese tribuno... ¿Mecio habéis dicho que se llama? Que pase.

Y lo llamaron.

Quinto Mecio entró en aquel cónclave y en cuanto se vio rodeado por aquellos cinco rostros serios comprendió que el asunto era grave.

Mecio escuchó lo que se demandaba de él y, aunque parpadeó varias veces, no dijo nada hasta que se expuso el plan completo. Lo lógico habría sido negarse, pero ¿cómo se le dice que no a un emperador? Además, por un lado, la idea de disponer de un veneno que actuara con efectos retardados en realidad le daba una posibilidad no ya solo de éxito, sino también de supervivencia. Y por otro estaba harto de no tener un futuro más allá de ese eterno periplo de legión en legión...

—De acuerdo, augusto —dijo Mecio.

Severo sonrió.

El tribuno se despidió y abandonó la reunión. Y lo mismo hicieron Leto, Cilón y Alexiano. Plauciano se quedó a solas con el emperador.

—No existe un veneno como el que le habéis prometido a ese infeliz —dijo el prefecto del pretorio.

—Julia dice que Galeno sí puede disponer de algo así —opuso el emperador.

—No saldrá bien —repitió Plauciano como todo argumento contra la posible pericia del viejo médico griego.

—Si no sale bien —añadió Severo entonces—, regresarás a Roma y convocarás al Senado para declarar a Albino, de una vez por todas, enemigo público. Si el plan de eliminar físicamente al gobernador de Britania en rebelión falla, quiero estar legitimado para actuar contra él con todas las legiones que pueda reunir.

Plauciano se pasó la lengua por los labios resecos. Asintió y, por fin, salió de la tienda.

Valetudinarium militar, Poetovio, Panonia Superior

Galeno había escuchado con atención a la emperatriz Julia, pero, una vez que esta dio término a su parlamento, con tanto tacto y educación como firmeza, el viejo médico griego declinó colaborar.

—Soy leal a la causa del augusto Septimio Severo, algo que, a mi entender, ha quedado probado estos últimos años en los que he servido a la familia imperial, pero siempre me he mantenido al margen de las intrigas por el poder.

—No es momento de estar a medias con nosotros, médico —replicó Julia con una sequedad y gravedad que sorprendieron a Galeno, pero acto seguido, la emperatriz rebajó el tono agresivo de su intervención y, retornando a su más sugerente y sensual voz, volvió a hablar—: Has de disculparme. Es mucha la tensión acumulada en los últimos meses: la guerra contra Nigro y luego la campaña para liberar Nísibis han sido agotadoras. Pero el gran Galeno, estoy segura de ello, entenderá que en tiempos como este, con una nueva guerra civil en ciernes, la lealtad de todos vuelve a estar a prueba. Por mucho que nos pese, por mucho que nos incomode. Mi esposo el emperador duda de todo y de todos, aunque yo le he asegurado que Galeno, el gran médico entre todos los médicos del Imperio, es hombre leal en extremo a nuestra causa. Y le he asegurado también que si necesitamos de sus servicios, Galeno no dudará un instante en estar a nuestro lado. Y... no soy persona que suela equivocarse.

Galeno guardó silencio. Podía ver cómo la emperatriz, sutil pero tenazmente, iba tejiendo una tela de araña a su alrededor al tiempo que daba vueltas en torno suyo. El médico percibía cómo su margen de maniobra se estrechaba y cómo Julia Domna iba dejando claro, con tacto, con respeto, pero con determinación ineludible, que su colaboración no estaba siendo solicitada, sino que se daba por hecha. Sin embargo, de pronto, como si Julia quisiera mostrarse magnánima, le ofreció algo, algo grande.

—Pero mi esposo, como bien sabes y ya has podido comprobar, es harto generoso con los que están a su lado. Te hemos dado tiempo y dinero para que fueras recomponiendo todo o, al menos, parte de lo que perdiste en el incendio que destrozó tu biblioteca en el último año del gobierno de Cómodo. Ahora, me consta, vamos a pedirte algo importante, y justo será, pues, que me digas qué deseas a cambio. Y lo que pidas, sea lo que sea, se te concederá.

Galeno no pudo evitar pensar muy rápido, dejando volar su imaginación. Dos ideas emergieron en su interior con fuerza: acceso a los libros prohibidos y realizar disecciones de cadáveres. La segunda parecía demasiado transgresora, incluso si la emperatriz estaba dispuesta a ser generosa. Pero el acceso a los libros secretos... parecía más factible, ya que ni la augusta ni su esposo podían entender bien su importancia.

—Hay unos libros que me interesan y a los que se me veta el acceso por quien los custodia en la biblioteca de Alejandría —dijo Galeno.

—Alejandría es Egipto y Egipto, una provincia romana, y en una provincia romana se hace lo que dicte el emperador —respondió Julia—. Tendrás un salvoconducto imperial para ir a esa ciudad y consultar cualquier libro que esté en la gran biblioteca. O fuera de ella. Nadie podrá negarte acceso a ningún volumen en todo el Imperio.

Galeno no pudo evitar sonreír en su interior, aunque se preocupó mucho por no dejar emerger aquella felicidad en su faz. Le habría gustado tanto que Philistión estuviese allí y escuchara a la emperatriz de Roma y poder decirle: «¿Has visto? Heracliano ya no podrá negarme que vea los libros prohibidos». Pero Philistión no estaba allí y quedaba un pequeño detalle que aún se interponía entre él y aquellos textos de Erasístrato y Herófilo.

—¿Qué he de hacer... exactamente? —preguntó Galeno, pues hasta el momento la emperatriz solo le había dicho que querían envenenar a alguien, sobre el quién o el cómo hacerlo no había precisado nada—. Preferiría no ser una nueva Locusta —añadió en referencia a la esclava que, trabajando al servicio de Agripina, esposa del emperador Claudio y madre de Nerón, envenenó al propio divino Claudio para que su hijo heredara la púrpura imperial—. Yo soy médico, y lo mío es salvar vidas, curar según las enseñanzas de Hipócrates y bajo la protección de Asclepio. No asesinar.

—No te preocupes —dijo Julia con su voz sensual, acercándose al viejo médico y posando la mano en su brazo, aunque solo fuera un instante, siempre un bendito momento; acto seguido se separó—. Solo necesito que nos des el veneno. Mi esposo seleccionará el brazo ejecutor.

Galeno pensó en preguntar para quién era el veneno, pero parecía algo tan obvio: el enemigo de Severo ahora no era otro que el gobernador de Britania, en franca rebelión. Guardó silencio sobre ese punto y planteó una cuestión de pura técnica:

—¿Algún veneno en particular?

Julia fue enormemente precisa en su respuesta:

—Uno que sea letal y para el que no haya tratamiento con la *theriaca* o el *mithridatum* o cualquier otro antídoto habitual. Y que no actúe de inmediato sino con cierto tiempo de retraso tras su administración.

—Un veneno mortal que actúe con..., ¿con cuántas horas de retraso?

—¿Se puede ser tan exacto? —inquirió Julia sorprendida por la pregunta.

Galeno sonrió con orgullo.

—Otro médico no, y una esclava envenenadora como Locusta tampoco, pero yo, Elio Galeno, sí puedo ser tan exacto.

—Entiendo. Dos días de retraso sería perfecto. Eso daría tiempo a nuestro hombre a retirarse una vez administrado el veneno.

—Administrado..., ¿cómo?

—Con la comida; creo que es lo más factible.

Galeno no dijo nada mientras pensaba un rato.

—La emperatriz está pensando en sortear la labor del *praegustator* que tenga... quien vaya a ser envenenado.

—Exacto —confirmó Julia—. Como todos los senadores y gobernadores, Clodio Albino, ya imaginas que el veneno es para él y no seré yo quien juegue a negarte lo evidente, tendrá un *praegustator* que pruebe cada plato antes de que lo ingiera su amo. Su labor es útil ante venenos de acción rápida, pero si tú me puedes proporcionar uno que tenga efectos horas o días después, todo podrá conseguirse.

Galeno asintió despacio varias veces; admiraba la audacia y lo implacable que era aquella mujer para con sus enemigos. En aquel instante, se alegró de estar en su bando y no en el contrario.

—Tengo el veneno que la emperatriz necesita.

—Perfecto —respondió Julia—. Y tú tendrás tu preciado salvoconducto cuando todo esto termine. ¿Qué veneno es?

Aquí Galeno se limitó a sonreír antes de responder enigmáticamente:

—Uno que yo conozco y que proporcionaré al hombre que se seleccione para esta misión.

Acto seguido se inclinó ante la emperatriz y se retiró.

Julia sabía que podría haber insistido en que le revelara el origen de aquel veneno tan preciso, pero la emperatriz respetaba los secretos de aquel anciano que tanto sabía de plantas, animales, enfermedades, tratamientos, vida y muerte. Tenían su colaboración. Eso era lo único relevante. Y todo a cambio de brindarle acceso a un libro. ¿Tan especial podía ser un códice?

Julia se quedó muy pensativa un instante, pero pronto su mente desvió su pensamiento hacia otras urgencias: tenía que asegurarse de que Plauciano no hubiera hecho cambiar de idea a su marido con relación a aquel plan definitivo.

Valetudinarium, Poetovio, Panonia Superior
Dos horas más tarde

Quinto Mecio se sentía fuera de lugar entre todas aquellas estanterías repletas de frascos con ungüentos y todo tipo de sustancias extrañas. Le sorprendió que aquel viejo médico, incluso en medio de un desplazamiento largo como el que estaba realizando el emperador desde Oriente hasta Roma, deteniéndose en numerosas guarniciones del Danubio, pudiera llevar consigo tantos tarros con productos diferentes.

—En este frasco tienes lo que buscas —dijo Galeno sin ni siquiera levantar la mirada del documento que estaba escribiendo. Se limitó a señalar el tarro en cuestión un instante con el índice de la mano izquierda.

Quinto Mecio no dijo nada. Se acercó a la mesa, cogió el frasco y lo guardó, con cuidado, en una bolsa que llevaba preparada para tal efecto. Se consideraba un hombre precavido.

—El veneno que has cogido es mortífero —añadió el viejo médico dejando, por fin, de escribir y dedicándole un poco más de su atención—. Ten cuidado con él.

—Por supuesto —respondió Quinto Mecio algo irritado por aquel comentario del todo innecesario. ¿Con quién creía que estaba hablando aquel anciano? Tal vez su *cursus honorum* no fuera muy brillante, pero merecía bastante más respeto por parte de aquel *medicus* engreído y vanidoso, sin duda, por su larga relación con diferentes emperadores.

Dio media vuelta e iba a salir sin despedirse de aquella tienda de campaña del *valetudinarium* de las legiones del emperador Severo cuando Galeno lo llamó de nuevo.

—Espera —le espetó con ese tono de autoridad peculiar que podía utilizar cuando lo consideraba pertinente.

Quinto Mecio se detuvo y se volvió de nuevo hacia el *medi-*

cus, pero no pensaba que nada que pudiera decirle aquel hombre fuera a ser de su interés.

—Ya te han informado de la naturaleza de ese veneno, ¿verdad? —preguntó Galeno.

—Me han dicho que no actúa de inmediato —aclaró Quinto Mecio—. Me han explicado que dispondré, aproximadamente, de dos días antes de que Albino sienta el efecto del veneno. Ese será el tiempo que tendré para escapar.

—Quita el «aproximadamente» —lo corrigió Galeno, puntilloso en extremo—. Por lo demás todo es correcto.

—Entonces, ya está todo dicho, ¿no? —replicó ahora Quinto Mecio con ese tinte de irritación que le producía la soberbia de aquel viejo médico.

—No —respondió Galeno.

Mecio guardó silencio.

Los dos hombres se miraban como si estuvieran desafiándose.

—¿Qué falta, pues, por comentar? —preguntó por fin Quinto Mecio, cediendo en aquel reto de silencio, más que nada porque quería dar inicio a su viaje. Cuanto antes partiera hacia la costa norte de la Galia e hiciera lo que tenía que hacer, antes podría regresar. Era como si el frasco de veneno que le acababa de entregar aquel viejo médico casi le quemara en el costado, donde colgaba la bolsa en la que lo había introducido.

—Falta saber si quieres volver vivo o muerto de esa misión.

Mecio suspiró.

—¿Crees que es necesario que responda a esa pregunta, *medicus*?

—No, supongo que no —aceptó Galeno, y se levantó mientras seguía hablando—. De hecho, tu opinión al respecto es irrelevante. Solo me interesa satisfacer a la emperatriz Julia y esta desea que regreses vivo. Imagino que será para que informes de si has podido realizar o no tu misión hasta el final. Por tu talante y tu porte, no se me ocurre otra razón. —Tomó una botella pequeña de uno de los estantes que había junto a la mesa y volvió a sentarse—. Es importante que te lleves también esto. Verás que es verde y no transparente como la del veneno. La diferencia de color es importante para que no te confundas.

La botella verde es el antídoto. Pero no funciona de golpe. A partir de hoy deberías tomar un pequeño sorbo de la botella verde cada mañana. Te hará sentir mal, pero, al menos, pareces un hombre lo bastante fuerte para resistir los inconvenientes del antídoto. Cuantos más días bebas ese brebaje que he preparado, más protegido estarás contra el veneno del frasco transparente.

Quinto Mecio había escuchado algo perplejo y parpadeando varias veces.

—No entiendo a qué viene todo esto —dijo—. No soy yo quien va a ingerir el veneno.

—Ya. —Por primera vez en toda aquella conversación, Galeno esbozó una sonrisa sarcástica—. Verás, tribuno, cuando se empieza a jugar con veneno se sabe cómo comienza la partida, pero nunca cómo termina. Créeme, bebe un poco de la botella verde cada día. Aunque te cause dolor, quizá algún día me lo agradezcas. Yo en tu lugar daría un primer trago ya mismo.

Quinto Mecio lo miró, una vez más, con cierto aire de desafío, pero se acercó por segunda vez a la mesa del médico, tomó el botellín verde, lo abrió, se lo llevó a la boca e ingirió un pequeño sorbo.

—¡Puaj! —exclamó asqueado—. Esto sabe a comida podrida.

Galeno se echó a reír.

—¡Por Asclepio, tribuno! ¡Soy médico, no cocinero! Mi misión es mantenerte vivo. Si deseas viandas sabrosas, cumple tu misión y el emperador Severo te invitará a su mesa.

Y continuó riendo.

Quinto Mecio cerró la botella verde más irritado aún que al principio y, sintiendo una punzada extraña en el estómago, salió de la tienda de aquel vanidoso médico impertinente e insoportable. Las carcajadas secas del anciano aún resonaban en la cabeza de Mecio mientras se alejaba por entre las tiendas del ejército de las legiones del Danubio.

LXI

UNA COMIDA PARA CAMBIAR EL MUNDO

En algún punto de la costa norte de la Galia
Final del otoño de 196 d. C.

Salinátrix estaba confusa.

Se encontró con su esposo de camino a la gran sala interior donde solían cenar. En Britania, con lluvia permanente, lo de comer en atrios abiertos era un lujo reservado a unos pocos días del corto verano de aquella remota tierra y ahora, en el norte de la Galia, el clima no cambiaba demasiado. El sol era solo un recuerdo. Eso enfurecía aún más a Salinátrix: ellos no pertenecían allí; ellos, ella, debían estar en Roma y, para ser más precisos, gobernando el Imperio. No el impostor de Severo y esa hetaira extranjera que tenía como esposa. Ella estaba harta de Britania, de la Galia, de todo lo que no fuera la cálida y civilizada península itálica.

Y, de pronto, aquel mensajero y su marido dudando.

—¿Realmente te crees esa propuesta? —le espetó ella a su esposo nada más encontrarlo en el pasillo: según decía aquel Quinto Mecio, el mensajero enviado por el impostor, Severo le había propuesto a Albino compartir el gobierno del Imperio.

—Estoy considerándolo —respondió él—. La guerra contra Severo no será nunca un plato de fácil digestión.

—Tenemos las legiones del Rin compradas —replicó ella con cierta furia mal contenida.

—Aun así —respondió él—. Severo ha masacrado a Nigro, y aunque la capacidad militar de Nigro era cuestionable, eso es sabido, tenía una poderosa fuerza a su mando. Entrar en guerra con Severo es algo que bien merece algo más de reflexión.

—Esto es idea de esa zorra —continuó ella mientras caminaban el uno al lado del otro por los pasillos de aquella villa romana en la que se habían refugiado de la persistente lluvia de la región; una gran *domus* cedida por un aristócrata provincial aliado de la causa del propio Albino.

—Todo lo que te disgusta se lo atribuyes a la esposa de Severo —apuntó él.

—Todo no —matizó Salinátrix—: Solo lo que te hace dudar en tu propósito de hacerte con el control completo y absoluto del Imperio.

—Bueno, dejemos esta conversación aquí —ordenó Albino—. Vamos a cenar en paz. El mensajero asistirá al banquete. No he decidido aún si aceptar o no, de forma que no sé todavía si le vamos a cortar la cabeza a ese enviado o a darle un sí por respuesta. De momento, lo trataremos con la dignidad de quien podría terminar siendo un mensajero de mi colega en el cargo de *imperator*.

—Lo que quieras, pero ya te prometió Severo ser césar y luego nombró a su hijo como heredero también —le susurró ella al oído—. ¿Cuánto crees que tardará en elevar a la categoría de augusto a su hijo Basiano..., o Antonino, como lo hace llamar ahora? ¿Habrá entonces tres emperadores gobernando a la vez?

Clodio Albino negó con la cabeza y entró en la amplia estancia que les servía de comedor.

Salinátrix no lo siguió inmediatamente sino que se detuvo en seco y se giró ciento ochenta grados. Vio a Léntulo, que se acercaba.

—¿Has averiguado algo? —le preguntó ella en un murmullo.

—No, augusta —respondió el hombre de confianza de su esposo.

Salinátrix le había pedido que vigilara de cerca a ese enviado de Severo. Ante la inacción y lo que ella interpretaba como exceso de confianza de su esposo, ella había recurrido a Léntulo, hombre leal, para que no perdiera de vista a Quinto Mecio mientras este estuviera entre ellos. Salinátrix tenía la intuición de que el mensajero de Severo intentaría contactar con *legati* y tribunos de su marido, a sus espaldas, para tantear su lealtad o la posibilidad de sobornarlos, tal y como ellos habían hecho con Virio Lupo y las legiones del Rin.

Léntulo, por su parte, se había mostrado dispuesto a colaborar con Salinátrix, pues también sospechaba de aquel mensajero, y vigilarlo no implicaba desobedecer a Albino, pero realmente no parecía que Mecio ocultara nada.

—El mensajero, augusta, no ha hablado con nadie relevante —respondió Léntulo en voz baja—. Ni con *legati* ni con tribuno alguno. Se ha mantenido aislado por propia voluntad. Apenas ha intercambiado palabra con nadie.

—Eso es raro... —musitó ella, sin moverse del pasillo y reteniendo a Léntulo junto a ella, pues el oficial no se atrevía a dejar a la emperatriz sin que ella hubiera dado por concluida aquella conversación—. Tiene que haber hablado con alguien —insistió Salinátrix—. De lo contrario el ofrecimiento de Severo parecería cierto y... no me encaja, no me lo creo...

—Con nadie —reiteró Léntulo con la esperanza de que la repetición hiciera que la emperatriz lo liberara para poder entrar en el comedor. Tenía hambre—. Bueno, ha hablado con algún esclavo, pero los esclavos no son nadie.

Salinátrix cabeceó afirmativamente. Los esclavos no eran nadie. Eso era evidente.

—De acuerdo —aceptó ella, y se hizo a un lado del pasillo dando a entender a su interlocutor que no había más que comentar, aunque en su fuero interno seguían las dudas.

Léntulo suspiró y reanudó la marcha hacia el comedor.

—¿Con qué esclavo o esclavos ha hablado el mensajero? —preguntó aún ella, aunque sin poner mucho afán en la cuestión que planteaba; lo hizo por inercia, por precisión, por tener todos los datos de los movimientos de aquel hombre extraño remitido por Severo.

Léntulo se volvió para responder, pero sin dejar de andar hacia el comedor.

—Con uno de la cocina; eso me han dicho. Tenía hambre y quería algo de comer. Eso era todo, eso me han dicho mis hombres.

Salinátrix volvió a asentir.

No había nada sospechoso en pedir comida.

La esposa de Albino echó también a andar y entró en el comedor. Caminó rápido entre las mesas y al instante se tumbó en el *triclinium* dispuesto junto al de su esposo.

Las diferentes viandas empezaron a desfilar por las mesas. En el caso de la comida destinada para el augusto Clodio Albino, cada bandeja era depositada en una mesa junto a un esclavo que estaba en pie justo por detrás del emperador proclamado en Britania. Este esclavo, el *praegustator*, ingería varias cucharadas de cada salsa y varios pedazos de la carne o del pescado que hubiera en cada recipiente. Otro esclavo esperaba a su lado a que el primero le hiciera una señal que debía indicar que ni había notado sabores extraños en el plato probado, ni sentía punzada alguna en el estómago, pruebas de que la comida estaba en buenas condiciones y que no había sido envenenada. Lo ideal sería que pasara un largo espacio de tiempo desde cada bocado que probaba el *praegustator* hasta que la bandeja se depositase delante del propio emperador, pero eso haría que la comida le llegara siempre fría al augusto, de modo que se buscaba un punto intermedio: una breve espera durante la cual se daba algo de tiempo para que el *praegustator* detectara cualquier molestia en su cuerpo, pero que no fuera tan larga como para que la comida se enfriase.

—Correcto —dijo el *praegustator* mirando al esclavo que aguardaba pacientemente su decisión.

Este tomó la bandeja y la situó entonces, con extremo cuidado de no derramar nada de la jugosa salsa, en la mesa ubicada justo frente al emperador.

Clodio Albino hablaba con Léntulo, reclinado a su lado, sobre las levas que Novio Rufo estaba realizando en el centro de la Galia para poder sumar más efectivos a las legiones de Britania y la VII *Gemina* de Hispania, cuando fuera que tuviera lugar el enfrentamiento contra Severo, si al final se decidían a entrar en guerra. Las noticias eran alentadoras: muchos habitantes del entorno de Lugdunum se habían alistado como tropas auxiliares. Aun así, Albino contemplaba la idea de un nuevo pacto con Severo como una opción interesante. Por otro lado, el hecho de que el Senado, al igual que su propia esposa, lo animara a enfrentarse contra Severo, lo hacía dudar.

Salinátrix, pensativa, miraba al suelo. Distraída cogió algo de comida de otra bandeja diferente a la probada por el *praegustator* y se introdujo un pedazo de carne de cerdo en la boca, que empezó a masticar sin prestar atención. La comida era sabrosa. Los cocineros de aquella villa eran buenos, como los que se habían traído de Eboracum.

Los cocineros.

Esclavos cocineros.

Salinátrix deja de masticar.

Se gira hacia su esposo. Este sigue en animada conversación con Léntulo, que continúa dándole buenas noticias sobre los efectivos que Rufo está consiguiendo reunir.

La esposa de Albino mira hacia la bandeja que hay frente a su marido. Levanta los ojos y los detiene en el *praegustator*. Este ya está degustando otra bandeja y parece con buena salud, concentrado en su trabajo, pero a su lado, el esclavo que espera para acercar el plato al emperador suda profusamente.

Es raro.

No hace calor.

Más bien frío.

En el exterior sigue lloviendo. Salinátrix mira a su alrededor. Nadie más suda. Tampoco ese mensajero que, unos *triclinia* más lejos, también mastica comida con aparente calma. Pero Salinátrix lo tiene claro: habrán seleccionado a un hombre con temple. Otra cosa era un esclavo no preparado, no entrenado para ciertos momentos de tensión. Ese era el fallo.

Salinátrix mira ahora a su esposo: Albino calla. Léntulo también. Ambos estiran los brazos para coger pedazos de carne de las bandejas que tienen situadas frente a ellos.

Clodio Albino abre la boca.

—Espera un segundo —dice Salinátrix, sin levantar la voz, pero con un extraño tono que detiene el bocado a medio camino de la bandeja a la boca del emperador.

Salinátrix se levanta despacio y rodea a su esposo por la espalda. Se acerca al esclavo que aguarda a que el *praegustator* termine de probar el segundo plato.

—¿Por qué sudas?

El esclavo de las cocinas no dice nada.

—¿Cómo te llamas, esclavo? —insiste la augusta.

—Cayo, augusta. Mi nombre es Cayo.

—De acuerdo, Cayo..., ahora dime: ¿por qué sudas? No hace calor.

Clodio Albino no necesitó más para, despacio, depositar el pedazo de comida de nuevo en la bandeja de la que lo había cogido.

—No sé, augusta. Creo que tengo fiebre... —acertó a articular el esclavo con voz temblorosa.

—¿Estás enfermo entonces? —continuó la emperatriz, rodeando ahora al esclavo por la espalda.

Quinto Mecio escuchaba con atención aquel diálogo, aunque hubiera varias conversaciones cruzadas que le impedían entender bien todas las palabras, pero los gestos y ademanes de la emperatriz lo decían todo. Y, de pronto, todos detectaron la faz grave de la esposa de Albino y callaron. Mecio dejó de comer. Preveía la hecatombe.

Ante el silencio del esclavo de las cocinas, Salinátrix se dirigió a Léntulo.

—¿Puede ser este el esclavo con el que ha hablado el enviado de Severo?

Léntulo no había vigilado personalmente al mensajero, así que buscó con la mirada a uno de sus centuriones que, en pie, en una de las esquinas del comedor, velaba, al mando de una centuria de legionarios, por la seguridad del emperador y sus invitados. Era a este oficial a quien Léntulo le había encargado la vigilancia de Mecio.

El centurión asintió.

—Ese es, sí, augusta —confirmó Léntulo.

Salinátrix ya había conectado todas las piezas, pero el eslabón débil de la cadena era el esclavo, así que se centró en él.

—¿De qué ha hablado contigo el mensajero de Septimio Severo, esclavo?

El interpelado callaba y se limitaba a guardar un silencio tan torpe como revelador de su traición.

—*Praegustator*, ¿te sientes bien? —preguntó la emperatriz, ahora sin dejar de mirar al esclavo de las cocinas.

—Sí, augusta —respondió el *praegustator*—. No he notado nada malo ni extraño en la comida.

—Que no lo hayas percibido no quiere decir que no esté envenenada, ¿verdad, esclavo de las cocinas? —preguntó ahora Salinátrix, yendo directamente al asunto clave—. Hay venenos cuyo efecto tarda tiempo en sentirse. No están al alcance de cualquiera, pero estoy segura de que Severo podría conseguir algo así.

El aludido empezó a temblar.

Quinto Mecio suspiró. Todo el plan se venía abajo por la maldita intuición de la esposa de Albino. Aunque la guerra que debía venir ya no era preocupación suya. No viviría para verla. El esclavo estaba a punto de derrumbarse ante el insistente interrogatorio de la emperatriz.

—¿Qué te ha ofrecido el emisario de Severo, esclavo? ¿La libertad, dinero, ambas cosas?

—¡Lo siento! ¡Lo siento! —exclamó Cayo hincando las rodillas en tierra, postrándose en el suelo en señal de sumisión total.

Pero la atención de la emperatriz ya no estaba en él. Lo único que le interesaba de aquel traidor ya lo tenía: su confesión, la confirmación que ella ansiaba de que del enviado de Severo no se podía esperar nada bueno, que del propio Severo nunca vendría nada bueno, esto es, de Julia. Salinátrix podía sentir la larga mano de la esposa siria de Septimio en aquella maniobra vil, abyecta, repleta de venganza e insidia, que solo aquella maldita extranjera podía idear.

El mensajero de Severo.

Salinátrix se volvió de inmediato hacia él, pasando entre el *triclinium* de su marido y el suyo. Ella misma tomó la bandeja envenenada con sus propias manos y se detuvo frente a Mecio. Sostuvo el plato mortal con la derecha mientras que con la izquierda, agachándose en cuclillas un instante, barría la mesa frente a Mecio. Volaron los platos y las copas de plata, y el sonoro clang de estas últimas y de los cuencos de arcilla *sigillata* haciéndose añicos sonó como si todos los *buccinatores* de las legiones de Britania tocaran a un tiempo llamando a una carga frontal y sin descanso contra el enemigo.

Una vez despejada la mesa, Salinátrix dejó sobre ella la bandeja envenenada.

Se irguió entonces y, mirando de arriba abajo, se dirigió, rotunda, incontestable, inexorable, a Quinto Mecio:

—Come —dijo sin alzar la voz un ápice.

Quinto Mecio tragó saliva de su garganta reseca.

—¡Come! —le espetó ahora la esposa de Albino, levantando el volumen de su voz antes de añadir, de nuevo casi en un susurro—: No te lo repetiré una tercera vez.

Quinto Mecio sabía que no tenía otra alternativa que obedecer. Decenas de legionarios de Britania armados hasta los dientes custodiaban cada salida con los gladios desenvainados, dispuestos a ensartarlos allí donde indicara el augusto Albino o, posiblemente también, donde ordenara su esposa.

Quinto Mecio alargó el brazo y con los dedos de la mano derecha tomó un primer pedazo de carne de cerdo envuelta en aquella sabrosa salsa pegajosa, que ahora se le antojaba tan desagradable como el filete más podrido que hubiera comido nunca. No masticó demasiado. La mirada de Salinátrix clavada en él parecía dejar claro que ella no se daba por satisfecha con que ingiriera uno o dos trozos de aquella bandeja como habría hecho el *praegustator*. Así que, pedazo a pedazo, Quinto Mecio fue ingiriendo la práctica totalidad de la carne de cerdo servida en aquella bandeja que lo conduciría, en un par de días, al reino de los muertos.

Clodio Albino miraba la escena, como el resto de los presentes, detenido, atrapado en su propia estupefacción. Había esperado maniobras tácticas de Severo como intentar detener las levas que estaba haciendo Rufo en el centro de la Galia, o forzar al Senado para que lo declararan enemigo público. Pero un ataque tan mortífero, a la par que traicionero, como el de enviar a un emisario con una propuesta de pacto falsa y cargado de veneno para acabar con su vida a la más mínima oportunidad era algo que lo había dejado sin palabras.

Salinátrix, no obstante, sí tenía unas cuantas:

—¡Matad a ese esclavo y a todos los esclavos de la cocina! —ordenó, siempre sin dejar de mirar a Quinto Mecio.

—¡Noooo! ¡Noooo! ¡Piedad, mi señora, piedad...! —aullaba Cayo mientras varios legionarios lo arrastraban para sacarlo del comedor y darle muerte en el acto.

El *praegustator*, entretanto, lívido como la cara de la luna en las noches sin nubes, empezó a sentirse mal y a vomitar.

A Quinto Mecio, veloz en sus pensamientos, la reacción del *praegustator* le dio una idea. No, varias al tiempo. Él sabía que el veneno no podía haber actuado aún en el *praegustator* y que aquel solo se sentía enfermo, condicionado sin duda por todo lo que estaba ocurriendo, pero, por otro lado, eso le daba margen a él...

—¡Agggh...! —gritó el propio Mecio mientras se agarraba el estómago y empezaba a rodar por el *triclinium* hasta dar con sus huesos en el suelo de mosaico del comedor. Seguía sintiendo los ojos de la esposa de Albino fijos en él.

Los legionarios ya lo tenían rodeado, gladios en ristre.

—¿Le damos muerte ya? —preguntó un centurión.

—No —respondió Salinátrix—. Que se muera con su propio veneno.

Con un asentimiento, su esposo confirmó la orden. Tanto al augusto como a todos los presentes aquella sentencia les parecía justa.

Los legionarios levantaron a Mecio por los hombros y lo llevaron fuera de la amplia sala. Se oyeron los aullidos del esclavo Cayo mientras lo atravesaban con varios gladios, el *praegustator* lloraba en cuclillas mientras musitaba lo que estaba seguro de que era su destino próximo:

—Voy a morir... Voy a morir...

Salinátrix se acercó a su esposo y le habló al oído. No quería humillarlo delante de todos los *legati* y tribunos de las legiones de Britania.

—Veneno y muerte, esposo mío, eso es todo lo que puedes esperar de Severo. Ahora toma la decisión que te plazca.

LXII

EL TRISTE RETORNO

**Campamento de Septimio Severo, Poetovio,
Panonia Superior
Final del otoño de 196 d. C.**

Quinto Mecio se retorcía de dolor en el lecho. Galeno estaba a su lado, examinando las muñecas y el pecho. En cuanto se levantó, el emperador Septimio Severo le preguntó directamente sobre el enfermo.

—¿Puede hablar?

—Puede —confirmó el médico griego.

Severo miró entonces a Mecio, que ahora se había tumbado de costado, adoptando una posición fetal, inapropiada quizá en presencia del emperador, pero la única en la que encontraba algo de alivio al dolor que lo atenazaba desde las entrañas.

Julia se acercó a Galeno y le preguntó en voz baja:

—¿Sobrevivirá?

Galeno hizo una mueca de confusión.

—No lo sé, augusta. Ha obrado con inteligencia: tomó durante varios días el antídoto que le di y eso lo ha inmunizado en parte contra el veneno, y también tuvo el sentido común de forzarse el vómito en cuanto quedó con poca vigilancia. Ambas cosas combinadas quizá lo salven, pero, por otro lado, lo obligaron a ingerir una bandeja completa envenenada. Todo depende ahora de su fortaleza física.

—¿No puedes hacer nada para ayudarlo? —insistió la emperatriz Julia. Se sentía culpable por haber mandado a aquel hombre leal a su marido a aquella misión.

—Le estoy dando mucha agua, la necesita porque los vómitos y las náuseas lo están dejando muy débil. Es pronto aún para darle alimento y no puedo administrarle antídoto. Ahora no. Haré lo que pueda, pero está más en manos de los dioses que en las mías.

Julia asintió. Su marido volvía a hablar con el enfermo y a ella le interesaba una enormidad lo que tuviera que contar Mecio, así que fue junto a su esposo. Por detrás de ellos, Plauciano también se había interesado por el desenlace de aquel fallido intento de asesinato de Albino. Su presencia molestaba sobremanera a Julia, pero no encontró ninguna excusa con la que deshacerse de la compañía del jefe del pretorio designado por su esposo.

—¿Albino, entonces, no ingirió nada del veneno? —preguntó Severo.

—No..., augusto... —respondió entrecortadamente Mecio, haciendo esfuerzos para responder sobreponiéndose al dolor constante que le mordía desde el interior—. Su esposa... Salinátrix... intervino..., de alguna forma intuyó el envenenamiento... El esclavo de las cocinas al que soborné... estaba muy nervioso y su sudor lo delató y puso... en guardia... a la... esposa de Albino...

—Salinátrix —masculló entre dientes Julia. Pero su esposo volvía a hablar.

—¿Cómo escapaste? No entiendo cómo ha sido eso posible.

—Sí, es extraño —subrayó Plauciano, para quien el regreso de Quinto Mecio era peculiar.

Mecio se giró en el lecho, tumbándose boca arriba, siempre con las manos en la boca del estómago.

—Intuí que la esposa de Albino iba a ordenar... que me ejecutaran... allí mismo... en el comedor..., pero al ver al *praegustator* sintiéndose enfermo, algo... que sabía que no podía ser... real, pues el veneno tardaba dos días en hacer efecto..., se me ocurrió fingir que su acción era más inmediata... Cuando la esposa de Albino me vio retorcerme de dolor, fingido, pero algo que ella no podía saber..., prefirió que me muriera poco a poco...

Julia, Severo, Galeno y Plauciano escuchaban con atención.

—Entonces... —prosiguió Mecio con un hilo de voz siempre entrecortado, hablando casi a espasmos, los mismos que sentía en su interior—, me dejaron en una tienda con un par de legionarios como centinelas..., forcé el vómito... para sacar todo el veneno que pudiera de mí..., pero aun así sabía que estaba condenado a sufrir como estoy padeciendo ahora o a morir en cuestión de un día o dos...

—Dos días —apuntó Galeno, a quien no le gustaba que dudaran de sus cálculos.

—Dos... —aceptó el enfermo—, pero en aquel momento estaba fuerte. Llegada la noche aullé de dolor, nuevamente fingido, y los centinelas entraron... Les parecía que agonizaba y estaban confiados..., me revolví contra ellos, me hice con el gladio de uno de ellos y los maté antes de que pudieran dar la voz de alarma... Luego me deslicé entre las sombras, me hice con un caballo y no dejé de cabalgar hasta llegar a la primera casa de postas militar del camino..., allí me presenté como correo imperial, como mensajero entre Albino y el augusto Severo y me proporcionaron nuevos caballos. Al segundo día empezaron estos dolores que ya no me han abandonado...

Plauciano negó con la cabeza varias veces.

—¿Cómo sabemos que no es ahora cuando mientes, cuando finges? —preguntó de forma agresiva el jefe del pretorio—. ¿Cómo podemos estar seguros de que no te has pasado al otro bando y ahora finges tu dolor con la idea de congraciarte con el emperador Severo, para que te vea como un hombre muy leal, y usar luego su confianza para atacarlo o envenenarlo como aceptaste hacer con Albino?

—No finge su enfermedad —intervino Galeno categórico—. Se puede gritar por un falso dolor, pero sus sudores, la fiebre, los espasmos gástricos, todo eso no se finge. Reconozco la acción de un veneno que yo mismo he diseñado, y Mecio lo ha ingerido en grandes cantidades. ¿De qué bando está? Eso no lo sé, pero no finge su dolencia.

Hubo un silencio incómodo para todos.

—Creo que este hombre ha mostrado lealtad regresando e informando de lo que ha pasado. —Julia defendió al fin la dignidad del emisario—. No veo justo pagar su fidelidad a ti, esposo mío, dudando de él. Si se recupera, úsalo en el campo de batalla y que sea la guerra la que te certifique su valía o no.

Severo asintió.

Plauciano se limitó a guardar silencio. No le gustaba que

ningún otro hombre pudiera entrar en el círculo de confianza plena del emperador. Ya tenía que competir con Leto y Cilón, incluso con Alexiano, como para que se uniera a aquel grupo uno más. Y no le gustaba Mecio en absoluto.

—Sí, la guerra decidirá por todos muchas cosas —aceptó Severo—. En una batalla se verá de qué madera está hecho este hombre.

—Esto es, si sobrevive al veneno —apostilló Galeno.

Severo no dijo nada más y salió de la estancia del *valetudinarium* militar, regentado por el veterano médico griego, seguido de cerca por Julia y Plauciano.

—Este plan ha sido un desastre —empezó el jefe del pretorio—. Nunca debiste poner en marcha esta... trama.

Septimio se detuvo en seco. El tono de Plauciano era demasiado desagradable y, en medio de un fracaso tan estrepitoso, eso era cierto, no hacía falta subrayarlo de ese modo.

—Lo que quiero decir, augusto —continuó Plauciano con voz más mesurada y utilizando la forma de respeto adecuada para dirigirse al *imperator*—, es que ahora Albino se revolverá contra el emperador aún con más saña, con más ira.

—Ya se ha revuelto contra mí con las tres legiones de Britania, con la VII *Gemina* de Hispania, con las cohortes de Lugdunum y quién sabe con cuántos nuevos hombres que está reclutando en el centro de la Galia. Es difícil revolverse con más furia, ¿no crees, *vir eminentissimus*? —replicó Severo empleando también el título pertinente para dirigirse a su jefe del pretorio, con cierto retintín en el tono que delataba su propia ira, no ya solo por el fracaso de la empresa para eliminar al enemigo y evitar una nueva guerra, sino también por la forma en la que Plauciano se lo acababa de restregar por la cara.

Los dos hombres, emperador y jefe del pretorio, se miraron con tensión durante unos instantes. Julia pudo leer un principio de división entre su esposo y su segundo en el mando del Imperio, algo que, en cualquier otro instante, la habría colmado de felicidad, pues su desapego por Plauciano persistía en el tiempo, pero justo en aquel momento no necesitaban divisiones internas. No, no con Albino vivo y bien vivo, avanzando hacia ellos con numerosas legiones y, como había dicho Plauciano, probablemente furioso, con un ansia de venganza que, además, estaría siendo muy bien alimentada por los delirios de locura y rencor extremo de su esposa Salinátrix, algo en lo que ni su esposo ni Plauciano reparaban pero que, para el entendimiento de la emperatriz, era también un elemento clave. De hecho, había sido Salinátrix la que había hecho fracasar el plan de asesinar a Albino.

—La ira de nuestro enemigo —intercedió Julia entre su marido y el jefe del pretorio— es algo que también puede jugar en su contra. Alguien cegado por la rabia termina cometiendo errores y esos errores, en el campo de batalla, los sabrá aprovechar mi esposo, *vir eminentissimus.*

Plauciano negó con la cabeza, pero no se atrevió a decir nada más. Eso sería como dudar de la destreza militar de Severo, y parecía que el emperador estaba al límite de su capacidad de tolerar críticas.

—Es posible que la emperatriz tenga razón —dijo entonces el emperador aprovechando el silencio de sus interlocutores—. Todo se verá en su momento, pero ahora, Plauciano, si quieres ser útil, en lugar de seguir aquí lamentándote por este fracaso, ve a Roma y asegúrate de que el Senado vota a favor de la moción para declarar al gobernador de Britania en rebelión como enemigo público. Quiero la justificación legal para aniquilarlo en el campo de batalla ya. Arráncales a los senadores esa votación como sea. Y vigila a los que sean proclives a favorecer a Albino en su enfrentamiento contra mí. Quiero nombres. ¡Trabaja! Yo, por mi parte, me encargaré de que su avance por la Galia sea cualquier cosa menos un paseo triunfal. ¿Están claras mis instrucciones?

—Sí, augusto —dijo el jefe del pretorio, aunque sin mucho convencimiento. Luego saludó militarmente a modo de despedida, dio media vuelta y se alejó del matrimonio imperial, que quedó a solas.

Severo suspiró y bajó la mirada. Lo de discutir con Plauciano nunca era de su agrado.

—Ganaremos —aseguró Julia, y lo cogió del brazo.

Septimio Severo la miró a los ojos y solo leyó en ellos la palabra *victoria.*

El emperador sonrió levemente.

—Ganaremos, por todos los dioses, así será —ratificó Severo.

Pero el emperador era un hombre que, aun siendo hábil militar, inteligente administrador del poder, audaz en la lucha y hasta buen amante, carecía de la sensibilidad suficiente para interpretar con agudeza nítida los pensamientos más profundos de su joven esposa. Esta, caminando abrazada a él, los ocultaba bajo el manto de sus caricias suaves por el brazo musculado de su esposo. Y es que Julia, pese a sus palabras de confianza en la victoria, en su fuero interno, por primera vez albergaba dudas de que el plan completo —esto es, derrotar a Albino y conseguir que Severo fuera el único emperador sucedido después por sus hijos— pudiera salir bien. Algo estaba fallando. Pero la rueda de la fortuna ya estaba en marcha y nada podía detenerla y, en el fondo, pese al quebranto de su plan para asesinar a Albino, ella tampoco deseaba frenarla.

La clave era Salinátrix. Eso había quedado claro con lo que acababa de ocurrir. Era una variable que ni su marido ni el jefe del pretorio consideraban, pero para eso estaba ella: para anularla. Tenía que anticiparse a ella, aunque no sabía exactamente cómo hacerlo y eso la irritaba de forma desmedida. Lo habitual era que tuviera muy claro de qué modo actuar en cada momento. Sabía que debía calmarse. La ira confundiría a Albino, pero no a Salinátrix. Ella, Julia Domna, tenía que ser más inteligente, más astuta y, por encima de todo, más implacable. No podía permitirse un nuevo error. Contra Albino, quizá sí, pero contra Salinátrix, no. Y lo que más la incomodaba era que seguía con esa sensación que la acompañaba siempre durante todas aquellas últimas semanas de que algo se le escapaba.

—Voy a hablar con Leto y otros oficiales —dijo su esposo introduciéndose en sus pensamientos como si viniera de muy lejos—. Quiero asegurarme bien de las fuerzas con las que contamos en realidad y voy a enviar mensajeros a Virio Lupo para que lance sus legiones contra Albino y lo intercepte bajando hacia el sur desde el Rin. Quiere guerra, pues tendrá guerra. Primero se las verá con el ejército del Rin y si eso no basta, entonces conmigo y mis tropas del Danubio. Como bien dices, Julia, ganaremos.

El emperador le dio un beso afectuoso y viril en los labios y la dejó a la puerta de la tienda del *praetorium*. Lo lógico habría sido seguir andando hasta llegar a su tienda personal para descansar, pero Julia tenía curiosidad por ver algo. Así que, sin dudarlo, entró en el *praetorium*. No tuvo ni que tocar las telas de la puerta, pues, en cuanto vieron que la emperatriz se disponía a entrar, los propios legionarios de guardia apartaron las telas con rapidez para dejar el paso expedito a la augusta.

Julia caminó despacio por el interior del *praetorium* hasta detenerse frente a la mesa central donde, como era costumbre, estaba desplegado el mapa del Imperio romano, ese Imperio por el que tanto estaban luchando, ese Imperio que se extendía desde Caledonia hasta su propia tierra, Siria, desde el Danubio y el Rin hasta las arenas de África... El Rin, sí. Sus ojos se detuvieron sobre el trazo azul que marcaba el curso del gran río germano, salpicado en su trayecto hacia el mar por los campamentos de las diferentes legiones de la frontera de Germania Superior e Inferior. Ya en Bizancio pensó que aquellas tropas podían ser claves. Pero Virio Lupo había manifestado su lealtad para con Severo. Allí, pues, no debería haber problema alguno..., y, sin embargo, su intuición hacía que, al mirar un plano del Imperio, su vista siempre se detuviera allí, en el Rin. Y Julia había aprendido a lo largo de los años a fiarse mucho de su instinto. Su plan para acabar con Albino había fracasado. La guerra seguía adelante, pero su ingenio también: su esposo iba a lanzar las legiones del Rin contra Albino para detener su avance. Interesante sería ver qué ocurría en esa contienda, en el enfrentamiento directo entre Lupo y Albino.

Julia salió del *praetorium*. Los pretorianos que la escoltaban esperaban que la emperatriz se encaminara ya a su tienda, pero los desconcertó dirigiéndose de regreso al *valetudinarium*. Una vez en el hospital militar, la augusta buscó la estancia en la que Quinto Mecio descansaba. Se volvió hacia los pretorianos e hizo una seña para indicarles que esperaran fuera. Luego entró y se sentó en un taburete que había junto al lecho.

Quinto Mecio percibió la sombra de una persona en el tenue resplandor que las lámparas de aceite del pasillo del hospital proyectaban en el interior de aquella pequeña habitación.

Abrió los ojos y la silueta hermosa de la emperatriz lo fascinó como al marinero que escucha a una sirena en medio del mar y queda hechizado para siempre.

—Has de recuperarte —dijo Julia con tono imperativo.

—Sí, mi señora... augusta —respondió Mecio aún confundido por aquella visita, sin saber bien cómo dirigirse a la esposa del emperador.

Ella sonrió y a Quinto Mecio le pareció que la habitación se iluminaba.

—Te he hablado con brusquedad y aún estás enfermo —continuó Julia con una voz más amable, rozando la seducción aun sin proponérselo—. Lo que he querido decir es que mi marido necesitará a su lado a todos los hombres leales que pueda reunir. Me gustaría que pudiera contar contigo.

—El dolor parece ir remitiendo, augusta.

—Esa es una buena noticia —subrayó ella con otra sonrisa y se levantó—. Ahora debes descansar.

—Sí, augusta.

Y Julia dio media vuelta y salió de la habitación. Ella también sentía que necesitaba algo de sosiego en su tienda. Había aún muchas cosas en las que pensar.

En el interior de aquella pequeña habitación del *valetudinarium*, Quinto Mecio se quedó tumbado de costado, con los ojos abiertos, pensando: se sabía hechizado y era consciente de que ya nunca podría sentir por ninguna otra mujer del mundo lo que se había despertado en él con aquella breve conversación.

Cerró los ojos. Con sabiduría concluyó que lo mejor era pensar que aquel diálogo solo había sido un sueño. Un hermoso sueño.

LXIII

ENEMIGO DE ROMA

Ateneo de Adriano, Roma
Invierno de 196 d. C.

El Senado se reunió de nuevo en el Ateneo levantado por Adriano. Se trataba de una convocatoria en la que se requería la presencia de todos y, como en otras ocasiones en el pasado reciente, los pretorianos, en este caso comandados por Plauciano, el brazo de Severo en Roma, habían ido casa por casa exigiendo a cada senador que saliera para acudir al cónclave. Solo, también por orden de Severo, se había permitido al viejo Claudio Pompeyano quedarse en su villa fuera de la ciudad atendiendo a su edad y su supuesta mala salud. En el fondo, aquella excepción era porque a Severo le admiraba aquel hombre que había declinado hasta en tres ocasiones la propuesta de ser investido emperador: primero a Marco Aurelio, luego al Senado, que lo buscó para sustituir al asesinado Cómodo, y, finalmente, al corrupto Juliano. Severo no podía por menos que respetar a alguien como Pompeyano, que, en medio de tantas autoproclamaciones imperiales como las de Nigro, la de Albino o la suya propia, decidía no sumarse a aquella pugna por el control del Imperio.

Al jefe del pretorio, sin embargo, no le impresionaban tanto aquellas decisiones de Claudio Pompeyano. Tampoco las entendía. Para él, Claudio Pompeyano era solo un loco de atar o, peor, un débil. En cualquier caso, como Pompeyano había enviado a su hijo Aurelio en representación de aquella vieja familia que en tiempos estuvo emparentada con el divino Marco Aurelio, Plauciano lo aceptó como suficiente muestra de sumisión al augusto Severo.

Vio cómo llegaban Dion Casio, Tito Flavio Sulpiciano, el

propio hijo de Pompeyano y Helvio Pértinax, hijo del emperador asesinado por la anterior guardia pretoriana apenas hacía tres años.

Había un único punto en el orden del día de aquella reunión del Senado: declarar enemigo público a Clodio Albino, gobernador de Britania, autoproclamado augusto.

Como no podía ser de otra forma, la votación —no secreta y con el Ateneo atestado de pretorianos de la nueva guardia seleccionada por Septimio Severo y comandada por Cayo Fulvio Plauciano— dio el resultado que cabía esperar: Albino fue declarado enemigo público del Estado romano por unanimidad, sin disenso alguno expresado en voz alta ni manifestado en ningún voto.

—¡La reunión ha terminado! —anunció Plauciano.

Los senadores empezaron a salir pasando todos por delante del jefe del pretorio, quien, atento, los observaba como si intentara leer sus pensamientos. Él no era un ingenuo, y el hecho de que la votación hubiera sido unánime no quería decir en modo alguno, como ya le había advertido el propio Severo antes de partir de Poetovio, que no hubiera senadores contrarios a aquella declaración forzada por la presencia de la nueva guardia pretoriana.

—Ya no hay mucho debate en el Senado —murmuró Dion Casio a su viejo amigo Sulpiciano cuando aún estaban a una distancia prudencial de los oídos del jefe del pretorio.

—No, no lo hay —confirmó el interpelado, y ya no dijo nada más, porque se iban acercando a Plauciano y el senador, viejo amigo de Albino, sentía la mirada del prefecto clavada en él.

Plauciano, en efecto, escudriñaba la mirada de un Sulpiciano que, sin ser consciente de su gesto de derrota, cabizbajo, abandonaba el Ateneo con clara tristeza. Tanta que puso al prefecto de la guardia sobre aviso, aunque Plauciano se limitara, por el momento, a mirar y callar.

LXIV

LA FUERZA SECRETA DE SEVERO

Villa de Claudio Pompeyano, diez millas al sur de Roma
Invierno de 196 d. C.

—¿Enemigo público? —repetía Claudio Pompeyano tras escuchar el relato de su hijo Aurelio sobre lo que acababa de acontecer en el último cónclave senatorial—. Bueno, era de esperar. ¿Qué otra cosa iba a hacer Severo si Albino se rebela militarmente y tiene a su ejército desembarcando de decenas de barcos en las costas gálicas del *Mare Britannicum*?

—Al menos, Albino tiene valor, padre —le replicó su hijo siempre con fastidio por lo que él interpretaba como constante inacción de su *pater familias* en medio de tanto como estaba sucediendo—. Al menos, él hace algo para intentar evitar que Septimio Severo termine gobernándonos a todos como un dictador vitalicio.

Hubo un largo silencio. Claudio Pompeyano hacía tiempo que había decidido ya no explicarse ni justificar más sus decisiones ante su hijo, quien, quizá demasiado impulsivo por su juventud, había concluido que él, su padre, era solo un cobarde de quien se avergonzaba.

—¿Y se sabe por quién ha tomado partido el gobernador de Germania Inferior?

—Según parece, Virio Lupo ha hecho público su apoyo a Severo, pero quizá se pase al bando de Albino. Hay más gente de la que imaginas, padre, dispuesta a actuar contra Severo.

Claudio Pompeyano sonrió levemente.

—Bueno, veo difícil ese cambio de bando por parte del líder de las legiones del Rin. Me he referido a Virio Lupo como gobernador, pues eso es en esencia lo que es, pero tú y yo sabemos que, técnicamente, es *legatus augusti pro praetore*, es decir, un enviado, un legado nombrado por el emperador que actúa como pretor. Esto implica que su conexión con Severo, actualmente único emperador reconocido por el Senado, es enorme y a ese *imperator* le debe fidelidad. Rebelarse contra él sería un crimen que Severo no perdonaría nunca.

—Los tiempos, padre, no están para tecnicismos.

—Sí, ahí te doy la razón, hijo. Lo único clave es de qué parte estará Virio Lupo al final, no al principio de la guerra.

Hubo otro silencio.

—He hablado con Sulpiciano —dijo Aurelio retomando la conversación— y algunos piensan que, siguiendo tu ejemplo, quizá Lupo intente mantenerse al margen de la contienda.

—Lupo no puede hacer eso —contrapuso Claudio Pompeyano con rotundidad.

—¿Ah, no? Es curioso, padre. Tú sí puedes proclamarte neutral y rechazar hasta en tres ocasiones la designación como emperador, pero, sin embargo, no concedes esa opción de ponerse de perfil al gobernador de Germania Inferior.

—Hay una diferencia notable entre él y yo —replicó Claudio Pompeyano de nuevo tajante.

—¿Y cuál es esa diferencia, padre?

—Yo no tengo legiones bajo mi mando. Él tiene dos, la XXX *Ulpia Victrix* y la I *Minerva*, y luego las dos de Germania Superior lo miran de reojo porque según decida él, ellas actuarán de igual forma. Hace tiempo que las legiones del Rin operan como un único gran ejército. Cómodo lo seleccionó, sin duda, porque como militar no es muy bueno y porque no tenía ni tiene apoyos en el Senado. Pero el caso es que quien tiene cuatro legiones pendientes de lo que uno va a decidir no puede permitirse la neutralidad en un conflicto bélico. Si juega a eso, al final, perderá. Aunque quizá sobreviva..., lo que no es poco en estos tiempos. No sé si Lupo tendrá tanta habilidad...

—Lupo se decantará por Albino de un modo u otro —insistió el joven Aurelio—. Sulpiciano, que mantiene contacto directo por correo con Albino, me lo ha confirmado.

Claudio Pompeyano suspiró. Pensó en decirle a su hijo, una vez más, que se mantuviera alejado de Sulpiciano, pero estaba convencido de que no le haría caso, de modo que guardó silencio. Los acontecimientos y la diosa Fortuna, junto con el resto de dioses, dictarían sentencia en poco tiempo. Él se sentía enormemente cansado. Quizá no viviera lo suficiente para ver el desenlace de toda aquella vorágine. En todo caso, su apuesta por un ganador final era clara y decidió compartirla, por si su opinión aún servía de algo y propiciaba que su impulsivo vástago fuera más prudente en la selección de sus amistades senatoriales.

—Siento contradecir tus deseos, muchacho, pero mucho me temo que no será Albino quien saldrá victorioso de esta nueva guerra que se cierne sobre nosotros. Septimio Severo, estoy bastante persuadido de ello, vencerá. Tiene un arma secreta en la que nadie repara.

—¿Un arma secreta? —Por primera vez en todo aquel debate, Aurelio se sintió genuinamente intrigado por las palabras de su padre. Quizá aún podía darle algo de información que compartir con Sulpiciano y que este pudiera hacer llegar a Albino de modo que contribuyera a derribar al maldito líder de la familia Severa—. ¿Y cuál es esa arma secreta, padre, de la que dispone Severo y en la que nadie ha caído en la cuenta?

—Julia. Aunque he sido inexacto al afirmar que nadie se ha percatado de ello. El defenestrado Juliano, me consta, era de la misma opinión que yo sobre la esposa de Severo, pero no supo neutralizarla a tiempo, se le escapó de Roma y ahora está muerto.

Aurelio miraba a su padre primero sorprendido, luego negando con la cabeza y, finalmente, con decepción.

—¿Una mujer? —dijo el joven con desdén.

—¿Por qué no? —opuso el *pater familias*—. Cleopatra mantuvo a Egipto en el centro máximo de poder de todo el *Mare Internum* durante todo su reinado porque supo manipular a los hombres más poderosos del Estado romano de su época: primero a Julio César y luego a Marco Antonio.

Aurelio volvió a hacer una mueca de desprecio.

—Incluso si lo que dices tuviera algún sentido, padre, hasta Cleopatra se equivocó: Marco Antonio fue derrotado por Augusto en Actium y aquello supuso el final de su poder.

—Sí, eso es cierto —admitió Claudio Pompeyano—. Julia Domna no puede permitirse ningún error. Le va la supervivencia en este pulso militar. Ella lo sabe y confía plenamente en su esposo Severo para ganar. Digamos que si yo fuera al Circo Máximo, apostaría a la misma cuadriga por la que Julia Domna mostrara predilección.

Aurelio seguía negando con la cabeza. Su padre había perdido la razón por completo y toda aquella conversación parecía un dislate.

—En fin, más allá de que no le dé crédito alguno ni relevancia a lo que estás comentando, padre, ¿cómo has llegado a la absurda conclusión de que la esposa de Severo es tan importante en todo esto?

—Un día hablé con ella. Fue al salir del Senado. Julia estaba esperando a su esposo. Nos saludamos con la cortesía propia entre un senador y la esposa de otro de los *patres conscripti* y anduvimos un rato los tres juntos: Severo, la propia Julia y yo. La conversación de la joven esposa de Severo fue muy interesante. Además de ser muy hermosa, en seguida me percaté de que estaba ante una mujer muy inteligente. La mayor parte de los hombres que la conocen no llegan a esa conclusión. Mis muchos años unidos a mi falta de energías para ciertos placeres carnales me permitieron observar a Julia con más distancia que la mayoría de hombres más jóvenes. Esto me hizo ver que, más allá de sus evidentes encantos femeninos, es una mujer de agudo ingenio y de enorme ambición, casada con un hombre, y esta es la clave, muchacho, con un hombre que la ama. Septimio Severo está muy enamorado de su esposa y esa es la llave de todo. Repasa conmigo si quieres la lista de emperadores romanos y dime si encuentras uno solo de entre ellos que estuviera enamorado de verdad de su mujer. Comprobarás que el caso de Julia y Severo es, sencillamente, único, y por único poderoso en sí mismo y de efectos aún no bien calibrados por los que se enfrentan a ellos..., a ella.

Aurelio, casi sin querer, entró en el juego que le proponía su padre, pues eso le parecía a él, un juego casi infantil. Aunque fuera solo inconscientemente, empezó a repasar la lista de matrimonios imperiales en voz alta:

—Augusto respetaba a Livia...

—La respetaba, cierto, pero eso no es amor —lo interrumpió su padre—. A Livia, además, solo le interesaba que Augusto nombrara césar, heredero, a uno de los dos hijos de su anterior matrimonio: Tiberio. Severo siente amor genuino por Julia Domna y ella por él. Esto es nuevo en un matrimonio imperial. Y el amor, hijo, es una fuerza poderosa. Capaz de terminar con muchas legiones a la vez si es necesario.

—Tiberio, padre, estuvo muy enamorado de su primera esposa, de Vipsania Agripina —dijo exultante Aurelio al encontrar, casi nada más empezar el listado de emperadores, un caso que contradecía el razonamiento de su padre.

—Pero tú mismo lo has dicho: Vipsania Agripina fue su primera mujer. Y la amaba mucho. Te acepto esa parte: Tiberio estaba locamente enamorado de ella, pero Augusto obligó a Tiberio a divorciarse de ella, a repudiarla para casarse con Julia Mayor, la hija del propio Augusto. Y Tiberio, empujado también a dicho matrimonio por su madre, pues el enlace le allanaba el acceso al principado, ya nunca fue el mismo. Nunca fue *imperator* casado con la mujer que amaba, sino con una esposa impuesta. No me vale. La clave aquí hoy es que Severo, emperador actual, único reconocido por el Senado al que controla, está casado con una mujer a la que sí ama y que, además, le corresponde con el mismo sentimiento.

Aurelio se puso serio, pero siguió el recuento de emperadores. Había muchos y algún matrimonio imperial tenía que haber habido con una relación similar a la que Severo y Julia tenían, lo que desharía la supuesta singularidad que su padre no dejaba de subrayar con respecto a la relación del actual augusto y su esposa.

—Calígula..., bueno, Calígula tuvo varias esposas. La primera fue ¿Junia...?

—Junia Claudia —concretó su padre—. Murió de parto antes de que Calígula fuera *imperator*.

—Vale, bien... —Pero Aurelio dudaba—. No recuerdo bien el resto de esposas de Calígula.

—La segunda esposa, ya siendo emperador, fue Livia Orestila, mujer casada con Calpurnio Pisón. Calígula forzó a este a divorciarse de la joven Livia para casarse él con ella, como un juego. Poco después el propio Calígula la repudió. Aquello no fue amor, sino una exhibición de poder de la trastornada mente de Calígula; exhibición que continuó con sus dos bodas siguientes: primero con Lolia Paulina y finalmente con Milonia Cesonia. En el caso de Lolia, Calígula se la arrebató a Régulo, su primer marido, en otra muestra absurda de poder absoluto. Quería demostrar que podía casarse con quien quisiera. Luego la repudiaría porque no se quedaba embarazada, creo que a los pocos meses. No veo mucho amor en la relación. Y el caso de Cesonia, si bien es peculiar, porque no era ni joven ni agraciada, fue un último capricho de una mente ya del todo ida. Cesonia le seguía los juegos lujuriosos y perversos que el emperador anhelaba, pero aquello tampoco era amor, muchacho. Ella estaba aterrada y le seguía la corriente. ¿Lujuria, locura? No lo sé, pero Calígula no me vale.

—El divino Claudio también tuvo varias esposas... —No dijo más Aurelio, pues, de nuevo, no recordaba todos los nombres. Su padre, sin embargo, que sin duda había dedicado mucho tiempo a repasar esta lista de emperatrices de Roma, aportó los nombres de las esposas de Claudio y la relación del emperador con cada una de ellas:

—Correcto. Sí, también tuvo cuatro cónyuges, hijo: a las dos primeras, Plaucia Urgulanila y Elia Petina, las repudió. Mucho amor, pues, tampoco había allí, ¿no crees? Con Mesalina, su tercera esposa, la relación fue muy turbulenta y ella terminó intrigando contra él, lo que determinó su caída. Y, por último, Agripina, la hermana de Calígula y madre de Nerón, solo estaba con Claudio para conseguir que su hijo fuera el sucesor por delante del hijo del propio Claudio, como en su momento hizo Livia con Augusto favoreciendo a Tiberio. ¿Lo ves? No hay amores recíprocos entre emperadores y emperatrices. Nunca los ha habido, hasta hoy. ¿Quieres que sigamos?

Hubo otra breve pausa. Aquel debate le parecía insustancial, pero a Aurelio le gustaba pensar que si conseguía demostrar a su padre que se equivocaba en su propio terreno, en sus ideas sobre la relevancia de una unión pasional fuerte entre un emperador y su esposa como algo clave en el desarrollo de los acontecimientos presentes por el control del poder, le haría ver, al final, que él, Aurelio, podría tener razón en la cuestión clave para él: unirse a Sulpiciano en su apoyo secreto a Albino para actuar y derribar a Severo.

De pronto al joven se le iluminó la cara.

—Galba es el siguiente emperador en la lista, padre.

—Cierto.

Aurelio parecía exultante.

—Pues Galba, padre, simplemente adoraba a su esposa Emilia Lépida. Ni siquiera se casó de nuevo cuando esta falleció joven.

—Cierto, también —admitió Claudio Pompeyano con tranquilidad—; pero esa es la cuestión: Lépida murió joven, antes de que Galba fuera emperador. Galba vistió la púrpura imperial, los pocos meses que duró su gobierno, viudo. Y lo que yo digo es que no ha ocurrido hasta ahora que haya habido un matrimonio imperial en el poder en el que los dos cónyuges se amaran entre ellos.

Aurelio calló. Siguió pensando. Tras Galba vino Otón, que tampoco estuvo mucho tiempo. ¿Con quién estuvo casado Otón? Con Popea Sabina, claro, pero Otón la repudió porque Nerón deseaba casarse con ella y él lo permitió. Tampoco parecía un buen ejemplo de amor. Nerón parece que mató a Popea, de forma que cuando Otón accedió a la púrpura imperial, como el caso de Galba, lo hizo viudo. No valía. Aurelio suspiró. Tras Otón vino Vitelio. Pero él no conocía el nombre de su esposa... o esposas.

—¿Vitelio? —dijo interrogativamente.

Su padre sonrió.

—Vitelio, hijo, se casó primero con una tal Petronia, de quien, todo sea dicho, apenas sé nada más allá de que falleció. Vitelio contrajo matrimonio de nuevo. Esta vez con Galeria Fundana, que fue su emperatriz, pero a la que trató de forma denigrante. Ella parece haber sido una mujer virtuosa, pero él se entregó a todo tipo de excesos. Tácito lo explica todo. Nada de amor que encontrar en Vitelio. Pero sigamos con la lista, si quieres: tras Vitelio, tenemos, por fin, a Vespasiano, que es quien se impone en la guerra civil que se desató tras la muerte de Nerón y crea la nueva dinastía Flavia que gobernará el Imperio tras la dinastía de Augusto. Pero la mujer de Vespasiano, Flavia Domitila, también fallece antes de que este llegue a emperador. Otro *princeps* viudo. A este le sucede primero su hijo Tito, casado con Arrecina Tértula, pero esta murió y luego el emperador contrajo matrimonio con Marcia Furnila, de la que según parece se divorció porque la familia de esta conspiró contra Nerón. Luego Tito tendría un gran amor, Berenice, pero fue su concubina, una princesa hermosa también de origen oriental, judía en este caso, con la que, no obstante, nunca tuvo el arrojo de casarse, como sí ha hecho Severo. Curiosamente, muchacho, Berenice también se llamaba Julia, Julia Berenice. Pero mientras que Severo sí que ha desafiado a las familias aristocráticas al buscar esposa en una mujer siria a la que muchos en Roma consideran una extranjera, como la propia Berenice de Tito o la Cleopatra que enamoró a César y a Marco Antonio, Tito, en cambio, expulsó a su Julia Berenice cuando aquello le pareció necesario para recuperar popularidad en Roma. Y yo, la verdad, no veo a Severo expulsando a su esposa de Roma aunque toda la plebe del Circo Máximo se atreviera a abuchearla al unísono. Antes lo veo ordenando a la nueva guardia pretoriana creada a su medida que arremetiera contra la chusma que osara insultar a su esposa siria. Como ves, no es fácil encontrar un matrimonio imperial unido por la pasión amorosa cuando llegan al poder.

—A Tito le sucede su hermano —apuntó Aurelio.

—Sí, Domiciano, sobre el que pesa una *damnatio memoriae*, y que como sabemos maltrató con brutalidad a su esposa Domicia Longina, que acabaría vengándose de él interviniendo en la conjura que terminó con su esposo.

—Y el Senado eligió a Nerva —añadió Aurelio.

—Que, como en otros casos, accedió a la púrpura imperial mayor y viudo, por lo que adoptó a Trajano como heredero, una gran decisión por cierto, pero... —Claudio Pompeyano suspiró como quien estuviera dando una larga explicación de algo que a él le parecía demasiado evidente.

—¿Pero...? —preguntó su hijo.

—Pero, de nuevo, en el caso de Trajano, no tenemos a un

542

emperador enamorado de su esposa. Trajano respetó a la emperatriz Plotina, la elevó a la categoría de augusta y le concedió otras dignidades, pero fue un matrimonio pactado para aunar los senadores de la Galia, provincia de origen de Plotina, a los senadores de la Bética, provincia de origen de Trajano. Una muy astuta maniobra del padre de Trajano para controlar al Senado de su época. Pero de todos es conocido que a Trajano hijo, el divino emperador, desde un punto de vista sentimental, solo le interesaban los hombres, ya fueran estos actores o príncipes extranjeros. Un caso de un gran emperador, pero, de nuevo, sin un matrimonio por amor. Si continuamos, al divino Trajano lo sucede Adriano, también homosexual, pero en este caso un emperador que no respetó a su emperatriz. Su esposa, Vibia Sabina, fue maltratada y humillada por Adriano de forma sistemática. Nada que ver con la relación íntima que tienen Severo y Julia.

—¡El divino Antonino y la emperatriz Faustina Mayor! —exclamó Aurelio triunfante—. Es imposible que me digas que ese no fue un ejemplo de matrimonio imperial bien avenido, no solo formalmente, como en el caso de Trajano y Plotina, sino también íntimamente. Antonino Pío idolatraba a su esposa. Es conocido por todos.

—Sí, es cierto —concedió Claudio Pompeyano—. Es el mejor ejemplo de todos los que hemos comentado, el único que puede compararse al caso que nos ocupa de la relación entre Severo y su esposa Julia, pero nos falta perspectiva aún: el divino Antonino gobernó Roma durante veintitrés años, sin embargo su esposa falleció al principio de su reinado, apenas a los dos años. ¿Le pasará eso a Julia? Por de pronto, la esposa de Severo ya lleva tres años con él desde su proclamación imperial en Carnuntum. Si Julia muriera, su influencia sobre Severo desaparecería como se desvaneció la de Faustina Mayor sobre Antonino. Pero aún no sabemos qué va a ocurrir. Quizá, al contrario; ¿será Julia la que sobreviva a su esposo? He ahí una interesante cuestión para el futuro. Ah, y hay otra diferencia notable entre el matrimonio del divino Antonino y Faustina Mayor y el de Severo y Julia: los primeros tuvieron dos hijos varones, pero ambos murieron de niños; solo sobrevivió una hija. Mientras que Julia le ha dado dos pequeños a su esposo, uno de los cuales ya ha sido nombrado césar. Le ha garantizado a su marido continuidad, aunque no sé si él será plenamente consciente del valor de este asunto.

—De acuerdo, padre, acepto que hay algunas diferencias entre un caso y otro —admitió Aurelio—, pero ¿qué me dices precisamente de la hija del divino Antonino? Faustina Menor se casó con Marco Aurelio, uno de los dos hijos adoptivos del gran emperador Antonino. ¿No me irás a decir ahora que Marco Aurelio no amaba a su esposa? Esta lo acompañó a varias campañas.

—Sí, correcto —confirmó Pompeyano—. Hasta fue la primera esposa imperial que recibió la dignidad de *mater castrorum*, precisamente por acompañar con frecuencia al emperador en sus campañas militares, pero no queda claro que el amor que Marco Aurelio sentía por su esposa fuera correspondido con la misma intensidad: Faustina era intrigante; Julia, lo admito, también, pero muchos ponen en tela de juicio la fidelidad conyugal de Faustina Menor. De hecho, como bien sabes, la posibilidad de que el lunático Cómodo fuera fruto no del lecho conyugal imperial sino de una infidelidad entre la propia Faustina Menor y un gladiador es una historia a la que muchos confieren gran verosimilitud. Y a la luz de las locuras que el maldito Cómodo cometió en la arena del Anfiteatro Flavio, simulando ser un gladiador más, quizá sea una historia que tenga más de verdad que de mentira. De Julia, sin embargo, no se conoce que haya ni tan siquiera mirado con interés a otro hombre que no sea Severo. Por otro lado, Julia, en tan solo tres años desde que su marido se proclamó emperador, ya ha sido nombrada también *mater castrorum*, pero sin rumores de infidelidad alguna por su parte. Y hay más diferencias: Faustina Menor llegó a intrigar contra su esposo, contra el propio Marco Aurelio cuando este estuvo enfermo en una de sus campañas. Ella siempre se justificó en que buscó la ayuda de Avidio, el gobernador de Egipto, porque Cómodo, el heredero, era aún muy joven, de solo trece años, y porque me temía a mí como candidato imperial. Curiosa idea esta de Faustina, ¿no crees? Tú mismo, hijo, no has hecho en esta vida otra cosa que echarme en cara mi falta de ambición con relación al principado. He rechazado vestir la toga imperial hasta tres veces: ¿realmente Faustina Menor me temía, o me usaba de excusa para garantizarse el control del Imperio sin importarle si su esposo se recuperaba o no? Has de admitir que la historia de Faustina Menor y su relación con Marco Aurelio tiene notables sombras. Lo que resulta indiscutible es que él la perdonó, la divinizó y la enterró en el gran Mausoleo de Adriano, con el resto de los grandes de la dinastía. Pero no definiría yo la relación entre ambos como un amor recíproco y a la par. Algo que sí observo entre Severo y Julia.

Hubo un nuevo silencio.

Solo quedaba una emperatriz de la que hablar, pero llegado el momento de mencionarla, el joven Aurelio callaba.

—Queda, por supuesto, tu madre —apuntó Pompeyano en voz baja. La conversación entraba ahora en un punto delicado para los dos.

—Mi madre, sí —confirmó Aurelio, también casi en un susurro—. Hija de Marco Aurelio y Faustina Menor.

—Sí. Lucila se casó con Lucio Vero, coemperador con Marco Aurelio en calidad de segundo hijo adoptivo de Antonino. Pero tu madre llegó a aquel matrimonio prácticamente niña, con solo trece años. Cumplió, eso sí, sus obligaciones y trajo hijos al mundo, aunque varios fallecieron, pero no viajó con su esposo a la larga campaña de Partia. Estamos, de nuevo, ante un matrimonio pactado. A la muerte de Vero, la que tenía que ser tu madre se casó entonces conmigo. Y, en efecto, naciste tú. —Aquí Pompeyano hizo una larga pausa que su hijo no interrumpió con comentario alguno—. No quiero hablar mal de tu madre, no a estas alturas, pero con relación al punto de debate en esta conversación, solo diré que Lucila y el amor no iban de la mano. Dejémoslo ahí. Tu madre, en tanto que hermana de Cómodo, tuvo que aprender a intrigar para sobrevivir, aunque como sabes terminó condenada por el miserable de su hermano Cómodo sin que yo pudiera hacer nada por evitarlo. Tienes sangre en tus venas que desciende directamente del divino Marco Aurelio y comprendo que tengas ansias y que sientas que nuestra familia tiene aspiraciones legítimas a la dignidad imperial, pero te repito una vez más que ese es un camino sin retorno y que la mayoría de los que entran en esa pugna mueren.

Su hijo callaba. Su padre sabía que en ese instante Aurelio no estaba pensando en las veces que había rechazado la toga imperial, sino en otra cuestión por la que siempre lo acusaba. Quizá fuera el momento de explicarse, de sincerarse, por fin.

—Sé que piensas que debería haber defendido a tu madre contra Cómodo —continuó Pompeyano con el tono en el que se hacen las confesiones más duras—, y sé que me consideras un cobarde por no hacerlo, pero creo que ya es hora de que sepas el motivo de mi inacción de entonces: fue tu propia madre la que me pidió que no intercediera entre ella y su hermano, el emperador Cómodo. «Si no me defiendes, te dejará en paz a ti y a nuestro hijo; si intervienes, nos matará a todos: al niño también. No hagas nada. No me obedezcas por mi causa, si no quieres, pero hazlo por la de nuestro hijo. Quédate en silencio y salva y protege siempre a Aurelio.» Eso me dijo tu madre y eso hice. Y lo he hecho bien. Y por eso, por protegerte, he rechazado tres veces la toga imperial. Siempre dije no. Y cada una de esas negativas, te guste o no, ha favorecido no ya mi supervivencia, sino la tuya, y por encima de todo: cada vez que he dicho no, he cumplido mi palabra dada a tu madre. Puede que sea un cobarde, pero uno que cumple su palabra.

—¿Eso dijo mi madre? —preguntó Aurelio.

—Eso dijo.

—¿Por qué nunca me lo has desvelado antes?

—Esta es la conversación más larga que tenemos los dos desde su muerte —se explicó Pompeyano—. Nunca has tenido demasiado interés en escucharme.

Su hijo asintió, pero luego negó con la cabeza.

—Puede que hicieras bien en no aceptar ser césar cuando Cómodo vivía, pero sigo creyendo que te equivocaste al rechazarlo cuando te lo ofreció el Senado o luego Juliano.

Fue ahora Pompeyano quien negó con la cabeza. Su hijo le había perdonado una de sus negativas a ser *imperator*, pero no las otras. Pompeyano decidió retornar al tema inicial de la conversación.

—Sea como fuere, ya has visto que ningún matrimonio imperial ha manifestado una unión íntima tan intensa como la que muestran a diario Severo y Julia. La última emperatriz que queda en el listado, Brutia Crispina, la esposa del propio Cómodo, como bien sabes, vivió aterrorizada, conspiró contra su esposo para defenderse y, descubierta por él, fue desterrada y finalmente ejecutada. Y, bueno, aceptando que Albino se ha autoproclamado emperador y que ha elevado a Salinátrix a augusta, nos quedaría considerar su caso con más atención. Veamos: Albino, de todos es sabido, se casó con Salinátrix por intereses económicos y desde entonces se toleran y ahora actuarán unidos porque el ansia de poder une las ambiciones más diversas, pero no hay noches de pasión entre ellos, de eso estoy seguro. Severo, no lo dudo, por el contrario, se sigue acostando con su mujer y ella con él, dándose, con toda probabilidad, un placer enorme el uno al otro. Y son un matrimonio imperial. Y nadie piensa en ello. Eso me llama la atención. Así pues, lo que Julia tiene con el emperador actual de Roma es especial, potente y nunca visto antes. Nos movemos, por primera vez en dos siglos, por territorios desconocidos.

—Lo que ocurre —intervino entonces Aurelio— es que Julia te cae bien porque tú también eres de origen sirio.

Pompeyano sonrió.

—Es posible —admitió—. En cualquier caso, veo un peligro en el horizonte para la inteligente Julia.

—Eso me interesa, padre.

—Lo imaginaba.

Pero Pompeyano no decía nada.

Su hijo insistió.

—¿Qué peligro puede acechar a Julia Domna, padre? —Volvía a albergar esperanzas de sacar algún dato relevante con el que ir luego a entrevistarse con Sulpiciano y aportar información que ayudara a este último a cooperar con Albino, y así eliminar para siempre a Severo y a su esposa.

—Quizá Julia se ciegue con el poder que tiene y termine pidiendo a su esposo, al emperador Severo, mucho más de lo que este pueda darle.

—Ya le ha pedido un Imperio, padre, y no hay nada más grande que un Imperio —opuso su hijo al ver que una vez más no había dato alguno de relevancia que sacar de aquel debate.

—No, para ti y para mí, o para Albino o Severo no hay nada más grande que un Imperio, pero, hijo mío, ¿quién sabe lo que puede pensar una mujer?

—Hablas en enigmas, como casi siempre, padre. Y sigo sin ver el peligro que acecha a Severo y a Julia, otro, quiero decir, que no sean las legiones de Albino que están avanzando por la Galia.

—Sí, hay algo que puede acabar con ambos, con Severo y su esposa. Puede que esta, un día o, más probablemente, una noche, le pida a Severo algo más allá de un Imperio, algo que ni tú ni yo concebimos, y entonces Severo terminará haciendo lo que cualquier hombre enamorado hace.

—¿Qué es?

—Darle, o intentar darle, a su amada aquello que pida y ahí ambos pueden encontrar su fin: cuando Julia vaya más lejos de lo razonable, no, me corrijo: cuando vaya más lejos de lo imaginable.

—Te fijas en cosas absurdas, padre. —Aurelio zanjó aquella larga conversación.

—Es posible —respondió Pompeyano, mirando al suelo, pensativo, mientras intentaba concebir qué sería lo que Julia podría tener en mente que fuera aún más allá de un Imperio.

LXV

LOS AMIGOS DE ALBINO

Palacio imperial, Roma
Invierno de 196 d. C.

Plauciano podría haber convocado aquella reunión en los *castra praetoria*. Como prefecto de la guardia habría tenido más sentido, pero, con frecuencia, organizaba reuniones con oficiales pretorianos, con senadores o con el *praefectus urbi*, entre otras autoridades, en aquella gran sala de audiencias, el Aula Regia del palacio imperial.

—Es para que todos sientan que el emperador Severo tiene aquí un representante en la mismísima Roma —decía él como explicación cuando intuía alguna mirada de desconcierto o duda.

Lo que evidentemente no hacía Plauciano era sentarse en el trono imperial. Y no es que no lo deseara. En su fuero interno pensaba que tampoco pasaría nada por ello. A fin de cuentas, en efecto, él era el delegado de Severo en Roma y en calidad de tal quizá podría haberse sentado, temporalmente, en aquel trono, pero temía que aquel gesto llegara a oídos del propio Severo y fuera, ¿cómo expresarlo?, malinterpretado por su viejo amigo. Peor. Malinterpretado por... Julia.

Julia.

Plauciano tragó saliva como si así se quitara un mal sabor de boca. La emperatriz siempre envenenaba la mente del emperador, de su amigo de la infancia. Aquella boda fue un enorme error desde el principio. En su día pensó que era solo un capricho mundano de Septimio, pues Severo tenía entonces en torno a cuarenta años y ella no llegaba a los veinte. Y era hermosa. Esto es, si te gustaban delgadas, muy morenas, con aquel pelo

549

largo, aquellos senos prietos... Sí, era hermosa. Pero si hubiera sabido que Julia iba a suponer esa terrible influencia en Septimio, se habría opuesto con ahínco a aquel matrimonio. Ahora ya era tarde para eso.

Suspiró.

Se volvió hacia el trono imperial. Vacío.

Miró a su alrededor.

No había nadie. Los pretorianos, siguiendo sus instrucciones al pie de la letra, vigilaban en el exterior del Aula Regia. Aquel era tan buen momento como cualquier otro.

Cayo Fulvio Plauciano, despacio, ascendió los escalones de la tarima sobre la que estaba el trono imperial de Roma, avanzó hasta situarse justo delante del mismo, se dio la vuelta y, lentamente, como si saboreara el instante, se sentó.

No era una butaca cómoda.

No entendió el mensaje mudo que le trasladaba el trono. Él solo veía que desde allí, desde lo alto de la tarima y sentado en aquella gran *cathedra*, todo parecía más pequeño, más manejable, más agradable.

Sonrió.

Oyó pasos.

Se levantó de inmediato y descendió de la tarima. El hombre al que había citado entró en la gran sala de audiencias del palacio imperial. El viejo Aquilio Félix caminaba encogido por los años y bajo el invisible pero gigantesco peso de los secretos.

A Plauciano le asaltó una duda: ¿el anciano jefe de los *frumentarii* lo había visto levantándose del trono imperial?

—El centurión me ha dicho que el jefe del pretorio deseaba verme —dijo Aquilio, sin saludar, sin usar el título acorde con la dignidad de Plauciano para dirigirse a él—. Y ha especificado que la reunión sería, como de costumbre, secreta y... aquí.

Plauciano detectó ese tono de cierto sarcasmo velado en la palabra *aquí*, como si Aquilio Félix quisiera subrayar que él era de los que juzgaban inapropiado que las reuniones del jefe del pretorio se celebraran en la sala reservada por tradición para las audiencias del emperador de Roma.

Pero Plauciano pasó por alto los dos desafíos del viejo jefe de la policía secreta.

Severo había decidido dar una segunda oportunidad al antiguo jefe de los *frumentarii*, toda vez que se probaron ciertas sus informaciones sobre los pactos secretos entre Pescenio Nigro y los partos y otros reyes de Oriente. Aquella advertencia por parte de Aquilio permitió a Severo preparar mejor la campaña contra el defenestrado gobernador de Siria. Aquilio dio muestra de que sus servicios como informador aún podían ser útiles y Severo lo había restituido como jefe de los *frumentarii*. A fin de cuentas, aquel viejo era el único que conocía la red de informadores secretos de Roma y del Imperio. Podría habérsela sustraído con tortura, pero era más sencillo que simplemente trabajara para la nueva autoridad imperial.

Por su parte, Plauciano había recurrido a él en un par de ocasiones por cuestiones menores mientras estaba al frente de Roma y, de nuevo, los servicios de Aquilio se probaron útiles. Ahora se trataba de ver si el viejo espía era capaz de proporcionar un servicio de más alto nivel, como en su momento hizo con referencia a Nigro.

—Clodio Albino —dijo Plauciano por toda explicación.

Como Aquilio Félix no tenía claro qué era lo que se le estaba reclamando, decidió empezar a dar datos obvios a la espera de que se precisaran sus instrucciones.

—Clodio Albino, gobernador de Britania, en rebeldía, autoproclamado emperador —dijo el jefe de los *frumentarii*—. Está cruzando el *Mare Britannicum* con la práctica totalidad del ejército de Britania. Va con todo lo que tiene contra Severo.

—Todo eso ya lo sé —replicó Plauciano con cierto desdén—. Como jefe de la policía secreta esperaba que me dijeras más. Que nos dijeras más. A mí y al emperador Severo, quien, recuerda, te perdonó la vida.

—Y le estoy muy agradecido por ello —comentó Aquilio Félix al tiempo que andaba despacio por la magna sala y continuaba hablando—: Albino va a Lugdunum para reunirse con Novio Rufo, el gobernador de la Tarraconense. O bien se hace fuerte allí, es una ciudad bien fortificada, o bien se lanza directamente contra el augusto Severo. Todo dependerá, imagino, de lo que decida Virio Lupo al norte, quien controla las cuatro legiones del Rin.

—Lupo ha confirmado lealtad al emperador Severo —dijo Plauciano.

—Eso he oído, sí. —Pero Aquilio Félix no sonaba muy convencido.

—¿Dudas de esa lealtad?

Aquilio no respondió.

—No pareces persuadido de la fidelidad del gobernador de Germania Inferior —comentó entonces el jefe del pretorio.

—Lupo es un hombre muy independiente. A fecha de hoy solo tenemos su expresión pública, que conocen tanto el emperador Severo como el rebelde Albino, de que se ha decantado por el primero. De momento eso es lo que vale.

Plauciano no parecía muy satisfecho con aquello.

—Veo que, al contrario de lo que pasó con Pescenio Nigro, en el caso de Albino y sus posibles alianzas no pareces tener tanta información como debieras.

—Reuniré todos los datos que se me requieran. Solo necesito instrucciones precisas —contrapuso Aquilio con cierto fastidio al ver cómo aquel petulante jefe del pretorio se dirigía a él menospreciando su trabajo y su capacidad, probada ya en muchas ocasiones, por varios emperadores diferentes, a la hora de reunir información. Que luego varios de esos augustos no hubieran sabido sacar provecho de la misma y estuvieran ahora muertos no era culpa suya.

—Sea, por Marte —aceptó Plauciano—. Reclamas instrucciones precisas. Te las voy a dar. Intuyo una conjura contra Severo en el Senado.

—El *vir eminentissimus* quiere decir contra el augusto Severo, ¿cierto? —se atrevió a corregirlo Aquilio Félix.

—Sí, eso he querido decir. No considero a nadie más como augusto. Ahora, si no me interrumpes, te daré tus instrucciones.

Aquilio Félix se quedó inmóvil, hizo una leve reverencia y calló.

—Quiero que controles el correo de los senadores que se escriben con Albino —explicitó entonces el jefe del pretorio—. Quiero saber quiénes son, cuántos son y qué traman. Y te advierto que deben de ser bastantes. Tienes a más de seiscientos senadores para vigilar. Ahora ponte a trabajar. ¿No querías instrucciones concretas? Ahí las tienes. Ahora soy yo el que espera resultados también muy precisos. Nada de vaguedades. Quiero el *praenomen, nomen* y *cognomen* de cada senador aliado con Albino.

—De acuerdo —aceptó el jefe de los *frumentarii*.

—La reunión ha terminado. Puedes marcharte.

Aquilio Félix asintió, dio media vuelta y, andando bajo los altos techos de la imponente Aula Regia, abandonó la sala y se adentró en los jardines de palacio atestados, como siempre, de pretorianos. En su mente ya tenía trazado el plan de acción. Desde luego no pensaba vigilar a los más de seiscientos senadores. No tenía suficientes informadores para controlar a semejante ejército de *patres conscripti*. Pero, en realidad, todo era bastante más sencillo. Solo tenía que vigilar el correo de una persona. Solo tenía que interceptar las cartas que Clodio Albino enviara y recibiera. Y eso podía hacerse. Todo lo que Albino escribiera a partir de aquel momento llegaría a manos del emperador Severo. Eso le garantizaría a él, Aquilio Félix, mantener su posición. Y su vida. La información sobre el pacto entre Nigro y los partos le salvó la vida ante Severo en el pasado. Obtener ahora datos sobre los senadores amigos de Albino le salvaría la vida por segunda vez. Sonrió. Era viejo, pero aún le gustaba disfrutar de los pequeños grandes placeres: un buen vino, una joven y hermosa esclava desnuda y esa sensación de saber algo secreto de todos que tanto lo excitaba.

LXVI

PRINCEPS IUVENTUTIS

Palco imperial del Circo Máximo, Roma
Invierno de 196 d. C.

Julia miraba hacia la plebe. Las gradas del Circo Máximo estaban abarrotadas con un gentío como pocas veces había visto ella reunido en su vida. Había asistido en numerosas ocasiones a carreras de cuadrigas en aquel mismo escenario, pero parecía que el pueblo se hubiera volcado aquella jornada en particular en asistir hasta colmar el aforo completo del inmenso estadio y, aun así, ya lleno, la guardia pretoriana había permitido que más y más gente accediera al recinto. Tenían instrucciones del emperador Severo de que entraran cuantos más mejor. ¿Qué cantidad de personas se habría congregado allí? ¿Doscientos cincuenta mil? ¿Trescientos mil? Difícil decirlo. Julia miró entonces hacia su esposo: Septimio estaba en pie, en el centro del *pulvinar*, la parte de las gradas reservada a la familia imperial, saludando a la multitud con el brazo derecho extendido. A su lado, también en pie, con su *toga viril* nueva y reluciente, el joven Basiano Antonino saludaba asimismo al público. La plebe no dejaba de aclamarlos a ambos: eran el *Imperator Caesar Augustus* y su hijo, el *caesar*, el heredero, al que se acababa de nombrar también *princeps iuventutis*, añadiéndole así una nueva dignidad. Esto ensalzaba a Antonino de nuevo frente a un Clodio Albino alzado en armas, en franca rebelión, pero ya declarado enemigo público por un Senado bien sujeto por el yugo de una nueva guardia pretoriana hecha a la medida de Severo.

Julia contemplaba la escena con plena satisfacción. Su esposo, además, con buen tino, había tenido la sensata idea de contratar a los mejores aurigas del Imperio para aquella jornada, sin reparar en gastos.

La plebe, por supuesto, no podía estar más agradecida, más ilusionada: empezaban a aficionarse a aquel nuevo emperador, más allá de las contiendas civiles y de las intrigas senatoriales. Severo era un hombre fuerte y garantizaba protección en las fronteras del Imperio como Marco Aurelio, les proporcionaba entretenimiento en grandes dosis como Cómodo, y aseguraba una distribución regular y constante de la *annona*, del trigo y el pan necesarios para la subsistencia de todos, como hizo Pértinax en el pasado reciente. ¿Qué más se podía pedir? ¿Libertad...?

La primera carrera de cuadrigas dio comienzo y nadie de la plebe parecía plantearse preguntas de gran enjundia filosófica o moral. Ni cuestiones de menor escala, pero de cierta sustancia, como el hecho de que el joven Basiano Antonino, nuevo *princeps iuventutis*, luciera *toga viril* cuando apenas tenía nueve años y aún no era la edad en la que habitualmente se vestía de adulto en Roma.

Julia sonrió. Lo esencial era mostrar al mundo que su primogénito Antonino estaba ahí, como sucesor de su padre para cuando hiciera falta. La sensación de la emperatriz ya no era de satisfacción, sino de felicidad, pero, justo en ese instante, detectó dos problemas, dos posibles puntos críticos en su cadena perfecta de acontecimientos dirigidos para conseguir el poder absoluto en Roma: por un lado reparó en que su segundo hijo, Geta, miraba con cierto aire de envidia a su hermano mayor, ensalzado ya antes frente a las legiones en Viminacium y ahora ante el pueblo, sin que él hubiera recibido ningún título; y por otro, Julia observó que un correo imperial llegaba al palco y se aproximaba a Plauciano para hablarle en voz baja, al oído.

Julia tenía claro que debía intervenir en aquellos dos frentes de inmediato, pero entonces Maesa, su hermana, se acercó por detrás para hablar con ella.

—¿Realmente era necesario todo esto?

—No te entiendo —le respondió Julia sin dejar de mirar hacia su hijo mayor, que seguía siendo aclamado como césar y *princeps iuventutis* por todo el público congregado en el Circo Máximo.

—Caesar, Caesar, Caesar!

Y sin perder de vista tampoco el ceño fruncido en la frente de su segundo hijo Geta o la larga conversación del correo imperial con Plauciano. Los mensajes largos eran siempre malas noticias. Cuando se conseguía una victoria, simplemente se informaba de que el enemigo había sido aniquilado. Los mensajes largos, por el contrario, estaban repletos de justificaciones y excusas para comunicar una derrota. Julia sabía que su esposo había enviado las legiones del Rin, bajo el mando del gobernador Virio Lupo, a detener el avance de Albino por la Galia. ¿Qué habría pasado en aquel enfrentamiento?

Como Maesa no obtenía respuesta alguna de su hermana, insistió:

—¿En verdad era necesario nombrar a Basiano césar, sucesor, al mismo nivel que Albino, y provocar otra guerra? —precisó Maesa—. ¿Era realmente necesario atacar a Albino de esa forma?

—No es un ataque —replicó Julia mirando ahora sí a su hermana—. En eso te equivocas.

—¿Me equivoco? —dijo Maesa en un claro tono de escepticismo—. Pues parece que así lo ha interpretado el propio Albino, rebelándose y proclamándose emperador, ¿no crees?

—Así lo ha interpretado Albino, eso es cierto —aceptó Julia—, pero el nombramiento de Antonino como césar no es un ataque.

—¿Ah, no? Pues dime tú entonces qué es.

Julia fijó la mirada en ella unos instantes antes de responder. Siempre le sorprendía que los demás no vieran lo que para ella resultaba tan evidente.

—El nombramiento de Antonino como césar es defensa propia, hermana.

—La que no entiende ahora soy yo.

—Maesa, aquí nos odian —se explicó Julia—. No te dejes engañar por esos vítores de la plebe. O incluso aunque sean genuinos, más allá de lo que piense el pueblo de Roma, los senadores nos odian porque somos extranjeras. Tú y yo. Somos de Oriente y aunque yo esté casada con uno de ellos, siguen sin aceptarme. Me odian como odiaron a Cleopatra y como luego odiaron a Berenice, la amante de Tito. Era solo cuestión de tiempo que Clodio Albino, apoyado por la clase senatorial, se revolviera contra Septimio, pero al hacerlo ante el nombramiento de Antonino como césar, hemos podido forzar su declaración como enemigo público por parte del Senado y ahora Septimio está legitimado para aniquilarlo.

—No creo que Albino se hubiera revuelto contra Septimio como tú dices —opuso Maesa, a quien no convencían los argumentos esgrimidos por su hermana.

—Sí, sí lo habría hecho. El problema no es Albino en sí mismo, el problema es Salinátrix, su esposa. Maesa, tú no viste cómo me miró en el Anfiteatro Flavio, hace unos años, cuando aún gobernaba Cómodo. Deseaba mi muerte, nuestra muerte, y no parará hasta conseguirlo. Pero yo he empezado la partida antes y eso nos da ventaja.

—Creía que había sido Severo —matizó Maesa.

—Eso he querido decir —admitió Julia la corrección de su hermana—: Septimio ha iniciado los movimientos antes que Albino y lleva la delantera en la estrategia de este nuevo enfrentamiento.

Las dos callaron un rato mientras seguían las aclamaciones de la plebe a Antonino, su nuevo joven césar.

—Quizá tengas razón con lo de Salinátrix —admitió ahora Maesa—. Es indudable que nos odia a muerte y es muy posible que no pase día sin que envenene a su esposo Albino contra Septimio y contra nosotras.

—No lo dudes —confirmó Julia.

—¿Y crees que Septimio podrá contra Albino?... En el campo de batalla, quiero decir.

—Septimio tiene sus dudas, pero eso es bueno porque no menosprecia a su oponente. Tengo fe ciega en mi esposo. Es un excelente militar y derrotará a Albino en la guerra. Será duro, por todo lo que dice del gobernador de Britania y su propia capacidad militar, pero Septimio vencerá. Estoy segura de ello.

—¿Y también podrá contra las intrigas de Salinátrix? —preguntó entonces Maesa.

Julia miró a su hijo mayor, de nuevo aclamado por las multitudes de Roma, y sonrió.

—De las maniobras de esa puta durante la guerra me encargaré yo. Salinátrix me dedicó una miserable sonrisa de desprecio que ni olvido ni perdono. —Y recordó cómo la propia Salinátrix había desbaratado, no obstante, su plan para asesinar a Albino, pero ocultó a su hermana aquellos detalles y las dudas que aquel fracaso había despertado en su interior. En su lugar, se reafirmó categórica—: Ni olvido ni perdono...

Plauciano, que ya había escuchado todo lo que el correo imperial tenía que decirle, se acercaba al emperador para comunicarle el contenido de aquel mensaje. Julia tomó un instante la mano de su hermana a modo de despedida, como forma cariñosa de indicarle que ahora no podía seguir hablando con ella, y se dirigió directa junto a su esposo. El jefe del pretorio ya estaba hablando con él.

Severo seguía saludando al público. El joven Basiano Antonino también. Julia sonrió de forma fingida, pero con sorprendente naturalidad.

—Es como temíamos —decía Plauciano, que dudó un instante al ver la figura de Julia junto a ellos, pero Severo le instó a seguir.

—¿Qué ha pasado exactamente? Y, por favor, sáltate todas las excusas.

Plauciano asintió y compartió, al fin, la esencia del mensaje del correo imperial:

—Virio Lupo ha sido derrotado por las legiones de Albino, y el ejército del Rin se ha replegado a Mogontiacum,[43] donde está bajo asedio. El resto del mensaje son sus justificaciones por la derrota sufrida.

Severo seguía saludando, pero Julia detectó cómo la faz de su esposo se tornaba, primero, seria y, luego, algo sombría. Al menos no perdía el gesto propio de la determinación y la fuerza.

—De acuerdo —dijo el emperador—. Nos toca a nosotros.

Severo dejó de saludar y su hijo lo imitó. En cualquier caso, la carrera había empezado y el público querría centrarse en las cuadrigas. No era inteligente forzar a la plebe a decidir si aclamar al emperador o a los aurigas. Era el momento de recogerse hacia el centro del palco imperial.

43. Maguncia.

Plauciano y Julia lo siguieron. El joven césar Basiano Antonino se quedó en el borde del palco admirando el paso de los aurigas con sus veloces cuadrigas, mientras su hermano pequeño permanecía más atrás en una esquina, mirando hacia los carros pero con el semblante serio. No estaba de humor para carreras.

Julia volvió a darse cuenta de aquel detalle, de cómo cada uno de sus dos hijos estaba reaccionando de modo diferente ante la competición de los aurigas, pero ahora no podía ocuparse de aquel asunto. Su marido volvía a dirigirse a Plauciano.

—Quiero que Pacatiano, que es leal y conoce las montañas de Helvetia, coja la legión II *Parthica* y bloquee todos los pasos de los Alpes. Si hay algo que no debemos permitir es que ese miserable de Albino se acerque a Roma cruzando las montañas como un nuevo Aníbal. Yo, por mi parte, me reuniré con las tropas de Panonia y Mesia y, bordeando la cordillera, me aproximaré a Lugdunum, donde Albino tiene a Rufo preparando su campamento general. Envía un correo a Lupo para que converja él también sobre Lugdunum desde el norte. Albino tendrá que dejar de asediarlo para reunirse con Rufo en las próximas semanas. Las fuerzas unidas del Rin y del Danubio nos darán la victoria frente a las legiones de Britania e Hispania en Lugdunum. Tú vendrás conmigo a la guerra con la mayor parte de la guardia pretoriana y los jinetes *singulares augusti*. Alexiano se quedará en Roma y mantendrá al Senado y la ciudad bajo su control.

Plauciano no discutió el plan. Le parecía sensato, una buena estrategia. Saludó con el puño cerrado sobre el pecho, dio media vuelta y partió para transmitir las órdenes del emperador.

Severo se quedó con Julia a su lado. Un esclavo les ofrecía una bandeja con copas de vino. Tras un instante, Julia cogió dos y, mientras el esclavo se retiraba, le ofreció una de ellas a su esposo.

—No es conveniente que la gente te vea preocupado tras recibir noticias de un correo imperial —dijo ella—; en particular las ratas del Senado que nos observan desde las gradas contiguas.

Severo se giró y pudo ver al senador Sulpiciano, rodeado de múltiples partidarios suyos, esto es, partidarios a su vez de

Albino, aunque no tuviera pruebas con que demostrarlo, mirándolos con el semblante serio.

—De acuerdo —aceptó Severo, y tomó con la mano derecha la copa que le ofrecía su esposa—. ¿Por qué brindamos? —preguntó.

—Por la victoria.

Bebieron. Julia sonrió con naturalidad, su esposo con más esfuerzo, pero consiguió hacerlo con un cierto aire de despreocupación a su alrededor que, sin duda, fastidiaría a Sulpiciano y a los suyos.

—¿Crees que ya saben lo de la derrota de Lupo y las legiones del Rin? —preguntó Severo a su esposa.

—No lo sé, pero que no sea por nuestro comportamiento triste que puedan deducirlo, ¿no crees?

—Llevas razón —admitió el emperador—. Como siempre. —Y sonrió, ahora más relajado, quizá por el vino, quizá porque la seguridad de Julia era siempre contagiosa.

—Como siempre —confirmó ella, y miró hacia el esclavo que portaba otra bandeja con más copas. Este fue hacia la pareja imperial *ipso facto*. Tomó la copa medio vacía de su esposo y, junto con la suya, las depositó en la bandeja para luego tomar otras dos nuevas repletas del licor de Baco.

Severo volvió a beber.

—Supongo que no podré persuadirte de que te quedes en Roma —dijo tras un nuevo sorbo de vino.

—No, no puedes convencerme de ninguna forma —ratificó ella—. Pero piénsalo bien: te llevas la legión II *Parthica* y la mayor parte de la guardia. Apenas quedarán hombres fieles que defenderme, a mí y a los niños: si Sulpiciano y los suyos montan una rebelión en Roma, podría terminar como rehén de los amigos de Albino. ¿Es eso lo que quieres?

Severo negó con la cabeza.

—Sabes que no. —Y bebió otro poco—. Y lo que dices tiene perfecto sentido.

—Esto lo haremos como hemos hecho las otras cosas, esposo mío: juntos. Y juntos venceremos.

La plebe vociferaba como loca. Dos cuadrigas acababan de estrellarse en el segundo giro de la tercera vuelta de la carrera.

La sangre se derramaba por la arena del Circo Máximo. Estaban extasiados.

—Además de derrotar enemigos —dijo entonces Severo—, hay otras cosas que me gusta que hagamos juntos.

—Lo sé —respondió ella con la sonrisa más seductora que toda su belleza le permitió—. Esta noche, en mi cámara de palacio, a la hora que tú desees, haré lo que me pidas. —Se acercó un instante para hablarle al oído—: El emperador me posee, el emperador me manda.

Julia se separó y empezó a andar hacia donde estaba Geta, aún enfurruñado, mirando al suelo, sin prestar atención a la carrera.

Severo se quedó en pie, en medio del palco imperial, con la copa de vino en la mano, viendo cómo la hermosa y delgada figura de su joven esposa se deslizaba con una mezcla de sensualidad y poder por las baldosas de mármol del *pulvinar*. El deseo lo reconcomía por dentro. Iba a beber de nuevo, pero antes de hacerlo se lo pensó dos veces y se contuvo. Se hacía mayor y tenía comprobado que el vino y ciertos placeres ya no combinaban bien, y quería estar a pleno rendimiento por la noche.

Julia, entretanto, llegó junto a Geta.

—¿Estás bien?

—Sí, madre —dijo el niño, pero con tal tono de enfado que era casi cómica la falta de concordancia entre sus palabras y su semblante agrio.

Aun así, Julia no se rio, sino que se agachó y ahora fue a su hijo pequeño a quien le habló en voz baja.

—Tú también serás césar —le dijo su madre—. No solo tu hermano.

Al niño se le iluminaron los ojos.

—¿De verdad, madre?

—Por supuesto —le confirmó ella—. Pero primero tu padre ha de eliminar al rebelde Albino. Entonces te nombrará a ti césar y el Imperio tendrá su augusto y dos césares... al mismo nivel. Todo tiene que ir paso a paso.

—Sí, madre —repitió Geta, aunque el tono ahora era de satisfacción.

—Ve junto a tu hermano y disfruta con él de la carrera.

El muchacho fue corriendo hacia el borde del palco, donde Antonino seguía lo más cerca posible las tribulaciones de los aurigas. Acababa de haber un segundo accidente.

Julia suspiró algo más relajada. Debía estar atenta a varios frentes a la vez, pero lo tenía todo controlado. ¿Todo? Ella sí apuró su segunda copa de vino. No tenía nada que demostrar por la noche. Bastaba con que se tumbara y dejara hacer a Septimio. A él le gustaba que estuviera muy quieta, como asustada ante su fuerza. Ella no le tenía miedo, pero no le incomodaba seguirle el juego y hacerle sentir bien. Tenía que conseguir que Septimio se sintiera el hombre más fuerte del Imperio. Y eso sabía hacerlo a la perfección.

Sí, parecía tenerlo todo controlado y, sin embargo, estaba segura de que aún había algún cabo suelto..., por eso se mantenía en guardia.

LXVII

EXPEDITIO GALLICA

En ruta hacia Lugdunum
Invierno de 197 d. C.

El avance hacia el norte de Italia llevó a Julia y a sus hijos, acompañando a su esposo el emperador Severo, por las ciudades de Pisae y Genoa hasta llegar a Segustum,[44] al sur de los Alpes, donde su marido reunió a todas las tropas legionarias de las provincias danubianas. Las noticias que llegaban del norte, una vez más, no eran alentadoras. Virio Lupo había apresurado demasiado su propio avance y Albino había decidido salir a su encuentro antes de que el ejército del Rin se uniera al del Danubio controlado por Severo. El brutal encuentro había sido en Tinurtium,[45] apenas a cincuenta millas de Lugdunum, donde, de nuevo, Albino infligió una derrota a Lupo que hizo retroceder al gobernador de Germania.

—¡Tendría que haber esperado! —clamaba Severo en el *praetorium* de campaña.

—Es la tercera derrota de Lupo seguida —apuntó Plauciano—: Primero cerca de Colonia, luego en Treverorum y ahora en Tinurtium.

—El emperador sabe contar —apostilló Julia con cierto descaro.

Plauciano la miró con rabia, pero se contuvo y no dijo nada.

Severo también miró a su esposa con seriedad y Julia bajó la mirada.

—¡Por Júpiter! —clamó entonces el emperador—. En todo

---

44. Pisa, Génova y, probablemente, Susa, cerca de Turín.
45. Tournus.

caso, esto no cambia nada. Envía otro mensajero a Lupo y dile que se repliegue y que espere nuevas instrucciones. Yo le diré cuándo acercarse otra vez a Lugdunum, una vez que nosotros estemos llegando por el sur. Atraparemos entonces a Albino entre dos frentes y ese será su fin.

Todos los *legati* presentes, desde Leto hasta Cilón o el propio jefe del pretorio, manifestaron su acuerdo con gestos de aprobación.

Severo levantó la mano derecha y todos salieron. Solo permaneció junto a él su esposa Julia que, despacio, empezó a caminar alrededor de la mesa de los mapas.

—Esto sí lo cambia todo —se atrevió a afirmar la emperatriz una vez que estuvieron a solas en oposición a lo que acababa de defender su marido ante Plauciano.

—¿Qué quieres decir? —le espetó Septimio con cierto despecho—. No estoy para enigmas. Si tienes algo que decirme, dilo ya y con claridad.

—De acuerdo —aceptó Julia como quien se atreve con un desafío—: Plauciano tiene razón: por una vez y sin que sirva de precedente, coincido con él. Son ya tres las derrotas de Lupo frente a Albino y ahí hay algo que no cuadra: el ejército del Rin nunca se ha visto desbordado en la frontera, mientras que el de Britania y hasta el danubiano sí han sido superados en más de una ocasión ante los ataques de los pueblos bárbaros. ¿Cómo es que ese mismo ejército tan eficaz a la hora de defender las fronteras del Imperio parece tan torpe al enfrentarse con otro de similares características pero que sí ha sido derrotado por bárbaros? Es extraño.

—¿Qué estás sugiriendo, mujer? Llama a cada cosa por su nombre, si es que tienes alguna acusación en mente.

—Traición —apuntó Julia con rotundidad—. Albino ha comprado la voluntad de Virio Lupo, solo así se puede entender su reiterada torpeza al luchar contra el propio Albino.

—No tenemos tiempo para averiguar si lo que dices es cierto —opuso Severo—. E incluso aunque lo tuviéramos, no sé cómo podría probarse lo que dices. Necesitaríamos testigos próximos al propio Lupo o una carta.

—Eso es cierto —confirmó Julia—. Pero hay otra solución.

Severo respiraba con vigor, de modo que se podía oír por toda la tienda cómo el aire entraba y salía por sus orificios nasales.

—¿Qué solución? —preguntó al fin el emperador.

Julia se le acercó por el otro extremo de la mesa y se quedó apenas a un par de pasos de él.

—Aparta al gobernador de Germania del escenario central de esta guerra. Ordénale que se aleje, hacia el norte. Dile que prefieres que esté en retaguardia, como reserva, o en las costas del *Mare Britannicum* para cortar una posible retirada de Albino cuando lo derrotes en Lugdunum. —Julia hablaba a toda velocidad y, por supuesto, en sus planes no cabía sino la victoria de su esposo sobre el enemigo—. Lupo ha manifestado en público que te es leal, pero luego, en el día a día, en el campo de batalla, se muestra reiteradamente torpe y cae una y otra vez ante el enemigo que se supone que, al menos, tendría que haber sido debilitado por sus enfrentamientos con el ejército del Rin. En su lugar, las derrotas de Lupo han generado miedo y dudas en ti y en tus *legati*, y esas dudas están llegando hasta el último de los legionarios del Danubio. Cuando tu ejército, tus propias tropas, no han hecho más que conseguir victorias: primero contra Juliano, luego contra Nigro y en último lugar contra los reinos de Osroene y Adiabene. Tienes un ejército triplemente victorioso cuya moral está ahora contaminada por la duda y el temor a causa del incapaz o, peor, del traidor de Lupo. El gobernador de Germania Inferior está jugando a dos bandas. Estoy segura de ello. Albino lo ha comprado. Hazme caso: aleja al ejército del Rin de Lugdunum. No es de fiar.

—Pero necesito el máximo número de tropas que pueda reunir. He tenido que dejar demasiadas *vexillationes* en la frontera del Danubio para impedir un ataque de los marcomanos o los roxolanos; y he dejado también legiones enteras apostadas por todo Oriente para evitar un contraataque de los partos. Albino, sin embargo, se ha traído todo lo que tiene de Britania abandonando la provincia a su suerte sin importarle lo que allí pase. Necesito las legiones del Rin.

—Pero mandadas por Lupo no son... leales —contrapuso Julia con energía.

—No tengo tiempo de destituirlo ahora. Sus oficiales no lo aceptarían.

—Por eso, tu única opción es alejarlo de la batalla que se avecina —insistió con vehemencia—. Lo último que desea Lupo es entrar en combate a tu lado. Si le das una orden de que vaya hacia las costas del norte de la Galia, te obedecerá encantado.

—Pero me lo juego todo con solo las legiones del Danubio que he podido traer. Es muy arriesgado.

—Créeme, por El-Gabal, más peligroso sería entrar en una batalla con unas legiones, las del Rin, que en cualquier momento del combate pueden dar media vuelta y replegarse sin atender a tus órdenes. Tus legiones de Panonia y Mesia, sin embargo, maniobran ante cualquier gesto tuyo como perros amaestrados. Te son leales, te son fieles y han conseguido siempre la victoria para ti, contigo. No necesitas a Lupo. Escúchame: aléjalo de Lugdunum y lucha solo con tu ejército del Danubio.

Severo suspiró y luego se frotó el rostro con las palmas de ambas manos.

—Y el caso es que mi intuición me dice que tienes razón —admitió el emperador.

—La tengo —corroboró Julia categórica.

Septimio Severo, emperador de Roma, cabeceó afirmativamente varias veces.

—Haré lo que me sugieres —dijo—, pero es posible que la batalla de Lugdunum, estando las fuerzas de unos y de otros muy igualadas, se convierta en la mayor carnicería que ha contemplado Roma en siglos.

—Puede ser, esposo mío, pero será la carnicería que nos dará la victoria final sobre nuestro último enemigo —sentenció Julia, sin un ápice de duda ni de remordimiento ni de prevención—. Es la hora del todo o nada. Pero sin las legiones del Rin.

LXVIII

—

LA BATALLA DE LUGDUNUM

Lugdunum, centro de la Galia
19 de febrero de 197 d. C., al alba

Retaguardia del ejército de Albino

Estaban frente a frente.

Clodio Albino, sobre su caballo, lo contemplaba todo con cierto aire de seguridad. No había exceso de confianza, no obstante, en su porte. Sabía que Severo era un enemigo poderoso, pero las legiones de Britania habían derrotado ya a las del Rin, enviadas por el propio Severo, en repetidas ocasiones. Las legiones de Britania estaban crecidas. Aquella sucesión de victorias había dado mucha moral a su ejército. Que esa serie de logros militares se había debido a que Lupo había aceptado los sobornos que el mismo Albino había enviado para que no se empleara a fondo contra su ejército de Britania era algo que sus hombres no sabían. Para sus legionarios se trataba ahora de repetir aquel éxito contra las legiones de Panonia y Mesia. Pues tal era el grueso del ejército que Severo había traído hasta allí: las legiones del Rin estaban alejadas, enviadas por Septimio Severo hacia el *Mare Britannicum*, supuestamente para impedirle una retirada de regreso a Britania en caso de derrota. Pero Albino intuía que Severo —con buen criterio, eso había que reconocérselo— con toda probabilidad había alejado las legiones de Germania Superior e Inferior porque no se fiaba de la lealtad de Virio Lupo, tras sus derrotas en Colonia, Treverorum y, en fecha más reciente, en Tinurtium. Aun así, lo esencial para Albino era que, sin esas legiones, el ejército de Severo quedaba muy mermado, pues, además, su oponente se había visto forzado a dejar muchas fuerzas a lo largo del Danubio, una frontera siempre delicada, y también en un Oriente que aún no estaba del todo controlado con respecto al Imperio parto tras la guerra contra Nigro. Sí, Albino tenía que admitirlo: la maniobra propuesta por su esposa Salinátrix de sobornar a Lupo había dado muchos más frutos de los imaginables. Su mujer, no obstante, se había mostrado airada y preocupada sobremanera porque Severo apartara las legiones del Rin de la inminente batalla, pero a Albino la inquietud de su esposa en este punto le parecía exagerada.

Sonrió. Él, al contrario que Severo, había ido allí con la práctica totalidad del ejército de Britania, esto es, con el grueso de las legiones II *Augusta*, XX *Valeria Victrix* y la VI *Victrix*. Apenas había dejado algunas unidades en el Muro de Adriano, una fuerza puramente testimonial. Britania no importaba ahora. Lo esencial era conseguir el Imperio. Logrado el objetivo de controlar Roma y todos sus dominios, ya habría tiempo de recuperar aquella maldita isla del fin del mundo.

Albino inspiró hondo. Miró hacia atrás. A su espalda estaban los cinco mil quinientos jinetes sármatas que Marco Aurelio había enviado en el pasado a Britania a reforzar el *exercitus britannicus*. Ahora le servirían como fuerza de caballería de reserva para aquella batalla. Miró de nuevo hacia el frente: las cohortes de la legión VII *Gemina* de Hispania, traídas por Novio Rufo, estaban tomando su posición como tercera línea de infantería. La idea era situar a los auxiliares como fuerza de choque inicial y luego tres líneas con cohortes distribuidas en *triplex acies* dejando espacios para que las cohortes de segunda y tercera línea pudieran reemplazar a las de primera según fuera necesario en la batalla. Las dos primeras líneas de cohortes estaban formadas por sus tres legiones de Britania, y la tercera línea por la legión hispana, con los arqueros por detrás. A esto quedaba por añadir la cohorte urbana adicional de la ciudad de Lugdunum junto con las grandes levas de nuevos legionarios voluntarios que había hecho por toda la Galia en su ruta hasta allí. Había reunido aproximadamente cincuenta mil hombres. Muchos veteranos. Tres veces había derrotado a fuerzas enviadas por Severo, había elegido el terreno donde enfrentarse con él y tenía una ciudad a su espalda en la que refugiarse en caso de que todo saliera mal. Sí, Albino se sentía lo suficientemente seguro para plantar cara a su enemigo en una gran batalla campal.

—Severo está distribuyendo sus tropas de forma similar a nosotros —dijo Léntulo que, junto con Novio Rufo, estaba al lado del emperador Clodio Albino.

—Sí, vamos a combatir con la misma estrategia —confirmó el propio Albino—. Es cuestión de ver quién pone más ahínco en el combate. Sus hombres ya llevan dos guerras a cuestas, contra Nigro y contra los reinos de Oriente, y saben de nuestras recientes victorias frente a las legiones del Rin. Su cansancio y nuestros logros pesarán en su ánimo.

Rufo y Léntulo, convencidos, asintieron y, sin esperar más instrucciones, cada uno tiró de las riendas de su caballo para acudir el primero a la derecha del ejército y Léntulo a la izquierda, según el plan acordado la noche anterior para el combate en aquella fría jornada de febrero.

Albino los vio alejarse cabalgando bien erguidos sobre sus monturas.

Sus oficiales estaban persuadidos de la victoria.

Eso era clave, pues transmitirían ese estado de ánimo a los tribunos y centuriones.

La fe en la victoria era como el opio: adictiva.

Retaguardia del ejército del Danubio

Severo hacía recuento de sus fuerzas mentalmente desde su posición: había traído hasta allí el grueso de sus tres legiones de Panonia Superior, la X *Gemina*, la XIV *Gemina* y la I *Adiutrix*, que había unido también a las de Mesia Superior, la IV *Flavia Felix* y la VII *Claudia* de Viminacium. Había tenido que dejar algunas unidades de estas legiones en la frontera del Danubio, del mismo modo que del resto de tropas de la Dacia, Mesia Inferior y Tracia solo había traído algunas *vexillationes*. No podía dejar desprotegida toda la larga frontera danubiana, o tras vencer en Lugdunum podría encontrarse con todo un Imperio invadido por mil sitios diferentes. El recuerdo de la incursión de los marcomanos de apenas diecisiete años atrás estaba aún muy vívido en la mente de todos. Los marcomanos llegaron hasta el mismísimo *Mare Internum*. Eso no podía repetirse. Tampoco había podido traer más que algunas unidades de caballería y unas pocas cohortes de Oriente, pues, al igual que en el Danubio, la situación en la frontera parta, pese a sus recientes victorias en Osroene y Adiabene, seguía siendo delicada. Era un asunto del que tendría que ocuparse de una vez por todas tras terminar con la rebelión de Albino. También había dejado muchas tropas en los pasos de los Alpes para impedir que Albino huyera tras la batalla en dirección a Roma, del mismo modo que había ordenado a Lupo que fuera al norte para cortar esa otra ruta de huida. Severo estaba preocupado: sabía que había organizado todo con suma prudencia y buen sentido común, pero ¿hasta qué punto se puede ganar un Imperio con mesura y tiento sin casi arriesgar, sin audacia? La cuestión era que con todas aquellas prevenciones, había reunido un ejército de unos sesenta y cinco mil hombres,[46] lo que aún le daba una interesante superioridad numérica sobre su enemigo, aunque no determinante. Confiaba más en el hecho de tener controlada Roma y en que las victorias conseguidas por sus tropas en Oriente les dieran suficiente moral para entrar en combate con seguridad y aplomo. Mucho iba a depender de cómo de fuertes se mostraran las legiones de cada bando en los primeros embates.

Severo miró a izquierda y derecha.

Había distribuido sus tropas de modo similar a Albino: auxiliares por delante como fuerza de choque, tres filas de cohortes legionarias, arqueros en retaguardia, algunas *turmae* de jinetes en las alas, la guardia pretoriana montada con él y el grueso de la caballería en reserva a mando de Leto y Plauciano. En la retaguardia del ala derecha vislumbró la inconfundible figura de su hermano mayor Geta dando las últimas instrucciones a sus hombres, y entre las cohortes del ala izquierda vio a Fabio Cilón a lomos de su montura, comprobando que todo estuviera bien dispuesto para la lucha.

46. Sobre la controversia con relación al número de combatientes en esta batalla, ver el artículo «The Numbers at Lugdunum», en *JSTOR*.

Septimio Severo no miró hacia atrás, pero sabía que a unas millas de distancia, Julia y sus hijos, custodiados por un destacamento de la guardia pretoriana, esperaban noticias de la batalla.

Miró entonces hacia el cielo: ¿enviarían los dioses otra tormenta contra el enemigo como ocurrió en Issus?

Suspiró.

La verdad era que no vendría mal un poco de ayuda divina y, sin embargo, no sabía bien por qué, intuía que en aquella batalla los dioses no pensaban entrometerse. Todo iba a ser cuestión de la fuerza de las legiones de Roma. Una Roma dividida. Una Roma partida. Una Roma herida. Ganara quien ganase, habría mucho que recomponer tras la batalla.

Campamento general del ejército de Severo
Tres millas al norte

Julia sintió que uno de los niños tiraba de su túnica.

—¿Ganará padre?

La emperatriz miró hacia abajo. Era Basiano Antonino quien preguntaba.

—Sí, tu padre ganará. Siempre gana. Va a conseguir un Imperio entero para vosotros —añadió Julia sin un ápice de duda en la voz.

Basiano se puso muy firme, henchido de orgullo, y se alejó seguro de que todo marcharía bien.

Su hermano Geta se acercó entonces a su madre.

—El Imperio será para los dos, ¿verdad, madre? Como me prometiste en el Circo Máximo, ¿cierto?

Julia Domna asintió al tiempo que respondía a su hijo menor.

—Para los dos. Aniquilado Albino, el Imperio entero será para vosotros.

El pequeño, como su hermano mayor, también quedó satisfecho con la seguridad con la que su madre vaticinaba el desenlace de aquella nueva guerra. Ella nunca se había equivocado. Geta no tenía duda alguna de que su pronóstico, como siempre, se cumpliría.

Otra cosa era lo que pensaba en realidad la emperatriz.

Julia miró hacia el horizonte e inspiró profundamente. Necesitaba mucho aire en los pulmones. Era momento de rezar, pero sentía que estaban demasiado lejos de Siria para que El-Gabal pudiera dar a Severo la ayuda que le ofreció en Issus. Severo dependía, pues, de sí mismo. Solo de él.

Retaguardia del ejército de Albino

—Que avancen los auxiliares —ordenó el emperador llegado desde Britania.

La inmensa maquinaria de guerra del *exercitus britannicus* de Albino se puso en marcha.

Retaguardia del ejército de Severo

Septimio Severo levantó un brazo. Su hermano Geta esperaba aquel gesto.

El emperador lo bajó con rapidez.

Los auxiliares de las legiones del Danubio fueron al encuentro del enemigo.

Centro de la batalla

El choque entre unos soldados y otros en el centro de aquella llanura situada a pocas millas de la ciudad de Lugdunum fue encarnizado, violento, sangriento. Pero ninguno de los dos bandos pareció conseguir ventaja alguna, al menos, en aquellos momentos de inicio de la contienda.

Retaguardia del ejército de Albino

—Que entre en combate la primera línea de las legiones —dijo el emperador.

No quería que ninguna de sus diferentes líneas se agotara en intervenciones demasiado largas. Sabía que estaba en cierta inferioridad numérica y era esencial administrar bien sus fuerzas.

Retaguardia del ejército de Severo

Septimio observó la maniobra de su oponente y miró con rapidez a ambos lados alzando ambos brazos ahora. Tanto su hermano Geta como el *legatus* Cilón comprendieron el mensaje. La primera línea de las legiones de Panonia entraba en combate reemplazando a los auxiliares, al igual que estaba haciendo el ejército enemigo.

Lo habitual habría sido dejar las mejores tropas para el final, pero Severo había decidido que cualquier cosa podría desequilibrar la balanza en aquella batalla y que quien tomara la iniciativa tendría las de ganar, de forma que había optado por que sus mejores tropas, las más fieles, las de Panonia Superior, formaran la primera y segunda línea y que las de Mesia, de su hermano, formaran la última línea.

Severo no podía saberlo, pero Albino había tomado la misma decisión y por eso ahora avanzaban contra ellos sus mejores fuerzas britanas. La legión hispana de Rufo intervendría solo al final.

Centro de la batalla

Los auxiliares se retiraban con rapidez, felices de poder abandonar aquel brutal campo de batalla donde se había combatido con una violencia tan bestial como en la peor de las fronteras del Imperio. Para los auxiliares aquello era casi inesperado. Sin embargo, para los legionarios de Britania, las fuerzas de más confianza de Albino, que sus enemigos fueran a combatir con brutalidad era algo predecible. Los propios legionarios entendían que estaban en una guerra civil, en donde el destino del Imperio estaba en juego, y sabían que tanto su emperador Clodio Albino como el emperador enemigo Severo no tendrían mucha misericordia con quien fuera derrotado aquella jornada. Conseguir la victoria era mucho más importante en aquella batalla que en cualquier otra en la que hubieran luchado antes contra bárbaros. En las fronteras del Imperio, si se sufría una derrota, uno siempre podía replegarse hacia territorio controlado por Roma, rehacerse y volver a atacar. Pero en aquella batalla, quien perdiera no tendría lugar alguno donde refugiarse. Perseguirían al derrotado hasta el final, hasta el más remoto de los rincones del Imperio. Ni siquiera el abrigo de los muros de Lugdunum parecía ofrecer suficiente sosiego a los hombres de Albino. Y saberse con el control de la ciudad de Roma tampoco tranquilizaba demasiado a los legionarios de Severo.

El choque entre las legiones de Britania y las de Panonia dio comienzo con sendas lluvias de dardos que los arqueros de uno y otro bando arrojaban con saña.

—*Testudo, testudo!* —ordenaban oficiales de uno y otro ejército. Y es que como la estrategia de combate era la misma para ambos bandos, también lo eran las contramedidas defensivas.

Hubo bajas.

Por ambas partes.

Pero ninguna cohorte detuvo su avance. Como gigantescas tortugas, con heridas abiertas cuando algunos legionarios caían abatidos por los proyectiles y arrojaban sus escudos dejando desprotegido un pequeño sector de la unidad, avanzaban al encuentro del enemigo sin detenerse ante nada.

Los escudos de los legionarios de primera línea impactaron con los de la primera línea enemiga. Los *umbones* se usaban para empujar al contrario y por entre escudo y escudo asomaban los miles de gladios puntiagudos esgrimidos con rabia para pinchar, para herir, para matar.

El fragor de la batalla emergía desde la superficie de la tierra y se elevaba hacia un cielo limpio y sin nubes, que habría permitido a los dioses asistir como testigos privilegiados a aquella contienda inmisericorde. Pero los dioses, aquel día, no estaban interesados en las penurias de los hombres. Cada vez se elevaban menos plegarias hacia ellos. Había otro dios que parecía estar quitándoles adeptos. Se sentían humillados, poco concernidos con los vaivenes de un pueblo que percibían como ingrato.

En tierra la batalla crecía en intensidad.

Retaguardia del ejército de Albino

—¡Que entre en combate la segunda línea! —ordenó el *imperator* de Britania, nuevamente administrando sus fuerzas con prudencia.

Todo estaba muy igualado y aquello podría significar que la lucha se alargara más allá del mediodía. Relevar a los combatientes con regularidad era primordial para resistir aquel pulso mortal.

Centro de la batalla

La segunda línea de las legiones de Britania entró en combate contra la segunda línea de legiones de Panonia, pues Severo parecía copiar cada una de las maniobras que realizaba su oponente. Una vez más escudos y gladios en dura pugna en el centro de la llanura para intentar conseguir ganar aunque fuera solo unos pasos de terreno al enemigo, pero ni unos ni otros lo conseguían. Las filas se mantenían prietas. Se herían unos a otros, pero se reemplazaba a aquellos que no podían blandir por más tiempo sus espadas por otros legionarios de refresco.

Entró en combate la tercera línea de Albino, con los legionarios de la VII *Gemina* de Hispania combinados con las tropas de Lugdunum y soldados de las nuevas levas de la Galia, y todos ellos unidos se encontraron con la tercera línea de combate de Severo: las legiones de Mesia.

Flechas y *pila* caían por doquier, en intermitentes andanadas que martilleaban sobre los miles de escudos de unos y de otros, a veces atravesando el arma defensiva e hiriendo a su portador, a veces quedando clavadas en los propios escudos.

Nadie ganaba terreno.

Sangre por todas partes, en forma de charcos espesos, pastosos, pegajosos.

Llegó la hora sexta del mediodía y con ella un nuevo relevo: los auxiliares volvían a entrar en combate. Habían tenido tiempo de descansar, reponer fuerzas, beber agua, algunos incluso comieron algo de carne seca y galletas saladas. Se reincorporaron a la lucha con violencia, emulando la saña que habían visto exhibir a los legionarios regulares de las legiones de ambos bandos. Ningún auxiliar quería que sus superiores los criticasen luego por, supuestamente, haber sido menos aguerridos que los legionarios.

Y pese a toda esa sangre, pese a todos los muertos y heridos, pese a la lucha sin cuartel ni descanso..., nadie conseguía avance notable alguno.

Los reemplazos en la primera línea de combate se sucedían sin parar la lucha en ningún momento.

Hora séptima.

Roma entera se iba desangrando poco a poco.

Hora octava, novena, décima.

El sol se ponía por el oeste del mundo.

Volvían a combatir, por enésima vez aquella jornada, las legiones de Britania contra las de Panonia Superior.

Ni Albino ni Severo se atrevían a dar órdenes a sus caballerías de las alas y a la de reserva para intentar maniobra alguna. Los dos temían por igual que en cualquier momento la línea de combate se partiera en algún punto y fuera entonces necesario disponer de todos los jinetes posibles para taponar una eventual brecha que pudiera abrirse en el frente y desequilibrarlo todo.

Hora undécima.

El sol ya no era visible. Solo que sus rayos aún se arrastraban por el rojo campo de batalla donde la hierba ya no era verde, sino oscura, casi negra.

Retaguardia del ejército de Albino

Albino inspiró profundamente.

—¡Por Júpiter! ¡Que se replieguen! ¡Todos! —vociferó, y las

trompas de sus *buccinatores* hicieron saber aquella instrucción a todas sus legiones.

Retaguardia del ejército de Severo

—¡Retirada! —ordenó Septimio.

El repliegue de Albino era muy ordenado como para intentar nada y menos con la noche encima de todos ellos. Lo sensato era lo que había ordenado Albino.

Mañana sería otro día.

Septimio Severo tragaba saliva. Nunca hubiera esperado que el combate durara toda la jornada, sin un momento de descanso. No era una batalla normal. Y aquello lo tenía confundido. Por primera vez en muchos años, no sabía bien qué hacer desde un punto de vista militar más allá de ordenar aquel repliegue. Tenía que consultar a Plauciano, a Geta, a Cilón, a Leto, a todos sus oficiales y valorar cómo estaban de ánimo. Y, lo más importante, tenía que valorar cómo estaba la moral de las tropas y calcular las bajas sufridas en uno y otro bando. Luego decidiría. En aquel instante no descartaba ninguna opción. Incluso pactar con Albino. Hasta eso había entrado en su mente, como cuando pactó con él antes de lanzarse contra Juliano y luego contra Nigro. Y daba igual lo que Julia pensara de todo aquello. Ella lo había forzado a aquella guerra y él sabía que las tropas de Albino no eran como las de Oriente.

—¡Dioses! —exclamó Severo.

Pero los dioses romanos dormían.

Un cielo despejado cubierto de miles de estrellas resplandecía mudo sobre aquella llanura repleta de cadáveres.

LXIX

LA NOCHE MÁS LARGA

A unas millas de Lugdunum
Madrugada del 20 de febrero de 197 d. C.

Julia esperaba en la tienda del *praetorium* caminando de un lado a otro, como si fuera un leopardo enjaulado. Había enviado a los niños a dormir a otra tienda protegida por la guardia. Su intención inicial había sido la de que Basiano Antonino y Geta esperaran a su padre despiertos, pero la batalla se había dilatado hasta la noche y las noticias que llegaban no eran del todo favorables. No estaba claro cuál había sido el desenlace y tampoco sabía en qué condiciones llegaría su esposo, de modo que ordenó a sus hijos que se retiraran.

—Pero, madre, mi obligación como césar, como sucesor de mi padre, es esperar aquí al emperador —se había opuesto Antonino a las instrucciones de su madre.

Geta solo pensaba en hacer lo que hiciera su hermano. Si Basiano se quedaba, él también.

Julia se mostró inflexible.

—Vuestro padre necesitará descansar cuando llegue. Y os quiero bien despiertos y prestos a lo que sea que se tenga que hacer al alba, así que no discutáis y marchad con la guardia a vuestra tienda.

—Yo no he dicho nada, madre —precisó Geta, que no perdía oportunidad de marcar diferencias con su hermano mayor.

Julia no estaba para matices.

—¡Marchad, por El-Gabal!

Y se fueron.

Ahora, en la tensa espera, lamentaba haberles gritado, pero la sacaban de sus casillas con aquellas continuas pugnas entre el uno y el otro: «que si yo no he dicho eso», «que si esto lo piensa el otro», «que si yo merezco esto», «que si yo merezco lo otro»... Pronto Geta también sería nombrado césar y ambos representarían el futuro y tendrían que dejar de ser niños para...

Septimio Severo entró en la tienda.

Julia se detuvo en seco. Su esposo tenía el *paludamentum* púrpura cubierto de sangre por todas partes. La emperatriz temió lo peor.

—Estoy bien. Ni siquiera he entrado en combate directo, pero he pasado antes por el *valetudinarium* de campaña para ver a los heridos. Allí todo está lleno de sangre. El viejo Galeno y los otros médicos tienen mucho trabajo —dijo él, mientras Calidio le desataba la capa imperial manchada.

El tono del emperador era muy serio.

—Tú estás bien. Eso es lo más importante —respondió Julia acercándose a él. Quería abrazarlo, pero Calidio era muy lento—. ¡Deja! ¡Sal! ¡Ya me ocupo yo!

El *atriense* percibió los nervios casi incontrolados de su ama. No era momento más que de obedecer raudo, de modo que abandonó la tienda a toda velocidad.

Ella retomó personalmente el trabajo de destrabar la fíbula de oro que sostenía el *paludamentum* sobre el cuerpo de su esposo. La proximidad le permitía hablarle al oído.

—Estás bien, estás bien... —repetía ella con su voz dulce, embriagadora.

Él cerró los ojos e inhalo el perfume de su esposa. Se sintió feliz por un breve instante. Luego retornaron las sombras de la duda y la sospecha y la desilusión a su rostro.

—¿Es eso realmente lo más importante para ti? —preguntó el emperador.

Julia había conseguido soltar la capa imperial. Iba a besar a su esposo, pero ante aquella pregunta, el tono duro y el rictus amargo en la faz de su marido, optó por retirarse poco a poco y entretenerse doblando el manto púrpura mientras respondía.

—No entiendo bien qué quieres decir ni sé a qué viene ese tono de reproche en tus palabras.

—Sabías que Albino se alzaría en armas en cuanto supiera lo del nombramiento de Antonino como césar —le espetó

Severo con rabia—, y aun así insististe en ello una y otra vez, hasta que me dejé arrastrar por ti y por tu... —Se lo pensó un instante, pero al fin lo dijo—: Por tu locura. Y ahora estamos en medio de esta maldita batalla de la que no sé si saldremos vivos. ¿Es esto lo que querías?

Julia decidió obviar el asunto de que, aunque fuera de manera indirecta, la hubiera llamado «loca». Desvió la conversación. Además, necesitaba información para saber realmente la magnitud del problema al que se enfrentaban: si estaban ante un desastre militar total o, una vez más, ante las intermitentes dudas que Septimio tenía cuando las cosas no marchaban a la perfección.

—La batalla no ha ido bien —dijo ella, calmada, serena, doblando el manto púrpura una vez más con mimo, como si fuera el Imperio mismo el que acunara entre sus manos. Sus dedos se mancharon de sangre en el proceso, pero aquello no pareció molestarla. Era sangre de legionarios que se habían batido con lealtad a favor de su esposo. Su tacto pegajoso no la importunaba.

—No, no ha ido bien. Te dije que las legiones de Britania eran muy duras. Llevan años luchando contra los meatas y los otadinos y no sé cuántas tribus más de las confederaciones pictas de aquella condenada isla. Y eso no es todo. Marco Aurelio envió un contingente de miles de jinetes sármatas hace veinte años a Britania para terminar con los levantamientos en la provincia y Albino se los ha traído todos. Y luego están los hombres de la legión VII *Gemina* de Hispania, con el traidor Rufo al mando. Todos luchan con furia. Saben que en la derrota solo los espera la muerte o un castigo descarnado por mi parte. El campo de batalla ha quedado cubierto de miles de cadáveres. Hemos perdido una infinidad de legionarios. Buenos legionarios de Panonia, Mesia y otras provincias que me son leales...

Nada de lo que decía su esposo le aportaba novedades a Julia. Necesitaba más datos...

—Ellos también habrán tenido muchas bajas, imagino —lo interrumpió la emperatriz con el manto púrpura doblado aún en sus manos pequeñas.

—También —admitió Severo—, pero mis legionarios están

exhaustos después de todo un día entero de combate y mis oficiales dudan.

—¿Plauciano o Leto o algún otro?

—Ni Plauciano ni Leto ni nadie en concreto dice nada, pero lo leo en sus miradas. Nunca una batalla había durado más de un día. La última vez que eso ocurrió, que yo sepa, fue en Filipos, cuando Marco Antonio y Octavio derrotaron a Bruto y a Casio, los asesinos de Julio César. Y de eso hace más de dos siglos.

—Y el mundo cambió tras esa batalla. Augusto ganó un Imperio y... —Pero calló un instante, corrigió lo que iba a decir, y continuó—: Después de esta batalla seguramente también volverá a cambiar el mundo.

Severo negó con la cabeza al tiempo que sonreía de forma extraña.

—Tu obstinación, incluso en el límite de todo lo posible y lo imposible, es increíble —dijo—. Estoy intentando decirte que después de ver cuántas bajas hemos tenido y los numerosos heridos que hay en nuestras filas, lo mejor es pactar otra vez con Albino.

Julia no respondió, sino que se sentó despacio en uno de los *triclinia* del *praetorium* militar. En ese instante entró Plauciano en la tienda. La emperatriz lo miró y observó que su uniforme no tenía manchas de ningún tipo. El jefe del pretorio se las había ingeniado para que ni una gota de sangre de nadie cayera en su uniforme. Eso solo se consigue manteniéndose lejos de la primera línea de combate y lejos también de los heridos, a quienes era muy posible que no hubiera visitado como había hecho Septimio.

—Albino ha enviado al gobernador Novio Rufo con un mensaje en respuesta al que enviamos nosotros —anunció Plauciano.

Julia reparó en que lo dijo, como casi siempre, sin usar el título de augusto para dirigirse al emperador cuando estaban en privado. Pero eso no parecía lo más importante. Lo más grave era que Septimio estaba actuando sin consultarla.

—Albino ofrece compartir el Imperio, augusto —terminó el jefe del pretorio.

Julia continuó sin decir nada, pero, casi instintivamente, estrechó el manto púrpura, que había plegado con esmero, entre sus brazos, hacia su vientre.

—¿Coemperadores? —preguntó Severo. Parecía difícil de creer, pero el hecho de que hubiera enviado a Rufo, uno de sus hombres más próximos, sugería que la propuesta de Albino era seria.

—Coemperadores —ratificó el jefe del pretorio.

Severo guardó silencio. Giró muy muy despacio la cabeza hasta encarar a su esposa. Ella, inmóvil, no hacía gesto alguno, más allá de abrazar el *paludamentum* que le había ayudado a quitarse. Tampoco era necesario que Julia dijera nada. Su mirada lo decía todo.

—Déjanos solos. He de hablar con mi esposa.

Plauciano, sin embargo, no se marchó.

—Pide una respuesta rápida —apremió.

Severo inspiró hondo. Se volvió hacia Plauciano y repitió, palabra por palabra, lo que acababa de decir.

—Déjanos solos. He de hablar con mi esposa.

Plauciano se estaba acostumbrando a contravenir de vez en cuando las órdenes del emperador, a matizar sus instrucciones, a oponer argumentos cuando pensaba que sus acciones no eran las más adecuadas. No le gustaba nada que la decisión que fuera a tomar el emperador pudiera depender de una conversación con Julia, la esposa metomentodo llegada de Siria que parecía que tenía que decidir sobre todos los asuntos de Estado; pero Plauciano detectó algo en el tono gélido, cortante, afilado de la voz del emperador que, pese a que fuera su amigo de infancia, pese a que fuera quien lo había nombrado prefecto de la guardia, le hizo inclinarse y dar media vuelta. No era el momento de quebrar de forma definitiva lo que aún uniera a Septimio con Julia Domna. La cadena que ataba al emperador con aquella mujer siria aún no estaba suficientemente oxidada. Pero todo llegaría. Plauciano descorrió la tela de la puerta de la tienda y salió al exterior.

Severo se volvió entonces hacia su esposa.

—No —dijo Julia, siempre abrazada al *paludamentum* púrpura plegado.

El emperador sabía que no iba a ser fácil. Sabía también

que él podía ordenar lo que quisiera sin tener en cuenta la opinión de Julia, pero por alguna extraña razón que no podía calificar ni identificar bien, seguía teniendo en consideración la intuición de ella. Y eso que la culpaba de haberlos conducido a aquel enfrentamiento mortal con Albino que él mismo acababa de definir como locura.

—Podemos morir. Tú, yo, los niños, todos —dijo él—. Ni siquiera la lucha por un imperio merece tanto sacrificio.

Julia acariciaba con las palmas de las manos abiertas la superficie suave de seda púrpura del manto imperial que seguía doblado sobre su regazo.

—No luchamos por un imperio —dijo.

—¿No luchamos por un imperio? —exclamó Severo, llevándose las manos a la cabeza y repitiendo su pregunta una y otra vez mientras paseaba a un lado y a otro de la estancia y dirigía a su esposa rápidas ojeadas—. ¿No luchamos por un imperio? ¿No luchamos por un imperio? —Se detuvo en seco frente a ella, se inclinó y la miró fijamente—. Entonces, Julia Domna augusta, *mater castrorum*, ¿se puede saber por qué luchamos en esta guerra infernal que iniciamos porque te empeñaste en que desafiáramos a Albino nombrando césar a nuestro hijo Antonino? Porque si no luchamos por un imperio, hay algo que me he perdido y me gustaría que me lo explicaras.

Julia inspiró aire. Lo soltó con suavidad. Aunque sentada, irguió la espalda y, como si de un *paedagogus* griego que explica la lección a su pupilo se tratara, habló despacio, vocalizando bien cada palabra, pero sin muestra de desprecio alguno ni de superioridad. Como ese buen maestro que se esfuerza en explicarse bien porque sabe que su alumno tiene la capacidad de entender y de llevar a término objetivos que ni el que enseña puede conseguir. Y ese era el caso. Porque ella misma no podía ejecutar todo lo que debía hacerse para conseguir lo que se podía conseguir en aquella batalla. Tenía que hacerlo su esposo y tenía que hacerlo convencido.

—Luchamos por algo mucho más grande que un imperio —apuntó ella.

Severo negó con la cabeza, decepcionado por la imprecisa respuesta de su esposa, y se puso de nuevo firme ante ella.

—Entonces ¿se puede saber por qué luchamos?

Julia supo que era el momento de desvelarlo todo. Como él había dicho, estaban al límite de lo posible y lo imposible. Dos ejércitos parejos enfrentados, extenuadas las tropas de ambos bandos, miles de muertos y un desenlace militar indefinido, con oficiales dudando, con legionarios aterrados de seguir combatiendo, con las fronteras de las provincias del norte, desde Britania hasta el Danubio, entre abandonadas unas y muy debilitadas otras, a merced de los bárbaros. Todo estaba en juego y su esposo no veía la dimensión de lo que se estaba decidiendo en aquel pulso mortal. Y si no lo sabía, no podía combatir con el denuedo necesario, con la fe que se requería.

—No luchamos por un imperio, esposo mío. Luchamos por una dinastía. Y no por que nuestra familia entronque con la dinastía que empezó con Nerva y Trajano y luego siguió con los divinos Antonino y Marco Aurelio, por mucho que hayamos llamado a nuestro hijo mayor Antonino. No, solo por eso no merece la pena todo este esfuerzo, todas estas guerras, toda esta lucha. Mi objetivo... —se corrigió de inmediato—, nuestro objetivo es el de instaurar una nueva dinastía imperial, nuestra dinastía. La estirpe de Nerva y Trajano concluyó con el infame Cómodo. Es el momento de otra dinastía que empieza contigo, seguirá con Antonino y su hermano, que también habrá de ser nombrado césar a su debido tiempo, una nueva estirpe, nueva sangre que se perpetuará en el poder con sus propios hijos y con los hijos de sus hijos. Eso es, con exactitud, por lo que se combate en esta batalla. Y si la lucha ha de durar más de un día o de una semana o de un mes, durará. ¿Coemperadores? Sí, claro, pero no tú con Albino, que te traicionará a la primera ocasión y tú lo sabes, por eso estás aquí ahora escuchándome. Coemperadores serán nuestros hijos.

Ya estaba.

Todo dicho.

Julia suspiró y relajó un poco los músculos de la espalda y los hombros. Ahora todo dependía de su esposo. Ella no podía salir y combatir en el campo de batalla. Estaría dispuesta a hacerlo, pero los legionarios no la seguirían. Tenía que ser Septimio, y un Septimio plenamente persuadido de que aquello merecía la pena.

Severo se sentó en el *solium* que estaba junto a la mesa de los mapas. Habló mirando al suelo, con un brazo sobre el plano del Imperio y otro apoyado en sus piernas.

—¿Desde cuándo tienes todo esto pensado?

—Cuando me conociste en Emesa, cuando yo era una muchacha, ya te dije que yo había nacido para ser reina. Y las reinas tienen hijos que luego son reyes. Desde entonces.

—¿Desde entonces? ¿Desde antes de casarnos?

—Desde que nos conocimos. Tú aún estabas casado, pero sabía que volverías a mí —respondió Julia con seguridad—. Una mujer, incluso una muchacha, sabe cuándo un hombre se ha quedado prendado de ella.

Severo volvió a sonreír, esta vez de forma más relajada, pero sin dejar de mirar al suelo.

—Un imperio no te era suficiente.

—No. Nuestros hijos han de sucederte. Albino nunca lo permitiría y, en el fondo, tú eres muy consciente de esto. Los dos sabíais que el pacto que sellasteis cuando fuiste a combatir contra Juliano primero y luego contra Nigro era algo temporal. En el fondo, ambos lo sabíais.

Severo la miró, sin cambiar de posición, solo girando la cabeza.

—Y lo quieres todo.

—Todo —dijo Julia—: El Imperio completo y una dinastía.

Se miraron el uno al otro un rato largo sin decirse nada.

—¡Plauciano! —gritó al fin Severo sin dejar de mirar a su esposa.

El jefe del pretorio entró en la tienda al instante. Para Julia, demasiado pronto. Tenía que estar muy cerca de las telas del acceso al *praetorium* para haber entrado tan velozmente. ¿Tan próximo a la puerta como para haber escuchado la conversación? ¿Lo habría oído todo? ¿Parte?

—¿Sí..., augusto? —preguntó el prefecto de la guardia.

—Dile a Rufo que le transmita a ese traidor de Albino que nos veremos mañana en el campo de batalla y que si quiere ser emperador, tendrá que matarme, a mí y a todo mi ejército.

Plauciano tragó saliva, pero no dijo nada. No le gustaba aquella respuesta, pero el tono tajante de Severo era inapelable. Se inclinó, dio media vuelta y salió de la tienda.

Julia y Severo volvieron a quedarse solos.

—Gracias —dijo ella y le dedicó una sonrisa llena de complicidad.

—No me las des aún —respondió él, serio—. Solo espero retornar vivo a tu tienda con la victoria, pero no sé si lo conseguiré. Me has persuadido de que hay que luchar por vencer, pero no me has convencido de que la victoria esté cerca. Albino es astuto y algo tramará. Eso es lo único de lo que estoy seguro.

Residencia de Clodio Albino, Lugdunum

—Es el gobernador de la provincia Tarraconense, augusto —dijo Léntulo, que, desde que Albino se autoproclamara emperador, hacía las veces de jefe del pretorio de su guardia personal.

—Que pase —dijo Albino y miró a su esposa, que lo acompañaba en aquel amplio atrio de su residencia en Lugdunum, adonde había acudido para pasar la noche—. Traerá la respuesta de Severo.

Rufo entró con el rostro muy serio. Las palabras sobraban, pero, aun así, dijo lo que resultaba evidente:

—Se niega a pactar. No acepta compartir el poder del Imperio, augusto.

—Es esa puta, Julia, es ella; es esa maldita zorra, una vez más; estoy segura —intervino Salinátrix con los ojos inyectados de rabia—. Esa extranjera que quiere gobernarnos a todos y envenena a su esposo, que antes se deja seducir por una ramera siria que atender a pactar con un romano patricio y veterano senador del Imperio.

—Da igual si lo hace por ella o por sí mismo. Esa es su respuesta —replicó Albino al tiempo que asentía varias veces y caminaba por el atrio mirando al suelo; de pronto, se detuvo y clavó los ojos primero en Rufo, luego en Léntulo y, al final, en su esposa—. En el fondo, me alegro. Sé que podemos derrotarlo. Estoy seguro de que lo vamos a conseguir. —Miró fijamente a Léntulo—: Que preparen la trampa, que lo terminen todo esta noche. Quiero que culminen los trabajos de todos los *lilia*. Mañana será el último amanecer de Severo.

Praetorium del campamento
militar del ejército de Severo
Madrugada del 20 de febrero de 197 d. C.
Final de la *prima vigilia*

—¿Quieres descansar o deseas estar conmigo? —preguntó Julia.

Severo la miraba sentado desde el otro extremo de la tienda.

—Debo descansar, pero quiero estar contigo. —Ella no se movió del *triclinium* en el que estaba.

—Ven —dijo y extendió el brazo con la palma de la mano vuelta hacia arriba, invitándolo.

—¿Aquí? —preguntó el emperador aún sentado en el *solium*, junto a la mesa de los mapas.

—Esta noche, más que ninguna otra, el *praetorium* me parece el lugar indicado. —Y esbozó una sonrisa antes de continuar—: Tampoco sería nuestra primera vez en un *praetorium*.

Él le devolvió la sonrisa.

—No, no lo sería.

—¿Entonces...? —Ella mantenía el brazo extendido, esperándolo.

Septimio Severo se levantó despacio y fue junto a su mujer. Se sentó a su lado. Ella lo besó en la mejilla, primero, luego en los labios al tiempo que tiraba del uniforme militar de él, aún manchado de sangre. Las marcas rojas, algunas aún húmedas, seguían sin molestarla. Era la sangre de los legionarios heridos de Panonia y Mesia; era la sangre con la que se forjan dinastías.

—Túmbate, esposo mío. Esta noche yo me moveré por ti.

Y lo hizo.

Julia se entregó a Severo con una pasión renovada, con ansias renacidas, como si aquella fuera, de nuevo, su noche de bodas, cuando ella era virgen. Aquella noche Julia se había dejado poseer feliz por aquel hombre con el que había tenido dos hijos, compartido dos guerras, conseguido un imperio. Pero ella aún quería más. Ese mundo, entero debía permanecer en la familia de generación en generación. Y si eso requería de una nueva batalla o de otra guerra, habría que lucharla hasta el final. Ella combatió contra Albino aquella noche en la tienda del *praetorium* militar como solo los muy valientes lo hacen: hasta la última gota de sudor, hasta el último aliento, hasta el último gemido.

Severo alcanzó el éxtasis.

Varias veces.

Ella también.

Julia se tumbó entonces a su lado. Ambos estaban desnudos. Ella le acariciaba el torso férreo tallado durante años en la lucha militar.

—Muerte o victoria, es eso, ¿verdad? —preguntó él, pero sin ansia, relajado, en paz consigo mismo.

—Eso es —confirmó ella—: Aquí, en Lugdunum, nos unimos por primera vez; aquí nació nuestro primer hijo; aquí no podemos perder.

—Todo o nada —añadió Septimio Severo en voz baja, cerrando los ojos y cayendo en el abrazo lento de Morfeo.

Julia esperó un rato hasta que, al fin, se movió con mucha lentitud debajo de las sábanas del lecho imperial, acercó entonces su rostro muy despacio hasta llevar sus labios carnosos a la altura del oído de su esposo y, una vez allí, sintiendo la respiración sosegada y rítmica de su marido mientras dormía, ella le susurró una palabra, como si buscara infiltrarse en los sueños de Severo para insuflarle una idea por encima de cualquier otra imagen o recuerdo:

—Todo.

LXX

LA TRAMPA DE ALBINO

**Campo de batalla, sector controlado por el ejército de
Albino junto al desfiladero en el que termina la llanura
Madrugada del 20 de febrero de 197 d. C.,** *secunda vigilia*

Parecía que los legionarios trabajaran la tierra como campesi-
nos, como si cultivaran una extensa plantación de lo que en
otro tiempo se llamó *lilia*.

Léntulo supervisaba que sus hombres no dejaran sin excavar ni una esquina de la inmensa llanura del ala derecha de lo
que al alba sería el ejército del augusto Albino. Los legionarios
a su mando apenas descansarían aquella noche. A cambio, serían los últimos en intervenir en la continuación de la batalla
que tendría lugar en cuanto despuntaran los primeros rayos
del sol.

—¡Cubrid bien cada espacio excavado! —ordenaba Léntulo a un lado y a otro a medida que avanzaba, con tiento, sobre
su caballo, por aquel mar de agujeros.

Miraba aquel damero infinito de pozos casi invisibles bajo
la tenue luz de las estrellas, pero que, sin duda, serían muy fácilmente detectables bajo los potentes rayos de Apolo. Por eso
era tan importante tapar cada uno de los pozos con un profuso
enjambre de ramas, matorrales y hasta hierba recién cortada.
En otro tiempo se usaron flores para cubrir trampas similares,
lirios, y de ahí su denominación, *lilia*, en recuerdo del origen
del nombre de aquellos pozos trampa que, antaño, ya usara Julio César en sus guerras contra los galos. César hizo excavar infinidad de agujeros similares a los que estaban ahora preparando
los hombres de Léntulo y los cubrió con ramas y lirios, miles de
ellos, y así aquel sistema defensivo recibió el nombre de la flor

usada para ocultarlo. Pero en aquel febrero frío en el centro de la Galia no había flores, de modo que los legionarios de Britania recurrieron a ramas de árboles, arbustos y también hierba.

Los pozos que excavaron en su momento los legionarios de César no fueron muy profundos, no más de cinco pies, pero Albino había pedido a Léntulo que este se asegurara de que, en este caso, los pozos fueran de casi diez pies y, por supuesto, con las oportunas estacas en el fondo, bien hundidas en la tierra, asomando puntiagudas hacia lo alto en espera de recibir la carne de legionarios, caballos y jinetes enemigos del ejército de Severo.

Los trabajos avanzaban a buen ritmo.

Léntulo estaba seguro de que toda aquella zona de la próxima batalla estaría repleta de aquellos pozos antes de la *quarta vigilia*. Sus hombres incluso tendrían un rato de descanso antes de la llegada del amanecer. Una nueva jornada, pero, con seguridad, la última que verían los ojos de Severo, a quien Léntulo ya imaginaba cayendo con su caballo en alguno de aquellos pozos mortales. Esa sería su entrada al reino de los muertos, sin funeral ni moneda en la boca para pagar a Caronte, el barquero del inframundo, la travesía de la laguna Estigia, de modo que el emperador enemigo estaría condenado, junto con su mujer y sus hijos, a vagar más de cien años como espíritus sin destino junto a las aguas oscuras del eterno río del Hades.

En las proximidades de Lugdunum
Amanecer del 20 de febrero de 197 d. C.

Praetorium *del ejército de Severo*

Julia abrió los ojos y vio a su marido vistiéndose con rapidez el uniforme militar. Calidio le estaba ajustando ya la coraza. La emperatriz se levantó. Estaba medio desnuda. El esclavo, con buen criterio, se retiró discretamente al exterior de la tienda.

—He citado a mi hermano Geta, a Plauciano, a Leto, a Cilón y al resto con la primera luz de la mañana —dijo Severo mientras comprobaba que la coraza plateada le quedara bien ajustada, tirando de ella para asegurarse de que no se movería aunque cabalgara al galope por el campo de batalla. Esa jornada tenía decidido que intervendría directamente en el combate con la caballería.

Julia se le acercó y le dio un beso en los labios. Ella llevaba en las manos el *paludamentum* púrpura y con habilidad lo desdobló y lo dispuso sobre los hombros de su esposo. Con rapidez trabó la fíbula que lo sostendría bien por encima del fornido cuerpo de su marido y luego dio un paso hacia atrás para contemplar a Septimio cubierto a la perfección por el manto imperial, que lo identificaba como dueño de Roma, del mundo. Su dueño. Su mundo.

—Me voy con los niños —le dijo ella entonces.

—¿No quieres ver el plan de ataque que he ideado? —preguntó él algo extrañado.

—Es una batalla —respondió Julia—. Y eres un buen militar. Un muy buen militar. Estoy segura de que lo que hayas pensado dará sus frutos. Yo aguardaré en retaguardia, con tus hijos, a la espera de reencontrarme con el único emperador de Roma, mi esposo, al final de la lucha.

Septimio Severo parpadeó varias veces mientras veía cómo ella se vestía sola con gran destreza, pese a que lo habitual era que la asistiesen muchas esclavas y ornatrices. Era evidente que cuando Julia quería hacer algo y tenía prisa, podía hacerlo con presteza y eficacia.

—Por Júpiter, tu confianza me da ánimos —dijo él cuando ella volvió a acercársele para darle un último beso antes de salir de la tienda.

—Esa es la idea —dijo Julia, le sonrió y, por fin, salió.

En el exterior, media docena de pretorianos la escoltaron de regreso a la tienda donde estaban los hijos del matrimonio imperial, aún plácidamente dormidos, ajenos al brutal combate que iba a tener lugar en apenas una hora y del cual dependería su futuro inmediato, y, si el que vencía era su padre, también a largo plazo.

Severo, en el interior del *praetorium*, vio cómo primero su hermano Geta, luego Plauciano y, a continuación, uno tras otro, Julio Leto, Fabio Cilón y el resto de *legati* y altos oficiales del ejército entraban en la tienda con semblantes muy serios.

El emperador se dio cuenta de que el duro combate del día anterior, tan igualado, tan cruento y con tantos muertos entre las propias filas, aún apesadumbraba a sus oficiales. Tenía que encontrar la forma de transmitir a todos ellos esa fuerza que le había inyectado Julia en las venas. Si aquellos oficiales, sus mejores hombres, no creían en la victoria, tampoco lo harían sus centuriones y, por último, cada uno de los legionarios de primera línea de combate.

—Vamos a desequilibrar la batalla hoy mismo —empezó Severo con rotundidad; aquella afirmación tan contundente captó, como esperaba, la atención de todos. Perfecto. Eso era lo que deseaba, lo que necesitaba. Era un principio—: Albino me ha ofrecido esta noche un pacto, compartir el Imperio, algo que yo he rechazado. No hemos acabado con el miserable de Juliano, vencido al rebelde de Nigro y conquistado Osroene y Adiabene para compartirlo todo con alguien que no ha hecho sino conjurarse contra nosotros. El fin de Albino será el mismo que el de Nigro y pronto espero ver su cabeza separada de su cuerpo ante mis ojos. Pero esto no va a ocurrir porque simplemente lo diga yo, sino porque nosotros vamos a maniobrar esta jornada en el campo de batalla de forma que el combate se desequilibre a nuestro favor. —Se giró entonces hacia la mesa donde había un plano de la llanura dibujado en fecha reciente por los exploradores del ejército del Danubio, y siguió hablando mientras señalaba diferentes puntos en el mapa:

»Albino quiere una larga contienda de desgaste. Se siente seguro porque aquí, en su retaguardia, está la ciudad de Lugdunum, donde, con pertrechos y víveres para muchos meses, confía en poder refugiarse si sus planes no se cumplen, pero hoy no solo se le van a torcer algo las cosas, hoy lo vamos a masacrar. Albino dispondrá las tropas en *triplex acies* con toda seguridad, como hizo ayer, y nosotros aparentemente también reproduciremos el mismo esquema, pero con una variante importante: vamos a concentrar el doble de fuerzas en nuestra ala derecha, bajo el mando de Geta. —Lo miró un instante y su hermano asintió con decisión; él también era partidario de hacer algo diferente aquella nueva jornada de combate. Severo prosiguió con sus explicaciones—: La idea es que Geta desborde el ala del enemigo en su sector hasta que consiga rodearlo. Nosotros mantendremos nuestro centro como ayer, lo que requerirá un sobresfuerzo de nuestras tropas en este punto porque no contarán con tantos legionarios de refresco como las legiones de Britania. Por eso el ataque de Geta ha de ser demoledor desde el principio. Mantendremos la caballería pretoriana en retaguardia como reserva en el caso de que sea necesario reforzar el centro o cualquier otro punto de nuestra primera línea durante la batalla. Plauciano y Leto estarán al mando de esta unidad que, con toda seguridad, puede ser clave en algún momento del día. Cuento con vosotros.

Los miró y ambos, Plauciano y Leto, asintieron con la cabeza.

—Bien, bien. Cilón estará en el centro, pero yo, al mando de la mayor parte de la caballería regular de las legiones, atacaré por la izquierda con la idea de desbordar también al enemigo por este otro extremo del campo de batalla. Si Geta y yo conseguimos nuestros objetivos, los rodearemos y los aniquilaremos. Si o bien mi hermano o bien yo nos atascamos o necesitamos refuerzos, Plauciano y Leto nos apoyarán con la guardia pretoriana. No creo que Geta vaya a tener problemas porque lo vamos a reforzar con muchas cohortes. Preveo más dificultades o bien en nuestro centro o en mi ataque por la izquierda. Ahí es donde Plauciano y Leto deben estar más atentos. Asumimos riesgos, pero solo se consiguen las victorias con audacia. —Severo hizo una pausa sin dejar de mirar el plano de la mesa—. ¿Preguntas?

Nadie dijo nada. Les parecía bien el plan. Era algo distinto a la estrategia del día anterior y a todos les agradaba tener la sensación de que iban a llevar la iniciativa aquel segundo día de lucha en lugar de, como en la jornada precedente, limitarse a reproducir las maniobras del enemigo como si combatieran contra sí mismos en un gigantesco espejo que, eso sí, les devolvía no solo su propia imagen sino también sangre y heridos y muerte a cada hora de combate. El plan del emperador les gustaba. En Issus, el augusto también diseñó una estrategia audaz y, aunque fue una batalla muy dura, al final la victoria cayó de su lado. Todos tenían la sensación de que aquel día pasaría algo similar y salieron enardecidos del *praetorium.* Severo supo que había contagiado a sus oficiales los ánimos que la propia Julia le había insuflado a él mismo.

El emperador sonrió. Todo empezaba en Julia. Siempre. Y todo debía terminar aquel largo día en ella, con él regresando victorioso del campo de batalla para yacer, una vez más, con la mujer más hermosa del mundo. Y, seguramente, la más intrépida.

Ala izquierda del ejército de Severo
20 de febrero de 197 d. C., hora prima

Quinto Mecio miraba hacia atrás desde lo alto de su caballo. El emperador Severo había reducido la presencia de cohortes en aquel sector. Era lo proyectado, según le había explicado a él y a otros oficiales el *legatus* Cilón. Quinto Mecio no había estado presente en el *praetorium* donde el augusto había detallado el plan de ataque a los *legati* y al prefecto de la guardia.

Suspiró.

Apenas habían pasado unas semanas desde que se restableció de todo el veneno que la esposa del gobernador de Britania en rebelión le obligó a ingerir en el norte de la Galia, cuando Severo lo envió para acabar con la vida de Albino. La misión terminó en un desastre que, además, casi pone fin a su vida. Ahora el augusto Severo parecía concederle una segunda oportunidad. ¿Podría redimirse en el campo de batalla?

Suspiró una segunda vez.

No estaba seguro, pero el emperador lo había situado como segundo en el mando de las *turmae* de la caballería regular. No pensaba desaprovechar la ocasión para demostrar al augusto que él, Quinto Mecio, estaba forjado de la pasta de los héroes.

Retaguardia del ejército de Albino

Albino escudriñaba el campo de batalla interpretando los movimientos de tropas de su oponente. Léntulo estaba a su lado y también el gobernador Novio Rufo, a la espera de recibir las últimas instrucciones antes de incorporarse cada uno de ellos a su respectiva ala del ejército.

—Severo está acumulando más cohortes en su sector derecho —dijo Léntulo.

—Eso parece —confirmó el emperador Albino—. Pero no importa: aunque nos den más fuerte por ese extremo, lo esencial es que Severo se encamina hacia su ala izquierda... directo a la trampa. Y si Severo cae, todo su ejército caerá detrás. —Añadió unas palabras mientras fruncía el ceño—: Es curioso. Si Severo hubiera intercambiado su posición con su hermano, todo sería diferente.

—Vamos a ganar por una casualidad —completó Léntulo.

—No —lo corrigió Albino—. Vamos a ganar porque los dioses están con nosotros y han abandonado a Severo. —Miró al cielo—. Ni una nube. —Bajó la mirada. Albino sabía de la tormenta que ayudó a Severo en Issus contra Nigro—. Esta vez no habrá lluvia. Está solo y cabalgará directo hacia su muerte.

Ala derecha del ejército de Severo

Geta se dirigió a sus oficiales.

—¡Por Júpiter, por Roma, por Severo! ¡Lanzamos el ataque ya! ¡El emperador espera una gran victoria en este extremo del campo de batalla! ¡No me falléis! —les gritó a todos con potencia.

Los *buccinatores* de las cohortes bajo el mando del hermano de Severo hicieron sonar sus trompas transmitiendo las órdenes de ataque.

El sol apenas acababa de salir por el horizonte. Era una maniobra agresiva que se anticipaba a los movimientos del enemigo. Albino atacó primero la jornada anterior, pero Severo había dado órdenes de empezar el avance de las cohortes del ala derecha con la primera luz del alba y a Geta le encantaba la sensación inequívoca de llevar la iniciativa.

—Hoy los vamos a masacrar —masculló entre dientes. Lo dijo sin vanidad, sin vanagloria vacua. Con convicción. Desenfundó la espada, se ajustó el casco, azuzó su caballo y se adentró por entre los pasillos de las cohortes bajo su mando, que ya caminaban con paso decidido al encuentro del enemigo.

Centro y ala izquierda del ejército de Severo

Fabio Cilón, viendo cómo Geta daba órdenes de avanzar, puso en marcha también el mecanismo de ataque de las legiones centrales y las del sector izquierdo para que estas no se quedaran descolgadas y progresaran por la llanura, en la medida de lo posible, en paralelo con el ataque iniciado por Geta.

—¡Auxiliares! ¡Al ataque, por Júpiter y Marte y por el emperador Severo! —aulló.

Retaguardia del ala izquierda del ejército de Severo

Septimio Severo llegó junto a Quinto Mecio al tiempo que Geta y Cilón daban ya las instrucciones de avanzar contra los legionarios de Albino.

—¿Están los jinetes dispuestos? —preguntó Severo.

—Lo están, augusto —confirmó Quinto Mecio.

—Bien —aceptó el emperador, y luego guardó un rato de silencio mientras contemplaba el avance de Geta y Cilón.

Iban a por todas, en particular su hermano. Lo percibía en la velocidad que había imprimido al movimiento ofensivo de sus cohortes. Su hermano no le fallaría. Nunca lo había hecho. Otra cosa era cómo se desarrollarían los acontecimientos en el centro o en su propio sector izquierdo. ¿Aguantarían los legionarios del centro y del ala izquierda? Y, más importante aún: ¿sería capaz él de desbordar las tropas de Albino por ese extremo con la caballería regular de las legiones?

Miró hacia atrás: Plauciano y Leto observaban desde retaguardia con todos los jinetes de la guardia pretoriana atentos. Si algo salía mal, tendrían que intervenir ellos. Era una salvaguarda razonable. Pero ahora era el momento de la audacia. Los acontecimientos dirían hasta dónde su plan era valiente y hasta dónde imprudente.

—Vamos allá —dijo Severo a Quinto Mecio. En voz baja. Como si tuviera miedo de decirlo. Pero dicho estaba.

Mecio transmitió las instrucciones con la decisión necesaria y los jinetes de las *turmae* del Danubio iniciaron un largo trote directos contra el enemigo bordeando la infantería de su propio ejército por el extremo izquierdo de la llanura, aproximándose hacia el desfiladero que surgía en aquel límite del campo de batalla, allí donde se veía un inmenso prado verde.

Retaguardia del ejército de Albino

—Léntulo, ve a nuestra ala izquierda y haz todo lo posible por frenar al hermano de Severo —ordenó Albino con rapidez y, acto seguido, se dirigió al gobernador de Hispania—: Y tú, Rufo, ponte al frente de nuestra caballería regular y ve al encuentro de Severo. Pero no olvides el plan.

—Lo tengo muy presente, augusto —respondió el gobernador.

—Yo mantendré a los cinco mil quinientos jinetes sármatas en retaguardia como fuerza de reserva —continuó Albino—. Ahora marcha contra Severo.

Y Novio Rufo se alejó raudo para dirigir a la caballería regular de Britania.

Ala derecha del ejército de Severo

—¡Que entre en combate la primera línea de las legiones para sustituir a los auxiliares! —aulló Geta.

Y el reemplazo en la primera línea del flanco derecho del ejército de Septimio Severo se produjo con rapidez. Aun así Geta observó cómo el *legatus* de Britania, Léntulo, hacía lo propio. Se empezaba a reproducir el esquema de lucha de la jornada anterior, pero eso no iba a ocurrir. No del todo.

Geta esperó con paciencia un rato, pero mucho menos de lo que habría sido habitual. En cuanto percibió un mínimo agotamiento entre los legionarios que pugnaban con sus gladios y escudos contra las legiones enemigas, ordenó un nuevo reemplazo.

—¡Segunda línea de las legiones! ¡Ya, por Júpiter, por el emperador Severo!

Y se repitió la operación también por parte del enemigo, pero nuevamente Geta dio instrucciones de un tercer reemplazo de la primera línea al poco tiempo y vio cómo, al fin, Léntulo, el *legatus* enemigo, que no disponía de tantas tropas de reserva en aquel flanco, no pudo responder con la misma rapidez, sino que se veía forzado a mantener a los mismos legionarios luchando contra otros de Panonia y Mesia que entraban mucho más frescos en el combate.

Geta prosiguió jugando con reemplazos muy rápidos, de forma que su primera línea de ataque estaba siempre fresca y resultaba brutal en la lucha.

Fue cuestión de dos horas, pero el objetivo de quebrar las líneas enemigas en aquella ala se consiguió. Se abrieron brechas en varios puntos y Geta ordenó entonces a sus hombres que avanzaran más. Tenían que conseguir desbordar al ejército enemigo y rodearlo.

Centro y ala izquierda de la infantería del ejército de Severo

Fabio Cilón cabalgaba de un lado a otro por la retaguardia de todas las cohortes que tenía bajo su mando. Al contrario que Geta, él se veía forzado a ralentizar los reemplazos, ya que la mayor parte de las tropas se habían desplazado al ala derecha para que Geta consiguiera su objetivo de desbordar al enemigo en aquel punto. Cilón veía cómo sus hombres caían en la dura pugna por no ceder terreno en las posiciones del centro y del flanco izquierdo, pero estaban combatiendo con pundonor y, por ahora, aunque con dificultad, mantenían las líneas. Eso era lo único que debía conseguir. Mantener un frente sin brechas. Era tarea de Geta y del propio emperador Severo desequilibrar la batalla. Ojalá lo consiguieran... y pronto. No tenía claro que pudiera mantener el centro sin quebrarse durante muchas horas. No sin refuerzos.

Caballería regular del ejército de Panonia y Mesia,
extremo del ala izquierda del ejército de Severo

Las cohortes bajo el mando de Cilón resistían en aquel flanco, pero Severo sabía que era el momento de dar algo más, de marcar una diferencia, al igual que su hermano estaba haciendo en el ala derecha.

—Nos toca —dijo Severo dirigiéndose a Quinto Mecio, y azuzó aún más a su caballo para que iniciara el galope de carga—. ¡Al ataque!

En una veloz carga, Severo al frente, seguido de cerca por Quinto Mecio y toda la caballería, empezaron a rodear las posiciones enemigas, de modo que solo se encontraron con las últimas cohortes britanas en aquel extremo del ejército de Albino.

Ala derecha del ejército de Albino

Novio Rufo vio cómo Severo cargaba con su caballería ya a galope.

—Recuerda mis instrucciones —le había insistido una y otra vez Albino aquella mañana.

Novio Rufo ordenó que varias cohortes se alejaran del centro para reforzar el ala derecha en un intento por detener el avance de la caballería enemiga. Los legionarios maniobraron con rapidez, pero llegaron demasiado tarde y Rufo pudo ver cómo Severo y la mayor parte de sus jinetes sobrepasaban las líneas frontales de las cohortes de Britania hasta el punto de estar desbordando al ejército entero por ese flanco.

—¡La caballería! —aulló entonces el gobernador de Hispania y así, al frente de los jinetes de la VII *Gemina* traída desde Legio, reforzados por jinetes de la caballería regular de Britania, Rufo se lanzó a su vez contra los hombres de Septimio Severo.

El choque de caballos y caballeros de uno y otro ejército fue como si Vulcano golpeara con rabia su fragua en las entrañas del mundo. Toda la tierra temblaba y la sangre de los unos y los otros empezó a bañarlo todo: hombres, bestias, tierra y hierba.

El empeño de los caballeros de Severo pareció tan impetuoso que Rufo no dudó de qué tenía que hacer. «Sigue mis instrucciones. Mis instrucciones...», le había dicho Clodio Albino repetidas veces.

El gobernador de Hispania inspiró profundamente antes de ordenar la retirada total.

—¡Replegaos! ¡Todos! ¡Por Hércules! —vociferó a pleno pulmón.

Sus hombres no necesitaron que se les reiterara aquella orden. A todos les pareció una idea magnífica replegarse al trote, incluso al galope. Dejaron el flanco libre al enemigo, pero lo importante para cada uno de ellos era, por el momento, salvar la vida. Si su repliegue era lo que forjaba la derrota total de su bando o no, era algo en lo que preferían no pensar en aquel instante.

Caballería del emperador Severo
en el ala izquierda de su ejército

—¡Se retiran! —gritó el *imperator*.

—¡Así es, augusto! —confirmó Quinto Mecio, a quien todo aquello se le había antojado demasiado fácil. Habían caído bastantes jinetes de sus *turmae*, pero aun así...

Sin embargo, Septimio Severo no se lo pensó dos veces: vio que ante ellos, en paralelo al desfiladero que demarcaba el final de la llanura, solo había un inmenso prado verde por el que huía el enemigo. Nada más que aquella hermosa pradera entre ellos y la retaguardia enemiga. De hecho, podía divisar al propio Albino rodeado de su guardia personal y con los cinco mil quinientos jinetes sármatas de su reserva oteando el horizonte.

—¡Vamos a por él! —gritó Severo a Mecio y a otros oficiales que, ante la retirada de la caballería regular del enemigo y viendo que nada se interponía entre ellos y Clodio Albino, estaban tan enardecidos como el propio emperador—. ¡Vamos a por él! —repitió Severo aullando con el ansia de la victoria en sus entrañas.

La caballería de Panonia y Mesia, perfectamente reagrupada, superadas las líneas de las cohortes de Britania, habiendo hecho huir a los jinetes de la caballería regular de sus oponentes, inició una nueva carga. Para Severo estaba todo tan claro...: para él, aquel prado verde era como si los dioses le hubieran adornado con una inmensa alfombra de coronas de laurel su galope triunfal hacia el dominio completo del Imperio.

Ala derecha del ejército de Severo

—¡Deteneos, malditos! ¡Deteneos! —gritaba sin parar Geta.

Sus legionarios, desbordado el enemigo, se habían lanzado a una persecución de los que huían buscando refugio en su campamento de retaguardia; una reacción lógica por parte de los legionarios de Panonia y Mesia concentrados en aquel flanco, pero un error táctico que Geta intentaba corregir. Lo esencial no era en aquel momento perseguir a los que huían, sino virar hacia el centro de la batalla para atacar por la espalda a las legiones britanas que seguían combatiendo allí contra Cilón y que amenazaban con quebrar la resistencia del ejército del Danubio en ese punto.

—¡Deteneos, malditos, por todos los dioses, o yo personalmente os mataré a todos al finalizar la lucha!

Fuera por el ímpetu de su voz, por las amenazas precisas que no dejaban margen a interpretación o porque todos los centuriones se afanaban en reiterar aquellas órdenes por doquier, al final, los legionarios de Panonia y Mesia detuvieron la persecución iniciada y se reagruparon con orden bajo el mando del *legatus* Geta, el hermano del emperador.

Geta sonrió entonces e indicó a los *buccinatores* que señalaran el viraje que debían hacer todas las cohortes para atacar la retaguardia de las legiones britanas del centro del ejército, las que estaban a punto de romper las líneas defensivas exhaustas de Cilón, pero cuando todo parecía que iba a conseguirse según lo planeado, el suelo empezó a temblar...

Clodio Albino miraba con la faz seria el aparente desastre en el que la contienda parecía ir transformando sus sueños de dominar el Imperio romano. Pero como curtido militar que era, no le temblaban las manos que asían las riendas de su caballo, ni tampoco el pulso de su corazón se aceleró extraordinariamente. La derrota era algo que él aún contemplaba como una posibilidad lejana. Su ejército mostraba un aparente descontrol, eso podía pensar el enemigo, pero todo de acuerdo a lo esperado y a lo planificado.

Él no era un nuevo Nigro. Él no se retiraba de una batalla que aún estaba por acabar y por decidir y, menos todavía, sin usar todos los recursos a su disposición.

Albino miró a los oficiales de sus cinco mil quinientos jinetes sármatas y les señaló las cohortes que el *legatus* Geta estaba haciendo virar para atacar la retaguardia de las legiones del centro del ejército.

Los oficiales sármatas asintieron y azuzaron sus cinco mil quinientos caballos. Protegidos por sus corazas, como si de pesadas bestias monstruosas se tratara, empezaron un trote constante y perturbador que agitaba las raíces de los pocos árboles de la llanura y que elevaba hacia el cielo un fragor tan temible como real.

Albino se volvió entonces hacia su otro flanco.

El propio Severo se lanzaba contra él por el inmenso prado verde.

Clodio Albino no se movió un ápice. Acababa de mandar a sus reservas de jinetes contra Geta. Apenas le protegía un puñado de doscientos caballeros de su guardia personal. Un destacamento a todas luces insuficiente para evitar ser masacrado por la caballería de Panonia y Mesia que Severo en persona dirigía en aquel momento contra él.

Miró hacia Novio Rufo, quien, poco a poco, detenía a la caballería regular de Britania en su huida y comenzaba a reagruparla a poco más de mil pasos de donde él estaba.

Albino sonrió.

La victoria se saborea mucho más cuando el enemigo está ciego y no ve cómo cabalga hacia su destrucción.

602

¡Qué hermosa era aquella infinita pradera verde sobre la que se adentraba Septimio Severo!

Ala derecha del ejército de Severo

Geta había conseguido desbordar por completo al enemigo por su flanco. No obstante, sus legionarios se habían alejado del objetivo de rodear a las legiones de Britania, ofuscados como estaban en avanzar sin virar sobre la retaguardia del ejército enemigo, pero Geta había intervenido para reconducir los movimientos de su tropas. Finalmente había logrado que giraran hacia su izquierda, de modo que iniciaran un ataque por la espalda de las legiones britanas que luchaban contra las cohortes de Cilón en el centro de la llanura. Aunque tarde, la maniobra aún podía ser mortífera, pero, de repente, el suelo había empezado vibrar.

El hermano del emperador Severo miró hacia la retaguardia del ejército de Britania: cinco mil quinientos jinetes sármatas acorazados, protegidos jinetes y bestias por pesadas armaduras, cargaban en un poderoso trote incontestable hacia ellos.

Geta se pasó el dorso de la mano derecha por los labios y luego por la frente, que sudaba profusamente.

—Maldita sea —dijo en voz baja, primero—. ¡Maldita sea! —repitió en un grito que, sin embargo, apenas fue audible para sus oficiales ante el estruendo de los veintidós mil cascos de los caballos blindados enemigos trotando a bloque por la llanura.

Geta sabía que los jinetes sármatas estaban allí, en la retaguardia enemiga, pero había pensado que Albino los emplearía contra la propia caballería de Severo y que luego, su hermano, con la ayuda de la caballería pretoriana, podría neutralizarlos. Pero Albino no oponía nada contra el ataque de Severo, ya al galope, por el otro flanco. Aquello era absurdo. Y, sin embargo, ese no era su problema. Su preocupación inmediata era afrontar aquella carga de la caballería acorazada sármata.

—¡Largad *pila*! ¡Largad, por todos los dioses, largad ya todas vuestras lanzas! —aulló—. ¡Todos los arqueros en posición!

Su idea era causar el máximo número de bajas en aquellos

jinetes blindados antes de que estos arremetieran contra las cohortes de vanguardia. La lluvia de *pila* y otras lanzas de las que disponían sus legionarios y auxiliares llovió como una intensa cortina de hierro sobre los sármatas, y más de un centenar cayó a causa de los impactos recibidos, pero la casi totalidad prosiguió su avance.

—¡Arqueros! ¡Largad! —ordenó entonces Geta, y los legionarios especializados en el uso del arco soltaron las manos con centenares de saetas, que una vez más cayeron sobre los jinetes sármatas. Y, de nuevo, casi otro centenar de enemigos dio con sus huesos en la hierba enrojecida de la llanura, manchada aún de sangre de la batalla librada el día anterior. Pero la caballería blindada siguió su avance.

Solo quedaba una solución para pararlos.

Muertos, muchos muertos. O retroceder. Geta no era hombre de amilanarse ni de defraudar a su hermano.

—¡Escudos a tierra! ¡Que nadie retroceda un solo paso!

Geta consiguió que sus hombres se detuvieran coordinados y formaran un muro de escudos de más de mil pasos de ancho. Una muralla sobre la que se abalanzaba, como si ellos no existieran, como si allí no hubiera nada, la caballería sármata. El fragor de los cascos de los caballos se hizo casi ensordecedor. Los legionarios de Geta sudaban unos, otros cerraban los ojos mientras se apoyaban con el hombro en los escudos. Algunos lloraban. Pero ninguno retrocedía. No, porque Geta estaba allí mismo, mirándolos a todos, y nadie quería, nadie podía huir en presencia del hermano del emperador.

El choque fue como un estallido metálico gigantesco del que sobrevino sangre y muerte como no se había visto en toda la batalla. Hubo caballos que intentaron saltar por encima de los escudos, pero solo lo consiguieron algunos especialmente ágiles y fuertes, pues el peso de las armaduras que llevaban encima se lo impedía. Con eso contaba Geta. Lo que sí hicieron muchos, sin embargo, fue abrirse paso entre los escudos, pues los jinetes empezaron a arremeter con lanzas y espadas contra los legionarios. Los soldados de Geta, a su vez, cegados por el ansia de la supervivencia, esgrimían los gladios pinchando todo lo que veían y lo que no veían, luchando a veces a ciegas, en medio de una maraña de caballos y armaduras y sangre. Así pinchaban tanto las piernas y brazos de los sármatas como los vientres de las bestias que montaban. Pero las protecciones de los jinetes y los caballos hacían que los pinchazos de los legionarios solo hirieran en un tercio de las ocasiones. Eso permitió que la caballería sármata siguiera avanzando, abriéndose paso sobre una superficie roja de cadáveres y heridos, penetrando por entre las filas de las cohortes de Panonia y Mesia. Geta seguía allí, sobre su propio caballo, dando instrucciones.

—¡Las cohortes de reserva! ¡Ahora!

Si algo le había dado su hermano Severo, eran muchas tropas de reserva, y Geta pensaba utilizarlas todas antes de retroceder. Los sármatas, con sus protecciones, su saña y su empuje, habrían conseguido atravesar una formación habitual romana en *triplex acies*, pero aquella mañana Geta no tenía solo tres líneas de combate, sino cinco. Y, al final, los sármatas se dieron cuenta de que por mucho que mataran, no lograrían nunca atravesar las interminables filas de cohortes legionarias que el enemigo ponía delante de ellos. ¿Qué hacer?

Geta estaba entre decepcionado y satisfecho, en una compleja mezcla de sentimientos: no había logrado el objetivo marcado por su hermano de rodear al enemigo hasta atacarlo por su retaguardia, aunque, al menos, había conseguido que la brutal caballería sármata no los desbordaran a él y a sus tropas. Pero ¿sería eso suficiente para la victoria?

Ala izquierda del ejército de Severo

Severo alcanzó a ver los problemas que tenía Geta en el otro flanco de la batalla, pero el hecho de que Albino hubiera tenido que emplear sus cinco mil quinientos sármatas contra él le dejaba el campo libre para atacar a Albino en persona. Su caza era una prioridad, como también rodear al enemigo y atacar por la espalda hacia el centro de las legiones de Britania de forma que Cilón pudiera avanzar también y, entre unos y otros, diezmar, aniquilar si era necesario, al ejército de Britania e Hispania.

El emperador autoproclamado augusto en Carnuntum hacía cuatro años, el líder de las legiones del Danubio, aclamado *imperator* hasta en ocho ocasiones por sus tropas, que había derrotado a Juliano primero, a Nigro después, y que había conquistado para Roma los reinos de Adiabene y Osroene, cabalgaba seguro de su victoria sobre aquel inmenso campo de hierba verde cuando, de pronto, observó que varios de sus jinetes, decenas de ellos, más, un centenar, más, dos centenares, eran engullidos por la tierra sobre la que galopaban y desaparecían como por encantamiento. Aún en medio de la confusión seguía cabalgando cuando, de súbito, su propio caballo pareció perder el equilibro y hundirse en la tierra arrastrándolo a él en su caída.

—¡Aggghh!

El emperador Severo cayó junto con su montura en uno de aquellos pozos excavados por los hombres de Léntulo durante la noche. Las estacas del fondo de la trampa recibieron a su caballo y a él mismo con su mortal mirada astifina atravesando piel y músculo y hueso, salpicando de sangre y despojos de carne las paredes de tierra húmeda de las entrañas de aquella trampa mortal. El emperador Septimio Severo había desaparecido de la faz de la superficie como desaparecen los sueños: de golpe, en un instante, en un abrir de ojos al despertar en el que todo lo imaginado se desvanece en la nada.

—¡Dioses! —fue el último grito de Septimio Severo antes de que todo se tornara oscuro y silencioso y mudo.

Retaguardia del ejército de Severo

Julia salió de la tienda del *praetorium*. Llevaba horas esperando alguna noticia concreta sobre el desenlace de la batalla, pero solo habían llegado mensajes confusos y contradictorios: parecía que Geta había conseguido desbordar al enemigo por su flanco, pero estaba sometido a una durísima carga de la caballería sármata de Albino; Cilón resistía a duras penas en el centro de la llanura, pero cada vez con menos fuerzas, y Severo se había lanzado con la caballería regular por el flanco contrario. Pero desde hacía un rato, quizá no muy largo pero que a ella se le antojaba eterno, no había llegado ningún mensaje nuevo desde el frente y eso que ella había dado orden a Leto de que la informara de cualquier maniobra relevante en la batalla. A Leto. A Plauciano no. ¿Para qué? La animadversión entre ella y el jefe del pretorio nombrado por su esposo permanecía igual que siempre. Pero esa no era ahora la cuestión.

En Issus tuvo a Maesa a su lado, pero al quedarse Alexiano en Roma, su hermana también había permanecido en la capital del Imperio. Era lógico que ella se quedara con su esposo, pero la echaba tanto de menos... Podría haber compartido con Maesa sus dudas, sus miedos, su incertidumbre creciente.

Julia oteaba el horizonte intentando desentrañar, en vano, el desarrollo de la batalla. Estaba demasiado lejos. El combate, la llanura entera, era apenas una nebulosa maraña de legionarios, jinetes y ruido lejano difuso pero cruel al mismo tiempo. Se percibía el dolor humano y animal que se estaban infligiendo los unos a los otros apenas a tres millas de distancia, pero no se podía discernir nada con claridad.

Julia se detuvo en seco.

Tenía un mal presentimiento. Una sensación que nunca tuvo en Issus.

—Un caballo —dijo a los centinelas de la guardia que estaban junto a la tienda. No lo gritó. Ella no necesitaba elevar la voz cuando daba instrucciones.

Los pretorianos se miraron entre sí, pero, veloz, uno de ellos fue a por lo que la emperatriz reclamaba. Tenían órdenes del emperador de protegerla en todo momento. El augusto nunca había dicho que tenían la obligación de retenerla en el campamento general de retaguardia. Claro que Severo, con toda seguridad, nunca pensó que fuera necesario dar aquella orden.

Trajeron el animal.

Los pretorianos seguían confundidos.

¿Sabría montar la emperatriz?

Sabía.

De niña aprendió en casa de su padre en Siria.

Al instante estaba trotando con su caballo seguida por una docena de jinetes pretorianos aún más confundidos que los centinelas del *praetorium*: ¿hasta dónde pensaba aventurarse la emperatriz?

Retaguardia de la caballería pretoriana
de reserva de Severo

Cabalgaron hasta alcanzar las posiciones más retrasadas del ejército del Danubio, donde estaba la caballería pretoriana bajo el mando de Plauciano y Leto. Desde allí, sobre su propia montura, Julia sí podía divisar bien el campo de batalla y buscar aquello que anhelaba ver. Pero su corazón detuvo su pálpito saltándose un latido. En la llanura tendría que haber dos hombres con capas púrpuras, dos augustos disputándose el control del Imperio, pero ella solo atisbaba un *paludamentum* púrpura y estaba en el bando enemigo: era Albino.

Julia seguía escudriñando todo el campo de batalla. De su esposo, de su manto imperial, no había rastro alguno. Sus peores presentimientos estaban cristalizando en la más horrible de las realidades...

Vanguardia de la caballería pretoriana de Severo

Leto tampoco divisaba al emperador Severo. De la misma forma que tampoco veía a decenas, no, a centenares de jinetes de la caballería de las legiones del Danubio.

—¡Han excavado trampas, *lilia*, pozos! —exclamó mirando hacia donde la caballería legionaria se movía confusa en un intento de los jinetes supervivientes al desastre por no caer en más agujeros mortales—. ¡Hay que asistir al emperador!

Pero Plauciano tenía otras prioridades en mente. Siempre las había tenido. Solo que nunca se había visto tan cerca de conseguir lo que anhelaba en secreto...

—Somos la última fuerza de reserva —dijo el jefe del pretorio—. Geta aún no ha culminado la maniobra envolvente encomendada por el emperador, y el centro que resiste a duras penas bajo el mando de Cilón podría quebrarse. Hemos de esperar y estar atentos por si nuestra presencia es más necesaria en el centro de nuestro ejército.

—¡Pero el emperador ha caído! —insistió Leto, que no daba crédito a lo que oía.

Plauciano tenía a cada instante sueños más grandes en su cabeza.

Gigantescos.

—Hemos de esperar —continuó el prefecto de la guardia—. Severo puede estar simplemente oculto por otros jinetes y si nos precipitamos ahora, todo puede perderse...

Plauciano pensaba con rapidez: si el emperador caía pero pese a ello aún se conseguía la victoria y Albino era eliminado..., ¿quién estaba en mejor posición para hacerse con el poder, muertos los dos contendientes en liza? Sin duda alguna, él mismo: era el jefe del pretorio, la guardia le era fiel y, ante las legiones, que Severo lo nombrase prefecto del pretorio lo señalaba como segundo en el mando. Bastaba con que prometiera a las legiones que él defendía los derechos del sucesor de Severo, del joven Antonino, quien, por otro lado, era demasiado joven para asumir el mando del ejército de Panonia y Mesia y del resto de legiones del Imperio. Los legionarios recibirían todas las recompensas esperables en esas circunstancias al jurar fidelidad a Antonino niño, pero él sería el poder efectivo. Reforzaría la fidelidad de la guardia con el consabido *donativum* a cada pretoriano por el ascenso de un nuevo *imperator*. Luego, afianzada su oposición, ya se ocuparía él de eliminar al pequeño Antonino, a su hermano menor y por supuesto, por fin, a Julia. O quizá fuera más inteligente y más placentero empezar acabando con ella primero. Todo encajaba tan perfectamente...

Leto seguía hablando pero Plauciano no lo escuchaba demasiado.

¿Para qué?

No hacer nada era la mejor opción.

Retaguardia de la caballería pretoriana
de reserva de Severo

A Julia, el corazón se le aceleraba por momentos. La caballería de Leto y Plauciano seguía ante ella tan inmóvil como hacía horas, en la misma formación que tenía desde el principio del combate. La sangre le hervía por dentro.

—Vamos, vamos... —musitó al aire, como si hablara a su caballo, azuzando al animal para que este dejara de ir al paso e iniciara un intenso trote, preludio casi de un galope, al que de inmediato se unieron los jinetes que la escoltaban.

Julia sabía que tenía que llegar a la vanguardia de la caballería y ordenar a Plauciano y a Leto que atacaran.

En el pozo

Las estacas clavadas en el fondo de la trampa atravesaron el caballo en diferentes puntos de su anatomía, de modo que el animal, loco de furia, herido de muerte, daba coces de costado en un vano intento por deshacerse de aquellas mortíferas lanzas astifinas que se habían clavado por todo su cuerpo. Severo, protegido de forma casi mágica por el vientre desgarrado y ensangrentado del animal, salió prácticamente indemne de la caída, más allá de unas cuantas magulladuras en piernas y brazos. Pero el emperador tenía que salir ya del pozo o el caballo moribundo, enloquecido por el dolor extremo de aquellas heridas brutales, acabaría matándolo con las coces que daba a ciegas, sin control ni sentido alguno más allá de intentar zafarse de un sufrimiento del que ya nunca podría escapar.

Pero entre que el pozo era profundo y que el animal no dejaba de moverse como un loco, Severo no encontraba forma de encaramarse a lo alto del mismo para intentar escapar de aquella trampa mortal. Estaba también en su mente la preocupación por saber qué habría sido del resto de su caballería, pero ahora tenía, por encima de todo, que escapar de aquel pozo.

—¡A mí la guardia! —aulló, pero se dio cuenta de la inutilidad de aquel reclamo. Los pretorianos estaban en retaguardia, con Plauciano y Leto, demasiado lejos de allí para asistirlo—. ¡A mí la caballería! —gritó entonces.

Para su sorpresa la cara amiga de Quinto Mecio apareció en el borde del pozo.

—¡Augusto, mi mano, ahora! —exclamó el oficial de caballería, tumbado en el suelo en paralelo a uno de los lados de la trampa, estirando el brazo para alcanzar al emperador y poder tirar de él hacia arriba.

Severo no dudó en asir la mano que Mecio le tendía; este tiró con fuerza, el emperador ayudó apoyando los pies en la tierra de la pared, asiéndose con la mano libre a raíces y plantas que emergían en los laterales del pozo y, con el esfuerzo de ambos, en una veloz maniobra de rescate, Septimio Severo salió vivo de la trampa que Albino le había preparado, a él y a toda su caballería.

Poco le duró a Severo la satisfacción de verse libre del pozo. A su alrededor solo veía la mitad de los jinetes de su caballería regular. Y tenía muy claro que el resto estaba, como había estado él hacía apenas un instante, en alguno de los centenares de pozos excavados por aquella maldita pradera.

—¿Cómo he podido ser tan estúpido? —se preguntaba a sí mismo Severo cuando Mecio lo apremió a escapar de aquel lugar.

—¡Augusto, vienen las cohortes de Britania e Hispania y también retorna la caballería de Rufo, y todos vienen a por el emperador! —dijo señalando la toga púrpura que identificaba a Severo como augusto de su ejército—. Nuestra caballería está en desbandada, al menos los que han sobrevivido a la trampa. Hemos de huir, de replegarnos, augusto, y... —Volvió a señalar la capa púrpura; no sabía cómo decirlo, pero tenía que hacerlo—: He oído las órdenes de los mandos enemigos: todos buscan la toga púrpura. Tienen orden de Albino de matar al emperador Severo lo antes posible y llevarle su cabeza de inmediato. El augusto debería desprenderse del *paludamentum* imperial ahora mismo si queremos conseguir retirarnos sin que nos persigan todas las cohortes y los jinetes del enemigo. La confusión y el anonimato son nuestra única esperanza de sacar al emperador vivo de este desastre.

Severo miró hacia el centro de la llanura. Decenas de cohortes lideradas por Novio Rufo junto con jinetes de la caballería enemiga se aproximaban hacia ellos, que, como bien decía Mecio, estaban en total desorden tras haber caído centenares de sus jinetes en los pozos. Pero quién era Mecio: ¿un oficial inteligente y astuto o un simple cobarde? No había nada de heroico en lo que el tribuno le proponía.

Tampoco había mucho tiempo para pensar ni para discutir. De pronto, una idea se abrió paso con fuerza en el tumulto mental de Severo: si había algo que había demostrado Mecio en el poco tiempo en que Severo había tratado con él era una enorme capacidad para sobrevivir.

Septimio Severo, no sin dolor, no sin reprochárselo una y mil veces, se desabrochó el *paludamentum* púrpura, la capa que Julia misma había doblado con esmero la noche anterior mientras hablaban de forjar una nueva dinastía imperial, la misma que ella le había ayudado a ceñirse aquella mañana, y la arrojó al suelo.

—¡Vámonos! —aceptó, al fin, Severo.

Y ambos, perdidas sus monturas en los pozos trampa, echaron a correr en dirección a la retaguardia de su ejército.

Vanguardia de la caballería pretoriana
de reserva de Severo

Plauciano y Leto seguían escudriñando el perfil de la batalla en busca del *paludamentum* púrpura que los ayudara a identificar la posición del augusto Severo. Cada uno buscaba movido por sentimientos muy diferentes, pero ni uno ni otro conseguían localizar la capa imperial. La única púrpura que se veía era la de Clodio Albino, al otro lado de la llanura.

—Tenemos que atacar —insistía Leto sin levantar la voz. No era buena idea mostrar a los jinetes de la guardia pretoriana división entre sus mandos. Eso nunca fortalecía la moral de combate, pero, si era preciso, al final se vería obligado a gritar o a dar él mismo la orden de ataque.

Plauciano tenía que hacer esfuerzos por no sonreír. Cuanto más tiempo pasaba sin que divisaran a Severo, más probabilidades había de que este hubiera, por fin, caído en la batalla. El prefecto del pretorio se sentía ante un nuevo mundo de posibilidades. Lo único que tenía que hacer era refrenar el máximo tiempo posible a la guardia pretoriana. Por otro lado, ganar la batalla seguía siendo importante, pero lo ideal sería ganarla con Severo ya muerto... Todo empezaba a ser perfecto. Demasiado perfecto. Uno de sus oficiales le señaló hacia retaguardia. Plauciano se giró lentamente.

No daba crédito a sus ojos: Julia Domna cabalgaba hacia ellos. La maldita esposa de Severo estaba allí mismo. ¿Cómo se lo habían permitido aquellos estúpidos pretorianos que se habían quedado en el campamento general para custodiarla, a ella y a sus hijos?

Plauciano volvió a pensar con rapidez. Ante Leto podía actuar como lo estaba haciendo, al menos un tiempo, pero no ante la emperatriz. Mal que le pesara, por mucho que la odiara, no podría permanecer inactivo, con la guardia retenida, si no atisbaban la silueta de Severo en el horizonte de la batalla y su esposa estaba allí como testigo de su inacción. De su traición. A Leto, Severo podía no hacerle caso, no creerle cuando contara lo que había pasado, su orden de no atacar, de no socorrerlo. Leto ya llegó tarde con la caballería en Issus y Plauciano sabía que podría culparlo a él por la tardanza a la hora de cargar con la caballería pretoriana, pero a Julia el emperador, si es que estaba aún vivo, sí la escucharía, cada día, cada noche. ¿La creería? Plauciano sabía que no podía jugarse el futuro. Pero no se sintió derrotado: seguramente Severo ya estaría muerto... Lo esencial era no dar sensación ante su esposa de pasividad en aquel punto clave del combate..., pero era evidente que había retenido a la guardia... Julia ya estaba allí, llegando a su altura... ¿Cómo salir de aquel apuro?

—¡Leto, por todos los dioses! ¡Me niego a esperar más! —vociferó Plauciano a voz en grito, de modo que sus palabras resultaron perfectamente inteligibles para todos los que los rodeaban, incluida, por supuesto, la emperatriz que se les acercaba—. ¡Digas lo que digas, vamos a atacar ya! —Y miró un instante hacia atrás—. ¡A mí la guardia! ¡Hemos de rescatar al emperador!

Leto no tuvo tiempo de decir nada, sino que simplemente, confuso por aquellas palabras que para él carecían de sentido, se limitó a unirse al galope que iniciaba la guardia pretoriana rumbo al extremo de la batalla donde la caballería regular trotaba confusa, derrotada y sin líder. Para Leto, en aquel momento, lo único importante era que, por fin, galopaban para ayudar al augusto.

Julia Domna se detuvo en el lugar que habían ocupado hasta hacía solo un instante Plauciano y Leto. Las palabras del prefecto le habían dado esperanza por un lado, pero también temor: ¿rescatar al emperador? ¿Estaría Septimio herido..., muerto?

De pronto sintió que sus mejillas estaban húmedas.

Miró al cielo, pero no llovía.

Se pasó el dorso de la mano derecha por su faz mojada por las lágrimas.

Sin saber bien cómo o por qué, súbitamente, todo por lo que había estado luchando parecía carecer de importancia. Por primera vez desde hacía mucho tiempo, por primera vez desde la muerte de Cómodo, nada le importaba: ni el Imperio ni sus dinastías. Ella seguía mirando hacia la batalla y el *paludamentum* púrpura de su esposo ya no estaba allí. Ella lo había forzado a luchar, una y otra vez, sin descanso apenas entre una guerra y otra, contra todo y contra todos, y ahora él ya no estaba allí, Septimio había desaparecido.

Se pasó el dorso de ambas manos por las mejillas.

Las lágrimas hacían aún más difícil ver lo que ocurría en el combate.

Debía serenarse.

Tenía que tranquilizarse. Pero... ¿dónde estaba Septimio? ¿Dónde?

—¿Y si lo he perdido, Maesa? —preguntó Julia a su hermana como si ella estuviera allí con ella—. ¿Y si ha caído en combate?

Caballería regular de Panonia y Mesia,
ala izquierda del ejército de Severo

Quinto Mecio consiguió hacerse con un caballo que había perdido a su jinete y Severo pudo asir las riendas de otro animal. Al instante, ambos cabalgaban de nuevo, aún en retirada, pero Severo detuvo su montura y volvió grupas. Quinto Mecio lo imitó.

El emperador miraba hacia la batalla: su hermano seguía

luchando contra los sármatas, a quienes había conseguido detener. Cilón, contra todo pronóstico, aún mantenía el centro sin brechas, sin posibilidad de avanzar, pero sin que se rompiera su frente de guerra. Era el flanco izquierdo, el que se encontraba bajo su mando, el que estaba fallando: la trampa de los *lilia* los había sorprendido y acabado con buena parte de la caballería regular, pero, al igual que él y Mecio, eran muchos los jinetes que se estaban replegando.

—Vamos a contraatacar, Mecio —dijo el emperador—. Hay que reagrupar la caballería y cargar por la ruta que ha seguido Rufo con la suya propia, evitando los pozos. Mira. —Señaló hacia el augusto enemigo—: Albino sigue con apenas doscientos jinetes. Vamos a por él.

Lo dijo con una rabia y un ansia tan contagiosas que Mecio no lo dudó y empezó a aullar a un lado y a otro para que los caballeros de Panonia y Mesia detuvieran su repliegue.

—¡El augusto Severo está aquí! ¡El augusto ordena contraatacar!

Y el emperador cogió una *spatha* que colgaba del costado de la montura y la exhibió en alto para que todos se fijaran en él. Muchos jinetes lo reconocieron con rapidez. Severo siempre estaba con el ejército, en los campamentos, visitando a los heridos tras la batalla, era un augusto al que todos identificaban de inmediato aunque hubiera perdido, en el fragor del combate, el manto púrpura o, como era el caso, aunque lo hubiera arrojado para escapar de la persecución del enemigo. Pero eso no lo sabía nadie más que Mecio: la caballería de Panonia y Mesia empezó a reagruparse.

—¡Y la guardia pretoriana nos seguirá! —añadió Severo al ver cómo Plauciano y Leto iniciaban un galope para, por fin, asistirlos en el contraataque—. ¡Por Júpiter, por Roma! —gritó el emperador a la vez que azuzaba su propia montura para empezar una nueva carga.

Nada estaba decidido. Todo estaba en juego. Lo único que había cambiado era que para Severo cortarle la cabeza a Albino ya no era un acto de necesidad política. Ahora era personal.

Ala derecha del ejército de Severo

Geta dividió sus fuerzas en dos sectores: unas cohortes seguían plantando cara a la caballería sármata, manteniendo a estos sin capacidad de atacar al segundo grupo de unidades legionarias que Geta había decidido lanzar ya directamente contra la retaguardia de las legiones de Britania en el centro de la llanura.

Centro del ejército de Severo

Cilón vio que Geta, al fin, lo había conseguido. Las cohortes britanas empezaban a verse atacadas por la retaguardia y la confusión emergió entre sus filas.

—¡Ahora! ¡Ahora! —gritó Cilón, y acudió en persona a primera línea.

Había que aprovechar para romper el frente enemigo justo en el centro mismo de la batalla. Aunque sus hombres estaban exhaustos por el sobresfuerzo, ver a su *legatus* en primera línea los incendió, los enardeció.

Ala izquierda del ejército de Severo

Severo y sus jinetes cruzaron la llanura bordeando el mar de pozos de los *lilia*, sin que apenas cayera ya nadie en las trampas, pues la mayoría quedaban más cerca del desfiladero que por donde estaban cruzando en ese momento.

Novio Rufo les salió al encuentro con la caballería regular de Britania e Hispania, pero ya fuera porque los hombres de Severo combatían con la rabia de la venganza por la trampa en la que habían caído muchos de sus compañeros o porque, al poco, se les unió la caballería pretoriana con Plauciano y Leto, el caso es que el gobernador de la Tarraconense pronto vio que la lucha estaba perdida, al menos, en aquel sector de la contienda.

Novio Rufo no dio orden alguna. Simplemente tiró de las riendas de su caballo e inició una retirada en dirección a Lugdunum. Ni siquiera fue a ver qué ordenaba Albino. En su repliegue podía ver cómo Cilón había roto el frente de las legiones de Britania en el centro y cómo el hermano de Severo atacaba a esas mismas tropas por su retaguardia. Solo la caballería sármata permanecía recia en la lucha, pero Rufo tenía claro cuándo las cosas ya no marchaban bien. Lugdunum y sus murallas eran ahora su único objetivo.

Retaguardia del ejército de Albino

El augusto Clodio Albino era testigo de lo mismo que acababa de observar Rufo y también llegó con rapidez a la misma conclusión: la batalla estaba perdida. ¿La guerra también? Eso no lo tenía tan claro. Para empezar debía salvar la mayor parte de aquel ejército.

—¡Que se replieguen todos hacia Lugdunum! —ordenó, y varios jinetes salieron con las órdenes hacia todos los lugares de la batalla donde las tropas aún estaban bien organizadas.

Los sármatas fue la unidad que más se aprestó a retirarse de forma ordenada y a ellos decidió unirse Albino cuando observó que Severo en persona con su guardia pretoriana se lanzaba contra él.

El de Britania se introdujo entre los jinetes acorazados sármatas y estos actuaron a modo de escolta que lo protegió en su retirada.

Y no, no daba la guerra por perdida. En Lugdunum podría resistir. Desde allí contactaría con Lupo en el norte y le ofrecería más dinero. Todo el que hiciera falta. El ejército del Rin aún podía ponerse de su parte. Y el Senado seguía siéndole favorable. En silencio, por la presión de Severo sobre todos los *patres conscripti*, pero Sulpiciano le había insistido en que en cuanto las tornas cambiaran, la mayoría lo recibiría con los brazos abiertos. Aún podía conseguirse todo.

LXXI

CUANDO YA NADA IMPORTA

**Tienda de campaña de la emperatriz,
campamento militar de las tropas del Danubio
20 de febrero de 197 d. C.**

Julia caminaba de un lado a otro de la tienda, poseída por un ansia incontrolable que la impedía quedarse sentada en una butaca y esperar con sosiego el retorno de Septimio. Porque su esposo tenía que regresar, tenía que volver junto a ella..., ¿o no retornaría vivo?

Las noticias eran todas buenas. Esto es, con relación al desarrollo final de la batalla: el ejército de Albino se batía en retirada; su líder había buscado refugio en las murallas de Lugdunum y las tropas de su esposo tenían el control absoluto del campo de batalla y, lo más importante..., no, lo único importante: Septimio estaba bien. Había caído en una de las trampas con estacas que habían excavado los legionarios de Albino, pero había sobrevivido a la caída y había dirigido en persona el contraataque final.

Eso le habían dicho unos y otros. Aunque ella no se fiaba ya de nadie. Quizá no se atrevían a decirle lo que había pasado exactamente. Era posible que Septimio hubiera sobrevivido a aquella caída, pero tal vez estaba herido, leve o... grave. Y nadie quería decírselo.

—Quiero saber cómo está mi esposo. Mírame a los ojos y dime la verdad. —Así le había hablado ella a Galeno apenas hacía una hora.

El médico griego había respondido a la llamada del frente para que examinara al emperador en medio de la brutal contienda.

—Yo lo he visto bien, augusta —había respondido Galeno, pero ni siquiera así estaba ella convencida.

Su corazón le decía que había pasado algo, que Septimio... De pronto, él entró.

Julia detuvo su caminar sin rumbo y de inmediato se acercó a él y empezó a palparlo nerviosa por todo el cuerpo.

—¿Estás bien? —preguntaba una y otra vez sin dejar de pasar las palmas de sus manos por todo su cuerpo cubierto de sangre—, ¿estás bien?, ¿estás bien? Estás lleno de sangre, por todas partes... Háblame, dime algo...

Él fue a responder, pero en ese instante ella se derrumbó abrazada a su cuerpo. Como si se desmayara lentamente, Julia Domna cayó de rodillas frente a su esposo, abrazada a sus piernas haciendo una y otra vez la misma pregunta:

—¿Estás bien? ¿Estás bien?

Hasta que la pregunta misma se ahogó en un largo sollozo lento que no parecía tener fin.

Severo se agachó y la cogió por la cintura para ayudarla a incorporarse, pero ella se aferró a él con tal fuerza que levantarla se hizo imposible.

Los dos estaban allí, en el suelo, unidos, entrelazados.

—Lo siento, lo siento... —empezó a decir Julia entre los sollozos de un llanto infinito, haciéndose oír entre las lágrimas—. Lo siento. Te he forzado a luchar una vez y otra vez. Siempre, sin descanso, sin respiro. De un enemigo a otro. Lo siento. Podrías haber muerto, podrías haber desaparecido, podría haberlo perdido todo, podría haberte perdido a ti... Siempre dijiste que Albino sería más difícil que ningún otro enemigo y yo, aun así, te empujé contra él..., y podrías estar muerto...

A Severo le conmovió aquel parlamento entre lágrimas y más cuando, por primera vez en mucho tiempo, ni la palabra *imperio* ni la palabra *poder* estaban en boca de su esposa.

El abrazo férreo de Julia se debilitó y él pudo alzarla con cuidado, con delicadeza, pues nunca había sentido a su joven y bella esposa tan débil, tan frágil, tan vulnerable.

—Estoy bien —dijo él, al fin, cuando estuvieron de nuevo en pie, abrazados, ella ocultando su preciosa faz en su pecho.

—Lo siento tanto... —insistió Julia—. La lucha contra Albino era realmente difícil..., lo siento —repitió—. Estaba... equivocada.

Severo se mantuvo quieto, con ambos brazos arropando el tembloroso cuerpo de su esposa. *Equivocada* era una palabra que nunca pensó que fuera a oír de sus labios.

—No estabas equivocada —susurró al oído de su mujer—. Ninguno lo estábamos. Yo tenía razón en que derrotar a Albino iba a ser la empresa más complicada de todas, pero tú tenías razón en que la lucha debía tener lugar.

—Aun así..., lo siento tanto... —volvió a decir ella, sin dejar de abrazarlo con fuerza.

—¿Sientes haberme hecho ganar un imperio y forjar una dinastía? —preguntó entonces Septimio, y la abrazó con más fuerza que ella a él—. No debes sentir nada. Como nada habría conseguido sin ti —añadió el emperador.

Ella simplemente lloraba, sin parar, como un manantial que, por fin, después de años seco, hubiera rebrotado con más agua que nunca, incontenible, irrefrenable, como la pasión que ella sentía por su esposo; a sus ojos, el hombre más valiente, el más fuerte, el más poderoso... el que se lo había jugado todo, hasta la vida, por conseguir un imperio... una dinastía. Su imperio, su dinastía. De los dos. Para los dos. Para siempre.

LXXII

UNA CABEZA IMPERIAL

Campamento general de Severo, Lugdunum
Días siguientes de febrero de 197 d. C.

Severo se levantó feliz. Julia había hecho el amor con él toda la noche como no lo hacía desde antes de tener a los niños. Intimaban, se besaban, llegaban al éxtasis. Dormían. O dormitaban en el más dulce duermevela. El que otorga las grandes victorias. Él volvía a acariciarla y ella respondía con besos. Y lo repetían todo. Varias veces a lo largo de las horas sin luz. Hasta el alba.

Sí, Severo estaba exhausto, pero la combinación del placer carnal con su esposa y la victoria sobre Albino en el campo de batalla eran incentivos suficientes para mantenerlo con fuerzas aquella mañana de éxito ante sus hombres.

Su hermano Geta, Leto, Plauciano y otros *legati* esperaban instrucciones. Albino había sido, en efecto, derrotado, pero atrincherado en Lugdunum con varias legiones suponía aún una amenaza, especialmente, si la situación se prolongaba y el Senado maniobraba para apoyarlo desde Roma. Alexiano informaba por carta de que conservaba el control en la capital del Imperio, pero apenas disponía de tropas para contener un posible levantamiento senatorial apoyado por *vigiles* y otros grupos armados. Y quedaba pendiente ver si las legiones del Rin seguían siendo fieles a Severo o cambiaban de bando. A esas alturas, muchos cuestionaban la lealtad de Virio Lupo al ejército del Danubio.

Pero Severo, en medio de todo aquel cúmulo de variables, se mostró sereno. Más aún: clarividente. Julia le había insuflado unas enormes dosis de seguridad en sí mismo aquella noche. Verla, por primera vez, frágil, vulnerable, lo había hecho reaccionar aún con más energía de la habitual y con pensamientos certeros.

—Enviad mensajeros a la ciudad —empezó el emperador mirando a sus oficiales de confianza—. Que informen a los centuriones de las legiones de Britania y de la VII *Gemina* de Hispania de que quedan sin pena alguna por mi parte con la sola condición de que retornen a sus campamentos base, unos más allá del *Mare Britannicum* y, en el caso de la VII *Gemina*, en Legio.

—¿Ningún castigo? —planteó Plauciano de forma algo dubitativa mostrando su disconformidad.

El resto callaba.

—Podríamos diezmar a las legiones de Britania y la VII *Gemina* —aceptó Severo como posibilidad—, pero ya han sufrido muchas bajas durante el combate, como nuestras propias legiones. Roma no puede permitirse perder más hombres valiosos, los necesitamos en las fronteras del Imperio o en las minas de Hispania. Además, esto mandará un mensaje claro a todas las unidades de que me considero legítimamente el emperador de todas las legiones, magnánimo en la victoria, implacable en la rebelión.

—Es una magnífica decisión, augusto hermano —apuntó Geta—. Además, esto hará que las cuatro legiones abandonen Lugdunum quiera o no quiera Albino.

—Eso también —confirmó Severo con una sonrisa al ver que su hermano comprendía el sentido militar que tenía aquel perdón: desarmar a Albino casi por completo.

Y así fue.

No habían pasado ni dos días cuando los legionarios de todas las legiones que se encontraban en el interior de las murallas de Lugdunum se rebelaron contra sus mandos y abandonaron la ciudad para beneficiarse del perdón del emperador vencedor en aquella cruenta contienda que había tenido el destino del Imperio en vilo durante meses. Retornar vivos a sus campamentos de origen pese a haber sido derrotados parecía a todos una oportunidad que ninguno quería desaprovechar.

Intramuros solo quedó la caballería sármata y la cohorte urbana de Lugdunum, que no tenían claro si el perdón de Severo era extensivo a ellos. Y, por supuesto, estaban las autoridades locales y los habitantes de la ciudad asediada. A todos ellos, Severo les garantizó la vida e incluso no arrasar la urbe rebelde si se le hacía entrega de Albino, su esposa, sus hijos y sus oficiales de máxima confianza.

Ante aquella nueva propuesta del *imperator* victorioso, nada pudo prometer el derrotado Albino, abandonado ya por sus legiones, que impidiera su entrega a su mortal enemigo. El recuerdo de lo que Severo había hecho con Bizancio —que se mostró leal a Nigro, anterior enemigo del propio Severo— provocó que la entrega de Albino y sus hombres de confianza fuera inmediata. Ningún ciudadano de Lugdunum quería ver su ciudad arrasada como la urbe de Oriente que permaneció fiel a Nigro hasta el final.

Léntulo y Novio Rufo fueron ejecutados en el mismo instante de su entrega. Albino, no obstante, permaneció preso un día entero antes de ser conducido frente a la tienda del *praetorium* imperial de Septimio Severo.

—¿Algo que decir en tu defensa? —le preguntó el propio Severo a un Albino sucio, escuálido por falta de alimento y por los nervios de los últimos días.

Este permaneció en silencio y parecía que no iba a decir ya nada cuando rompió a hablar.

—Solo pido que respetes la vida de mi mujer y mis hijos —solicitó, sin implorarlo, pero claramente rendido a la victoria de su enemigo.

Severo se disponía a hablar, pero sintió la mano de Julia sobre su hombro.

—No comprometas tu palabra delante de todos —le susurró ella al oído.

Su esposo no se volvió, pero en lugar de responder a Albino se limitó a mirar a Leto. El *legatus* asintió al tiempo que desenvainaba su espada. Leto ya había sido el brazo ejecutor del emperador Severo contra Nigro. No le costó ejercer de nuevo de verdugo de otro emperador defenestrado en el campo de batalla. Otro que había calculado mal la resistencia de un Severo que, siempre apoyado por su esposa y por las legiones del Danubio, crecía en fuerza y energía día a día.

—¡Por Júpiter! —exclamó Albino cuando vio la espada de

Leto alzándose contra él sin más aviso, sin más preámbulo ni juicio.

No tuvo tiempo de decir más.

El golpe fue tan inclemente como preciso. La cabeza de Albino voló por los aires hasta caer rodando a los pies del mismísimo Severo.

—Traed mi caballo —dijo el augusto vencedor.

Le trajeron su montura, engalanada con un manto púrpura a juego con el brillante *paludamentum* del mismo color que lucía el emperador victorioso. Severo subió a su caballo y tiró de las riendas para que el animal se dirigiera al cuerpo decapitado de quien hasta hacía muy poco había sido su mortal enemigo. Y allí, ante todos sus altos mandos, los centuriones y las legiones de Panonia y Mesia, hizo que el animal pisoteara en varias ocasiones el cadáver de Clodio Albino.

Luego desmontó y se acercó lentamente a Julia, rodeando con cuidado la cabeza de Albino. No quería desfigurarla más de lo que ya estaba con aquella horrible mueca de sorpresa y dolor en el rostro. No quiso pisarla porque deseaba que todos pudieran reconocer la faz de quien había osado rebelarse contra él.

—Clavadla en una estaca y ponedla en la puerta principal de Lugdunum —ordenó.

Y suspiró.

Para él todo aquello, por fin, había terminado, pero Julia lo abordó cuando iba a entrar en el *praetorium*.

—Olvidas una cosa —dijo ella.

—¿De qué me olvido?

—De la mujer de Albino y de sus hijos —respondió la emperatriz.

Severo guardó silencio mientras pensaba. En un primer momento había considerado mostrarse magnánimo con Salinátrix y sus vástagos, como hizo en el caso de Juliano, pero, por otro lado, con Nigro, que también se rebeló con legiones contra él, fue inflexible y ordenó eliminar a toda su familia. No sabía bien qué hacer en esta ocasión. Aunque era cierto que Albino, como Nigro, y, al contrario que Juliano, había contado con muchos partidarios en el Senado. Dejar descendientes suyos vivos... pero Julia ya estaba poniendo palabras a sus disquisiciones:

—Salinátrix y sus hijos serán un cabo suelto —le dijo, sin levantar la voz: era una conversación privada, nadie tenía por qué enterarse de lo que hablaban—. Ella, estoy segura, revolverá a sus hijos contra ti en cuanto crezcan. Yo, en su caso, lo haría. Y tiene amigos entre los senadores. Muchos.

Severo miró al suelo.

—Y ella es como tú, ¿verdad? —Le parecía bien que una mujer valorara el carácter de otra.

—En el modo de actuar sí: en eso somos iguales. Pero yo soy más hermosa y, además, he ganado... Hemos ganado.

Severo se permitió una leve sonrisa, siempre mirando al suelo. Levantó la mano derecha. Plauciano se acercó.

—Que ejecuten a la esposa y a los hijos de Albino —sentenció el emperador, siempre sin alzar la vista.

—Sí..., augusto —respondió el jefe de la guardia pretoriana y se alejó para dar cumplimiento a aquella orden.

Plauciano no estaba ya por discutir las instrucciones de Severo. Lo había visto terminar con Juliano primero, con Nigro después y, ahora, con Albino. El prefecto de la guardia empezaba a considerar que obedecer y callar podía ser una buena línea de actuación para el futuro. Rebelarse contra Severo no parecía algo sencillo.

—Voy a descansar —dijo el emperador—. ¿Vienes? —preguntó a Julia aún con los ojos mirando el suelo.

—Claro, esposo, *Imperator Caesar Augustus* —respondió Julia y, cogidos de la mano, entraron en el *praetorium.*

Parecía que, por fin, habían quedado atrás las lágrimas y el miedo. Eran tiempos de celebración. Y ella tenía muchas ganas de festejar, de vivir, de ser feliz, de disfrutar del triunfo completo. Por un instante consideró quedarse para presenciar el ajusticiamiento de la esposa de Albino, pero Julia concluyó que eso sería darle a su enemiga demasiada importancia. La indiferencia ante su propia muerte sería aún más dolorosa para su oponente. Para Julia, además, era más importante estar ahora con su marido.

Pero la sentencia dictada por Severo, a instancias de la propia Julia, seguía su curso: definitiva, implacable, mortal.

Salinátrix fue conducida ante Leto, en medio del campamento militar de las legiones del Danubio.

—¡Estáis todos gobernados por una zorra, por una puta extranjera! —aullaba Salinátrix mientras dos soldados la conducían frente al *legatus* de confianza de Severo—. ¡Y un día lo lamentaréis todos! —Elevó aún más la voz, gritando un nombre a pleno pulmón—: ¡Julia, Julia! ¿Dónde estás, cobarde? ¡Yo te maldigo una y mil veces!

Para Leto fue suficiente.

Demasiado.

Miró a uno de los soldados que se habían arremolinado en torno a la esposa apresada de Clodio Albino.

No hizo falta más.

El legionario desenfundó su espada y ensartó con ella a Salinátrix.

—¡Aggh! —fue su último grito. Lo que siguió lo dijo en voz baja, con las manos sobre la herida abierta, doblada sobre su vientre, agonizando—: Os maldigo a todos y todos moriréis..., más pronto de lo que imagináis...

Ya no habló más.

—Los niños también —añadió el *legatus*.

Sus hombres fueron a por ellos y él suspiró. No le gustaba lo de ejecutar a mujeres y niños, pero vista la rabia de la esposa de Albino en sus últimos momentos, tuvo claro que dejar con vida a cualquiera de aquella familia solo supondría un problema futuro. Leto observó que algunos soldados se habían quedado con cierto aire de preocupación. Todos los romanos eran supersticiosos en extremo y en el ejército aún más. A nadie le gustaba recibir una maldición.

—Somos legionarios de Roma —dijo Leto en voz alta—, y los legionarios de Roma siempre morimos antes de lo que esperamos, en alguna maldita guerra de frontera. Es nuestro destino. Por todos los dioses, no ha dicho nada que no sepamos.

Y así era. A los legionarios pareció darles sosiego aquella exposición tan clarividente del *legatus*. La maldición de Salinátrix no añadía nada a sus vidas a lo que no estuvieran ya predestinados. Todos retornaron a sus tareas. Había un Imperio por el que combatir, al que defender y, finalmente, por el que morir.

LXXIII
—

DIARIO SECRETO DE GALENO

Anotaciones sobre el final de la guerra
con Albino y la victoria de Julia

Estoy terminando el relato.

La historia del ascenso de Julia llega a su final.

Se puede argumentar que la crueldad de Severo, y de la propia Julia, fue en todo este episodio extrema, pero su mensaje era nítido: no toleraba rebeliones de ningún gobernador y, si las había, su venganza ante cualquier otro intento de alzarse contra él acabaría no solo con el protagonista muerto, sino también con toda su familia ejecutada.

Se le podrá criticar por su mano dura, pero Severo no volvió a sufrir ninguna rebelión militar. Su mensaje fue comprendido en Roma y en todas las provincias del Imperio. Eso sí, tomó medidas adicionales con relación a los territorios que se le habían mostrado más hostiles. Así, en paralelo al regreso de las tropas a Britania, al igual que había hecho en el caso de Siria tras la guerra contra Nigro, Severo dividió la provincia insular en dos: Britania Superior al norte con capital en Eboracum, con la legión VI *Victrix*, y Britania Inferior al sur con capital en Londinium, con las legiones II *Augusta* y la XX *Valeria Victrix*. De esta forma se garantizaba que, como en el caso de Oriente, ya no hubiera ningún gobernador con más de dos legiones a su mando. La experiencia de Siria había demostrado a Severo que dividir un territorio rebelde en dos era la mejor salvaguarda para evitar nuevos alzamientos.

Luego quedaba el asunto espinoso de los amigos de Albino en el Senado. Aquilio Félix, como jefe de la policía secreta, se presentó ante Severo con toda la correspondencia que había podido intervenir entre el defenestrado Albino y varios senadores favorables a su causa. Sulpiciano fue el primero en ser ejecutado, junto con otros cuantos más. Dion Casio sobrevivió. Ninguna carta suya se encontró dirigida a Albino. También sobrevivieron Helvio, el hijo de Pértinax, y el joven Aurelio Pompeyano quien, al menos, tuvo la prudencia, siguiendo los siempre sabios consejos de su padre, de no mantener correspondencia con ninguno de los favorables a Albino.

El padre de la familia de Aurelio, el veterano Claudio Pompeyano, falleció de muerte natural por aquellas mismas fechas: rechazada la púrpura imperial hasta en tres ocasiones por su parte, terminó sus días en la tranquilidad de su vieja villa en las afueras de Roma. Sus últimas palabras fueron para su hijo Aurelio a quien, por enésima vez, le recomendó que se alejara de la lucha por el poder. El joven senador, heredero de la muy digna familia Pompeyana, asintió, pero más por no contradecir a su padre en su lecho de muerte que por convencimiento. Para él, Severo y su familia no merecían el control de Roma. Claro que ya no había margen para revertir el curso de la historia y su disenso tenía que permanecer en el más prudente de los silencios.

¿Y Virio Lupo, Leto o Quinto Mecio? El emperador, por motivos diferentes, estaba incómodo con los dos primeros y, por supuesto, satisfecho con el tercero. Pero todo a su debido momento. No quiero ni debo perder el foco de mi relato: Julia.

Retornando a la emperatriz, quien encuentre este diario en el futuro habrá leído bien el título que he puesto a esta sección: «Anotaciones sobre el final de la guerra con Albino y la victoria de Julia». Y con seguridad se preguntará: pero ¿no era Severo quien comandaba las legiones contra Juliano, contra Nigro, contra Albino?

Y así fue. Sin duda. Severo fue el brazo ejecutor de aquel plan para apoderarse de un Imperio a la deriva tras la locura de Cómodo, pero la mente pensante, el genio que ideó toda la estrategia, para mí, no fue otra persona que la esposa del augusto: Julia fue, primero, la mujer que encandiló a un robusto legado de Roma siendo tan solo una adolescente, hasta el punto de que aquel hombre, una vez viudo, no dudó en reclamar a esa joven como esposa; ella nunca habría aceptado ser su amante, como sí hicieron Berenice con Tito o Cleopatra con Julio César.

Julia, en poco tiempo, engendró dos niños, dos herederos, dos futuros césares con la destreza de quien tiene objetivos a largo plazo; seguidamente, se las ingenió para escapar de la Roma de Juliano dejando las manos libres a su marido para que se autoproclamara emperador en Carnuntum, anticipándose a Nigro y a Albino, y dando de ese modo inicio a la parte más audaz del plan: la ofensiva directa sobre el control de Roma. Fue ella, a continuación, la que acompañó a Severo a Oriente para aniquilar a un temible Pescenio Nigro. Julia estuvo tan implicada en la campaña que las legiones de su esposo acabarían proclamándola *mater castrorum*. Y, acto seguido, el golpe de gracia: fue ella la que instigó hasta la extenuación para que Severo nombrara césar al pequeño Basiano, con el nombre de Antonino, a sabiendas de que eso acarrearía una nueva guerra civil, ahora contra Albino. Esa pugna final a punto estuvo de costarles todo a Julia y a Severo, pero ya fuera por la fuerza que ella irradiaba y que supo transmitir a su esposo, o porque el propio Albino no supo estar a la altura, Severo y Julia se alzaron con la victoria total. En apenas diez años, Julia ha pasado de ser una desconocida adolescente extranjera de una esquina del Imperio a ser la única y todopoderosa y aclamada augusta de Roma. No conozco a nadie que haya progresado a tanta velocidad en su *cursus honorum*. A veces me pregunto si la emperatriz estará ya satisfecha o si albergará aún más ambición en su ser. Aunque no atisbo en qué más se puede soñar a la hora de la lucha por el poder que en conseguir lo que ella ha obtenido: el control del Imperio romano y el establecimiento de una nueva dinastía. Aunque aún me siento fuerte, creo que mi avanzada edad no me permitirá ver el límite de los sueños de Julia. Esto es, si es que la palabra *límite* existe en su vocabulario.

Recuerdo con nitidez el imponente desfile militar tras la victoria contra Albino celebrado en el Circo Máximo, previo a unos juegos impresionantes que hicieron las delicias de la plebe. Allí estábamos todos y allí presencié el último episodio del fulgurante ascenso de Julia a la cima del mundo.

LXXIV

—

LA VICTORIA ABSOLUTA

Palco imperial del Circo Máximo, Roma
Primavera de 197 d. C.

Septimio Severo clavó los ojos en una de las monedas de oro
con su efigie grabada que sostenía en la palma de la mano:

—*Lucius Septimius Severus Pertinax Augustus Imperator VIIII*
—masculló entre dientes. Todo eso estaba grabado alrededor
de su rostro. Sonrió. Envolvió las monedas con cada uno de sus
dedos formando un puño de hierro y las arrojó hacia los soldados que desfilaban. Más de uno vio su paseo militar recompensado de forma extraordinaria.

Severo quedó erguido. No eran las primeras monedas que
regalaba ese día. Solo le quedaba una más que entregar aquella
mañana, pero aquella última moneda quería darla en mano.
Era un regalo especial para alguien único.

El palco imperial era el centro de todas las miradas: ya fueran senadores sometidos, *patres conscripti* favorables a su causa,
ciudadanos de toda orden y condición, libertos o esclavos, todos miraban hacia el *pulvinar* entre asombrados y hechizados.
Y allí, en la primera línea del palco, Septimio Severo saludaba

con el brazo derecho en alto a las cohortes legionarias que, una tras otra, en una interminable hilera sin fin de fuerza militar, desfilaban ante él y las doscientas cincuenta mil personas congregadas en el fabuloso estadio del corazón de Roma.

Severo quería dejar claro con aquella fastuosa exhibición de poder que las legiones estaban con él y solo con él y que, a partir de aquel momento, quien controlara las legiones, quien tuviera su fidelidad era quien gobernaba Roma, pasando por encima del Senado, de cualquier otro magistrado y de tradiciones centenarias. Septimio Severo y su familia habían llegado para quedarse y para cambiar el mundo romano. Sí, tal y como había dicho su esposa, la batalla de Lugdunum, con sus dos días de duración, marcaba un antes y un después en el Imperio. Era el ejército el que decidía el gobierno, no el Senado ni ninguna otra institución. Y él, Severo, había sido el primero en verlo con nitidez. De ahí su victoria. De ahí y del apoyo constante de Julia. Estaba persuadido de que la inteligencia de su esposa había sido clave en todo lo ocurrido. Lo admitiría o no en público, pero era consciente de ello y hasta estaba orgulloso de aquella colaboración. Severo se giró un instante y, sin dejar de saludar con el brazo derecho en alto, miró hacia donde estaba Julia.

Su esposa sintió su mirada y se la devolvió con una sonrisa dulce y, acto seguido, se dirigió a sus hijos, que estaban junto a ella:

—Id junto a vuestro padre y saludad al pueblo de Roma, que lo aclama: sois los césares, los herederos. Justo es que disfrutéis con vuestro padre del júbilo de la paz y el control que ha conseguido de todo el Imperio.

Basiano Antonino y su hermano Geta, a quien ya se le denominaba césar a falta de su declaración oficial, no dudaron en trotar raudos para situarse cada uno a un lado de su padre, animados adicionalmente porque desde aquel punto se podía ver mucho mejor el espectacular desfile militar. Julia los vio correr juntos y su pecho se hinchó de satisfacción: juntos gobernarían Roma. Geta ya había superado sus recelos hacia su hermano mayor. Todo estaba solucionado.

Severo asintió mirando a su esposa al ver cómo los niños iban hacia él.

—*Imperator, imperator, imperator!* —seguía clamando el pueblo.

Julia inspiró profundamente inhalando el sabor dulce del poder total.

—Al final lo has conseguido —dijo una mujer a su espalda y Julia se volvió. Su hermana Maesa la miraba también sonriente. Ella y Alexiano, por supuesto, asistían a aquella celebración.

—¿He conseguido qué? —preguntó la emperatriz mostrando algo de confusión.

—Lo has conseguido... todo: el Imperio y una dinastía.

—Lo hemos conseguido entre todos —matizó Julia—. Tu esposo ha ayudado mucho en todo este empeño y sentirte a mi lado ha sido un enorme apoyo en los tiempos de zozobra y duda, que los ha habido, muchos, y tú siempre has permanecido junto a mí. Bueno, excepto en Lugdunum, pero estabas aquí, en Roma, con Alexiano, vigilando nuestra retaguardia.

Maesa enarcó las cejas.

—Es verdad que mucho de este tiempo hemos estado juntas, compartiéndolo todo, sueños y peligros, pero algo me dice que incluso sola lo habrías conseguido..., aunque me gusta sentirme partícipe de todo esto. Como has dicho, hubo momentos difíciles —añadió Maesa recordando los últimos años de Cómodo, la huida de Roma en tiempos de Pértinax, el intento de asesinato contra Severo organizado por Juliano, el instante en el que todo parecía perdido en la batalla de Issus o, luego, según le había relatado la propia Julia, en la llanura de Lugdunum.

Calidio se aproximó a las dos hermanas con una bandeja con copas de vino.

Julia tomó una y Maesa hizo lo propio.

El *atriense* mantuvo la mirada gacha, sin osar en momento alguno que se encontrase ni con la de la augusta ni con la de su hermana, algo que habría resultado del todo improcedente.

—¡Por ti, hermana! —Maesa alzó su copa.

—¡Por las dos! —replicó Julia.

Maesa sonrió y ambas bebieron.

Julia observó cómo Calidio se retiraba.

—Hay una cosa, Maesa —empezó la emperatriz.

—Dime.

—Es algo trivial, pero es justo que lo mencione. Se me pidió con corrección y es pertinente atender esa solicitud, si a ti te parece bien...

—¿De qué se trata? —preguntó Maesa—. Has conseguido intrigarme.

—Lucia, tu esclava.

—Sí, ¿qué pasa con ella?

—Quiero comprártela. Sé que es la que ha cuidado a tus hijas desde pequeñas y que no tienes queja de ella, pero mi esclavo, mi *atriense*, querría desposarse con ella y, al parecer, vivir con ella, y ha ofrecido una cantidad razonable de dinero para comprártela y que pase a servir en el palacio imperial.

Maesa parpadeó unas cuantas veces.

—No pensé que en tu cabeza hubiera espacio para asuntos tan..., ¿cómo has dicho? Ah, sí: triviales.

—Calidio me ha servido bien desde hace años. Nunca ha pedido nada. Como esclavo no está en condiciones de hacerlo, por supuesto, pero él mismo pone el dinero. Lo que solicita es que actúe de intermediaria en esta compra, pues él, lógicamente, no se atreve a dirigirte la palabra. Como debe ser.

—Como debe ser —certificó Maesa.

Hubo unos instantes de silencio entre ellas mientras Maesa meditaba y miraba hacia Calidio, que seguía ofreciendo copas de vino a los invitados al palco. Ahora estaba con Geta, el hermano del emperador, y con Alexiano. Se preguntaba si el esclavo podría oírlas desde allí.

—Por mí no hay inconveniente —respondió Maesa al fin—. Si me lo pides es porque crees buena idea atender la petición de tu esclavo.

—Ni siquiera has preguntado cuánto ha ofrecido por la compra —comentó Julia.

—Eso no importa. A mí solo me interesa que dando mi consentimiento atiendo lo que me pides. Seguro que es una cantidad razonable, como has dicho.

Julia sonrió.

Calidio regresaba hacia ellas ahora con una bandeja con comida: frutos secos, queso en rodajas y algo de carne seca de jabalí untada en una salsa espesa de suculenta apariencia.

—¿Has oído la conversación, Calidio? —preguntó la emperatriz.

—Hago lo posible por no escuchar cuando mis amos hablan, augusta —respondió Calidio con sabiduría.

—Mi hermana acepta y Lucia entrará en el servicio del palacio imperial —le comunicó Julia.

Calidio tragó saliva un par de veces antes de responder y lo hizo siempre mirando al suelo.

—La emperatriz ha sido muy amable al interceder por mí, y el ama Maesa muy generosa. Solo tengo palabras de agradecimiento para las dos amas. —Y se inclinó levemente con cuidado de que no se cayera ninguno de los contenidos de la bandeja.

—Eres un esclavo leal, Calidio —comentó la emperatriz—, y la lealtad ha de ser premiada en todos los niveles, más en tiempos donde las traiciones han estado a nuestro alrededor durante años. Además, hoy es un día de celebración, un momento ideal para la generosidad.

Calidio hizo otra cuidada reverencia y se retiró portando la bandeja con comida hacia los *legati* del emperador.

—Alexiano me llama —dijo Maesa, y con una sonrisa se separó de su hermana para acudir junto a su marido.

Julia se quedó sola un instante. Miró a su alrededor: allí estaban varios de los hombres de confianza de su esposo como Fabio Cilón y otros que se habían mostrado leales y valientes en el campo de batalla. Faltaban Leto y Quinto Mecio. La emperatriz tenía curiosidad por saber de ellos y también por conocer el destino de Virio Lupo, el gobernador de Germania Inferior, que tanto mal hizo durante la campaña contra Albino con su reiterada ineficacia, pero, en ese instante, su mirada se cruzó con la de Galeno.

El viejo médico la observaba con el desparpajo de quien se siente superior a todos, pero sin desdén ni desprecio. No. De hecho estaba segura de percibir cierto aire de admiración en la faz del médico griego por primera vez. Hacia él se encaminó, de forma directa, cruzando en diagonal el palco.

—Hay algo pendiente entre nosotros —dijo la emperatriz.

Galeno torció ligeramente la cabeza hacia un lado.

—No estoy seguro de entender, augusta.

—Vaya, para alguien tan inteligente, me sorprende en ocasiones tu falta de pericia a la hora de desentrañar algo tan sencillo como lo que piensa una mujer.

—Pero no, augusta —se atrevió a corregirla el viejo médico—: lo que piensa una mujer nunca es sencillo y, con frecuencia, es su misterio; eso sí, un misterio hermoso.

Julia se echó a reír.

—Algo resta por resolver entre nosotros —insistió ella cuando terminó de reír.

Galeno arrugó la frente mientras repasaba los acontecimientos vividos junto a la emperatriz de Roma durante los últimos años: muertes, magnicidios, la locura de Cómodo y, por supuesto, el gran incendio de Roma donde él perdió tantos libros. Él había actuado bajo las órdenes de la emperatriz en varias ocasiones y esta le había recompensado con creces facilitándole el tiempo y el dinero necesarios para que pudiera reescribir y documentar los manuales de medicina y farmacia que había perdido en aquel nefando incendio de la biblioteca del palacio imperial donde se acumulaban en época de Cómodo la mayor parte de sus escritos. Mas era cierto que luego la emperatriz, además de como médico para asistir a su hermana en el parto o a los heridos en las diferentes campañas de su esposo, había solicitado sus servicios en el intento de envenenamiento de Albino. Un proyecto que fracasó, pero no por error suyo.

—Quizá la augusta se refiera a mi colaboración en el... plan... que debía ejecutar Quinto Mecio, y que no llegó a buen término.

—Ah, sí. Mucho mejor —confirmó la emperatriz—. Se agradece tu discreción. Sabes encontrar palabras suaves para describir acciones drásticas. Es cierto que aquello no salió como tenía pensado, pero no fue por tu culpa ni mucho menos, y tu colaboración fue eficaz. Como siempre lo ha sido. Estoy en deuda contigo y no olvido mis cuentas pendientes.

Galeno se limitó a inclinarse. Habría sido más elegante restar importancia a su colaboración en aquel asunto y hacer como que no había deuda alguna, pero él era hombre vanidoso y lo que esperaba como recompensa le era muy codiciado, algo a lo que le costaba renunciar. Así que mostró aprecio inclinándose ante la emperatriz, pero no dijo nada, a modo de invitación para que la augusta continuara hablando.

—Sí, yo pago mis deudas. Te prometí un salvoconducto para que pudieras ir a Alejandría con permiso para consultar cualesquiera códices o papiros que fueran de tu interés sin limitación ni prohibición alguna que pueda interponerse entre tú y el texto que desees leer.

—Es cierto —ratificó Galeno—. Eso se me prometió.

—Dicho salvoconducto obra en posesión de Alexiano y a él puedes reclamárselo cuando desees. Llevará el sello del propio emperador. Podrás consultar esos libros que tanto te interesan.

—Esos libros, augusta, interpretados por la mente adecuada, esto es, por mí, transformarán la medicina para siemp... —Galeno no tuvo ocasión de terminar la frase, pues Julia, satisfecha de haber cumplido con lo prometido, se alejaba de él sin ni siquiera esperar una respuesta. La augusta parecía mucho más interesada en acercarse, muy despacio, hacia donde su esposo y sus hijos contemplaban el fabuloso desfile militar.

Galeno calló.

No se sintió mal ni despreciado. Lo esencial era que ahora nadie podría negarle el acceso a los libros de Erasístrato y Herófilo. Ni siquiera Heracliano. Pensó un instante en el rencoroso de Philistión en Pérgamo.

—Mi emperador ganó —musitó Galeno feliz y, aunque lo hiciera en voz baja, se ilusionó pensando que quizá algún día Philistión se enteraría de que él, el gran Galeno, había, por fin, conseguido acceso a aquellos volúmenes que tantas veces y durante tanto tiempo le habían negado sus colegas. La mejor risa siempre es la última. Y él, Galeno, estaba riendo por dentro como no lo hacía desde hacía mucho, mientras en su cabeza empezaba a organizar un viaje hacia Egipto que debería iniciar en pocas semanas. Lo antes posible. La impaciencia ya lo corroía por dentro.

Julia detuvo su avance hacia su esposo. Septimio Severo se había separado un momento de los niños e iba a donde estaba su hermano Geta hablando con Alexiano y con Maesa. La emperatriz vio cómo Septimio se abrazaba a su hermano. Aquel era un gesto que fortalecía la dinastía. La lealtad sin límites de Geta a su hermano pequeño, el emperador, marcaba el ejemplo que todos debían seguir.

Severo se separó de su hermano e inició un pausado regreso a la posición frontal del palco junto a sus hijos.

Julia lo siguió, pero antes dedicó una leve mirada al jefe del pretorio: Plauciano, cabizbajo, asistía a aquel esplendoroso desfile militar que celebraba la aniquilación de Albino. Julia sonrió. Así le gustaba ver a aquel miserable. El odio que sentía hacia él, por la animadversión que Plauciano siempre había mostrado contra ella, se mantenía intacto. Ni siquiera la felicidad de la victoria conseguía ablandarla con respecto al prefecto del pretorio.

La emperatriz se situó junto a su esposo, entre él y los niños, que permanecían apoyados en la barandilla del extremo del palco para no perder detalle de todo lo que acontecía en la arena del Circo Máximo.

—La plebe está encantada —dijo ella.

—Pienso ofrecerles unos juegos que no olvidarán en largo tiempo —respondió Septimio Severo—. La ocasión lo merece, ¿no crees?

—Por El-Gabal y los dioses romanos, sin duda.

El público volvía a aclamar a Severo de forma rotunda y el clamor lo coreaban ahora a su vez los legionarios que seguían desfilando por la arena del circo.

—*Imperator, imperator, imperator!*

—¿Qué has decidido al final sobre Leto y Quinto Mecio y sobre Lupo? —preguntó Julia de forma directa, como correspondía a su modo de conducirse y de tratar los asuntos con su esposo.

Severo volvía a saludar con su brazo derecho extendido y en alto.

—Cada uno ha recibido nombramientos en función de sus servicios —fue la enigmática respuesta de su marido.

Julia no insistió. No era el lugar ni el momento. Esa misma noche, en el lecho imperial, entre besos y caricias, obtendría todos los detalles que quisiera. Se sabía muy unida a su marido y no solo por el vínculo jurídico del matrimonio, sino también por una pasión que ella sentía en él cada vez que Septimio la miraba y la deseaba.

Puerto de Ostia
Al mismo tiempo

Julio Leto esperaba junto a un trirreme la llegada del piloto. En sus manos había un papiro con las instrucciones recibidas: debía marchar a Oriente, una vez más. A Nísibis. El último bastión romano en el extremo más oriental del Imperio, en la peligrosa frontera con Partia.

Era un castigo. Lo sabía. Dos veces llegó la caballería con retraso a actuar en el campo de batalla. Primero en Issus y luego en Lugdunum. En ambas ocasiones el retraso se había debido a aquellos con los que compartió el mando, primero con Valeriano y luego con Plauciano, pero el emperador no parecía atender a matices. Él, Leto, era el único que había estado en los dos retrasos y a él juzgaba culpable el augusto.

No era una condena definitiva.

No implicaba su defenestración ni su final como hombre relevante para el emperador, pero era un castigo.

Julio Leto, leal en extremo a Severo, inspiró aire profundamente y subió a la nave. No quedaba otra que cumplir las órdenes.

—Nísibis —dijo a medida que caminaba por la pequeña pasarela que conducía al barco.

Había destinos peores.

Mogontiacum
Al mismo tiempo

Virio Lupo releía por enésima vez las órdenes recibidas desde Roma: el emperador, el único augusto que quedaba después de tres guerras civiles seguidas, lo acababa de nombrar gobernador de Britania Superior. Aquello podía parecer un simple traslado, pero era, sin lugar a dudas, un claro mensaje de desprecio por las diversas derrotas que Lupo había sufrido ante Albino durante la última campaña. Britania había quedado abandonada durante meses, sin apenas fuerzas romanas para controlar a las muchas tribus britanas y pictas que se estarían alzando en armas por todas partes en aquella isla aprovechando aquel momento de debilidad de la administración romana. A él le tocaba ir allí y poner orden con, además, legiones que habían sido brutalmente derrotadas por Severo en Lugdunum. Mucha lluvia entre perdedores y rebeldes era lo que le esperaba en los próximos años. De hecho, en Britania Superior solo tendría bajo su mando una legión. Lo habían degradado.

Pero había sobrevivido a la guerra civil.

Y, sin embargo, no estaba seguro de haber jugado bien aquella partida de dados. Debería haber intuido que Severo era el caballo ganador y haberse puesto de forma efectiva y real de su parte desde el inicio de la contienda. El maldito Albino lo había engatusado con un puñado de monedas de oro. Ahora ni todos los áureos del mundo podían salvarlo de aquel destierro en aquella isla donde el frío era mortal y Roma suponía apenas un sueño lejano de la memoria.

Alta mar, *Mare Internum*, a la altura de Sicilia
Al mismo tiempo

Quinto Mecio sentía la brisa del mar en la cara y estaba feliz.

El emperador Severo acababa de nombrarlo *praefectus Aegypti*. Aquello significaba un auténtico impulso para su *cursus honorum*, estancado durante años. Era evidente que el augusto le estaba agradecido por sus servicios, primero en la misión contra Albino —fallida, pero en la que él cumplió las órdenes recibidas poniendo en riesgo su vida— y, luego, en el campo de batalla de Lugdunum.

Egipto era una provincia compleja, pero vital en el Imperio. Un auténtico granero de trigo y un lugar de leyenda. Sí, se sentía recompensado. ¿Habría influido de alguna forma la emperatriz en el nombramiento? Le gustaba fantasear con aquella idea, pero se encontró a sí mismo sonriendo al tiempo que negaba con la cabeza. Era absurdo que él hubiera llamado la atención de la emperatriz Julia de la misma forma en que él se había sentido atraído por ella.

El barco cabeceaba rítmicamente en las olas mientras surcaba el mar.

Quinto Mecio suspiró conforme recordaba el breve encuentro en la penumbra del *valetudinarium* donde Galeno lo atendió tras su envenenamiento y adonde la emperatriz acudió a visitarlo y a animarlo a restablecerse. Apenas fueron unas frases intercambiadas, pero a solas y con una mujer tan hermosa... como inalcanzable. La distancia que separaba Egipto de Roma le vendría bien para olvidar sueños que eran del todo imposibles. Julia Domna, augusta de Roma, era alguien intocable para él, fuera de todo límite, más allá de todas las fronteras.

Egipto era su objetivo: un buen destino, un buen premio, un mejor futuro.

Pasadizos del Circo Máximo, Roma
Al mismo tiempo

Calidio aprovechó un instante en el que varios de los esclavos bajo su supervisión entraban en el palco, cargados con nuevas bandejas con más bebida y viandas para la familia imperial y sus invitados, para deslizarse por entre los pretorianos de la guardia y acudir hasta el túnel donde decenas de esclavas se afanaban, en una larga fila de mesas, en ir preparando todas las bandejas que luego debían subir los esclavos varones al palco imperial.

Calidio no tardó en encontrar a Lucia.

Se le acercó despacio y le susurró al oído.

A Lucia se le iluminó el rostro a medida que él hablaba.

Una *domus* pequeña en la Subura,
junto al Anfiteatro Flavio, Roma
Al mismo tiempo

Aquilio Félix, jefe de la policía secreta de Roma, se reclinó en un *triclinium* mientras una joven esclava egipcia, semidesnuda, lo agasajaba con vino y una bandeja con frutos secos y queso.

El viejo líder de los *frumentarii* saboreaba el licor al tiempo que miraba apreciativamente los contornos suaves y esbeltos de su sirvienta recién adquirida en el mercado de esclavos. Aquilio Félix, uno de los pocos funcionarios de la administración romana supervivientes a los asesinatos de Cómodo y Pértinax, a la confrontación entre Juliano y Severo y a las dos aún más grandes guerras civiles libradas una en Oriente y otra en el occidente del Imperio, degustaba el vino con el sabor dulce de haber sobrevivido allí donde la mayoría había caído.

Dejó la copa despacio junto a la bandeja de quesos.

Aquilio percibía que los tiempos estaban cambiando: Severo había llegado para perpetuarse, para permanecer al mando del orbe durante mucho tiempo. Esto es, Severo y Julia, pues si algo tenía muy claro el veterano jefe de la policía secreta era que la emperatriz tenía tanto que ver en la instauración de la nueva dinastía imperial como su marido. Los días de zozobra y conjuras se alejaban. Sus servicios serían ahora menos necesarios.

Suspiró.

Quizá fuera mejor así.

Quizá el nuevo emperador se olvidase de él. Quizá ya nadie se acordara de él. Eso era lo mejor que podía sucederle para así, sin ser molestado, pasar los últimos días de vida en aquella modesta casa en el peor barrio de Roma, lejos de las miradas de todos pero, eso sí, siempre acompañado por una hermosa esclava.

Palco imperial del Circo Máximo, Roma
En el centro del poder
En el centro de los tiempos de todos

—Voy a hablar de nuevo con Geta y Alexiano —dijo Septimio a su esposa—. Hay más asuntos que quiero tratar con ellos. Aún tengo muchos nombramientos pendientes en puestos claves del Imperio y quiero su consejo.

—Pues me retiro con Maesa —dijo ella.

Pero Severo negó con la cabeza y la cogió suavemente de la muñeca para retenerla allí mismo, en la parte frontal del palco, el punto desde el que se saludaba a la plebe.

—No, tú quédate aquí, con los niños. Al pueblo le gusta verte.

—Pero es a ti a quien quieren aclamar —protestó Julia.

Él volvió a negar con la cabeza.

—No, yo creo que no solo quieren aclamarme a mí. Y, ¿sabes una cosa? Hay algo que debería haberte dicho hace días, semanas.

—¿De qué se trata? —preguntó Julia con curiosidad.

Septimio Severo se tomó un instante de silencio entre ellos en medio de los vítores de la plebe antes de responder.

—Tenías razón. En todo —dijo el emperador de Roma a su esposa y la miró con intensidad mientras hundía la mano en el interior de su toga en busca de algo pequeño—. Ahora, hazme el favor y quédate aquí, en primera línea del palco imperial; quédate aquí que, sin duda, es y será para siempre tu lugar natural —insistió, al tiempo que extraía la mano de debajo del manto púrpura con una moneda de oro reluciente y nueva—. Toma —dijo y, rápido, Severo levantó ambas manos con las palmas extendidas indicando que no quería réplica alguna por su parte para, acto seguido, acercarse a Geta y a Alexiano.

Por una vez, ella lo obedeció y permaneció allí junto a los niños, con la moneda de oro brillante en la mano.

Julia bajó los ojos y fijó al fin las pupilas en el áureo que le acababa de entregar su esposo: no era una moneda con la efigie de ningún emperador; se trataba de un áureo con su propio rostro, con su cara grabada en él y con las palabras *IVLIA AVGUSTA* alrededor.

De pronto, como si el propio augusto lo hubiera organizado, aun cuando no era el caso —simplemente surgió de forma espontánea de entre los miles de legionarios que seguían marchando ante el palco—, emergió un nuevo clamor diferente al previo. Y ese clamor se propagó a las primeras gradas, y luego a las centrales y luego llegó hasta las últimas filas, donde estaban los más alejados de la arena. Y todos gritaban exactamente la misma palabra, el mismo nombre, repitiéndolo una y otra vez.

—¡Julia, Julia, Julia...!

Ella sonrió primero, después se volvió un instante hacia su esposo. Severo levantó una copa hacia ella y bebió de la misma mientras la plebe y los legionarios seguían aclamándola.

—¡Julia, Julia, Julia...!

Ella ya no se volvió. Se limitó a quedarse inmóvil, como la más perfecta de las estatuas griegas, como una efigie de la más hermosa de las ninfas esculpida en mármol color carne, con la mano derecha cerrada en un puño fuerte custodiando la moneda recién acuñada, y disfrutó del momento.

De *su* momento.

Severo seguía mirándola, sin un ápice de envidia ni resquemor. Tan solo la miraba como quien adora a una diosa, como el enamorado que daría lo que fuera por una noche más con su amada. La observaba y la admiraba como si Julia misma fuera el mayor de los trofeos conseguidos en la más grande de las victorias.

—¡Julia, Julia, Julia...!

Cayo Fulvio Plauciano, jefe del pretorio, que en algún instante había llegado a soñar con apartar a aquella mujer del lado del emperador, anular así su poder y convertirse él en el más influyente del círculo próximo al augusto, primero, para, luego, según permitieran las circunstancias, desbancar al propio Severo y hacerse él con el poder total, volvió a agachar la cerviz: había perdido por completo su pulso con Julia Domna; era del todo consciente de que su oportunidad de cambiar la historia se desvaneció en el desenlace final de la batalla de Lugdunum. Plauciano sabía reconocer una derrota cuando la tenía ante sus ojos y, aquel día, aunque Severo no lo supiera, el prefecto de la guardia era el ser más vencido del mundo.

Julia seguía allí, enhiesta, erguida, firme, dejando que la plebe y las legiones la aclamasen tanto como desearan, escuchando cómo decenas, centenares de miles de gargantas coreaban su nombre. Hasta los pequeños Basiano Antonino y Geta se volvieron sonrientes para mirar a su madre, a la que todos vitoreaban.

Julia Domna de Siria.

Borradas las sonrisas de Scantila, Mérula y, sobre todo, de Salinátrix; derrotados todos sus enemigos, era ella ahora quien gobernaba el mundo.

Ya no era una extranjera.

Ella era ahora Roma.

—¡Julia, Julia, Julia!

La victoria era... absoluta.

APÉNDICES

1

NOTA HISTÓRICA

Cuatro son las grandes dinastías de la época alto-imperial. La primera es la dinastía Julio-Claudia, que se inicia con Augusto, el primer emperador, y que, concluyendo con Nerón, supone la primera sucesión de emperadores dentro de una misma familia, todo ello magníficamente recreado en las novelas de Robert Graves, *Yo, Claudio* y *Claudio el dios y su esposa Mesalina*.

Tras la caída de Nerón viene una cruenta guerra civil donde diversos hombres se suceden como emperadores en cuestión de meses: Galba, Otón, Vitelio y Vespasiano, siendo este último quien terminará por imponerse para conformar la dinastía Flavia, la segunda estirpe alto-imperial que concluye con Domiciano.

A la muerte de este, Nerva, nombrado por el Senado, sabrá maniobrar con habilidad para nombrar rápidamente a un sucesor fuerte que pueda evitar una nueva guerra civil: así es como Trajano llega al poder. El primer emperador hispano se manifiesta como un gran militar y administrador del Imperio e instaura la que supone la tercera gran dinastía alto-imperial, conocida por los historiadores como Ulpio-Aelia, si nos fijamos en sus primeros emperadores (Trajano y Adriano), o como Antonina, si atendemos a uno de sus últimos representantes (Antonino Pío). Cómodo, el funesto hijo de Marco Aurelio, lleva a un final sin heredero, esto es, sin nadie designado como césar, a esta tercera dinastía.

El Senado intenta, nombrando a Pértinax, repetir la operación tan exitosa del pasado cuando se elige a un Nerva que rápidamente encontrará en quién delegar el Imperio. Pero tal y como se cuenta en *Yo, Julia*, Pértinax es asesinado antes de poder reorganizar el Imperio y la pugna entre Juliano, Severo,

Nigro y Albino se desata en toda su virulencia. Como el lector ha podido ver, será Septimio Severo el que se impondrá estableciendo la que es la cuarta y última dinastía alto-imperial: la dinastía Severa. La duda que me surge, tras escribir *Yo, Julia*, es hasta qué punto es correcto referirnos a esta dinastía con ese nombre y no con el apelativo de *la dinastía de Julia*, pues como se ha visto, mucho tuvo ella que ver en el establecimiento de esta nueva estirpe de emperadores. Es muy probable que, sin el empuje de su esposa, Septimio Severo no se habría atrevido a desafiar a tantos en tan poco tiempo y con esa fortaleza y convicción.

Pero la historia, ya se sabe, ha sido, al menos hasta ahora, la historia de los hombres, centrados siempre —historiadores primero y luego novelistas masculinos— en documentar unos y en recrear otros las vidas de grandes personajes históricos únicamente del género dominante durante siglos. Hace ya tiempo que, profundizando en la historia antigua de Roma, he llegado a la conclusión de que si bien es muy posible que, dada la estructura patriarcal de Roma, hubiera muchos más hombres que mujeres en posiciones de relevancia, no es menos cierto que con frecuencia el historiador hombre y el novelista hombre han dejado de lado a figuras históricas femeninas de enorme impacto tan solo por el hecho de ser mujeres. Por ejemplo, creo que esta debe de ser la primera novela histórica en donde el autor se ha molestado en siquiera mencionar a todas las emperatrices de los dos primeros siglos del Imperio romano (en el repaso que se pone en boca del senador Claudio Pompeyano en el capítulo LXIV). ¿Acaso no eran importantes, influyentes y poderosas las emperatrices de Roma? Excepcionalmente, quizá venga a la memoria de muchos el retrato que Graves hace de Livia, la mujer de Augusto. Cierto, pero fijémonos bien en que Livia intrigó para apartar, eliminar, quizá matar, a diferentes césares, esto es, herederos del Imperio nombrados por Augusto con el fin de conseguir ella que fuera Tiberio, el hijo de la propia Livia y fruto de un matrimonio anterior, el que terminara siendo elegido como único sucesor. Esta caza de enemigos por parte de Livia, antológica y épica, es, no obstante, si me permiten la expresión, caza menor. En particular si comparamos sus planes y estrategias en la cumbre del poder con las intrigas de Julia Domna, protagonista del relato que acaban de leer. Y es que Julia no se dedica a instigar ya sea asesinatos o guerras contra césares, contra herederos. No, Julia Domna maniobró para combatir a diferentes emperadores, a varios augustos de Roma. Eso, discúlpenme, es caza mayor y, a mi entender, bien merecía una novela. De hecho, la mejor biografía (y casi única) que hay sobre Julia Domna, escrita como no podía ser de otra forma por una historiadora, Barbara Levick, empieza con la siguiente frase:

> La historia de Julia Domna es dramática y poderosa, incluso trágica. Sorprendentemente, no ha sido contada en novela alguna ni llevada a la televisión o al cine, y todo esto pese a las escenas de batallas, el salvaje telón de fondo de los pantanos de Yorkshire y la cordillera del Tauro [de Turquía], y el esplendor del norte de África y Egipto.

La profesora Levick va aún más allá hasta calificar a Julia como un personaje histórico digno de una novela de Tolstoi. Quien escribe estas líneas ahora, por desgracia, no es el gran escritor ruso, pero en la medida de mis posibilidades y, eso sí, recurriendo a la técnica tolstoiana de cruzar historias, escenas y familias de personajes en una trama densa, he intentado acercar al lector, con la intensidad dramática más potente de la que he sido capaz, a la fortaleza de Julia, un personaje merecedor de esta novela y de más.

En cuanto al cine y la televisión, el profesor Anthony Birley le apuntó a la profesora Levick que sí hay una ocasión en la que Julia aparece retratada en la pequeña pantalla: en un documental de la serie *Timewatch* de la BBC, pero, eso sí, como personaje muy secundario. De nuevo, poco parece esto a la luz de su dimensión histórica. Luego me permitiré corregir al propio Birley, en otra cuestión. Pero centrándonos en el asunto de falta de obras literarias sobre Julia, si bien la profesora Levick lleva razón en la ausencia de novelas, olvida, no obstante, que sí existe una obra de teatro completa, escrita en verso, centrada en este magnífico personaje, titulada precisamente *Julia Domna* y firmada por un dramaturgo inglés de nombre Michael Field. Encontré una copia de esta obra de 1903 en la sección de «Libros raros» (así se denomina de forma oficial) de la biblioteca central de la Universidad de Cambridge, una obra intensa y escrita en un magnífico verso. Se imaginarán mi sorpresa y alegría al ver que no era yo el primer hombre interesado de verdad en Julia. Sin embargo, al investigar mis expectativas se vieron modificadas: resultó que Michael Field era el pseudónimo utilizado por dos mujeres, Katherine Harris Bradley y Edith Emma Cooper, tía y sobrina respectivamente, que escribieron más de cuarenta obras de mérito (ahora lo sé, antes de escribir *Yo, Julia* lo desconocía pese a llevar años impartiendo clase de Literatura inglesa). Esta es otra prueba más de cómo no solo hemos pasado por alto impresionantes personajes femeninos históricos, como Julia, sino también escritoras de enorme calidad técnica y fuerza emotiva. La igualdad de género ha de construirse en el presente y pensando mucho en el futuro, aunque la igualdad también se hace no ya reescribiendo la historia o la historia de la literatura, pero sí completando la que tenemos elaborada con el añadido de todas aquellas mujeres importantes que existieron y que tantas veces hemos pasado por alto, para perjuicio de todos.

Pero ¿por qué no hay novelas o, mejor dicho, no las había, apenas una obra teatral y ninguna película o serie de televisión, sobre Julia Domna? A mi entender por dos estigmas que el personaje ha arrastrado consigo durante siglos: primero, por ser mujer y, segundo, por ser extranjera. Dos estigmas que siguen muy activos en nuestros días.

En una entrevista de radio, el historiador británico Giles Tremlett, que acababa de publicar una biografía sobre Isabel la Católica, comentó con acierto: «A las mujeres en la historia no se les perdona que ejerzan la violencia como la ejercen los hombres». Cito de memoria, pero la idea era esa. Y está muy atinado Tremlett, pues apenas se cuestiona el violento ascenso al poder de Julio César (guerra civil incluida) y se habla con cierta admiración de las invasiones europeas de Napoleón que, sin embargo, tantos millones de muertos generaron, por poner solo un par de ejemplos. Cierto es que tanto César como Napoleón estaban rodeados de ambiciosos enemigos que también querían acabar con ellos. Pero esta no es la cuestión. Lo que me interesa subrayar es que cuando en la historia aparece una mujer que ejerce o fomenta la violencia para la consecución del poder o para mantenerse en él, de forma automática se la enjuicia de modo distinto. Julia Domna ha sido, sin duda, criticada por haber promovido, desde la autoproclamación de su esposo como emperador, diversas guerras civiles para conseguir que todo el poder de Roma quedara en control único de su propia familia, esto es: de su marido Severo y de sus hijos Basiano y Geta y, por supuesto, de ella misma. Pero ¿quién es Julia sino una alumna aventajada de las luchas descarnadas por el poder en la época imperial de la antigua Roma? Los demás, sus enemigos, eran tan violentos o más que ella y, simplemente, no supieron contrarrestar la energía de una mujer indómita que, además, tuvo la habilidad de, una vez desposada con uno de los candidatos a la púrpura imperial, saber apoyarlo y ayudarlo en todo momento en pos del fin común de esposa y marido de dominar el Imperio. El único delito grave de Julia, lo digo con ironía, es el de haber sido mucho más inteligente que los hombres de su época.

Además, Julia Domna, a lo largo de la historia, se vio acusada en diferentes ocasiones y por diferentes personas de ser una mujer promiscua y nada virtuosa. Existe, no obstante, hoy día la percepción de que la mayoría, si no la totalidad, de estas acusaciones contra Julia son infundadas. Para empezar, ¿por qué Severo mantendría siempre a su lado a una mujer que lo humillara en público y en privado? No tenía ninguna necesidad de ello. No. Las propias acciones del emperador Severo y su relación con su esposa muestran más bien a una pareja imperial en perfecta sintonía, al menos la mayor parte del tiempo y, sobre todo, en las cuestiones sustanciales. La mayoría de estas acusaciones de adulterio de Julia seguramente las promoverían enemigos de la corte imperial como, por ejemplo, el jefe del pretorio, Plauciano, en su larga pugna con la emperatriz en un intento, infructuoso, por desacreditarla ante Severo. Pero es llamativo, al menos para mí, cómo cuando se maldice sobre una mujer siempre queda algo, no importa los siglos que pasen. De hecho, el magnífico historiador Anthony Birley, al que ya he mencionado antes en esta nota, en su muy bien documentada biografía sobre Severo, acepta como posible la infidelidad continuada de Julia. Pero observemos con detalle el texto de Birley sobre este punto porque no tiene desperdicio como ejemplo de prejuicio machista. Empieza de la siguiente forma:

> Julia se hizo también famosa por su promiscuidad. Es posible que tuviera amantes. Dion da a entender que fue acusada calumniosamente por Plauciano de mala conducta. Herodiano mostró escaso interés por el asunto. De ahí que la única acusación explícita [de adulterio] provenga de fechas muy posteriores.

Es decir, que en un principio Birley parece aceptar las versiones de Dion Casio, contemporáneo de Julia, o de Herodiano, quienes no dan crédito a esas acusaciones, aunque, acto seguido, el historiador británico añade: «Pero [la acusación de adulterio] es bastante creíble». Y para ello cita a pie de página como referencias las versiones sobre el asunto que aportan Aurelio Víctor o la *Historia augusta*, un historiador, el primero, del siglo IV y una obra, la segunda, de finales del siglo III, es decir, muy posteriores a la época de la propia Julia. ¿Sabían más esos autores que los que vivieron en tiempos de la propia emperatriz o más próximos a la época de su imperio?

Se podría argumentar que Dion Casio, coetáneo de Severo, no se atreviera a escribir mal sobre Julia, pero Herodiano redactó su obra muy posiblemente terminado no ya el poder de Julia, sino el de toda su dinastía, de modo que podía escribir con libertad y no se sumó a las acusaciones de adulterio. Sin embargo, en el siglo XXI, Birley se permite afirmar con toda tranquilidad que las acusaciones «son creíbles». Así, durante muchos años, han escrito los hombres la historia, la de los hombres y la de las mujeres, dando siempre crédito a la maledicencia y los rumores negativos contra importantes figuras históricas femeninas, sin sustanciar fundamento sólido alguno para semejantes críticas a relevantes mujeres del pasado.

Digamos que a mí las acusaciones me parecen «no creíbles», como dijeron Dion Casio o Herodiano. Y así he escrito la novela. A decir verdad, muchas de estas acusaciones contra Julia pueden haberse visto promovidas o favorecidas por el segundo gran estigma de este personaje: ser extranjera. En la antigua Roma, existía la sospecha constante con la que el pueblo de Roma veía a las mujeres orientales que se acercaban al poder del Imperio. Ya despreciaron en su momento a Cleopatra y luego a Berenice, la concubina del emperador Tito. Ni Julio César ni Tito se atrevieron a formalizar un matrimonio con ninguna de estas dos mujeres, pero Septimio Severo, pudiendo haber elegido a cualquier ciudadana de Roma, a la hija de algún senador, por ejemplo, en su lugar materializó un matrimonio con una mujer siria. Esta desconfianza, persistente a lo largo de los siglos, de la plebe de Roma hacia las mujeres orientales, sin duda, era terreno fértil para las murmuraciones y acusaciones sin base contra Julia Domna.

Más allá de estas versiones encontradas sobre el carácter de Julia, creo que, siguiendo la sugerencia de Barbara Levick, ya era hora de que alguien se tomara un tiempo y un espacio de cierta extensión para contar su vida, lo cual he intentado hacer con el máximo nivel de historicidad posible. Esto es, la mayor parte de las acciones narradas en *Yo, Julia* son históricas: Galeno era médico de Marco Aurelio y Cómodo y luego de Severo y su familia; el mencionado Cómodo murió según se narra en *Yo, Julia*, nada que ver con lo que vemos en la película *Gladiator* (maravilloso espectáculo visual pero de bajo rigor histórico); la sucesión de emperadores en cuestión de meses o pocos años, empezando con Pértinax y terminando con Severo, es auténtica, como lo son las guerras civiles narradas entre Severo y Nigro y luego entre Severo y Albino; las batallas de Issus y Lugdunum están recreadas con fidelidad a los datos que poseemos, *et caetera*.

Lo mismo ocurre con los personajes: Julia, su hermana Maesa, Severo, los hijos Basiano y Geta, el hermano de Severo (también Geta), Alexiano, Plauciano, Dion Casio, Sulpiciano, Claudio Pompeyano, el propio Galeno ya mencionado, y así la mayoría de hombres y mujeres que desfilan por el relato son auténticos e hicieron lo que se dice aquí. Me he visto, sin embargo, necesitado de añadir los nombres de Salinátrix y Mérula, pues no queda claro en las fuentes clásicas cómo se llamaban las esposas de Albino y Nigro, pero ya añadidas por mí, las he empleado para recrear un hecho histórico: el constante desprecio de las élites romanas por una mujer como Julia, de origen sirio, a la que, como he explicado, consideraban extranjera y que, a sus ojos, se estaba inmiscuyendo en los círculos de poder del Imperio de forma impropia.

También he creado a los esclavos Calidio y Lucia. De esclavos y esclavas pocos nombres quedan en la historia, pero estar, estaban siempre, y me parecía interesante reflejar, al menos someramente, las vidas de dos de ellos, mostrando sus anhelos y sueños, sus problemas y miedos en contraste con los de sus poderosos amos. Lo que se cuenta, pues, sobre los esclavos en esta novela (forma de conducirse ante los amos, trato recibido, el tráfico legal e ilegal de seres humanos y otras cuestiones) es real.

En suma, así, tal y como se narra en *Yo, Julia,* fue como Julia Domna consiguió, al lado de su esposo, el control absoluto de Roma. Y aún lograría esta emperatriz mucho más, pues una vez asentada en el poder terminaría siendo la mujer más poderosa e influyente de toda la historia del Imperio romano, con un sueño en su cabeza, el sueño más grande, algo que solo podía imaginar no un hombre, sino una mujer, pero esa, quizá, es otra historia.

MAPA DEL IMPERIO ROMANO

(192 d. C. a 197 d. C.)

Imperio romano
(192 d.C. a 197 d.C.)

Imperio romano
Adhesiones de Septimio Severo
Límites de las provincias romanas
Divisiones de Septimio Severo
Capitales de provincia
Ciudades importantes
10 Legiones romanas

OCEANUS

MARE SUEVICUM

MARE GERMANICUM

Vistula

Albis

Viadua

Britania Inferior
Décimo Clodio Albino
4
3
Eboracum

Britania Superior
2
Londinium

Germania Inferior
5
Colonia Agripina

MARE BRITANNICUM

Gesoriacum

Sequana

Galia Belgica
6
Mogontiacum
8

Galia Lugdunense
Lutecia
Durocortorum
7

Alpes Atrectionae y Peninos

Septimio Severo

Aquin

Carnuntum

10
Augusta Vindelicum
11
12
13
1

Portus Namnetus

Germania Superior

Retia

Nórico

Virunum

Panonia Superior

Galia Aquitania
Lugdunum
Forum Claudii Centronum

Aquileia

Panonia Inferior

Rhodanus

Burdigala

Alpes Cotios
Segusio
Genoa

Rávena
Pisae
Ariminum

MARE ADRIATICUM

Dalmaci

Salona

Galia Narbonense
Narbo
Cemenelum
Massilia
Alpes Marítimos

Italia

Brigantium

1

Ibérus

Hispania Tarraconense

Caesaraugusta

Sardinia y Córsica

Pertinax
ROMA 9

Brund

Didio Juliano
Neápolis

Hispania Lusitania

Felicitas Iulia

Augusta Emérita
Toletum

Tarraco

MARE TYRRHENUM

Carales

Hispania Bética

Corduba

Carthago Nova

Sicilia

Rhegium

Siracusa

Gades

Tingis

Mauritania Tingitana
Volúbilis

Cesarea

Mauritania Cesariense

Lambaesis 33

Numidia

Cartago

Théveste

MARE INTERNUM

Thapsus

África Proconsular

Leptis Magna

0   500   1000 km

Legiones romanas

1.	VII Gemina	18.	XIII Gemina
2.	II Augusta	19.	V Macedonica
3.	XX Valeria Victrix	20.	I Italica
4.	VI Victrix	21.	XI Claudia
5.	XXX Ulpia Victrix	22.	XV Apollinaris
6.	I Minerva	23.	XII Fulminata
7.	VIII Augusta	24.	I Parthica
8.	XXII Primigenia	25.	III Parthica
9.	II Parthica	26.	IV Scythica
10.	III Italica	27.	XVI Flavia
11.	II Italica	28.	III Gallica
12.	X Gemina	29.	VI Ferrata
13.	XIV Gemina	30.	X Fretensis
14.	I Adiutrix	31.	III Cyrenaica
15.	II Adiutrix	32.	II Traiana
16.	IV Flavia Felix	33.	III Augusta
17.	VII Claudia		

PONTUS EUXINUS

PARTIA

Dacia Porolisense [19]

[18] Apulum

acia erior

Dacia Inferior

Viminacium Romula/Malva [21] *Mesia Inferior*

[20]

Mesia perior

Tomis

T r a c i a

Sinope

Trapezunte

[22]

Bitinia y Ponto

M a c e d o n i a

Bizancio Nicomedia

Perinto

Tesalónica

Cícico

Ancyra

C a p a d o c i a

Pescenio Nigro

[23]

Nísibis

Cesarea

[26]

G a l a c i a

[27] Edesa [25] [24]

Osroene *Mesopotamia*

PARTIA

Ctesifonte

Pérgamo

A s i a

Éfeso

Tigris

A c a y a

M A R E   A E G A E U M

Tarso

Celesiria

Eufrates

iro lis

Perge

Cilicia

Antioquía

Palmira

Corinto Atenas

Licia y Panfilia

Laodicea

[28]

Chipre

Siria Fenice

Pafos

Tiro

C i r e n e   y   C r e t a

Gortina

Cesarea Marítima [29] Bostra

[31]

[30]

Siria Palestina

Cirene

Alejandría [32]

A r a b i a

Petra

E g i p t o

Menfis

Nilus

ÁRBOL GENEALÓGICO

Árbol genealógico de la familia de Julia

DINASTÍA SEVERA

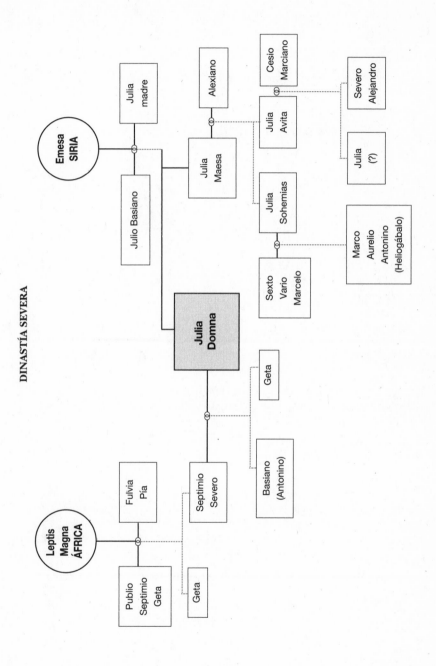

4

PLANOS DE LAS BATALLAS

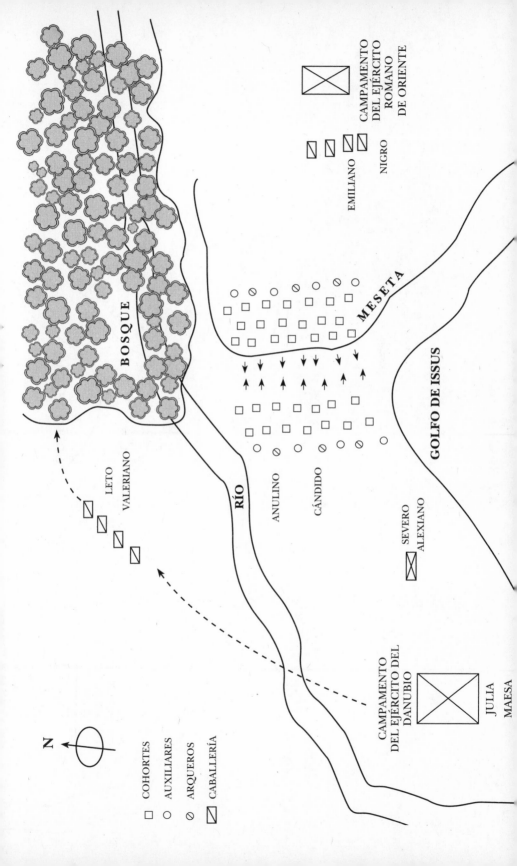

4.2. Batalla de Issus (fase II)

N

- □ COHORTES
- ○ AUXILIARES
- ⊘ ARQUEROS
- ▧ CABALLERÍA

BOSQUE

RÍO

CAMPAMENTO DEL EJÉRCITO DEL DANUBIO

GOLFO DE ISSUS

JULIA

VALERIANO

LETO

EMILIANO

MESETA

ANULINO

CÁNDIDO

SEVERO

ALEXIANO

CAMPAMENTO DEL EJÉRCITO ROMANO DE ORIENTE

4.3. Batalla de Lugdunum (fase 1)

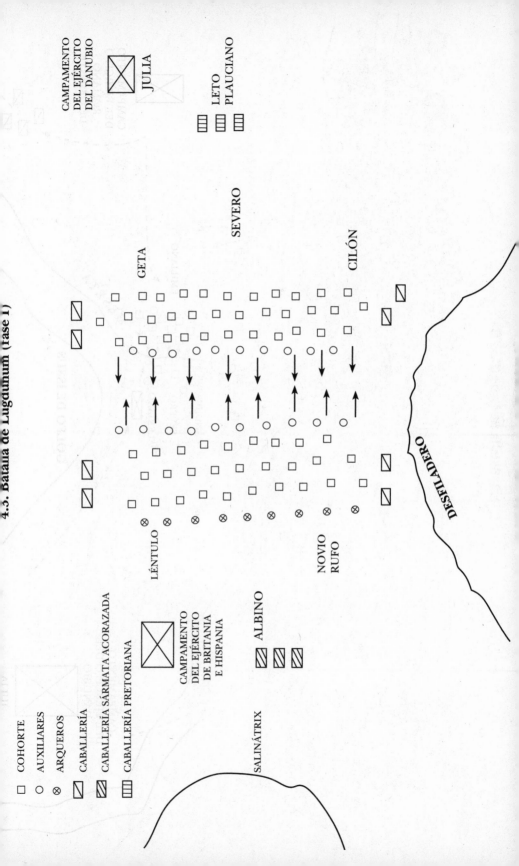

COHORTE
AUXILIARES
ARQUEROS
CABALLERÍA
CABALLERÍA SÁRMATA ACORAZADA
CABALLERÍA PRETORIANA

CAMPAMENTO DEL EJÉRCITO DEL DANUBIO

JULIA

LETO
PLAUCIANO

SEVERO

GETA

CILÓN

LÉNTULO

NOVIO RUFO

CAMPAMENTO DEL EJÉRCITO DE BRITANIA E HISPANIA

ALBINO

SALINÁTRIX

DESFILADERO

4.4. Batalla de Lugdunum (fase II)

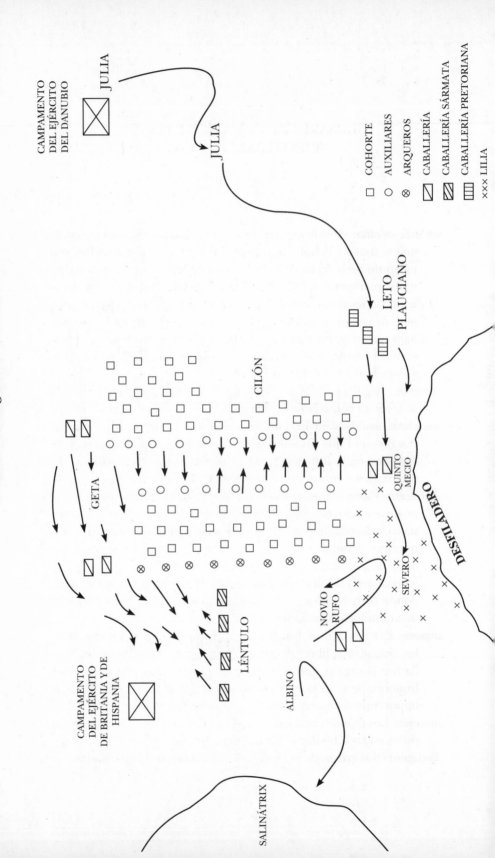

CAMPAMENTO DEL EJÉRCITO DEL DANUBIO

JULIA

JULIA

JULIA

LETO

PLAUCIANO

QUINTO MECIO

CILÓN

GETA

NOVIO RUFO

SEVERO

DESFILADERO

LÉNTULO

CAMPAMENTO DEL EJÉRCITO DE BRITANIA Y DE HISPANIA

ALBINO

SALINÁTRIX

□ COHORTE
○ AUXILIARES
⊗ ARQUEROS
▨ CABALLERÍA
▨ CABALLERÍA SÁRMATA
▥ CABALLERÍA PRETORIANA
××× LILIA

GLOSARIO DE TÉRMINOS LATINOS
Y DE OTRAS LENGUAS

ab urbe condita: «Desde la fundación de la ciudad». Era la expresión que se usaba a la hora de citar un año, pues los romanos los contaban desde la fecha de la fundación de Roma, que corresponde tradicionalmente a 754 a. C. En la trilogía de Trajano se usa el calendario moderno con el nacimiento de Cristo como referencia, pero de vez en cuando se cita la fecha según el calendario romano para que el lector tenga una perspectiva de cómo sentían los romanos el devenir del tiempo y los acontecimientos con relación a su ciudad.

Adiutrix: «Auxiliar». Sobrenombre que llevaron algunas legiones que se crearon como complemento de diferentes ejércitos romanos.

andabata, andabatae: Gladiador condenado a luchar a ciegas con un casco con el que no tenía visión alguna; era una dura forma de condena en la Roma imperial. El pueblo se divertía intentando orientarlos o confundirlos aún más desde las gradas.

Anfiteatro Flavio: Hoy conocido como Coliseo. El anfiteatro más grande del mundo, construido en Roma durante el reinado de Vespasiano, inaugurado por Tito y ampliado con posterioridad por Domiciano. Aunque en él se celebraban cacerías, ejecuciones en masa de condenados a muerte y quizá en algún momento alguna *naumaquia* o batalla naval, ha pasado a la historia por ser el lugar donde luchaban los gladiadores de Roma. En *Yo, Julia* Cómodo desata su locura en dicho recinto.

annona: El trigo que se distribuía gratuitamente por el Estado entre los ciudadanos libres de Roma. Durante un largo período, Sicilia fue la región que más grano proporcionaba a la capital del Imperio, pero en la época de Trajano Egipto era ya el reino más importante como exportador de grano a Roma.

armaria: Los grandes armarios donde se preservaban los numerosos rollos en las bibliotecas de la antigua Roma.

Asclepio: Dios griego de la Medicina. Esculpaio para los romanos.

Ateneo: Edificio de grandes dimensiones erigido por el emperador Adriano con fines culturales y de ocio en el centro de Roma. Su gran auditorio, por sus amplias dimensiones, se empleaba con frecuencia para reuniones del Senado, pues el vetusto edificio de la curia en el foro antiguo no podía albergar cónclaves senatoriales adonde acudieran la totalidad de los *patres conscripti*.

atriense: El esclavo de mayor rango y confianza en una *domus* romana. Actuaba como capataz supervisando las actividades del resto de esclavos y gozaba de gran autonomía en su trabajo.

Audentis Fortuna iuvat: «La Fortuna ayuda a los valientes», cita de la *Eneida* de Virgilio. Con frecuencia también se cita como «*audentes Fortuna iuvat*». El acusativo que exige *iuvat* puede ser tanto *audentes* como *audentis*, pero Virgilio usa la forma terminada en *-is*, aunque la terminada en *-es* es la que más se emplea hoy al mencionar esta famosa frase.

augur: Sacerdote romano encargado de la toma de los auspicios y con capacidad de leer el futuro, sobre todo en el vuelo de las aves. Plinio el Joven sería nombrado augur por el emperador Marco Ulpio Trajano.

Augusta: «De Augusto». Sobrenombre de legiones creadas por Augusto, el primer emperador, o heredadas por Augusto de su tío Julio César.

augusto, augusta: Tratamiento que recibía el emperador y aquellos miembros de la familia imperial que el emperador designase. Era la máxima dignidad desde el punto de vista de la nobleza.

Aula Regia: El gran salón de audiencias del palacio imperial de Roma en un extremo de la *Domus Flavia*. Se cree que en el centro de esta gran sala había un imponente trono imperial desde el que el augusto se dirigía a sus súbditos.

buccinator: Trompetero de las legiones.

caedere: Verbo latino de múltiples significados, pero en *Yo, Julia* equivale a «cortar».

caesar: Véase *César*.

caldarium: Sala con una piscina de agua caliente en unas termas romanas.

carcer: Compartimento o gran cajón desde el que salían las cuadrigas en un extremo del Circo Máximo para dar inicio a una carrera. Había doce, y los que estaban justo enfrente de la recta eran los más codiciados por los aurigas, ya que ofrecían una posición ventajosa en la salida en comparación con los que estaban en el extremo contrario.

Cástor: Junto con su hermano Pólux, uno de los dioscuros griegos asimilados por la religión romana. Su templo, el de los Cástores, o de Cástor y Pólux, servía de archivo a la orden de los *equites* o caballeros romanos. El nombre de ambos dioses era usado con frecuencia a modo de interjección.

castra praetoria: El campamento general fortificado de la guardia pretoriana construido por Sejano, jefe del pretorio del emperador Tiberio, al norte de Roma. Durante los siglos i, ii y iii d. C. fue el centro del poder militar en la capital del Imperio.

cathedra: Silla sin reposabrazos con respaldo ligeramente curvo. Al principio solo la usaban las mujeres, por considerarla demasiado lujosa, pero pronto su uso se extendió también a los hombres. La usaron luego los jueces para impartir justicia o los profesores de retórica clásica. De ahí la expresión hablar *ex cathedra.*

cavea: Literalmente «hueco», se usaba como denominación de las gradas de los grandes edificios públicos de Roma, de los teatros, anfiteatros o circos.

César: *Cognomen* de Cayo Julio César, que luego sería utilizado en época imperial como un título específico para referirse al sucesor o heredero del poder imperial en una dinastía.

Circo Máximo: El circo más grande del mundo antiguo. Sus gradas podían albergar, tras la gran ampliación que realizó Julio César, hasta ciento cincuenta mil espectadores sentados. Este era el recinto donde se celebraban las espectaculares carreras de carros. Estaba situado entre los montes Palatino y Aventino, donde se celebraban carreras y juegos desde tiempos inmemoriales. Con la ampliación, la pista tenía unos seiscientos metros de longitud y más de doscientos metros de ancho. Las gradas fueron aumentándose hasta albergar doscientos cincuenta mil espectadores.

clarissimus vir: Título que recibía un patricio cuando accedía al Senado.

Claudia: Sobrenombre de la legión VII, que a veces se denominaba legión VII *Claudia Pia Fidelis.* El nombre original era *Macedonica,* pero se ganó el sobrenombre de *Claudia* por su fidelidad al emperador Claudio durante las rebeliones del año 42 d. C. Esta legión, junto con el resto de las del Danubio, estuvo apoyando a Severo en su lucha por controlar el Imperio. Hubo otras legiones con este sobrenombre porque en su momento también apoyaron al emperador Claudio contra las rebeliones militares de su tiempo. También estaba la legión XI *Claudia* de Mesia Inferior.

cognomen: Tercer elemento de un nombre romano que indicaba la familia específica a la que una persona pertenecía. Así, por ejemplo, Severo era el *cognomen* del Lucio Septimio Severo, marido de Julia Domna.

cohortes vigilum o *vigiles*: Cuerpo de vigilancia nocturna creado por el emperador Augusto, sobre todo dedicado a la lucha contra los frecuentes incendios que asolaban los diferentes barrios de Roma.

comissatio: Larga sobremesa que solía tener lugar tras un gran banquete romano. Podía durar toda la noche. También puede referirse al propio festín con música y danza.

congiarium: Donativo especial que el emperador ofrecía a los ciudadanos de Roma para celebrar un gran triunfo militar.

consilium o *consilium augusti*: Estado Mayor que aconsejaba al emperador en una campaña, o consejo de asesores imperiales, por lo general libertos, que proporcionaban información al augusto para el mejor gobierno de Roma. También podían formar parte de este consejo senadores y diferentes altos funcionarios del Estado romano.

corona graminea: La más importante condecoración militar romana.

cuadriga: Carro romano tirado por cuatro caballos.

cubiculum: Pequeño habitáculo para dormir.

cursus honorum: Nombre que recibía la carrera política en Roma. Un ciudadano podía ir ascendiendo en su posición a través del acceso a diferentes cargos de género político y militar, desde una edilidad en la ciudad de Roma hasta los cargos de cuestor, pretor, censor, procónsul, cónsul o, en momentos excepcionales, dictador. Estos eran electos, aunque el grado de transparencia de las elecciones fue evolucionando en función de las turbulencias sociales a las que se vio sometida la República romana. En la época imperial, el progreso en el *cursus honorum* dependía sustancialmente de la buena relación que cada uno mantuviera con el emperador, pues este otorgaba directamente muchos de estos cargos o bien influía en la designación.

Cyrenaica: Sobrenombre de una legión que fue creada por Marco Antonio justo en ese territorio del norte de África.

damnatio memoriae: O «maldición a la memoria» de una persona. Cuando un emperador moría el Senado solía deificarle, transformarlo en dios, excepto si había sido un augusto tiránico, en cuyo caso se reservaba el derecho de maldecir su memoria. Cuando ocurría esto se destruían todas las estatuas de dicho emperador y se borraba su nombre de todas las inscripciones públicas. Incluso se raspaba su efigie en todas las monedas para que no quedara rastro alguno sobre la existencia de aquel tirano. Durante el siglo II el Senado ordenó una *damnatio memoriae* para el emperador Cómodo y para varios de sus sucesores durante las guerras civiles que acontecieron tras su muerte.

de facto: «De hecho» o «en realidad»; es una expresión latina que puede usarse en contraposición con *de iure*, es decir, «según la ley». Como todos sabemos, más de una vez los hechos y la ley, lamentablemente, no van de la mano.

De re rustica: Tratado sobre la vida y las actividades agrarias romanas escrito por Columela hacia el año 42 d.C. Hay una obra del mismo título escrita por Terencio Varrón unos decenios antes, pero en *Yo, Julia* la obra referida es la de Columela.

devotio: Sacrificio supremo en el que un *imperator*, un *legatus*, un oficial o un soldado entrega su propia vida en el campo de batalla o suicidándose posteriormente para salvar el honor del ejército.

domus: Típica vivienda romana de la clase más acomodada, que suele estar compuesta de un vestíbulo de entrada a un gran atrio en cuyo centro se encontraba el *impluvium*. Alrededor del atrio se distribuían las estancias principales y al fondo se hallaba el *tablinum*, pequeño despacho o biblioteca de la casa. En el atrio había un pequeño altar para ofrecer sacrificios a los dioses lares y penates que velaban por el hogar. Las casas más ostentosas añadían un segundo atrio posterior, generalmente porticado y ajardinado, denominado *peristilo*.

Domus Flavia: El gran palacio imperial levantado en el centro de Roma por orden de la dinastía Flavia. Domiciano fue su principal impulsor y quien se estableció allí por primera vez. En dicho palacio tuvieron lugar muchos de los hechos que se narran en *Yo, Julia*.

donativum: Paga especial que los emperadores abonaban a los pretorianos para celebrar su llegada al poder.

El-Gabal: Dios del sol en Siria, la familia de Julia descendía de reyes-sacerdotes del dios El-Gabal.

equites singulares augusti: Cuerpo especial de caballería dedicado a la protección del emperador.

et caetera: Expresión latina que significa «y otras cosas», «y lo restante», «y lo demás».

exercitus britannicus: El conjunto de las tres legiones acantonadas en Britania.

exercitus germanicus: El conjunto de las cuatro legiones distribuidas a lo largo del Rin.

expeditio asiatica: Denominación de la campaña militar que Severo organizó para terminar con la rebelión de Pescenio Nigro en Oriente.

expeditio gallica: Denominación de la campaña militar de Severo contra la rebelión de Clodio Albino en la Galia.

expeditio mesopotamica: Denominación de la campaña militar que Severo lanzó para conquistar los reinos de Osroene y Adiabene.

expeditio urbica: Denominación de la campaña militar que Severo organizó para hacerse con el control de la ciudad de Roma gobernada por Juliano.

Ferrata: «Acorazada», sobrenombre de la legión VI, fundada en el siglo I a.C. y que en el siglo I d.C. estaba destinada a Palestina.

fíbula: Pequeño broche, hebilla o pinza metálica, podía ser de algún metal precioso, que se usaba para fijar una capa o manto u otra vestimenta por encima de los hombros.

Flavia* o *Flavia Felix: «De los Flavios». Sobrenombre de las legiones IV y XVI creadas por el emperador Vespasiano en torno al año 70 d.C.; la IV quedó acantonada en Singidunum y la XVI en Siria.

Foro Boario: El mercado del ganado, situado junto al Tíber.

Fretensis: «Del estrecho marino». Sobrenombre de la legión X que luchó con Augusto contra Sexto Pompeyo en el estrecho de Mesina.

frumentarii: En un inicio eran soldados romanos encargados del aprovisionamiento de trigo y que cobraban más salario de lo habitual. Servían también de mensajeros especiales entre diferentes legiones, pero su función fue evolucionando hasta constituir un auténtico servicio de inteligencia y espionaje bajo el control, normalmente, de un jefe del pretorio o del propio emperador. La importancia de este cuerpo de espionaje llegó a su apogeo entre finales del siglo II y finales del siglo III y tuvo un papel muy relevante en los años en los que transcurre *Yo, Julia*.

Fulminata: «Del relámpago». Sobrenombre de una de las míticas legiones de Julio César que sirvió al Imperio romano durante siglos.

Gallica: Sobrenombre de la tercera legión creada por Julio César para hacer frente a la guerra contra Pompeyo. La mayoría de sus integrantes iniciales habían servido en la lucha contra los galos y de ahí el nombre de la unidad militar.

Gemina: «Gemela». Era el término que los romanos empleaban para indicar una legión fruto de la fusión de dos o más legiones anteriores. Esté sería el caso de la legión VII *Hispana* que recibió el nombre de *Gemina* al fusionarse con los legionarios de la legión I *Germanica*. Lo mismo ocurre con la legión XIV (o XIIII) que recibió el nombre de *Gemina* al absorber legionarios de otra legión sin identificar que, seguramente, participó en la batalla de Alesia. El sobrenombre de *Gemina* lo podemos encontrar en otras legiones fusionadas.

gladio; *gladius, gladii*: Forma en español y singular y plural en latín de la espada de doble filo de origen ibérico que desde el período de la segunda guerra púnica adoptaron las legiones romanas.

grammaticus: Gramático, profesor.

Hades: El reino de los muertos.

Hércules: Es el equivalente al Heracles griego, hijo ilegítimo de Zeus concebido en su relación, bajo engaño, con la reina Alcmena. Por asimilación, Hércules era el hijo de Júpiter y Alcmena. Entre sus múltiples hazañas se encuentra su viaje de ida y vuelta al reino de los muertos, lo que le costó un severo castigo al dios Caronte. Su nombre se usa con frecuencia como una interjección. El emperador Cómodo se consideraba una encarnación suya en la tierra.

hetaira o hetera: Prostituta, con frecuencia de origen griego y oriental, pero podía utilizarse el término con un sentido más general para referirse a cualquier mujer que ejerciera la prostitución.

hipogeo: Red de túneles bajo la arena del Anfiteatro Flavio por donde se distribuían las fieras o los luchadores con el fin de emerger a la superficie por los ascensores instalados en las entrañas del edificio para mayor espectacularidad de los juegos de gladiadores o cacerías de animales salvajes. Los elevadores, de cuyas poleas tiraban multitud de esclavos, los manejaban operarios del anfiteatro.

Historia Naturalis: Obra de carácter enciclopédico escrita por Plinio el Viejo.

hora prima: La primera hora del día romano, que se dividía en doce horas. Correspondía con el amanecer.

hora sexta: La sexta hora del día romano, que se dividía en doce horas; equivalía al mediodía. Del término *sexta* deriva la palabra española actual *siesta*.

horreum, horrea: Singular y plural de los grandes almacenes que se levantaban junto a los muelles del puerto fluvial de Roma y de otros grandes puertos como el de Ostia.

ima cavea: Las gradas inferiores más próximas o a la arena o al escenario en los edificios públicos romanos destinados a espectáculos.

Estaban reservadas para los ciudadanos más prominentes de la ciudad.

imperator: General romano con mando efectivo sobre una, dos o más legiones. Normalmente un cónsul era *imperator* de un ejército consular de dos legiones. En época imperial el término evolucionó para referirse a la persona que tenía el mando sobre todas las legiones del Imperio, es decir, el augusto, con poder militar absoluto.

Imperator Caesar Augustus: Títulos que el Senado asignaba para el príncipe, es decir, para el emperador. El primero hacía referencia a su poder militar sobre el ejército, el segundo al hecho de haber sido heredero a la toga imperial y el último indicaba que tenía ya la máxima dignidad.

imperium: En sus orígenes era la plasmación de la proyección del poder divino de Júpiter en aquellos que, investidos como cónsules, de hecho ejercían el poder político y militar de la República durante su mandato. El *imperium* conllevaba el mando de un ejército consular compuesto de dos legiones completas más sus tropas auxiliares.

impluvium: Pequeña piscina o estanque que, en el centro del atrio, recogía el agua de la lluvia que después podía emplearse con fines domésticos.

interim: Entretanto.

In vino veritas: «En el vino está la verdad», frase que da a entender que quien ingiere vino termina siempre diciendo la verdad. La cita suele atribuirse a Plinio el Viejo, pero la idea es mucho más antigua. De hecho Heródoto ya indica que los persas pensaban que si se tomaba una decisión ebrio era conveniente revisarla sobrio. Este mismo concepto puede encontrarse en un poema de Alceo en griego, y en griego volvería a insistir en esta idea Erasmo de Róterdam en sus *Adagio* siglos después. Con frecuencia, la cita se complementa de la siguiente forma: *In vino veritas, in aqua sanitas*, es decir «con el vino la verdad y con el agua la salud», que parece tener mucho fundamento.

ipso facto: Expresión latina que significa «en el mismo momento», «inmediatamente».

Italica: Sobrenombre de tres legiones reclutadas en Italia. La I la creó Nerón para invadir Armenia, aunque nunca llevó a cabo ese ataque y la legión fue destinada a la Galia. Las legiones II y III fueron reclutadas por Marco Aurelio para sus guerras en la frontera danubiana.

ius italicum: El «derecho itálico». El emperador tenía la potestad de conceder a algunas ciudades fuera de Italia la posibilidad de regirse como si estuvieran en suelo itálico, de acuerdo con las leyes romanas. Esto daba más autonomía de gobierno y dignidad y otras ventajas a estas poblaciones.

Júpiter Óptimo Máximo: El dios supremo, asimilado al dios griego Zeus. Su *flamen*, el *Dialis*, era el sacerdote más importante del colegio. En su origen, Júpiter era latino antes que romano, pero tras su incorporación a Roma protegía la ciudad y garantizaba el *imperium*, por ello el *triunfo* era siempre en su honor.

kalendae: El primer día de cada mes. Se correspondía con la luna nueva. En latín esta palabra es de género femenino.

legatus, legati: Legados, representantes o embajadores, con diferentes niveles de autoridad a lo largo de la dilatada historia de Roma. En *Yo, Julia* el término hace referencia a quien ostentaba el mando de una legión. Cuando era designado directamente por el emperador y tenía bajo su mando varias legiones era frecuente que se usara el término *legatus augusti*.

legatus augusti: Legado nombrado directamente por el emperador con varias legiones bajo su mando.

legatus augusti por praetore: Legado imperial con rango de pretor que actuaba como gobernador de una provincia imperial (donde el cargo era designado directamente por el emperador y no por el Senado).

lilia: Denominación de las trampas excavadas por los legionarios de Julio César durante las guerras de las Galias con el fin de sorprender al enemigo. El nombre se debe a que las trampas quedaron ocultas por hojarasca, ramas y lirios la primera vez que se usaron.

limes: La frontera del Imperio romano. Con frecuencia amplios sectores del *limes* estaban fuertemente fortificados, como era el caso de la frontera de Germania y con posterioridad en Britania con el Muro de Adriano y el Muro de Antonino.

ludi: Juegos. Podían ser de diferente tipo: *circenses*, es decir, celebrados en el Circo Máximo, donde destacaban las carreras de carros; *ludi scaenici*, celebrados en los grandes teatros de Roma, como el Teatro Marcelo, donde se representaban obras cómicas o trágicas o espectáculos con mimos, muy populares en la época imperial. También estaban las *venationes* o cacerías y, por último, los más famosos, los *ludi gladiatorii*, donde luchaban los gladiadores en el anfiteatro. Cómodo celebró interminables *venationes* y *ludi gla-*

diatorii. Severo también favorecería las luchas de gladiadores y las carreras de cuadrigas.

Ludus Magnus: El mayor colegio de gladiadores de Roma. Se levantó justo al lado del gran Anfiteatro Flavio, con el que se cree que estaba comunicado directamente por un largo túnel.

Macellum: Uno de los más grandes mercados de la Roma antigua, ubicado al norte del foro.

magnis itineribus: Avance de las tropas legionarias a marchas forzadas.

manica: Protecciones de cuero o metal que usaban los gladiadores para protegerse los antebrazos durante un combate.

Mare Britannicum: Denominación romana del canal de la Mancha entre las islas Británicas y el continente europeo.

Mare Nostrum: *Mare Internum,* es decir «mar interno» fue un sobrenombre que los romanos dieron al Mediterráneo durante la época imperial.

mater castrorum: Literalmente «madre de los campamentos» o «madre del ejército». Dignidad que Severo concedió a su esposa Julia por acompañarlo en todas sus campañas militares y por ser bien recibida siempre por sus legiones. Solo Faustina, la mujer de Marco Aurelio, había recibido esta dignidad antes que ella.

Mausoleum Augusti: La gran tumba del emperador Augusto, construida en Roma en 28 a. C. en forma de gran panteón circular.

media cavea: Gradas medias de los edificios públicos romanos destinados a espectáculos. Solían estar reservadas a hombres del segundo nivel de las élites romanas, como los caballeros, o a comerciantes o funcionarios importantes.

medicus, medici: Médico, profesión muy apreciada en Roma. De hecho, Julio César concedió la ciudadanía romana a todos aquellos que ejercían esta profesión. Muchos, como Galeno, eran o griegos o procedentes de territorios helenísticos.

milla: Los romanos medían las distancias en millas. Una milla romana equivalía a mil pasos y cada paso a 1,4 o 1,5 metros aproximadamente, de modo que una milla equivalía a entre 1.400 y 1.500 metros actuales, aunque hay controversia sobre el valor exacto de estas unidades de medida.

Minerva: «De la diosa Minerva». Sobrenombre de una legión reclutada por Domiciano para sus campañas en Germania y que ayudaría al emperador Flavio a neutralizar el levantamiento del gobernador Saturnino, por lo que Domiciano la denominaría *Pia Fidelis Domitiana.* Con la maldición a la memoria de Domiciano decretada por el Senado a su muerte, dicho apelativo desaparecía quedando, de nuevo, el nombre de *Minerva* para referirse a esta unidad acantonada en el Rin.

mithridatum: Antídoto contra múltiples venenos creado supuestamente por el rey Mitrídates del Ponto en el siglo I a. C. y en el que Galeno se basó para crear su propio antídoto, denominado *theriaca*.

Mons Testaceus: Vertedero en el que se apilaban decenas de miles de ánforas usadas en el comercio de vino, aceite y otros productos. Se acumuló tal cantidad de ánforas que el vertedero se convirtió en una auténtica colina.

mry: Título o denominación del gobernante de la ciudad fortaleza de Hatra, equivalente quizá al de gobernador y que, por extensión, se podía utilizar para cualquier otro gobernador de un territorio bajo el control del Imperio parto.

murmillo: Gladiador que llevaba un gran casco con una cresta a modo de aleta dorsal de un pez inspirada en el mítico animal marino *mormyr*. Solo usaba una gran espada recta como arma ofensiva y se protegía con un escudo rectangular curvo de grandes dimensiones.

nomen: También conocido como *nomen gentile* o *nomen gentilicium*, indica la *gens* o tribu a la que una persona estaba adscrita.

novus homo: Denominación de aquel hombre que era el primero de su familia en ingresar en el Senado; esto implicaba que los senadores que pertenecían a esta institución desde hacía generaciones miraran a estos recién incorporados como senadores de segunda clase y de mucho menos mérito. La familia Severa había tenido algún senador, pero el padre de Septimio Severo no ingresó en el Senado, de modo que muchos *patres conscripti* consideraban a Severo como un *novus homo* y esto hizo que siempre tuviera muy pocos apoyos en esta institución centro del poder de Roma.

optio: Oficial de las legiones por debajo del centurión.

O tempora o mores: Expresión utilizada por Cicerón en diferentes escritos y discursos para referirse a la decadencia de las costumbres romanas. Podría traducirse de la siguiente forma: «¡Qué tiempos! ¡Qué costumbres!».

ornatrix: Forma latina para referirse a una doncella o peinadora.

paedagogus: Tutor casi siempre de origen griego que enseñaba oratoria, historia, literatura y otras disciplinas a jóvenes patricios romanos.

palla: Manto que las romanas se ponían sobre los hombros por encima de la túnica o toga.

paludamentum: Prenda abierta, trabada con una hebilla, similar al *sagum* de los oficiales, pero más larga y de color púrpura. Era como un gran manto que distinguía al general en jefe de un ejército romano y, en época imperial, al emperador.

Parthica: Sobrenombre de tres legiones reclutadas por Septimio Severo para su campaña de Oriente contra Nigro y sus posibles aliados partos. Hay quien piensa que las reclutó en 197 d. C. y otros que consideran que estas legiones ya estaban constituidas en 193 d. C., que es la versión que se muestra en *Yo, Julia.*

parthicus adiabenicus: Título que obtenía un *legatus* o emperador romano que hubiera conquistado o derrotado a los adiabenos que, normalmente, estaban bajo influencia del Imperio parto.

parthicus arabicus: Título que obtenía un *legatus* o emperador romano que hubiera derrotado o conquistado territorio árabe bajo control anterior de los partos.

parthicus maximus: Título que obtenía un *legatus* o emperador romano que hubiera derrotado al rey de reyes de Partia y conquistado parte sustancial del territorio central de Partia.

pater familias: El cabeza de familia tanto en las celebraciones religiosas como a todos los efectos jurídicos.

Pater Patriae: Padre de la patria, normalmente abreviado *PP* en inscripciones de monumentos y monedas. Se trata de uno de los posibles títulos que el Senado podía conceder a un emperador.

patres conscripti: Los padres de la patria; forma habitual de referirse a los senadores. Este término deriva del antiguo *patres et conscripti,* que hacía referencia a los senadores patricios y a los que eran senadores por haber sido designados anteriormente para alguna magistratura de relevancia.

peculium: Bienes materiales diversos, propiedades o dinero que una persona posee.

pilum, pila: Arma arrojadiza propia de los *hastati* y *príncipes* de las legiones republicanas y, luego, de los legionarios de la época imperial. El peso del *pilum* oscilaba entre 0,7 y 1,2 kilos y podía ser lanzado por los legionarios a una media de 25 metros de distancia, aunque los más expertos podían arrojar esta lanza hasta a 40 metros. En su caída podía atravesar hasta 3 centímetros de madera o, incluso, una placa de metal.

Porta Trigemina: Una de las puertas principales de la antigua muralla Serviana de Roma, cerca del Foro Boario.

Portus Traiani Felicis: El puerto marítimo de Roma ampliado por Trajano. El puerto de Roma en Ostia, pese a las obras de mejora del emperador Claudio, seguía siendo endeble ante las tormentas y tempestades, de forma que Trajano ordenó una ampliación del mismo excavando una gigantesca extensión de terreno en forma hexagonal, que se transformó en el corazón del puerto marino de la capital del Imperio. La construcción, como tantas otras de la época de Trajano, estuvo a cargo de Apolodoro de Damasco. El puerto hexagonal es ahora un lago que está bien conservado, visible desde el aire cuando se aterriza en el aeropuerto internacional de Roma en Fiumicino. De hecho, *Fiumicino* quiere decir «pequeño río» y hace referencia al canal que conectaba este nuevo puerto de Trajano con el río Tíber.

potestas tribunicia o *tribuniciae potestas*: Poder tribunicio.

PP: Abreviatura de *Pater Patriae* (padre de la patria) comúnmente empleada en numerosas inscripciones imperiales en monumentos o monedas.

praefectus Aegypti: El prefecto de Egipto, por lo general alguien del orden inferior ecuestre, designado por el emperador.

praefectus urbi: Prefecto de la ciudad.

praefectus vehiculorum: Persona encargada de los transportes en la ciudad de Roma. En tanto que era un puesto clave en el reparto de pan por la capital resultaba, en consecuencia, una posición de gran relevancia.

praegustator: Esclavo encargado de probar la comida que se servía al emperador con el fin de detectar a través del gusto si el alimento o la bebida que iba a consumir el augusto estaba envenenada o no.

praenomen: Nombre particular de una persona, que luego era completado con su *nomen* o denominación de su tribu y su *cognomen* o nombre de su familia.

praepositus annonae: Encargado de la distribución de trigo y alimento en general para las legiones durante una campaña militar.

praetorium: Tienda o edificio del general en jefe de un ejército romano. Se levantaba en el centro del campamento, entre el *quaestorium* y el foro. El *legatus* o el propio emperador, si este se había desplazado a dirigir la campaña, celebraba allí las reuniones de su Estado Mayor.

prima vigilia: La primera de las cuatro partes en las que se dividía la noche en la antigua Roma.

Primigenia: «De la (Fortuna) primaria». Sobrenombre de una legión creada por Calígula para sus campañas en Germania. *Primigenia* era uno de los diversos títulos que recibía la diosa Fortuna.

princeps iuventutis: Ya Augusto empleó este título que parece indicar que el que lo recibía se convertía en el líder de la clase ecuestre, a la espera de ser *princeps senatus,* cuando se accedía a ser *imperator.*

princeps senatus: El senador de mayor edad. Por su veteranía gozaba de numerosos privilegios, como el de hablar primero en una sesión. Durante la época imperial, el emperador adquiría de forma sistemática esta condición independientemente de su edad.

procurator de la annona: Persona encargada de la distribución de pan en la ciudad de Roma. Era un puesto clave de la administración imperial.

pugio: Puñal o daga romana de unos 24 centímetros de largo por unos 6 centímetros de ancho en su base. Al estar dotada de un nervio central que la hacía más gruesa en esa zona, el arma resultaba muy resistente, capaz de atravesar una cota de malla.

pulvinar: Originariamente una almohada o cojín, pero por extensión metafórica se usó para denominar el gran palco imperial en el Circo Máximo, situado en el centro de las gradas, a mitad de una de las grandes rectas de la arena de la pista, desde donde el emperador y su familia asistían a las competiciones de cuadrigas y otros eventos relevantes.

quaestor: Era el encargado de velar por los suministros y provisiones de las tropas legionarias, supervisaba los gastos y se ocupaba de otras diversas tareas administrativas.

quaestorium: Tienda del *quaestor* de una legión romana desde la que se controlaba el reparto de víveres y la financiación del ejército.

quarta vigilia: La última parte de la noche, justo antes del amanecer.

rector orbis: Gobernador del mundo.

rector urbis: Gobernador de la ciudad.

repugnatio: Ceremonia en la que un alto oficial romano rechazaba un honor especial.

rictus: El diccionario de la Real Academia Española define este término como «el aspecto fijo o transitorio del rostro al que se atribuye la manifestación de un determinado estado de ánimo». A la Academia le falta añadir que normalmente este vocablo comporta connotaciones negativas, de tal modo que rictus suele referirse a una mueca del rostro que refleja dolor o sufrimiento físico o mental, o, cuando menos, gran preocupación por un asunto.

Šāhān šah: Término de origen parto para referirse a su máximo líder, al que ellos denominaban «rey de reyes».

SC: Abreviatura de *senatus consulto*, frecuente en las monedas de la antigua Roma que indicaba que la moneda en cuestión habría sido acuñada tras consultar al Senado.

Scythica: Sobrenombre de una legión creada por Marco Antonio para su campaña contra Partia que sugiere que, en algún momento, combatió duramente contra los escitas de Oriente.

secunda vigilia: Segunda de las cuatro partes en las que se dividía la noche en la antigua Roma.

sella: El más sencillo de los asientos romanos. Equivale a un simple taburete.

sella curulis: Como la *sella*, carece de respaldo, pero es un asiento de gran lujo, con patas cruzadas y curvas de marfil que se podían plegar para facilitar el transporte, pues se trataba del asiento que acompañaba al cónsul en sus desplazamientos civiles o militares en época republicana y al emperador en el período imperial.

senatus consulto: Véase *SC*.

silva: Bosque o selva.

singulares: Cuerpo especial de caballería dedicado a la protección del emperador o de un césar.

solium: Asiento de madera con respaldo recto, sobrio y austero.

spatha: Espada militar romana más larga que un gladio legionario que normalmente portaban los oficiales o, con frecuencia, los jinetes de las unidades de caballería.

statu quo: Expresión latina que significa «en el estado o situación actual». *Status quo* es la forma popular que suele usarse, pero es incorrecta, ya que no concuerda con la gramática latina, pues se rompe la concordancia de los casos declinados de cada una de las palabras.

stola: Vestido amplio y largo de las mujeres romanas.

suffecto: «Reemplazado». Con relación a un cónsul se trataba de otro senador que sustituía a un cónsul que había fallecido o que era destituido.

summa cavea: Las gradas superiores o más alejadas del escenario o la arena en los edificios públicos romanos destinados a espectáculos. En estas gradas podían entrar mujeres, niños y gente de bajo nivel social.

tabernae: Tabernas romanas normalmente ubicadas en la parte baja de las *insulae* o edificios de varias plantas de cualquier ciudad del Imperio.

Teatro Marcelo: Teatro promovido por Julio César pero que no se terminó hasta tiempos de Augusto; ocasionalmente, además de diferentes espectáculos, acogió algunas reuniones del Senado.

tepidarium: Sala con una piscina de agua templada en unas termas romanas.

tertia vigilia: La tercera de las cuatro partes en las que se dividía la noche en la antigua Roma.

testudo: Formación militar en la que los legionarios se protegen con los escudos marchando muy unidos, de forma que la unidad se asemeja a una tortuga o a las escamas de un pez.

theriaca: En *Yo, Julia,* el término hace referencia al antídoto preparado por el médico Galeno que este proporcionaba a los emperadores para evitar un envenenamiento. Estaba compuesto por una compleja mezcla de diferentes venenos y otras sustancias que, en la dosis adecuada, inmunizaban a quien la ingería.

tibicines: Flautistas, pero en el contexto militar se refiere a los legionarios que hacían sonar diferentes instrumentos para transmitir las órdenes durante una batalla.

toga viril: La toga que vestía por primera vez un romano al llegar a la edad adulta, marcada en la época a los catorce años.

tribunus laticlavius: Joven oficial, por lo general de origen aristocrático, senatorial o patricio, que ejercía como segundo en el mando de una legión romana, por lo general bajo el control de un *legatus* de mucha más experiencia.

triclinium, triclinia: Singular y plural de los divanes sobre los que los romanos se recostaban para comer, sobre todo durante la cena. Lo más frecuente es que hubiera tres, pero podían añadirse más en caso de que fuera necesario ante la presencia de invitados.

triplex acies: Formación típica de ataque de una legión romana. Las diez cohortes se distribuían en forma de damero, de modo que unas quedaban en posición avanzada, otras en posición intermedia y las últimas, normalmente las que tenían los legionarios más experimentados, en reserva.

turma, turmae: Pequeño destacamento de caballería compuesto por tres *decurias* de diez jinetes cada una.

Ulpia Victrix: «Ulpiana y victoriosa». Sobrenombre de la legión XXX, creada por Trajano para su conquista de la Dacia, pero que terminaría establecida en la frontera del Rin.

umbo, umbones: Término que designaba una protuberancia normalmente metálica en el centro de un escudo romano, empleada para embestir al enemigo.

Valeria Victrix: «Valerosa y victoriosa». Sobrenombre de la legión XX creada o bien por Julio César o por Augusto, y que Claudio emplearía para conquistar Britania.

valetudinarium, valetudinaria: El hospital militar de las legiones donde se atendía a los soldados heridos o enfermos.

velarium: Techo de tela extensible instalado en lo alto del Anfiteatro Flavio que se desplegaba para proteger al público del sol. Para manejarlo se recurría a los marineros de la flota imperial de Miseno.

venatio: Cacería simulada en el Anfiteatro Flavio o el Circo Máximo u otro edificio similar para entretenimiento de la plebe o, en el caso de esta novela, de algún emperador como, por ejemplo, Cómodo.

vexillatio, vexillationes: Singular y plural de una unidad de una legión, de composición variable, que era enviada por parte de una legión a otro lugar del Imperio por mandato del César con el fin de reforzar el ejército imperial en una campaña militar.

Via Aemilia: Antigua calzada romana que unía Placentia (Piacenza) con Ariminum (Rímini).

Via Flaminia: Antigua calzada romana que unía Ariminum (Rímini) con Roma.

Victrix: «Victoriosa». Sobrenombre de la legión VI creada por Augusto y que terminaría, tras servir en numerosos lugares del Imperio, acantonada en Britania.

vigiles: Véase *cohortes vigilum*.

vir eminentissimus: Fórmula de respeto con la que un inferior debía dirigirse a un jefe del pretorio.

vomitoria: Los pasadizos por los que el público podía entrar o salir de los grandes edificios públicos romanos como el Anfiteatro Flavio.

6

BIBLIOGRAFÍA

ADKINS, L. y ADKINS, R., *El Imperio romano: historia, cultura y arte*, Madrid, Edimat, 2005.

AGUADO GARCÍA, P., *Caracalla: la configuración de un tirano*, Madrid, Aldebarán, 2009.

—, *Julia Domna, la emperatriz romana*, Cuenca, Aldebarán, 2010.

ALFARO, C., *El tejido en época romana*, Madrid, Arco Libros, 1997.

ÁLVAREZ MARTÍNEZ, J. M., et al., *Guía del Museo Nacional de Arte Romano*, Madrid, Ministerio de Cultura, 2008.

ANDO, C., *Imperial Rome AD 193 to 284: The Critical Century*, Edimburgo, Edinburgh University Press, 2012.

ANGELA, A., *Un día en la antigua Roma. Vida cotidiana, secretos y curiosidades*, Madrid, La Esfera de los Libros, 2009.

—, *The Reach of Rome: A Journey Through the Lands of the Ancient Empire Following a Coin*, Nueva York, Rizzoli ex libris, 2013.

ANGLIM, S.; JESTICE, P. G.; RICE, R. S.; RUSCH, S. M. y SERRATI, J., *Técnicas bélicas del mundo antiguo (3000 a. C.-500 d. C.). Equipamiento, técnicas y tácticas de combate*, Madrid, Libsa, 2007.

APIANO, *Historia de Roma* I, Madrid, Gredos, 1980.

ASIMOV, I., *El Cercano Oriente*, Madrid, Alianza Editorial, 2011.

BARREIRO RUBÍN, V., *La guerra en el mundo antiguo*, Madrid, Almena, 2004.

BEARD, M., *Women and Power: A Manifesto*, Londres, London Review of Books, 2017.

—, *SPQR: Una historia de la antigua Roma*, Barcelona, Crítica, 2016.

BENARIO, H. W., A. A., *Julia Domna -mater senatus et patriae*, Phoenix, 12: 67-70, 1958.

BENDICK, J., *Galen and the Gateway to Medicine*, San Francisco, Bethlehem Books, 2002.

BIESTY, S., *Roma vista por dentro*, Barcelona, RBA, 2005.

BIRLEY, A., *Septimio Severo: el emperador africano*, Madrid, Gredos, 2012.

BLÁZQUEZ, J. M., *Artesanado y comercio durante el Alto Imperio*, Madrid, Akal, 1990.

—, *Agricultura y minería romanas durante el Alto Imperio*, Madrid, Akal, 1991.

BOARDMAN, J.; GRIFFIN, J. y MURRAY, O., *The Oxford History of The Roman World*, Reading, Oxford, Oxford University Press, 2001.

BOWMAN, A. K., GARNSEY, P., y RATHBONE, D., *The Cambridge Ancient History*, segunda edición, Volumen XI: The High empire 70-192, Cambridge, Cambridge University Press, 2008.

BRAVO, G., *Historia de la Roma antigua*, Madrid, Alianza Editorial, 2001.

BUSSAGLI, M., *Rome: Art and Architecture*, China, Ullmann Publishing, 2007.

CARCOPINO, J., *Daily Life in Ancient Rome: The People and the City at the Height of the Empire*, Londres, Penguin, 1991.

CARRERAS MONFORT, C., «Aprovisionamiento del soldado romano en campaña: la figura del *praefectus vehiculorum*», en *Habis*, n.º 35, 2004.

CASSON, L., *Las bibliotecas del mundo antiguo*, Barcelona, Edicions Bellaterra, 2001.

CASTELLÓ, G., *Archienemigos de Roma*, Madrid, Book Sapiens, 2015.

CASTILLO, E., «Ostia, el gran puerto de Roma», en *Historia-National Geographic*, n.º 107.

CHIC GARCÍA, G., *El comercio y el Mediterráneo en la Antigüedad*, Madrid, Akal, 2009.

CHRYSTAL, P., *Women in Ancient Rome*, The Hill Stroud, Amberley, 2014.

CILLIERS, L. y RETIEF, F. P., *Poisons, Poisoning and the Drug Trade in Ancient Rome*, <http://akroterion.journals.ac.za/pub/article/view/166>.

CLARKE, J. R., *Sexo en Roma. 100 a. C. 250 d. C.*, Barcelona, Océano, 2003.

CODOÑER, C. (ed.), *Historia de la literatura latina*, Madrid, Cátedra, 1997.

—, y FERNÁNDEZ CORTE, C., *Roma y su Imperio*, Madrid, Anaya, 2004.

COMOTTI, G., *La música en la cultura griega y romana*, Madrid, Ediciones Turner, 1986.

CONNOLLY, P., *Tiberius Claudius Maximus: The Cavalryman*, Oxford, Oxford University Press, 1988.

—, *Tiberius Claudius Maximus: The Legionary*, Oxford, Oxford University Press, 1988.

—, *Ancient Rome*, Oxford, Oxford University Press, 2001.

CRUSE, A., *Roman Medicine*, Stroud, The History Press, 2006.

D'AMATO, R., *Roman Army Units in the Western Provinces* (I), 31 BC - AD 195, Oxford, Osprey Publishing, 2016.

DANDO-COLLINS, S., *Legiones de Roma: La historia definitiva de todas las legiones imperiales romanas*, Madrid, La Esfera de los Libros, 2012.

DUPUY, R. E. y DUPUY, T. N., *The Harper Encyclopedia of Military History from 3500 BC to the Present*, Nueva York, Harper Collins Publishing, 1933.

ELIADE, M. y COULIANO, I. P., *Diccionario de las religiones*, Barcelona, Paidós, 2007.

ENRIQUE, C. y SEGARRA, M., *La civilización romana*. Cuadernos de Estudio, 10. Serie Historia Universal, Madrid, Editorial Cincel y Editorial Kapelusz, 1979.

ESCARPA, A., *Historia de la ciencia y de la técnica: tecnología romana*, Madrid, Akal, 2000.

ESPINÓS, J.; MASIÀ, P.; SÁNCHEZ, D. y VILAR, M., *Así vivían los romanos*, Madrid, Anaya, 2003.

ESPLUGA, X. y MIRÓ i VINAIXA, M., *Vida religiosa en la antigua Roma*, Barcelona, Editorial UOC, 2003.

FERNÁNDEZ ALGABA, M., *Vivir en Emérita Augusta*, Madrid, La Esfera de los Libros, 2009.

FERNÁNDEZ VEGA, P. A., *La casa romana*, Madrid, Akal, 2003.

FIELD, M., *Julia Domna, A Play*, Nueva York, Hacon and Ricketts, 1903.

FITTSCHEN, K., «Two Portraits of Septimius Severus and Julia Domna», *Indiana University Art Museum Bulletin*, 1.2: 28-43, 1978.

FOX, R. L., *El mundo clásico: La epopeya de Grecia y Roma*, Barcelona, Crítica, 2007.

FREISENBRUCH, A., *The First Ladies of Rome: The Women Behind the Caesars*, Londres, Vintage Books, 2011.

GARCÍA GUAL, C., *Historia, novela y tragedia*, Madrid, Alianza Editorial, 2006.

GARCÍA SÁNCHEZ, J., *Viajes por el antiguo Imperio romano*, Madrid, Nowtilus, 2016.

GARDNER, J. F., *Mitos romanos. El pasado legendario*, Madrid, Akal, 2000.

GARGANTILLA, P., *Breve historia de la medicina: Del chamán a la gripe A*, Madrid, Nowtilus, 2011.

GARLAN, Y., *La guerra en la antigüedad*, Madrid, Aldebarán, 2003.

GASSET, C. (dir.), *El arte de comer en Roma: alimentos de hombres, manjares de dioses*, Mérida, Fundación de Estudios Romanos, 2004.

GHEDINI, F., *Giulia Domna tra Oriente e Occidente: le fonti archeologiche*, Roma, La Fenice, 1984.

GIAVOTTO, C. (coord.), *Roma*, Barcelona, Electa Mondadori, 2006.

GILL, C.; WHITMARSH, T, y WILKINS, J. (eds.), *Galen and the World of Knowledge*, Cambridge, Cambridge University Press, 2009.

GILMORE WILLIAMS, M., «Studies in the Lives of Roman Empresses», *American Journal of Archaeology*, vol. 6, n.º 3 (jul.-sep., 1902), pp. 259-305.

GOLDSWORTHY, A. K, *Grandes generales del ejército romano*, Barcelona, Ariel, 2003.

GÓMEZ PANTOJA, J., *Historia Antigua (Grecia y Roma)*, Barcelona, Ariel, 2003.

GONZÁLEZ BUENO, A., *Historia de la Ciencia y de la Técnica* (vol. 9): India y China, Madrid, Akal, 1991.

GONZÁLEZ SERRANO, P., *Roma, la ciudad del Tíber*, Madrid, Ediciones Evohé, 2015.

GONZÁLEZ TASCÓN, I. (dir.), *Artifex: ingeniería romana en España*, Madrid, Ministerio de Cultura, 2002.

GOODMAN, M., *The Roman World: 44 BC-AD 180*, Bristol, Routledge, 2009.

GOUREVITCH, D. y RAEPSAET-CHARLIER, M. T., *La donna nella Roma Antica*, Florencia-Milán, Fiunti, 2006.

GRAHAM, A. J., «The Numbers at Lugdunum», *Historia: Zeitschrift für Alte Geschichte*, <https://www.jstor.org/stable/pdf/4435642.pdf?seq=1#page_scan_tab_contents>.

GRANT, M., *Atlas Akal de Historia Clásica del 1700 a. C. al 565 d. C.*, Madrid, Akal, 2009.

GRIMAL, P., *La vida en la Roma antigua*, Barcelona, Paidós, 1993.

—, *La civilización romana. Vida, costumbres, leyes, artes*, Barcelona, Paidós, 1999.

GUILLÉN, J., *Urbs Roma. Vida y costumbres de los romanos. I. «La vida privada»*, Salamanca, Ediciones Sígueme, 1994.

—, *Urbs Roma. Vida y costumbres de los romanos. II. «La vida pública»*, Salamanca, Ediciones Sígueme, 1994.

—, *Urbs Roma. Vida y costumbres de los romanos. III. «Religión y ejército»*, Salamanca, Ediciones Sígueme, 1994.

HACQUARD, G., *Guía de la Roma Antigua*, Madrid, Centro de Lingüística Aplicada ATENEA, 2003.

HAMEY, L. A. y HAMEY, J. A., *Los ingenieros romanos*, Madrid, Akal, 2002.

HAYWOOD, J. y RINCÓN, A., *Historia de los grandes Imperios: El desarrollo de las civilizaciones de la antigüedad*, Madrid, Libsa, 2012.

HEMELRIJK, E. A., *Matrona Docta: Educated Women in the Roman Elite from Cornelia to Julia Domna*, Londres, Routledge, 1999.

HERRERO LLORENTE, V. J., *Diccionario de expresiones y frases latinas*, Madrid, Gredos, 1992.

HÜMER, F.; GOLLMANN, K. F.; KONECHY, A. L.; PETZNEK, B.; RADBAUER, S.; RAUCHENWALD, A. y THÜRY, G. E., *The Roman City Quarter in the Open Air Museum Petronell*, Petronell-Carnuntum, Kulturabteilung des Landes Niederösterreich and Archäologischer Park Carnuntum BetriebsgesmbH, 2004.

JAMES, S., *Roma Antigua*, Madrid, Pearson Alhambra, 2004.

JOHNSTON, H. W., *The Private Life of the Romans*, <http://www.forumro manum.org/life/johnston.html>.

KHEZRI, A. R.; RODRÍGUEZ, J.; BLÁZQUEZ, J. M. y ANTÓN, J. A., *Persia, cuna de civilización y cultura*, Córdoba, Almuzara, 2011.

KNAPP, R. C., *Invisible Romans: Prostitutes, Outlaws, Slaves, Gladiators: Ordinary Men and Women... the Romans that History Forgot*, Croydon Profile Books, 2011.

KUMAR GHOSH, S., *Human cadaveric dissection: a historical account from ancient Greece to the modern era*, Anat Cell Biol. 2015 Sep; 48(3): 153-169.

KÜNZL, E., *Ancient Rome*, Berlín, Tessloff Publishing, 1998.

LACEY, M. y DAVIDSON, S., *Gladiators*, China, Usborne, 2006.

LAES, C., *Children in the Roman Empire: Outsiders Within*, Cambridge, Cambridge University Press, 2011.

LANGFORD, J., *Maternal Megalomania: Julia Domna and the Imperial Politics of Motherhood*, Baltimore, The John Hopkins University Press, 2013.

LE BOHEC, Y., *El ejército romano*, Barcelona, Ariel, 2004.

LE GALL, J. y LE GLAY, M., *El Imperio romano desde la batalla de Actium hasta la muerte de Severo Alejandro (31 a. C.-235 d. C.)*, Madrid, Akal, 1995.

LEONI, D., *Le Monete di Roma: Settimio Severo*, Roma, Diele Editore, 2013.

LEVICK, B., *Julia Domna, Syrian Empress*, Londres, Routledge, 2007.

LEWIS, J. E. (ed.), *The Mammoth Book of Eyewitness. Ancient Rome: The History of the Rise and Fall of the Roman Empire in the Words of Those Who Were There*, Nueva York, Carroll and Graf, 2006.

LIVIO, T., *Historia de Roma desde su fundación*, Madrid, Gredos, 1993.

MACAULAY, D., *City: A Story of Roman Planning and Construction*, Boston, Houghton Mifflin Company, 1974.

MacDonald, F., *100 Things You Should Know about Ancient Rome*, China, Miles Kelly Publishing, 2004.

Malissard, A., *Los romanos y el agua: La cultura del agua en la Roma antigua*, Barcelona, Herder, 2001.

Mangas, J., *Historia del mundo antiguo 48. Roma: Los julioclaudios y la crisis del 68*, Madrid, Akal, 1996.

—, *Historia del mundo antiguo 49. Roma: Los flavios*, Madrid, Akal, 1990.

—, *Historia del mundo antiguo 54. Roma: Agricultura y minería romanas durante el Alto Imperio*, Madrid, Akal, 1991.

—, *Historia del mundo antiguo 55. Roma: Artesanado y comercio durante el Alto Imperio*, Madrid, Akal, 1990.

—, *Historia Universal. Edad Antigua. Roma*, Barcelona, Vicens Vives, 2004.

Mannix, D. P., *Breve historia de los gladiadores*, Madrid, Nowtilus, 2004.

Marco Simón, F.; Pina Polo, F. y Remesal Rodríguez, J. (eds.), *Viajeros, peregrinos y aventureros en el mundo antiguo*, Barcelona, Publicacions i Edicions de la Universitat de Barcelona, 2010.

Marchesi, M., *La novela sobre Roma*, Barcelona, Robinbook, 2009.

Martin, R. F., *Los doce Césares: Del mito a la realidad*, Madrid, Aldebarán, 1998.

Mattern, S. P., *The Prince of Medicine: Galen in the Roman Empire*, Oxford, Oxford University Press, 2013.

Mattesini, S., *Gladiators*, Italia, Archeos, 2009.

Matyszak, P., *Los enemigos de Roma*, Madrid, OBERON Grupo Anaya, 2005.

—, *Legionario: El manual del legionario romano (no oficial)*, Madrid, Akal, 2010.

—, *La antigua Roma por cinco denarios al día*, Madrid, Akal, 2012.

—, *24 hours in Ancient Rome: A Day in the Life of the People Who Lived There*, London, Michael O'Mara Books Limited, 2017.

McKeown, J. C., *Gabinete de curiosidades romanas*, Barcelona, Crítica, 2011.

Melani, Ch.; Fontanella, F. y Cecconi, G. A., *Atlas ilustrado de la Antigua Roma: De los orígenes a la caída del Imperio*, Madrid, Susaeta, 2005.

Mena Segarra, C. E., *La civilización romana*, Madrid, CincelKapelusz, 1982.

Menéndez Argüín, A. R., *Pretorianos: la guardia imperial de la antigua Roma*, Madrid, Almena, 2006.

Mielczarek, M., *Cataphracti and Clibanarii: Studies on the Heavy Armoured Cavalry of the Ancient World*, Polonia, Oficyna Naukowa, 1993.

Montanelli, I., *Historia de Roma*, Barcelona, De Bolsillo, 2002.

MUSILOVÁ, M. y TURČAN, V., *Roman Monuments on the Middle Danube from Vindobona to Aquíncum*, Bratislava, Foundation for Cultural Heritage Preservation, 2011.

NAVARRO, F. (ed.), *Historia Universal. Atlas Histórico*, Madrid, Salvat El País, 2005.

NEIRA, L. (ed.), *Representaciones de mujeres en los mosaicos romanos y su impacto en el imaginario de estereotipos femeninos*, Madrid, Creaciones Vincent Gabrielle, 2011.

NIETO, J. A., *Historia de Roma: Día a día en la Roma antigua*, Madrid, Libsa, 2006.

NOGALES BASARRATE, T., *Espectáculos en Augusta Emérita*, Badajoz, Ministerio de Educación, Cultura y Deporte, Museo Romano de Mérida, 2000.

NOSSOV, K., *Gladiadores: El espectáculo más sanguinario de Roma*, Madrid, Libsa, 2011.

PAYNE, R., *Ancient Rome*, Nueva York, Horizon, 2005.

PÉREZ MÍNGUEZ, R., *Los trabajos y los días de un ciudadano romano*, Valencia, Diputación provincial, 2008.

PICÓN, V. y CASCÓN, A. (eds.), *Historia Augusta*, Madrid, Akal, 1989.

PIÑERO, A., *Guía para entender el Nuevo Testamento*, Madrid, Editorial Trotta, 2008.

PISA SÁNCHEZ, J., *Breve historia de Hispania*, Madrid, Nowtilus, 2009.

POLIBIO, *The Rise of the Roman Empire*, Londres, Penguin, 1979.

POMEROY, S., *Diosas, rameras, esposas y esclavas: Mujeres en la antigüedad clásica*, Madrid, Akal, 1999.

POSADAS, J. L., *Los emperadores romanos y el sexo*, Madrid, Sílex, 2011.

POTTER, D., *Emperors of Rome: The Story of Imperial Rome from Julius Caesar to the Last Emperor*, Londres, Quercus, 2011.

POTTER, L. G. (ed.), *The Persian Gulf in History*, Nueva York, Palgrave Macmillan, 2009.

QUESADA SANZ, F., *Armas de Grecia y Roma*, Madrid, La Esfera de los Libros, 2008.

RAMOS, J., *Eso no estaba en mi libro de historia de Roma*, Córdoba, Almuzara, 2017.

RANKOV, B. y HOOK, R., *La guardia pretoriana*, Barcelona, RBA/Osprey Publishing, 2009.

RODRÍGUEZ GONZÁLEZ, J., *La dinastía de los Severos*, Madrid, Almena Ediciones, 2010.

ROSTOVTZEFF, M., *Historia social y económica del mundo helenístico*, vol. I, Madrid, Espasa Calpe, 1967.

693

—, *Historia social y económica del mundo helenístico,* vol. II, Madrid, Espasa Calpe, 1967.

Santos Yanguas, N., *Textos para la historia antigua de Roma,* Madrid, Cátedra, 1980.

Šašel Kos, M., «The Problem of the Border between Italy, Noricum and Pannonia», *Tyche,* febrero, 2015, <https://tyche-journal.at/tyche/index.php/tyche/article/view/74>.

Scarre, C., *Chronicle of the Roman Emperors,* Londres, Thames & Hudson, 2001.

—, *The Penguin Historical Atlas of Ancient Rome,* Londres, Penguin, 1995.

Segura Munguía, S., *El teatro en Grecia y Roma,* Bilbao, Zidor Consulting, 2001.

Skalmowski, W. y Van Tongerloo, A., *Medioiranica: Proceedings of the International Colloquium Organized by the Katholieke Universiteit Leuven from the 21st to the 23rd of May 1990,* Peeters Publishers, 1993.

Smith, W., *A Dictionary of Greek and Roman Antiquities,* John Murray, London, 1875. También en: <http://penelope.uchicago.edu/Thayer/E/Roman/Texts/secondary/SMI GRA*/Flamen.html>.

Suetonio, *La vida de los doce Césares,* Madrid, Austral, 2007.

Toner, J., *Sesenta millones de romanos,* Barcelona, Crítica, 2012.

Valentí Fiol, E., *Sintaxis latina,* Barcelona, Bosch, 1984.

Veyne, P., *Sexo y poder en Roma,* Barcelona, Paidós Orígenes, 2010.

VV. AA., «El Imperio romano de Trajano a Marco Aurelio», en *Desperta Ferro,* n.º 11, 2012.

VV. AA., «Historia de la prostitución» en Correas, S. (dir.), *Memoria: la Historia de cerca,* IX, 2006.

VV. AA., *Historia año por año: La guía visual definitiva de los hechos históricos que han conformado el mundo,* Madrid, Akal, 2012.

VV. AA., «Septimio Severo», *Desperta Ferro,* n.º 35, 2016.

VV. AA., «La legión romana (IV): el auge del Imperio», *Desperta Ferro,* n.º especial XIII, 2017.

Wilkes, J., *El ejército romano,* Madrid, Akal, 2000.

Wisdom, S. y McBride, A., *Los gladiadores,* Madrid, RBA/Osprey Publishing, 2009.

ÍNDICE

LIBER PRIMUS
Cómodo
M COMMODVS ANTONINVS PIVS FELIX AVG BRIT
Marcus Commodus Antoninus Pius
Felix Augustus Britannicus

LIBER SECUNDUS
Pértinax
IMP CAES P HELV PERTIN AVG
Imperator Caesar Publius Helvius Pertinax Augustus

LIBER TERTIUS
Juliano
IMP CAES M DID IVLIAN AVG
Imperator Caesar Marcus Didius Iulianus Augustus

APÉNDICES